MISE EN PRATIQUE

Manuel de lecture, vocabulaire, grammaire et expression écrite | Quatrième édition

Alain Favrod
York University

Louise Morrison
York University

Toronto

National Library of Canada Cataloguing in Publication

Favrod, Alain M.

Mise en pratique : manuel de lecture, vocabulaire, grammaire et expression écrite / Alain Favrod, Louise Morrison. — 4e éd.

Includes index.
ISBN 0-321-22677-1

1. French language—Grammar. 2. French language—Composition and exercises. 3. French language—Textbooks for second language learners—English speakers. I. Morrison, Louise (Louise M. J.) II. Title.

PC2112.F386 2005 448.2'421 C2004-901500-1

Vice-président, Directeur de la rédaction : Michael J. Young
Chargée des acquisitions : Christine Cozens
Chargé du marketing : Ryan St. Peters
Rédactrice du développement : Jennifer Murray
Rédactrice de la production : Söğüt Y. Güleç
Reviseure : Emmanuelle Dauplay
Correcteurs : Daniel Soha, Aude Lemoine
Directrice de la production : Wendy Moran
Mise en page : Joan M. Wilson
Autorisation : Sandy Cooke
Directrice de la conception graphique : Julia Hall
Conception graphique : Miguel Acevedo
Couverture : Getty Images/Taxi/Stephen Simpson

Imprimé au Canada

1 2 3 4 5 09 08 07 06 05

To Adele, for so much A.F.

À la mémoire de mes grands-parents L.M.

Table des Matières

Chapitre 1

Chapitre 2

Chapitre 3

Chapitre 4

Chapitre 7

Chapitre 8

Chapitre 9

Chapitre 10

Appendices

Remerciements

De nombreuses personnes nous ont aidés au cours de la préparation de cette quatrième édition de *Mise en pratique*. Tout d'abord, il nous incombe de remercier Christine Cozens, Jennifer Murray, Söğüt Y. Güleç, Emmanuelle Dauplay, Daniel Soha et Aude Lemoine qui ont fait un superbe travail de mise au point. On ne pourrait souhaiter de meilleurs collaborateurs. Nous voudrions, bien sûr, remercier toute l'équipe de la maison d'édition Pearson Education Canada, ainsi que les collègues et les étudiants, dans tout le Canada, qui ont fidèlement utilisé ce manuel ces dernières années.

Nous n'oublions pas, bien sûr, tous les lecteurs du Comité de rédaction de la quatrième édition. À vous toutes et tous, que nous avons l'honneur de nommer ci-dessous, nous adressons nos vifs remerciements :

Nadia Anton, University of Calgary
Danielle Charron, University of New Brunswick
Helena da Silva, University of Saskatchewan
Kerry Lapin-Fortin, University of Waterloo
Helene Mclenaghan, University of Waterloo
Obed Nkunzimana, University of New Brunswick
Derek Turton, University of Victoria

Finalement, on ne pourrait oublier nos partenaires respectifs, Adele Jeffrey et Elie Appelbaum, pour leur soutien tout au long de notre travail.

Introduction

Objectif global

Mise en pratique est un manuel destiné à l'étudiant en faculté qui a déjà une bonne connaissance de base du français. C'est un ouvrage qui a pour but principal de réunir, en un seul volume, un cours de lecture et de vocabulaire, un cours de grammaire et un cours d'expression écrite. L'interdépendance de ces trois composantes semblant justifier une intégration pédagogique, le manuel est conçu de façon à présenter non seulement toute la grammaire que l'étudiant de ce niveau se doit de posséder, mais aussi plusieurs stratégies d'apprentissage pour l'enrichissement du vocabulaire et l'approfondissement de la lecture, ainsi qu'une série de techniques d'expression écrite nécessaires à la bonne exécution des travaux de français effectués au fil des années universitaires.

Objectifs pédagogiques de chaque chapitre

1. maîtriser le vocabulaire thématique proposé
2. approfondir ses connaissances lexicales
3. comprendre et analyser un genre littéraire ou un mode discursif
4. enrichir ses connaissances culturelles par le biais d'activités multimédia
5. assimiler les structures grammaticales étudiées
6. savoir analyser ces structures grammaticales
7. savoir résoudre les problèmes de syntaxe associés à ces structures grammaticales
8. savoir surmonter les problèmes de traduction associés à ces structures grammaticales
9. maîtriser les techniques d'expression écrite proposées
10. savoir exploiter les ressources stylistiques proposées

Approche pédagogique pour la lecture et le vocabulaire

Mise en pratique propose un programme de lecture et de vocabulaire riche et varié dont les objectifs sont :

1. de sensibiliser l'étudiant à différents types de textes de longueur variée (articles journalistiques informatifs et argumentatifs, critiques, essais, extraits de roman, nouvelles, etc.);
2. de proposer des thèmes universels (comme l'amour, le cinéma et le voyage) qui préparent l'étudiant à suivre d'autres cours de français, et des thèmes contemporains (comme les études, le travail, l'éducation, l'entreprise) liés au vécu de l'étudiant;
3. de fournir à l'étudiant un éventail intéressant de textes provenant du monde francophone et écrits par des auteur(e)s francophones représentant trois continents (Afrique, Amérique, Europe);
4. de fournir à l'étudiant différentes stratégies de lecture au niveau de la préparation à la lecture et de la compréhension;
5. d'enrichir les connaissances culturelles et littéraires de l'étudiant;

6. de présenter un vocabulaire thématique utile et contextualisé qui sera systématiquement révisé;
7. d'initier l'étudiant à différentes notions lexicales (synonymie, dérivés, radicaux, nominalisation, homonymie) dans le but d'approfondir ses connaissances de base.

Approche pédagogique pour la grammaire

Mise en pratique offre une grammaire raisonnée. C'est-à-dire que c'est à la fois :

1. une grammaire méthodique qui permet le regroupement de données grammaticales en sections d'apprentissage autonomes. Ces sections sont axées sur des domaines spécifiques tels que l'acquisition des formes, les emplois, les difficultés de traduction, etc.;
2. une grammaire usuelle qui rend possible un choix plus rigoureux des outils grammaticaux à maîtriser. Cette sélection permet de présenter uniquement les notions grammaticales et les procédures d'analyse qui peuvent aider l'étudiant à résoudre ses problèmes de correction et de bon emploi;
3. une grammaire référentielle qui fournit à l'étudiant toute l'information requise;
4. une grammaire fonctionnelle qui encourage l'étudiant à devenir autonome, qu'il s'agisse de déceler ses propres erreurs ou qu'il s'agisse de trouver, en toute indépendance, l'information grammaticale nécessaire;
5. une grammaire pédagogique dont la matière est expliquée de façon concise et évaluée ponctuellement et de façon plus synthétique à la fin de chaque chapitre.

Approche pédagogique pour l'expression écrite

Mise en pratique se propose de répondre aux besoins de l'étudiant qui doit s'exprimer par écrit. La démarche pédagogique est celle de l'atelier d'expression écrite par lequel on fournit à l'apprenant les conseils, les outils, les modèles et les mises en situation de communication qui lui permettront de perfectionner les techniques de base du savoir-écrire. *Mise en pratique* propose donc :

1. de sensibiliser l'étudiant aux travaux de plan et de brouillon, à l'emploi systématique des dictionnaires, aux méthodes de correction grammaticale, aux stratégies d'amélioration stylistique, etc.;
2. de préparer l'étudiant à s'adapter aux divers contextes de l'écrit tels que la correspondance, les notes de cours, les rapports, les résumés, etc.;
3. d'initier l'étudiant aux différents types de devoirs écrits tels que le récit, l'argumentation, etc.;
4. de fournir à l'étudiant des dossiers pratiques présentant les outils indispensables de l'écrit tels que les formules de transition, les divers types de phrase, les conjonctions, les prépositions, etc.

Sélection et organisation du contenu

Diverses considérations pédagogiques et divers principes de base ont influencé le choix et l'agencement du contenu. Parmi les plus importantes, il faut mentionner :

1. **la souplesse d'emploi** Les dix chapitres de *Mise en pratique* peuvent s'adapter à différents programmes et à différents horaires d'enseignement. Le manuel peut facilement faire l'objet d'un cours complet et intensif sur la compréhension et la production de l'écrit. Il peut tout aussi bien s'intégrer à d'autres composantes de cours telles que la conversation ou la compréhension auditive;
2. **la variété** De nombreux documents authentiques ont été choisis pour illustrer le fonctionnement et le bon emploi des structures du français. Cette sélection s'est faite afin de présenter différents genres littéraires (roman, poésie, nouvelle, etc.), différents contextes d'expression (journalisme, biographie, correspondance, etc.), différents modes d'expression (argumentation, description, narration, etc.), ainsi que divers niveaux de langue (familier, soutenu, etc.). Au niveau de la grammaire, le manuel a été conçu de façon à inclure cinq chapitres portant sur le système verbal et cinq chapitres axés sur les éléments non verbaux. Pour ce qui est de la lecture, cinq chapitres comprennent des textes littéraires, les cinq autres des textes journalistiques. En ce qui concerne l'expression écrite, on alterne des outils pratiques pour l'amélioration de l'écrit avec des dossiers qui visent différents types de devoirs écrits;
3. **la clarté** Le manuel a été écrit de manière à mettre à la disposition de l'étudiant un texte explicatif concis accompagné d'exemples choisis en fonction de leur valeur d'illustration. De nombreux tableaux renforcent visuellement et schématiquement la présentation des structures grammaticales;
4. **l'authenticité** Le français représenté dans les textes originaux, dans les exemples et dans les exercices est le français tel qu'il se parle et tel qu'il s'écrit. Il s'agissait de mettre à la disposition de l'étudiant des échantillons linguistiques authentiques et utilisables;
5. **la facilité d'emploi** Tout manuel se doit d'être clair, précis et facile à utiliser. L'élaboration de *Mise en pratique* s'est faite en tenant compte de ces critères, comme en témoignent l'agencement du contenu, la mise en page, les tableaux, les appendices et l'index.

Contenu et présentation de la matière

Lecture et vocabulaire

Introduction une présentation sur l'auteur(e) du texte à lire ou sur la revue dont le texte a été tiré. Cette introduction a pour but principal de donner des informations générales et culturelles tout en mettant la lecture en contexte.

Activités de pré-lecture étape indispensable dont le but est de faciliter l'entrée dans le texte ainsi que de formuler des hypothèses. Les questions visent à la préparation à la lecture en demandant à l'étudiant de faire appel à ses connaissances antérieures. Le cas échéant, les activités demandent à l'étudiant de se renseigner en faisant une recherche.

Lecture présentation du document de lecture. L'étudiant lit dans le but de comprendre globalement le texte. On lui demande de repérer certains aspects grammaticaux qui font l'objet de la leçon de grammaire du chapitre. À la fin de la lecture, certains mots ou expressions difficiles (en italique dans le texte) sont défini(e)s, traduit(e)s et/ou expliqué(e)s.

Compréhension globale exercices qui ont pour but d'évaluer ponctuellement la compréhension générale du texte. Il s'agit d'exercices à choix multiples ou de questions «vrai ou faux».

Vocabulaire présentation du vocabulaire thématique du chapitre. Peu importe la démarche adoptée par l'enseignant (présentation du vocabulaire avant ou après la lecture), l'objectif principal est de faire une étude systématique du vocabulaire avant de passer à la compréhension détaillée, étape à laquelle l'étudiant devra maîtriser le vocabulaire pour répondre efficacement aux questions.

Exploitation lexicale exercices d'application immédiate du vocabulaire thématique. Une variété d'exercices à l'oral et à l'écrit est proposée.

Approfondissement lexical présentation de notions lexicales importantes (synonymie, homonymie, dérivés, etc.) et de vocabulaire qui posent problème aux étudiants anglophones (adverbes, verbes de mouvement). Cette présentation est suivie d'une série d'exercices d'application des notions étudiées.

Compréhension détaillée exercices de compréhension qui visent à une compréhension plus profonde du texte lu. L'étudiant doit relire attentivement le texte. Certaines stratégies de lecture sont implicitement proposées (repérage des idées principales ou des arguments, par exemple).

Réflexion et discussion exercices qui encouragent l'élargissement du sujet ou du thème abordé dans le chapitre. Le but est aussi d'encourager la discussion en salle de classe ou en groupes de conversation.

Sites Web activités complémentaires qui ont pour objectif principal de sensibiliser l'étudiant à l'utilisation de sites Web francophones. Dans certains cas, on vise l'approfondissement des connaissances culturelles de l'étudiant, dans d'autres, l'élargissement du sujet ou du thème abordé dans le chapitre.

Grammaire et expression écrite

Grammaire Cette partie comprend :

- une présentation des formes de la structure grammaticale
- une analyse fonctionnelle plus approfondie de certaines notions grammaticales

- les explications des emplois de la structure grammaticale étudiée
- des explications ayant trait à la position des mots à l'intérieur de la phrase
- un inventaire des difficultés de traduction que peut offrir la structure grammaticale étudiée. Cette section n'apparaît que lorsqu'il y a des problèmes à signaler.

Chacune de ces sections propose des exercices d'application immédiate (mise en pratique).

Expression écrite composante où l'on alterne des outils pratiques pour l'amélioration de l'écrit (correction des fautes, emploi des dictionnaires, ponctuation, etc.) avec des dossiers qui aident à la correction de différents types de devoirs écrits (récit, résumé, correspondance, etc.). Chaque chapitre comprend donc :

- une description des outils pratiques ou du devoir écrit
- une présentation des formules nécessaires pour perfectionner les techniques de base présentées
- un modèle de rédaction s'il s'agit d'un chapitre sur un devoir écrit ou des exercices de perfectionnement dans le cas d'un chapitre qui présente des outils pratiques.

Synthèse une révision systématique des notions grammaticales étudiées. Ceci comprend des exercices sur les formes, les emplois, la syntaxe, la traduction, la composition de phrases, ainsi que des sujets de rédaction.

Cahier d'exercices pour accompagner

Mise en pratique

Le cahier qui accompagne *Mise en pratique* reprend la même démarche pédagogique que le manuel. On y trouve tout un éventail d'exercices conçus pour faire pratiquer intensivement le vocabulaire et la lecture ainsi que certains aspects spécifiques de la grammaire.

Nouvelle édition

Le succès des trois premières éditions de ce manuel nous a amenés à bien écouter les collègues qui s'en sont servi. Nous avons donc essayé de répondre à tout ce qui nous a été proposé, sans toutefois changer les principes de base qui nous avaient guidés tout au long de notre travail de rédaction.

D'une part, cette nouvelle édition nous a permis de remplacer certaines lectures par de nouveaux textes mieux adaptés aux besoins des étudiants; d'autre part, nous avons pu ajouter, dans le premier chapitre, une révision d'éléments de grammaire dont l'étudiant aura besoin dans les chapitres suivants.

Conclusion

Ce livre a été écrit dans l'espoir de procurer à ses usagers un manuel simple et complet qui, nous l'espérons, contribuera à faire de la lecture, du vocabulaire, de la grammaire et de l'expression écrite des aspects vivants et passionnants du cours de français. Donc, à toutes celles et à tous ceux qui utilisent *Mise en pratique*, bonne chance et vive le français!

Alain Favrod et Louise Morrison

Chapitre 1

Lecture

Légende

La légende de Tristan et Iseult

Essai

L'amour et l'amitié de Michel Tournier

Vocabulaire

L'amour
L'amitié
Le mariage

Grammaire

Le présent de l'indicatif
L'impératif
Le genre des noms
Le nombre des noms
L'analyse grammaticale du nom
Les pronoms compléments d'objet direct *le*, *la*, *l'* et *les*

Expression écrite

La correction systématique des fautes
La grille de correction

1

Lecture et Vocabulaire

Dossier 1 *La légende de Tristan et Iseult*

Introduction à la lecture

Racontée par des trouvères, poètes ambulants qui chantent accompagnés d'une lyre, l'histoire de *Tristan et Iseult* est une des légendes d'amour les plus célèbres et les plus prenantes du Moyen Âge. Au XIIe siècle, on la sollicite dans toutes les villes de France. Plusieurs versions de l'histoire existent et elles ont inspiré bien des artistes. Richard Wagner en a fait un opéra (*Tristan et Isolde*) en 1865. Au début du XXe siècle, Joseph Bédier, spécialiste du Moyen Âge, a étudié et comparé toutes les versions françaises et étrangères de la légende, et a traduit en français moderne l'histoire dont vous allez lire le résumé ci-dessous.

Activités de pré-lecture

1. Quelles sont les caractéristiques d'une légende?
2. Connaissez-vous des légendes d'amour? Lesquelles?
3. Comment ces histoires finissent-elles d'habitude?

Lecture

Lisez le résumé de *La légende de Tristan et Iseult.*

1. Dans le premier paragraphe, relevez les verbes au présent.
2. Répondez aux questions de compréhension qui suivent le texte.

Lecture

La légende de Tristan et Iseult

1 *Chevalier* et *orphelin*, Tristan est au service de son oncle, le roi Marc de *Cornouailles*. Ce dernier décide de se marier, mais déclare qu'il n'épousera que la femme à qui appartient un cheveu d'or apporté un matin par *une hirondelle*. Tristan se propose alors d'aller en Irlande chercher pour son oncle la Blonde aux cheveux d'or. Pendant le voyage de retour 5 en Cornouailles, Tristan et Iseult boivent un breuvage magique qui les lie d'un amour fou. Iseult épouse le roi Marc, mais les deux amants continuent à se voir en secret. Ils sont malheureusement dénoncés.

Les amants sont pris sur le fait et condamnés à être brûlés vifs. Tristan s'échappe miraculeusement et réussit ensuite à libérer Iseult. Ils vivent dans une forêt, traqués 10 comme des bêtes sauvages. Un ermite les convainc enfin de se repentir et de se réconcilier avec le roi. Iseult retrouve sa place à la cour, et Tristan part en petite Bretagne où il finit par épouser, par raison, Iseult aux blanches mains. Mais ce mariage ne les rend heureux ni l'un ni l'autre.

Quand Tristan est blessé à mort au cours d'un combat, il demande à voir une dernière 15 fois son amour, Iseult la Blonde, et prie un messager de la faire venir. Si l'entreprise réussit, *la voile* du bateau doit être blanche; sinon, elle sera noire. Iseult aux blanches mains, jalouse, voit le bateau aux voiles blanches et annonce à Tristan que la voile est noire. Tristan meurt et Iseult la Blonde vient mourir de douleur sur le corps de son ami.

Le roi Marc fait *ensevelir* les deux corps dans deux tombes voisines. Alors des deux tombes poussent *deux rosiers qui s'enlacent dans une étreinte serrée*. Les rosiers repoussent plus vivaces chaque fois qu'on les coupe. Les deux amants sont ainsi unis à jamais dans la mort.

20

l.1 **chevalier : jeune noble admis dans l'ordre de la chevalerie**—knight, horseman

l.1 **orphelin : qui a perdu ses parents**—orphan

l.1 **Cornouailles : région de Grande-Bretagne**—Cornwall

l.3 **une hirondelle**—a swallow

l.16 **la voile**—the sails of the boat

l.19 **ensevelir : enterrer**—to bury

l.20 **deux rosiers qui s'enlacent dans une étreinte serrée**—two rose bushes that are intertwined in a tight embrace

Compréhension globale

Lisez les affirmations suivantes et dites si elles sont vraies ou fausses. Essayez de faire cet exercice *sans* regarder le texte.

1. Tristan est amoureux d'Iseult aux blanches mains.
2. Tristan tombe amoureux d'Iseult la Blonde lorsqu'il boit un breuvage magique.
3. Iseult, la Blonde aux cheveux d'or, épouse l'oncle de Tristan, Marc de Cornouailles.
4. Iseult demeure fidèle au roi Marc.
5. Tristan ne peut pas sauver Iseult et elle meurt dans la forêt.
6. Après son exil, Iseult retrouve sa place à la cour.
7. Les deux amants peuvent vivre l'un sans l'autre.
8. Tristan revoit son amour avant de mourir.

Vocabulaire

L'amour

Inclination envers une personne, le plus souvent à caractère passionnel, fondée sur l'instinct sexuel mais entraînant des comportements variés. (Le Petit Robert)

- l'amour (n.m.)/la haine—*love/hate*
- aimer/détester ou haïr quelqu'un (s'aimer/se détester)—*to love/hate someone (to love/hate one another)*
- être amoureux(se) **de** quelqu'un—*to be in love with someone*
- être heureux(se)/malheureux(se) **en** amour—*to be happy/unhappy in love*
- avoir le coup de foudre—*to fall in love at first sight*

- un amour passager : un amour éphémère, qui passe, de courte durée—*ephemeral love*
- un amour partagé : qui est mutuel, réciproque—*shared love*
- un amour fou—*passionate, mad love*
- l'amour libre : l'amour en dehors du mariage—*free love*
- une liaison—*an affair*
- le grand amour de sa vie—*the great love of one's life*
- un(e) amoureux(se)—*a lover (a sweetheart)*
- un(e) amant(e)—*a lover (a mistress)*

- «vivre d'**amour** et d'eau fraîche» : vivre sans se préoccuper des nécessités de la vie—*to live on love and fresh air*
- «filer le parfait **amour**» : se donner réciproquement des témoignages constants d'un amour partagé—*to be perfect lovebirds*

L'amitié

Sentiment réciproque d'affection ou de sympathie qui ne se fonde ni sur des liens du sang ni sur l'attrait sexuel. (Le Petit Robert)

- l'amitié/l'antipathie (n.f.)—*friendship/antipathy*
- être ami, être copain (familier) avec quelqu'un—*to be friends (or buddies) with . . .*
- prendre en amitié—*to befriend*
- se faire des amis—*to make friends*
- le lien amical—*the bond of friendship*
- un copain, une copine—*a good friend, a buddy*
- mon(ma) meilleur(e) ami(e)—*my best friend*
- un(e) ami(e) d'enfance—*a childhood friend*
- un(e) petit(e) ami(e)—*a boyfriend or girlfriend*

- «les bons comptes font les bons **amis**»—*short reckonings make long friends*

Le mariage

Union légitime de deux personnes dans les conditions prévues par la loi. (Le Petit Robert)

- le mariage/le célibat—*marriage/celibacy*
- se fiancer, des fiançailles—*to get engaged, an engagement*
- se marier avec quelqu'un—*to get married to someone*
- épouser quelqu'un/divorcer de quelqu'un—*to marry/divorce someone*
- se séparer de quelqu'un—*to separate*
- être fidèle/infidèle, la fidélité/l'infidélité—*to be faithful/unfaithful, fidelity/infidelity*
- tromper quelqu'un : faire des infidélités—*to cheat on someone*
- faire bon/mauvais ménage avec quelqu'un : s'entendre bien/mal avec son conjoint—*to get along well/poorly with one's spouse*

- un mariage d'amour/un mariage de raison : se marier par amour/par convenance—*to marry for love/for practical reasons*
- le marié, la mariée—*the groom, the bride*

- la lune de miel, le voyage de noces—*honeymoon*
- un(e) conjoint(e), un(e) époux(se)—*a spouse*
- la vie conjugale, le bonheur conjugal—*married life, marital bliss*

Exploitation lexicale

Relisez bien le vocabulaire présenté ci-dessus et faites les exercices suivants.

1. Donnez le verbe qui correspond à chaque nom.

a) les fiançailles ____________________

b) la fidélité ________________________

c) le divorce ________________________

d) le mariage ________________________

e) la haine ________________________

2. Remplissez les blancs à l'aide du mot qui convient.

a) Lorsque Tristan épouse Iseult aux blanches mains, on dit que c'est un mariage de __________.

b) Michel et Louise se connaissent depuis la petite école : ce sont des amis __________.

c) Dans les feuilletons télévisés (*soap operas*), les couples sont souvent __________ : il y en a toujours un ou une qui trompe l'autre.

d) Après la cérémonie du mariage, les nouveaux mariés ont passé leur __________ au Mexique.

e) Lucie est timide et ses parents déménagent (*to move)* souvent : elle a de la difficulté à __________ des amis.

3. Reliez les mots de la colonne A à ceux de la colonne B pour former une expression. Les mots de la colonne B sont dans le désordre.

Colonne A		Colonne B
1. un mariage	______	**a)** libre
2. se marier	______	**b)** de quelqu'un
3. l'amour	______	**c)** de raison
4. faire	______	**d)** avec quelqu'un
5. se séparer	______	**e)** bon ménage

Puis, faites une phrase complète avec chacune des expressions en utilisant le présent de l'indicatif.

Phrase 1 :

Phrase 2 :

Phrase 3 :

Phrase 4 :

Phrase 5 :

Compréhension détaillée

Relisez la légende et répondez aux questions suivantes.

1. *Le Petit Robert* donne la définition suivante d'une légende : «Récit populaire traditionnel, plus ou moins fabuleux, merveilleux». Quels sont les aspects de *La légende de Tristan et Iseult* qui correspondent à cette définition?

2. Quelle vision de l'amour cette légende nous suggère-t-elle?
3. Que représente la mort pour Tristan et Iseult?
4. Connaissez-vous d'autres légendes ou histoires d'amour qui ont une fin tragique comme celle-ci?

Sites Web : activités complémentaires

Les deux sites Web ci-dessous sont consacrés à *La légende de Tristan et Iseult* :

- http://www.geocities.com/conseilculturel/Iseult.htm
- http://fr.encyclopedia.yahoo.com/articles/ma/ma_2563_p0.html

1. Lisez chacune des versions de la légende.
2. Identifiez les éléments de l'histoire qui correspondent aux éléments présentés dans votre manuel (pages 2–3).
3. Pouvez-vous noter des différences entre les trois versions? Lesquelles?

DOSSIER 2 *L'amour et l'amitié*

Introduction à la lecture

Né à Paris, en 1924, Michel Tournier est un écrivain français dont la carrière littéraire a commencé tard dans la vie (43 ans). Ses ambitions de devenir professeur de philosophie ayant échoué, il s'est penché sur la création romanesque. En 1970, il a reçu *le prix Goncourt* pour son roman *Le Roi des Aulnes*. Dans *Le miroir des idées*, Michel Tournier analyse les concepts clés de la pensée. *L'amour et l'amitié* est le deuxième essai de ce recueil.

Le prix Goncourt : l'Académie Goncourt est composée de 10 membres qui, chaque année, sont chargés de donner un prix au «meilleur volume d'imagination en prose».

Activités de pré-lecture

1. Que suggère le titre *L'amour et l'amitié*?
2. À votre avis, quel est le but du texte qui suit?
3. Selon vous, quelle est la différence entre l'amour et l'amitié?

Lecture

Lisez le texte *L'amour et l'amitié.*

1. Dans le premier paragraphe, relevez tous les noms et indiquez le genre de chacun.
2. Répondez aux questions qui suivent le texte. Il faut envisager la possibilité que les idées présentées dans ce texte diffèrent des vôtres. Votre tâche est de bien comprendre les idées de l'auteur au sujet de l'amour et de l'amitié en laissant les vôtres de côté.

Lecture

L'amour et l'amitié

1 La comparaison entre amour et amitié tourne d'abord à l'avantage de l'amour. Face à la passion amoureuse, le lien amical paraît léger, *fade* et peu sérieux. Et l'amour bénéficie de plusieurs millénaires de célébration théâtrale, poétique et romanesque. Comment l'amitié *ne ferait-elle pas piètre figure* en comparaison?

5 Mais à y regarder de plus près, les avantages dont profite l'amour face à l'amitié sont de bien discutable qualité. L'une des grandes différences entre les deux, c'est qu'il ne peut y avoir d'amitié sans *réciprocité*. Vous ne pouvez pas avoir de l'amitié pour quelqu'un qui n'a pas d'amitié pour vous. Ou elle est partagée ou elle ne l'est pas. Tandis que l'amour semble au contraire *se nourrir du malheur de n'être pas partagé*. L'amour malheureux, c'est le ressort 10 principal de la tragédie et du roman. «J'aime et je suis aimé, disait le poète. Ce serait le bonheur s'il s'agissait de la même personne.» Hélas, il s'agit rarement de la même personne. Il y a une autre différence plus grave encore entre l'amour et l'amitié. C'est qu'il ne peut y avoir d'amitié sans estime.

Si un ami commet un acte que vous jugez vil, ce n'est plus votre ami. L'amitié est 15 tuée par *le mépris*. Tandis que la rage amoureuse peut être indifférente à *la bêtise*, à *a lâcheté*, à *la bassesse* de l'être aimé. Indifférente? Nourrie même parfois par toute abjection, comme avide, *gourmande*, des pires défauts de la personne aimée.

En vérité notre *civilisation occidentale* moderne *mise* très exagérément *sur* l'amour. Comment oser construire une vie entière sur cette fièvre *passagère*? Déjà *La Bruyère* notait 20 que «le temps qui fortifie l'amitié *affaiblit* l'amour». Autrefois, les mariages se faisaient en fonction des convenances sociales, religieuses, matérielles. Ces premières conditions remplies, il ne restait plus qu'à s'aimer. Aujourd'hui tout tient dans «*un coup de foudre*». Ensuite il est toujours temps de divorcer. Même la fidélité est subordonnée à ce passager vertige. *Brigitte Bardot* : «J'ai toujours été fidèle à un homme aussi longtemps que j'étais amoureuse 25 de lui.» Et après? *Jules Romains* a écrit que l'amour ne peut que «parfumer la place où l'amitié se posera».

- l.2 **fade : qui est sans intérêt**—dull; **on parle du lien amical**—the bond of friendship
- l.4 **piètre : très médiocre; «faire piètre figure»**—to appear mediocre
- l.7 **la réciprocité : état de ce qui est réciproque, mutuel ou partagé**—shared
- l.9 **se nourrir du malheur de ne pas être partagé**—love thrives on the misfortune of not being shared
- l.15 **le mépris : le dédain, l'indifférence**—contempt
- l.15 **la bêtise**—stupidity
- l.16 **la lâcheté, la bassesse**—cowardice, meanness
- l.17 **gourmande : qui dénote le désir**—greedy
- l.18 **la civilisation occidentale : qui se rapporte à l'Europe de l'Ouest et aux États-Unis**—Western civilization
- l.18 **miser sur : compter sur**—to bank on, count on
- l.19 **passagère : qui passe, qui ne dure pas**—brief, temporary

l.19 **La Bruyère (Jean de) : écrivain et moraliste français du XVIIe siècle (1645–1696)**

l.20 **affaiblit (v. affaiblir) : rendre faible**—to weaken

l.22 **un coup de foudre : manifestation subite de l'amour dès la première rencontre**—love at first sight

l.24 **Brigitte Bardot : actrice du cinéma français qui, dans les années 60, représente l'image de la sensualité**

l.25 **Jules Romains : écrivain français du XXe siècle (1885–1972)**

Compréhension globale

Ces questions visent la compréhension globale du texte. Essayez de répondre *sans* regarder le texte.

1. Dans cet extrait, l'auteur . . .

a) discute des nombreux avantages de l'amour par rapport à l'amitié.

b) parle du rôle de l'amour et de l'amitié dans la civilisation occidentale.

c) réfute l'idée que l'amour est supérieur à l'amitié.

2. Selon l'auteur, . . .

a) l'amitié est beaucoup plus légère que l'amour.

b) les avantages de l'amour sont discutables.

c) il ne peut pas y avoir d'amour sans amitié.

3. L'auteur affirme qu'il y a deux caractéristiques sans lesquelles l'amour est impossible. Il s'agit :

a) du mépris et de la réciprocité.

b) du bonheur et de l'estime.

c) de l'estime et de la réciprocité.

4. Notre civilisation occidentale . . .

a) attache trop d'importance à l'amour.

b) ne considère pas l'amour comme important.

c) préfère l'amour à l'amitié.

5. Un autre titre approprié pour ce texte serait :

a) *L'amour est-il possible sans amitié?*

b) *Une célébration de l'amour*

c) *Les avantages douteux de l'amour*

Approfondissement lexical

- Le vocabulaire de ce premier chapitre ne devrait pas vous poser trop de problèmes. Il s'agit surtout d'apprendre de nouvelles expressions (*coup de foudre*) et de noter certaines différences entre l'anglais et le français en matière d'orthographe *(marriage* vs *le mariage)* et de syntaxe *(to fall in love with* vs *tomber amoureux de)*.

- Dans ce chapitre, nous voulons nous concentrer sur les différentes façons d'apprendre et de connaître un mot. Le fait que vous ayez cherché la traduction anglaise d'un mot français ne veut pas nécessairement dire que vous en saurez assez sur ce mot pour le retenir ou le réutiliser dans une nouvelle situation. Si vous voulez retenir un mot, il faut le réutiliser dans différents contextes.
- Dans les paragraphes qui suivent, nous vous présentons quelques façons d'approfondir vos connaissances d'un mot. Nous utilisons le mot «amitié» comme exemple.

Amitié

Catégorie :	nom féminin
Traduction :	*friendship*
Synonymes :	l'affection (n.f.), la sympathie, la camaraderie
Antonyme :	l'antipathie
Définition :	Sentiment réciproque d'affection ou de sympathie qui ne se fonde ni sur des liens du sang ni sur l'attrait sexuel. (Le Petit Robert)
Explication :	L'amitié est un sentiment d'affection partagée qui n'est fondé ni sur les liens de famille ni sur l'attrait sexuel.
Mots apparentés :	ami, amical
Phrase :	«L'amitié est impossible sans réciprocité.»

• **Synonyme :** Une bonne façon de retenir un mot est d'apprendre son ou ses synonyme(s). Les synonymes sont des mots de la même catégorie grammaticale (nom, adjectif, verbe) ayant des sens très proches, mais jamais identiques.

• **Antonyme :** Un antonyme est un mot qui a un sens opposé à un autre mot. Dans ce livre, l'antonyme d'un mot suit la barre oblique (/).

• **Mots apparentés :** Les mots apparentés sont des mots de la même famille. Parmi les mots de la même famille que le mot amitié se trouvent le nom *ami* (personne pour qui on éprouve de l'amitié) et l'adjectif *amical* (utilisé pour parler d'une personne qui se comporte avec amitié).

• **Définition, explication :** On trouve normalement la définition d'un mot dans un dictionnaire. Il faut faire attention, car on peut trouver d'autres mots qu'on ne connaît pas dans la définition. Une bonne façon de vérifier si l'on a bien compris la définition d'un mot est d'essayer de l'expliquer dans ses propres termes. Relisez la définition et l'explication du mot amitié que l'on donne ci-dessus.

• **Phrase en contexte :** La phrase en contexte est une des meilleures façons de déterminer si un mot est compris ou non. Dans chaque chapitre de ce livre, vous aurez des phrases à rédiger dans le but de pratiquer et de réutiliser les mots les plus importants.

1. Maintenant, relisez bien le vocabulaire d'approfondissement ci-dessus et faites l'exercice suivant.

a) Donnez un synonyme de l'adjectif *partagé* (comme dans *un amour partagé*).

b) Expliquez, dans vos propres mots, l'expression *avoir un coup de foudre.*

c) Donnez l'antonyme de l'expression *heureux en amour.*

d) Utilisez l'expression *être fidèle* dans une phrase.

e) Quelle est la traduction de l'expression *marital bliss*?

f) Quel est l'antonyme du verbe *épouser*?

g) Utilisez le mot *fade* dans une phrase.

h) Donnez un synonyme (familier) du mot féminin *amie.*

i) Expliquez l'expression *l'amour libre.*

2. Mots de la même famille. Remplissez le tableau en suivant l'exemple donné. La plupart des mots se trouvent dans le vocabulaire du chapitre 1. Utilisez un dictionnaire au besoin. Le symbole ■ indique que le mot n'existe pas pour la catégorie donnée.

	Verbe	Nom abstrait (avec l'article)	Nom de personne (m. et f.)
1.	se fiancer	les fiançailles (nom pluriel)	un(e) fiancé(e)
2.	marier	____________	____________
3.	■	____________	un(e) gourmand(e)
4.	aimer	____________	____________
5.	________	le divorce	____________
6.	enterrer	____________	■
7.	________	le mépris	■
8.	profiter	____________	____________
9.	partager	____________	____________
10.	________	le bénéfice	____________

Compréhension détaillée 1

Le texte est divisé en quatre paragraphes. Chaque paragraphe a une fonction spéciale avec une idée principale qui permet à l'auteur de présenter ses arguments.

1. Relisez le texte, retrouvez l'idée principale de chaque paragraphe et décrivez la fonction de celui-ci. Lisez bien l'exemple donné ci-dessous pour le premier paragraphe.

Exemple : paragraphe 1

Fonction : Ce premier paragraphe sert d'introduction.

Idée principale : L'auteur présente l'idée que l'amour est considéré comme plus sérieux, plus intéressant et moins frivole que l'amitié.

2. Maintenant, faites-en de même pour les paragraphes 2, 3 et 4 du texte.

Compréhension détaillée 2

Relisez *L'amour et l'amitié* avant de répondre aux questions.

1. Dans l'introduction, Tournier dit que «l'amour bénéficie de plusieurs millénaires de célébration théâtrale, poétique et romanesque». Pouvez-vous citer **a)** une pièce de théâtre, **b)** un poème et **c)** un roman dans lequel on «célèbre» l'amour? Vous pouvez citer des œuvres de votre langue maternelle et/ou de la langue française.

2. Dans le deuxième paragraphe, l'auteur cite la qualité de **réciprocité** comme étant une des grandes différences entre l'amour et l'amitié. Expliquez ce qu'il veut dire en utilisant vos propres mots (réponse en deux ou trois phrases complètes).
3. Comment les idées présentées par Tournier sont-elles illustrées dans *La légende de Tristan et Iseult*? Expliquez la dernière phrase du texte : «l'amour ne peut que parfumer la place où l'amitié se posera».

Réflexion et discussion

1. Êtes-vous d'accord avec les idées que propose l'auteur?
2. Quelles sont, pour vous, les caractéristiques les plus importantes de l'amitié?
3. Connaissez-vous un personnage célèbre qui, dans une histoire qui a mal tourné, s'est retrouvé dans une situation semblable à celle décrite par Tournier?

Grammaire et Expression écrite

Grammaire

Le présent de l'indicatif

Formation du présent des verbes réguliers

Tableau 1.1

Comment former le présent des verbes réguliers

	parler	*réussir*	*répondre*
je	parl**e**	réuss**is**	répond**s**
tu	parl**es**	réuss**is**	répond**s**
elle/il	parl**e**	réuss**it**	répond
nous	parl**ons**	réuss**issons**	répond**ons**
vous	parl**ez**	réuss**issez**	répond**ez**
ils/elles	parl**ent**	réuss**issent**	répond**ent**

Formation

1 → radical = infinitif moins *er, ir, re*

2 → verbes en *er* = radical + *e, es, e, ons, ez, ent*

→ verbes en *ir* = radical + *is, is, it;* infixe *iss* + *ons, ez, ent*

→ verbes en *re* = radical + *s, s, -, ons, ez, ent*

Mise en pratique 1 (présent des verbes réguliers)

En utilisant les verbes entre parenthèses, complétez les phrases suivantes avec la forme appropriée du présent.

1. Chez Basprix, tous les jeunes mariés ________________ (bénéficier) d'une remise de 15 %.
2. —À quoi ________________ -tu (penser)?

   —Oh, je ________________ (réfléchir) à ce que nous pourrions faire le jour de la Saint-Valentin.

3. Les parents de Sophie lui ________________ (défendre) de sortir avec le fils des voisins.
4. Il croit qu'elle le ________________ (tromper).
5. Tristan ________________ (s'échapper) miraculeusement et ________________ (réussir) ensuite à libérer Iseult.
6. Nous ________________ (rendre) heureuses les personnes qu'on ________________ (aimer) sincèrement.

Particularités orthographiques de certains verbes en er

Tableau 1.2

Particularités orthographiques de certains verbes en *er*

changements	formes
c → ç	commencer → commen**ç**ons (commence, commences, commencez, commencent)
g → ge	manger → mang**e**ons (mange, manges, mangez, mangent)
l → ll	appeler → appe**ll**e, appe**ll**es, appe**ll**ent (appelons, appelez)
t → tt	jeter → je**tt**e, je**tt**es, je**tt**ent (jetons, jetez)
e → è	acheter → ach**è**te, ach**è**tes, ach**è**tent (achetons, achetez)
é → è	espérer → esp**è**re, esp**è**res, esp**è**rent (espérons, espérez)
y → i	employer → emplo**i**e, emplo**i**es, emplo**i**ent (employons, employez) essuyer → essu**i**e, essu**i**es, essu**i**ent (essuyons, essuyez) payer → pa**i**e/paye, pa**i**es/payes, pa**i**ent/payent (payons, payez)

MISE EN PRATIQUE 2 (particularités orthographiques)

En utilisant les verbes entre parenthèses, complétez les phrases suivantes avec la forme appropriée du présent.

1. Ils sont mariés depuis quinze ans et ils ________________ (s'ennuyer).
2. Ils ________________ (se promener) la main dans la main.
3. Nous ________________ (annoncer) nos fiançailles aujourd'hui.
4. On ________________ (projeter) de se marier en avril.
5. Ma femme et moi, nous ________________ (manger) peu le soir.
6. Elle ________________ (essayer) toujours de lui faire plaisir.

Les différents types de phrases

Tableau 1.3

Phrase affirmative, négative ou interrogative

1. **phrase affirmative**
   La véritable amitié est un des trésors de la vie.
   SANS NÉGATION/SANS INTERROGATION
2. **phrase négative**
   La véritable amitié ne gèle pas en hiver. (proverbe)
   Une véritable amitié ne se perd jamais.
   SUJET + NE + VERBE + AUTRE ÉLÉMENT DE NÉGATION
3. **phrase interrogative**
   La véritable amitié existe-t-elle? (inversion verbe-sujet)
   Est-ce que la véritable amitié existe? (est-ce que)
   La véritable amitié existe? (intonation à courbe ascendante)

MISE EN PRATIQUE 3 (phrases négatives)

Complétez les phrases suivantes en utilisant les mots entre parenthèses et en mettant les verbes au présent.

1. Il ________________ (ne pas s'agir) de la même personne.
2. Ils ________________ (ne jamais se disputer).
3. Si on ________________ (ne pas trouver) ce qu'on veut, il faut aimer ce qu'on a.
4. Il est misanthrope, il ________________ (n'aimer personne).

MISE EN PRATIQUE 4 (phrases interrogatives)

1. Récrivez chaque question en utilisant l'inversion du sujet et du verbe.
   a) Est-ce que tu confonds l'amour et l'amitié?
   b) Est-ce qu'elle rougit quand il la regarde?
   c) Est-ce que Barbara le quitte parce qu'il la trompe?
2. Mettez la phrase ci-dessous à la forme interrogative de trois façons différentes.
   Les bons comptes font les bons amis.

Syntaxe des verbes pronominaux

Tableau 1.4

Verbes pronominaux au présent

modèle → *se laver*

je **me** lave	nous **nous** lavons
tu **te** laves	vous **vous** lavez
il **se** lave	ils **se** lavent

affirmatif	**elle**	**se**	**lave**		
	sujet + pronom réfléchi + verbe				
négatif	**elle**	**ne**	**se**	**lave**	**pas**
	sujet + nég. 1 + pron. réfléchi + verbe + nég. 2				
interrogatif (inversion)	**se**	**lave-t-elle?**			
	pronom réfléchi + verbe + sujet				

MISE EN PRATIQUE 5 (présent des verbes pronominaux)

En utilisant les verbes entre parenthèses, complétez les phrases suivantes avec la forme appropriée du présent.

1. Le mariage, c'est quand deux êtres ________________ (s'unir) pour la vie.
2. Quel que soit le jour de la semaine, elle ________________ (se réveiller) automatiquement à six heures du matin.
3. Parce que nous avons un commerce, mon mari et moi travaillons du lundi au samedi. Donc, ce n'est que le dimanche qu'on ________________ (se détendre) un peu. Lui, ________________ (s'adonner) à la philatélie, et moi, je ________________ (se passionner) pour la lecture.

Formes du présent de certains verbes irréguliers

Tableau 1.5

Être, faire, pouvoir **et** ***venir***

	être	*faire*	*pouvoir*	*venir*
je	suis	fais	peux	viens
tu	es	fais	peux	viens
il/elle	est	fait	peut	vient
nous	sommes	faisons	pouvons	venons
vous	êtes	faites	pouvez	venez
ils/elles	sont	font	peuvent	viennent

MISE EN PRATIQUE 6 (présent des verbes irréguliers)

Complétez les phrases suivantes avec la forme appropriée du verbe entre parenthèses.

1. Il ______________ (tenir) beaucoup à elle. (tenir à = *to hold dear*)
2. Le samedi, ils ______________ (faire) la grasse matinée.
   (faire la grasse matinée = *to sleep late*)
3. Je pense, donc je ______________ (être).
4. Il ne ______________ (pouvoir) y avoir d'amitié sans estime.
5. Tout ______________ (venir) à point à qui sait attendre. (proverbe)
6. La mesure de l'amour, c'______________ (être) d'aimer sans mesure. (Saint Augustin)

Tableau 1.6

Avoir, connaître, dire* et *vouloir

	avoir	*connaître*	*dire*	*vouloir*
je/j'	ai	connais	dis	veux
tu	as	connais	dis	veux
il/elle	a	connaît	dit	veut
nous	avons	connaissons	disons	voulons
vous	avez	connaissez	dites	voulez
ils/elles	ont	connaissent	disent	veulent

MISE EN PRATIQUE 7 (présent des verbes irréguliers)

Complétez les phrases suivantes avec la forme appropriée du verbe entre parenthèses.

1. Il s'agit d'accepter le fait que parfois nous ______________ (avoir) tort.
2. Je ne ______________ (vouloir) pas vous déranger.
3. Elle le ______________ (connaître) depuis très longtemps.
4. Que ______________ (dire) tes parents à ce sujet?
5. Elle ______________ (avoir) beaucoup d'amis.

Tableau 1.7

Aller, devoir, écrire, prendre* et *savoir

	aller	*devoir*	*écrire*	*prendre*	*savoir*
je/j'	vais	dois	écris	prends	sais
tu	vas	dois	écris	prends	sais
il/elle	va	doit	écrit	prend	sait
nous	allons	devons	écrivons	prenons	savons
vous	allez	devez	écrivez	prenez	savez
ils/elles	vont	doivent	écrivent	prennent	savent

Sommaire des terminaisons des verbes au présent de l'indicatif

Tableau 1.8

Les terminaisons au singulier

Verbes	**1re personne**	**2e personne**	**3e personne**
Verbes en *er* + assaillir, couvrir, cueillir, défaillir, offrir, ouvrir, souffrir, tressaillir	**e**	**es**	**e**
Autres verbes Exceptions : →	**s** j'ai, je peux, vaux, veux	**s** tu peux, vaux, veux	**t** ou **d** il a, convainc, va, vainc

Les terminaisons au pluriel

Verbes	**1re personne**	**2e personne**	**3e personne**
Tous les verbes	**ons**	**ez**	**ent**
Exceptions : →	nous sommes	vous êtes, faites, dites	ils font, ont, sont, vont

MISE EN PRATIQUE 8 (révision du présent de l'indicatif)

Complétez les phrases suivantes avec la forme appropriée du présent des verbes entre parenthèses. Consultez l'appendice A, si cela est nécessaire.

1. Ils ne __________ (savoir) pas encore que nous __________ (aller) nous fiancer.
2. Je vous __________ (écrire) pour vous remercier de votre invitation.
3. Nous __________(devoir) inviter tes cousins à notre mariage.
4. Elle __________ (prendre) toujours ses nouveaux collègues en amitié.
5. Tu __________ (ne pas répondre) à son invitation?
6. Elle ne __________ (recevoir) plus de lettres de son ancien fiancé.
7. Il lui __________ (plaire) vraiment beaucoup, tu __________ (savoir).
8. Je la __________ (convaincre) toujours de venir avec moi.
9. Ils __________ (vivre) en France et ils __________ (être) heureux.
10. Ils __________ (applaudir) le couple de nouveaux mariés.

Emploi du présent de l'indicatif

Tableau 1.9

Quand employer le présent de l'indicatif

contexte	**explication**
	On utilise le présent :
1. *C'**est** une belle journée d'automne, le soleil **brille** et les gens **ont** l'air de bonne humeur.*	pour décrire une personne, une chose on un état au moment où l'on parle;
2. *Sylvie **essaie** sa robe de mariée.* (= est en train d'essayer)	pour indiquer qu'une action se passe au moment où l'on parle;
3. *C'est un fait que certains étudiants n'**aiment** pas la grammaire.* *Vouloir, c'**est** pouvoir.*	pour exprimer une vérité ou un état permanent, comme dans de nombreux proverbes;
4. *Quand il **fait** beau, Adèle fait du jogging.*	pour exprimer une action habituelle qui est encore vraie aujourd'hui;

5. *Elle **fait** du jogging depuis une dizaine d'années. Il y a cinq ans qu'elle **sort** avec lui.*	avec les expressions *depuis, depuis que, il y a . . . que* et *cela fait . . . que* pour exprimer une action ou un état qui a commencé dans le passé et qui continue dans le présent;
6. *Elle **rentre** chez elle dans quelques instants.*	pour exprimer une action qui va se passer dans un proche avenir;
7. *Si elle **a** (1) le temps, elle **ira** (2) à la piscine.*	dans la proposition subordonnée avec *si* (1) quand le verbe de la proposition principale est au futur (2), au présent ou à l'impératif;
8. *La haine **est** un sentiment violent qui **pousse** à vouloir du mal à quelqu'un et à se réjouir du mal qui lui **arrive**.*	dans les définitions, les explications, les commentaires;
9. *Mme Rolland, très droite, sans bouger le buste, les mains immobiles sur sa jupe à crinoline, **approche** son visage de la jalousie*, **jette** un regard vert entre les lattes, **prête** l'oreille*,* [. . .]. *Une bouffée* chaude et humide **monte** de la rue. La gouttière* **déborde** et **fait** un bruit assourdissant. Dans la chambre au velours épais,* [. . .], *une voix d'homme **s'enroue*** et **marmonne*** quelque chose d'incompréhensible, au sujet de la gouttière.*	dans un récit, pour rendre la narration plus vivante. C'est ce qu'on appelle le présent historique ou littéraire.

Tiré de *Kamouraska* d'Anne Hébert, © Éditions du Seuil, 1970, coll. *Points*, 1997.

***jalousie**—slatted blind; **prêter l'oreille**—to listen, lend an ear; **bouffée**—whiff; **gouttière**—eavestrough; s'**enrouer**—to go hoarse; **marmonner**—to mumble

MISE EN PRATIQUE 9 (emploi du présent de l'indicatif)

Indiquez si l'on emploie le présent de l'indicatif ou pas.

	oui	non
1. pour raconter ce qui se passe en ce moment	___	___
2. pour parler de ce qu'on fait d'habitude	___	___
3. pour raconter ce qui s'est passé la semaine dernière	___	___

	oui	non
4. pour décrire ce qu'on voit en ce moment	___	___
5. pour parler de ses souvenirs	___	___
6. pour exprimer une vérité générale	___	___
7. pour parler de ce qui pourrait arriver	___	___
8. pour parler d'une action en train de se produire	___	___

Constructions avec le présent

Tableau 1.10

***Depuis* et le présent**

–**Depuis combien de temps** se connaissent-ils?
(***For how long*** *have they known each other?*)
–Ils se connaissent **depuis deux ans.**
(. . . for two years = durée)

–**Depuis quand** se connaissent-ils?
(***Since when*** *have they known each other?*)
–Ils se connaissent **depuis le mois de janvier.**
(. . . since January = point de départ dans le temps)

Mise en pratique 10 (*depuis*)

Quelle est la bonne question? A ou B?

A → *Depuis quand se connaissent-ils?*
B → *Depuis combien de temps se connaissent-ils?*

1. depuis trois semaines ____
2. depuis jeudi ____
3. depuis l'année passée ____
4. depuis deux mois ____
5. depuis 1998 ____
6. depuis leur enfance ____

Mise en pratique 11 (*depuis*)

Traduisez les phrases suivantes en français.

1. They have been friends since their childhood.
2. Have they loved each other (*s'aimer*) for long?

Tableau 1.11

venir de **+ infinitif,** ***aller*** **+ infinitif,** ***être en train de*** **+ infinitif et** ***être sur le point de*** **+ infinitif**

Ils viennent de se fiancer.	→	They just got engaged.
Ils vont se marier.	→	They are going to get married.
Ils sont en train de se séparer.	→	They are in the process of separating.
Ils sont sur le point de se réconcilier.	→	They are about to reconcile.

Mise en pratique 12 (constructions avec l'infinitif)

Traduisez les phrases suivantes en français.

1. Her best friend just arrived.
2. Are they going to get along?
3. He is about to change his mind.
4. They are in the process of looking for a house.

L'impératif

Formation de l'impératif des verbes réguliers

Tableau 1.12

Comment former l'impératif des verbes réguliers

Forme *tu*	Forme *nous*	Forme *vous*
Écout**e**!	Écout**ons**!	Écout**ez**!
Maigri**s**!	Maigriss**ons**!	Maigr**issez**!
Descend**s**!	Descend**ons**!	Descend**ez**!
Détend**s**-toi!	Détend**ons**-nous!	Détend**ez**-vous!
Ne te press**e** pas!	Ne nous press**ons** pas!	Ne vous press**ez** pas!

Formation

→ formes *tu, nous* et *vous* du présent (sans le sujet)

→ le *s* de la 2e personne du singulier du présent des verbes en *er* disparaît

Mise en pratique 13 (impératif des verbes réguliers)

Transformez les phrases suivantes en ordre ou en suggestion.

1. Nous nous promenons.
2. Tu finis tes devoirs.
3. Vous partez avant nous.

Impératif des verbes être, avoir *et* savoir

Tableau 1.13

Être, avoir* et *savoir

être	*avoir*	*savoir*
sois	aie	sache
soyons	ayons	sachons
soyez	ayez	sachez

Attention!

pas de *s* aux formes *aie* et *sache*

MISE EN PRATIQUE 14 (impératif des verbes *être, avoir* et *savoir*)

Transformez les phrases suivantes en ordre ou en suggestion.

1. Vous avez de la patience.
2. Nous sommes calmes.
3. Tu sais qu'il est fidèle.

MISE EN PRATIQUE 15 (impératif des verbes irréguliers)

Traduisez les phrases suivantes en français. Consultez l'appendice A, si cela est nécessaire.

1. Sit down. (forme *vous*)
2. Come here. (forme *tu*)
3. Let's take this path.
4. Read this article. (forme *tu*)

Syntaxe de l'impératif

Tableau 1.14

Ordre des mots à l'impératif

	verbe non pronominal	verbe pronominal
affirmatif	Attendez!	Mariez-**vous**!
négatif	N'attendez pas!	Ne **vous** mariez pas!

MISE EN PRATIQUE 16 (syntaxe de l'impératif)

Transformez les phrases selon l'indication entre parenthèses.

1. Refuse. (négatif)
2. Ne te fais pas teindre les cheveux. (affirmatif)
3. Arrête-toi. (négatif)

Emploi de l'impératif

Tableau 1.15

Quand employer l'impératif

	contexte	explication
		On utilise l'impératif :
1.	***Entrez**!* ***Arrête**! Tu me fais mal!* *Ne **dis** rien!*	pour donner des ordres directs;
2.	***Répondez** aux questions suivantes.* ***Attachons** nos ceintures.*	pour donner des indications ou des directives;
3.	***Profite** au maximum de ton séjour.* *N'y **attache** aucune importance.*	pour exprimer un souhait ou un conseil;
4.	***Veuillez** vous asseoir.*	pour exprimer la politesse avec le verbe *vouloir*;
5.	*Ne **fumez** pas.*	pour exprimer une interdiction;
6.	***Écoutons** le professeur.*	pour présenter une suggestion, mais seulement à la forme *nous*.

MISE EN PRATIQUE 17 (emploi de l'impératif)

Indiquez si l'on emploie l'impératif ou pas.

	oui	non
1. pour donner un ordre	___	___
2. pour parler de ce qui va arriver	___	___
3. pour suggérer quelque chose	___	___
4. pour raconter ce qui s'est passé	___	___
5. pour interdire de faire quelque chose	___	___

Le genre des noms

Remarques préliminaires

1. Il y a deux genres en français : le masculin et le féminin.

   Chaque nom est du genre masculin ou féminin.

   ***le** français* (masculin)

   ***la** grammaire* (féminin)

   Attention! Pour retenir le genre d'un nom, il faut l'apprendre avec un déterminant au singulier.

   ***un** amant* ***la** passion*

   Si un nom commence par une voyelle ou par un *h* muet, il s'agit, si possible, de retenir ce nom avec un déterminant singulier autre que l'article défini *l'* qui n'indique pas le genre.

   ***l'**amour* → pas d'indication de genre

   ***un grand** amour* → masculin

2. Certains suffixes permettent d'identifier le genre d'un nom.

   tion/sion → féminin *une situa**tion**, une mis**sion***

   isme → masculin *le dynam**isme**, le social**isme***

   L'appendice G fournit la liste des suffixes de noms qui signalent soit le masculin, soit le féminin.

3. Il y a, en français, des noms à double genre. Ces noms ont un sens différent au masculin et au féminin.

   ***un** mode d'emploi* = directions for use

   ***la** mode* = fashion

MISE EN PRATIQUE 18 (genre des noms)

Donnez l'article qui identifie le genre du nom. Consultez l'appendice G, si cela est nécessaire.

1. définition
2. amitié
3. faveur
4. bouquet
5. écharpe
6. hésitation
7. épicerie
8. ouverture
9. amour
10. zoo
11. poupée
12. penchant

MISE EN PRATIQUE 19 (genre des noms)

Indiquez le genre de chaque nom. Consultez le dictionnaire, si cela est nécessaire.

1. des amants
2. des fiançailles
3. des lunettes
4. les alentours
5. les étoiles
6. des ustensiles

Indices du genre

1. À part l'indice donné par le déterminant ou parfois le suffixe, il n'existe que peu d'indications permettant d'identifier le genre des noms. Certains indices peuvent être utiles.

loup → animal mâle = masculin
louve → animal femelle = féminin

2. La plupart des noms de personnes ou d'animaux mâles sont masculins.

un *homme* ***un*** *chien*
un *garçon* ***un*** *coq*

3. La plupart des noms de personnes ou d'animaux femelles sont féminins.

une *femme* ***une*** *chatte*
une *sœur* ***une*** *poule*

4. Certains noms de professions s'appliquent à l'homme ou à la femme.

un *ou* ***une*** *artiste*
un *ou* ***une*** *bibliothécaire*

5. Dans la plupart des dictionnaires, de nombreux noms de professions sont masculins même s'ils s'appliquent à une femme. Il est intéressant de noter l'usage de plus en plus fréquent de noms de professions féminisés.

un professeur ***une*** *professeur**e***
un auteur ***une*** *auteur**e***
un écrivain ***une*** *écrivain**e***

6. On trouve parfois le mot *femme* utilisé avec le nom de la profession.

un pompier *une* ***femme*** *pompier*

7. Certains noms sont toujours masculins même quand il s'agit d'une femme ou d'une fille.

un *mannequin* ***un*** *chef*
un *être* ***un*** *bébé*

8. Certains noms de personnes sont toujours féminins même quand il s'agit d'un homme ou d'un garçon.

une *victime* ***une*** *vedette*
une *personne* ***une*** *connaissance*

Attention! *Il est* ***la première*** *victime de ce nouveau virus.*
(*la première* s'accorde avec *victime*, pas avec *il*)

9. Certains noms de personnes s'appliquent à l'homme ou à la femme. C'est le déterminant qui en désigne le genre.

un *ou* ***une*** *camarade*
le *ou* ***la*** *collègue*

10. Pour désigner certaines personnes, il existe un nom masculin et un nom féminin.

un monsieur (a gentleman)	*une dame* (a lady)
un père	*une mère*
l'homme	*la femme*
le frère	*la sœur*
l'oncle	*la tante*
le roi	*la reine*
le parrain	*la marraine*
le beau-père	*la belle-mère*
le beau-frère	*la belle-sœur*

11. La plupart des autres noms de personnes forment leur féminin avec un ***e*** ajouté au masculin.

un ami	*une ami**e***
un assistant	*une assistant**e***

MISE EN PRATIQUE 20 (genre des noms)

Identifiez le genre de chaque nom. Indiquez : **a)** masculin, **b)** féminin ou **c)** masculin ou féminin.

1. neveu
2. marraine
3. secrétaire
4. dame
5. collègue
6. vedette
7. infirmière
8. gendre

MISE EN PRATIQUE 21 (genre des noms)

Indiquez si oui ou non la prononciation est suffisante pour déterminer le genre du nom.

1. étudiante
2. élève
3. cousine
4. amie

Formation du féminin de certains noms

Tableau 1.16

Comment former le féminin de certains noms

1. Certains noms de personnes forment leur féminin de la manière suivante :

noms en *er* → *ère*

*un boulang**er*** → *une boulang**ère***

noms en *eur* → *euse*

*un coiff**eur*** → *une coiff**euse***

noms en *ien* → *ienne*

*un gard**ien*** → *une gard**ienne***

noms en *on* → *onne*

*un patr**on*** → *une patr**onne***

2. Certains noms en *teur* au masculin ont un féminin en *trice*.

*un ac**teur***	→	*une ac**trice***
*un inspec**teur***	→	*une inspec**trice***

3. Certains noms de personnes en *e* au masculin ont un féminin en *esse*.

*un princ**e***	→	*une princ**esse***
*un comt**e***	→	*une comt**esse***
*un hôt**e***	→	*une hôt**esse***

4. Certains noms de personnes ont un féminin irrégulier.

*un hér**os***	→	*une hér**oïne***
*un compag**non***	→	*une compag**ne***
*un cop**ain***	→	*une cop**ine***

MISE EN PRATIQUE 22 (masculin/féminin de certains noms)

Donnez le nom du genre opposé.

1. une compagne
2. un cuisinier
3. un musicien
4. une directrice
5. une travailleuse
6. un duc
7. un héros
8. un instituteur

Le nombre des noms

Remarques préliminaires

1. Le français distingue deux nombres : le singulier (un seul, une seule) et le pluriel (deux ou plusieurs).

un étudiant	(singulier)
des étudiants	(pluriel)

2. La plupart des noms peuvent s'employer soit au singulier, soit au pluriel.

un professeur	(singulier)
des professeurs	(pluriel)

3. Certains noms sont toujours au singulier.
   la vaisselle

4. Certains noms sont toujours au pluriel.
   les mathématiques
   les gens

5. Certains noms ont un sens différent au singulier et au pluriel.

une vacance	(a vacancy)
les vacances	(a vacation)

6. Le pluriel de la plupart des noms est formé en ajoutant un *s* au singulier.

le livre	*les livre**s***

7. Certains noms se terminent en *s* au singulier. Ils ne changent pas au pluriel.

un devis	*des devis*

Mise en pratique 23 (nombre des noms)

Identifiez le nombre de chaque nom. Indiquez si le nom est : **a)** au singulier, **b)** au pluriel ou **c)** au singulier ou au pluriel.

1. fois
2. feuille
3. copains
4. photo
5. trains
6. cours (de français)

Formation du pluriel de certains noms

Tableau 1.17

Comment former le pluriel de certains noms

1. Les noms qui se terminent en *s, x* ou *z* au singulier ne changent pas au pluriel.

un vers	*des vers*
un époux	*des époux*
un nez	*des nez*

2. Certains noms en *al* au singulier ont un pluriel en *aux.*

un journal	*des journ**aux***

Attention! Les noms *bal, carnaval, chacal, festival* et *récital* prennent un *s* au pluriel.

un récital	*des récital**s***

3. Les noms en *eu* et *au* au singulier prennent un *x* au pluriel.

un cheveu	*des cheveu**x***
un vœu	*des vœu**x***
un tuyau	*des tuyau**x***
un morceau	*des morceau**x***

Attention! Quelques noms en *eu* et *au* prennent un *s* au pluriel.

un pneu	*des pneu**s***
un bleu	*des bleu**s***
un landau	*des landau**s***

4. Les noms en *ail* prennent un *s* au pluriel.

un chandail	*des chandail**s***
un détail	*des détail**s***

Attention! Quelques noms en *ail* forment leur pluriel en *aux.*

un travail	*des trav**aux***
un vitrail	*des vitr**aux***

5. Les noms en *ou* prennent un *s* au pluriel.

un fou	*des fou**s***
un cou	*des cou**s***
un sou	*des sou**s***

Attention! Les noms *bijou, caillou, chou, genou, hibou, joujou* et *pou* prennent un *x* au pluriel.

un bijou	*des bijou**x***

6. Les noms propres prennent un *s* au pluriel quand ils désignent des peuples ou des dynasties.

*les Italien**s*** *les César**s***

7. Les noms de famille ne prennent pas de *s* au pluriel.

les Dupont

8. Certains noms ont des pluriels irréguliers.

un monsieur — *des messieurs*
un jeune homme — *des jeunes gens*
un œil — *des yeux*
un ciel — *des cieux*

9. Les noms d'origine anglaise prennent *s* ou *es* au pluriel.

un sandwich — *des sandwich**s*** ou *des sandwich**es***

Mise en pratique 24 (pluriel des noms)

Donnez le pluriel de chaque nom.

1. cou
2. œil
3. neveu
4. rideau
5. détail
6. carnaval
7. cheval
8. genou
9. époux

Formation du pluriel des noms composés

Tableau 1.18

Comment former le pluriel des noms composés

Pour former le pluriel des noms composés, il faut considérer les éléments qui les composent.

1. Nom et adjectif → les deux termes prennent un *s*.

*des grand**s**-parent**s*** (*grandparents*)
*des coffre**s**-fort**s*** (*safes*)
mais *des haut-parleur**s*** (*loudspeakers*)

2. Nom et verbe → le nom est au pluriel, le verbe reste invariable.

*des porte-bébé**s*** (*baby carriers*) (verbe *porter*)
*des couvre-lit**s*** (*bedspreads*) (verbe *couvrir*)

Si le substantif du nom composé se rapporte à un concept singulier, on maintient le singulier.

des abat-jour (*lampshades*) (verbe *abattre* + *le jour* = *la lumière*)

3. Mot invariable et nom → le nom seulement se met au pluriel.

*des en-tête**s*** (*letterheads*) (préposition *en* qui est invariable)

4. Nom et nom complément (avec ou sans préposition) → le premier nom seulement se met au pluriel.

*des arc**s**-en-ciel* (*rainbows*) (*-en-ciel* = *dans le ciel*)
*des timbre**s**-poste* (*stamps*) (*-poste* = *de la poste*)

MISE EN PRATIQUE 25 (pluriel des noms composés)

Donnez le pluriel de chaque nom composé.

1. un coupe-papier (*paper knife*)
2. un chef-d'œuvre (*masterpiece*)
3. un gratte-ciel (*skyscraper)*
4. un pique-nique (*picnic*)
5. un hors-d'œuvre (*appetizer*)
6. un haut-parleur (*loudspeaker*)

L'analyse grammaticale du nom

Tableau 1.19

Comment trouver la fonction grammaticale du nom

Dans une phrase, chaque nom a une fonction grammaticale. Il existe de nombreuses fonctions grammaticales. Voici quelques explications :

sujet du verbe (S)	pour trouver le sujet d'un verbe, il s'agit de faire précéder ce verbe par les questions *qui?* ou *qui est-ce qui?* (personnes) ou *qu'est-ce qui?* (choses) ***Tristan*** *est au service de son oncle.* (*Tristan* est le sujet du verbe *être.*)
complément d'objet direct du verbe (COD)	pour trouver le complément d'objet direct d'un verbe, il s'agit de faire suivre le verbe de la question *qui?* (personnes) ou *quoi?* (choses) *Tristan tue* ***un dragon****.* (*un dragon* est le complément d'objet direct du verbe *tuer.*)
complément d'objet indirect du verbe (COI)	pour trouver le complément d'objet indirect du verbe, il s'agit de faire suivre le verbe de la question *à qui?* ou *de qui?* (personnes) et *à quoi?* ou *de quoi?* (choses) *Tristan pense à* ***Iseult****.* (*Iseult* est le complément d'objet indirect du verbe *penser.*)

MISE EN PRATIQUE 26 (analyse grammaticale du nom)

Indiquez la fonction grammaticale des mots en italique.

1. *Le mépris* tue *l'amitié.*
2. *Janine* est un peu nerveuse, car elle va présenter *son petit ami* à *ses parents.*

Les pronoms compléments d'objet direct *le*, *la*, *l'* et *les*

Tableau 1.20

Comment utiliser les pronoms compléments d'objet direct

Afin d'éviter la répétition d'un nom, on peut utiliser un pronom. Ainsi, au lieu de dire :

Paul était un ami d'enfance, mais en vérité je ne vois plus Paul depuis longtemps.

On dit :

Paul était un ami d'enfance, mais en vérité je ne ***le*** *vois plus depuis longtemps.*

Les pronoms *le, la, l'* et *les* remplacent des noms qui auraient eu la fonction de complément d'objet direct dans la phrase. Dans la deuxième phrase de l'exemple ci-dessus, le pronom *le* remplace *Paul,* qui est le complément d'objet direct du verbe *voir.*

Quel pronom complément d'objet direct utiliser

masculin singulier	*le*	*Paul, je **le** trouve charmant.*
(avant un verbe commençant par une voyelle)	*l'*	*Il est adorable, je **l'**épouse.*
féminin singulier	*la*	*Chloé, je **la** trouve sympa.*
(avant un verbe commençant par une voyelle)	*l'*	*Je **l'**admire, cette femme.*
masculin ou féminin pluriel	*les*	*Mes parents, je **les** aime.*

Attention! Les pronoms *le, la, l'* et *les* ne remplacent pas un nom précédé de l'article indéfini (*un, une, des*) ou partitif (*du, de la, de l'*).

Il faut du courage *Il **en** faut.*

Mise en pratique 27 (les pronoms compléments d'objet direct)

Remplacez les mots soulignés par les pronoms *le, la, l'* et *les.*

1. Gisèle déteste sa cousine.
2. Elle n'aime pas ses mauvaises manières.
3. Il ne mérite pas l'amour de sa petite amie.
4. Elle attend son amoureux.

Problèmes de traduction

Tableau 1.21

Comment traduire

1. She **sleeps**. / She **is sleeping**. → *Elle **dort**.*

   Alors que l'anglais offre deux temps au présent, il n'y a qu'un temps du présent de l'indicatif en français.

2. He **is leaving** soon. → *Il **part** bientôt.*
   → *Il **va** bientôt **partir**.*

   He **is about to leave**. → *Il **est sur le point de partir**.*

   La notion du futur proche de l'anglais peut être exprimée en français par :

   a) le présent,
   b) le verbe *aller* suivi d'un infinitif
   c) l'expression *être sur le point de* suivie d'un infinitif.

3. She **has been waiting since** noon. → *Elle **attend depuis** midi.*

   Pour exprimer une action qui a commencé dans le passé, mais qui continue dans le présent, l'anglais emploie un verbe **au passé** suivi de la préposition ***since*** + le moment où a commencé l'action. Le français utilise un verbe **au présent** suivi de la préposition ***depuis*** + le moment où a commencé l'action.

4. She has known him **for** years. → *Elle le connaît **depuis** des années.*
   → ***Il y a** des années **qu'**elle le connaît.*
   → ***Ça fait** des années **qu'**elle le connaît.*

   La préposition *for* suivie d'une période de temps se traduit, en français, par les constructions *depuis, il y a . . . que* et *ça fait . . . que* suivies du présent.

5. **Let's go out** together! → ***Sortons** ensemble!*
   Let's not fight! → ***Ne nous disputons pas**!*

   La notion exprimée par la formule anglaise *let's* suivie d'une suggestion peut être rendue, en français, par la première personne du pluriel (forme *nous*) de l'impératif.

6. **Store** in a cool dry place. → ***Garder** dans un endroit froid et sec.*

   En français, l'infinitif remplace souvent l'impératif dans les indications telles qu'on les trouve dans les modes d'emploi et les recettes de cuisine.

7. **Why don't you come** with us! → ***Viens/Venez** donc avec nous!*

   En français, on peut utiliser le mot *donc* pour atténuer la forme de l'impératif.

Mise en pratique 28 (traduction)

Traduisez les phrases suivantes en français.

1. Tania is studying right now.
2. Her fiancé has been living in Edmonton for the past three years. (*3 possibilités*)
3. They have been married since 1990 and they are about to get divorced.
4. Paco, why don't you sing with her?
5. Do not walk on the grass.

Expression écrite

La correction systématique des fautes

1. Après la rédaction d'un texte, il va sans dire qu'il est absolument essentiel de se relire plusieurs fois. En effet, certaines erreurs nous échappent, même lorsqu'on fait très attention. Et malheureusement, les correcteurs (*spell check and grammar correction software*), incorporés aux logiciels de traitement de texte, n'arrivent pas à déceler toutes les erreurs. Et que faire lors des examens quand on n'a ni dictionnaire ni correcteur? La meilleure formule est de développer une stratégie de correction personnelle efficace.
2. La grille de correction ci-dessous devrait donc permettre à chaque étudiant(e) de développer ce type de stratégie. Il est recommandé de faire plusieurs lectures en se concentrant chaque fois sur une seule catégorie de fautes.

La grille de correction

Tableau 1.22

Grille de correction

catégories	**erreurs**	**phrases avec fautes, exemples de corrections et explications**
1. **système verbal**	temps	S'il ~~fera~~ → ***fait*** beau, on ira à la plage. (*si* + présent → futur)
	mode	Il est possible qu'il ~~vient~~ → ***vienne***. (subjonctif après *Il est possible que*)

	morphologie	→ ***faites*** Vous ~~faisez~~. (mauvaise forme)
	auxiliaire	→ ***est*** Il ~~a~~ tombé. (*être* avec les verbes de mouvement comme *tomber*)
2. système des accords	article	→ ***le*** ~~la~~ critère (le nom *critère* est masculin)
	adjectif	→ ***intéressant*** quelque chose d'intéressant~~e~~ (adj. au masc. avec *quelque chose*)
	verbe	→ ***dis*** C'est moi qui vous le ~~dites~~. (sujet = *qui* = *moi* = *je*)
	participe passé	→ ***parlé*** Elles ne se sont pas parl~~és~~. (pas d'accord du p.p. avec *se parler*)
	pronom	→ ***la*** Sa petite amie, il ~~le~~ trompe. (mot remplacé = *petite amie* = fém.)
		→ ***de laquelle*** la fille près ~~duquel~~ il est assis (antécédent *fille* = féminin)
3. système des pronoms	choix	→ ***le*** Elle nous ~~lui~~ demande. (complément d'objet direct)
	place	→ ***va lui en donner*** Elle ~~lui en va~~ donner. (pronoms avant le verbe *donner*)
	ordre	→ ***le-moi*** Donnez-~~moi-le~~. (*le* avant *moi*)
	omission	→ ***dont*** les dossiers ^ il s'occupe (le pronom relatif est nécessaire)
4. système des déterminants	choix	→ ***de*** ~~des~~ longues phrases (*de* + adjectif pluriel avant le nom)
	addition	→ ***arrivé vendredi dernier*** Il est arrivé ~~le~~ vendredi dernier. (pas d'article pour *last Friday*)

	omission	→ ***les*** Elles y vont tous ^ vendredis. (article pour *every Friday*)
5. système des conjonctions/ prépositions	choix	→ ***contre*** Elle s'est fâchée ~~avec~~ lui. (*se fâcher contre*)
	addition	→ ***cherche son mari*** Elle cherche ~~pour~~ son mari. (*chercher* + complément d'objet direct)
	omission	→ ***au*** Nous jouons ^ tennis. (*jouer à un sport*)
6. système des modifiants (adjectifs et adverbes)	choix	→ ***mieux*** Il se sent ~~meilleur~~. (verbe modifié par un adverbe)
	place	→ ***homme infidèle*** C'est un ~~infidèle homme~~. (adj. *infidèle* suit le nom)
	degré	→ ***le*** C'est l'étudiant ^ plus intelligent. (superlatif = article + *plus* + adj.)
7. orthographe	lexique	→ ***adresse*** *une ~~addresse~~* (interférence de l'anglais = *address*)
	élision	→ ***l'*** ~~le~~ hôpital (*h* muet = élision)
	accent/ pas d'accent	→ ***excessif*** ~~excèssif~~ (prononciation du *e* devant une consonne double)
	homonyme	→ ***C'est*** ~~Ses~~ vrai. (homonymes *c'est, sait, sais, ses, ces*)
	euphonie	→ ***-t-*** pourra ^ il (*-t-* pour faciliter la prononciation)

Remarque : Les termes grammaticaux sont expliqués dans l'appendice B.

Mise en pratique 29 (correction des fautes)

Corrigez le paragraphe suivant en utilisant la grille de correction ci-dessus. Il y a quinze fautes.

Le cinéma dois être considérer comme l'un des dépositaire de la pensée du vingtième siècle, dans la measure ou il refléte la mentalité des hommes et des femme qui fait des films. Au même titre que la painture, la litérature et les arts plastiques cotemporain, il aides a comprendre l'esprit de la notre temps.

Synthèse

Exercice 1 À chaque phrase son verbe (présent de l'indicatif)

écrit

Mettez les verbes entre parenthèses au présent de l'indicatif. Consultez l'appendice A, si cela est nécessaire.

1. Tristan (se proposer) d'aller en Irlande.
2. Il lui (répéter) toujours la même chose, elle (s'ennuyer).
3. Son ancien petit ami la (harceler) depuis longtemps.
4. Lorsqu'on (commettre) une infidélité, on (devoir) en subir les conséquences.
5. Je te (rappeler) que nous avons rendez-vous.
6. Avec nos amis, nous (se divertir) toujours.
7. Il lui (offrir) toujours des roses à l'occasion de la Saint-Valentin.
8. Je te (suggérer) de lui dire ce que tu (vouloir) faire.
9. L'amitié (se construire) et (se maintenir) en faisant attention aux petites choses.
10. Ils (apprendre) petit à petit à se supporter.

Exercice 2 La vérité (présent de l'indicatif)

oral ou écrit

Corrigez les énoncés suivants en utilisant les verbes entre parenthèses.

Modèle : Quand ma chambre est en désordre, je salis mes affaires. (*ranger*)
→ *Quand ma chambre est en désordre, je range mes affaires.*

1. Avant de nous endormir, nous allumons la lumière. (*éteindre*)
2. À la fin d'un concert, l'auditoire attend. (*applaudir*)
3. Quand il pleut, on enlève son imperméable. (*mettre*)
4. À la fin de la classe, les étudiants arrivent. (*partir*)
5. Il est honnête, il ment. (*dire toujours la vérité*)
6. Elle a une bonne mémoire, elle oublie tout. (*se souvenir de*)
7. Ses parents sont sévères. Ils lui permettent de sortir tous les soirs. (*défendre de*)
8. Ils sont ambitieux, ils abandonnent leurs études. (*poursuivre*)

9. Lorsqu'on a un coup de foudre pour quelqu'un, on évite cette personne. (*ne pas pouvoir se passer de*)

10. Elle est amoureuse, elle ne pense qu'à son travail. (*ne vivre que d'amour et d'eau fraîche*)

EXERCICE 3 Les bons conseils (impératif)

oral ou écrit

Analysez chaque situation et donnez le meilleur conseil possible.

Modèle : Un(e) camarade prend trop de temps pour se préparer. (*se dépêcher*)
→ *Dépêche-toi.*

Un(e) camarade fume et cela vous dérange. (*ne pas fumer*)
→ *Ne fume pas.*

1. Un(e) camarade est très fatigué(e). (*se reposer*)

2. Un(e) camarade est très impatient(e). (*être plus patient*)

3. Un(e) camarade se fait trop de soucis. (*ne pas s'en faire*)

4. Un(e) camarade ne met pas sa ceinture de sécurité dans la voiture. (*attacher sa ceinture*)

5. Un(e) camarade est trop timide. (*ne pas être si timide*)

6. Un(e) camarade est mauvais(e) conducteur/trice. (*être prudent*)

7. Un(e) camarade est mécontent(e). (*ne pas se fâcher*)

8. Un(e) camarade a peur de prendre l'avion. (*ne pas s'énerver*)

EXERCICE 4 Les définitions (présent de l'indicatif)

oral ou écrit

Complétez les définitions suivantes en utilisant les éléments entre parenthèses.

Modèle : une vidéocassette est une bande magnétique qui . . .
(*servir à enregistrer des émissions télédiffusées*)

→ *Une vidéocassette est une bande magnétique qui sert à enregistrer des émissions télédiffusées.*

1. un pharmacien ou une pharmacienne est une personne qui . . . (*tenir une pharmacie*)

2. un four à micro-ondes est un appareil qui . . . (*permettre de cuire des aliments*)

3. un décapsuleur est un ustensile qui . . . (*servir à ôter les capsules des bouteilles*)

4. un propriétaire est une personne qui . . . (*posséder des biens immobiliers = to own real estate property*).

5. un flacon est une petite bouteille qu'on . . . (*utiliser pour garder un liquide précieux, comme un parfum*).

6. un quotidien est un journal qui . . . (*paraître chaque jour*)

7. un gourmet est une personne qui . . . (*apprécier le raffinement en matière de boire et de manger*)

8. un(e) concierge est une personne qui . . . (*avoir la garde d'un immeuble*)

EXERCICE 5 Les proverbes (présent de l'indicatif)

oral ou écrit

Complétez chaque proverbe avec le verbe entre parenthèses. Connaissez-vous les proverbes équivalents en anglais?

1. Un ami dans le besoin ____________ vraiment un ami. (*être*)
2. L'habit ne ____________ pas le moine. (*faire*)
3. Pierre qui ____________ n'____________ pas mousse. (*rouler/amasser*)
4. Il ne ____________ pas remettre au lendemain ce que l'on ____________ faire le jour même. (*falloir/pouvoir*)
5. On ____________ ce qu'on ____________ . (*récolter/semer*)
6. Le champ du voisin ____________ toujours plus beau. (*paraître*)

EXERCICE 6 Réponse libre (présent de l'indicatif)

écrit

Complétez chaque phrase.

1. Pour moi, l'amitié . . .
2. Je pense que vivre un grand amour est plus/moins important que de gagner beaucoup d'argent parce que . . .
3. Quand un(e) ami(e) . . .
4. Pour réussir un mariage . . .
5. Pour réussir dans n'importe quel domaine . . .
6. Lorsque je me fâche, je . . .

EXERCICE 7 Moulin à phrases (divers éléments)

écrit

Composez des phrases avec les éléments suivants.

1. *depuis plusieurs années*
2. *venir de* + infinitif
3. *être en train de* + infinitif
4. *s'ennuyer*
5. *aller* + infinitif
6. *ne jamais faire* (à l'impératif)
7. *être sur le point de*

EXERCICE 8 D'une personne à l'autre (genre des noms)

oral ou écrit

Remplacez les noms de personnes en italique par les noms de personnes du sexe opposé.

Modèle : *Ce boulanger* ne fait pas crédit.
→ *Cette boulangère ne fait pas crédit.*

1. *Ce chanteur* est aussi *musicien.*
2. *Sa belle-sœur* a *une copine* qui est *masseuse.*
3. *Cet acteur* joue le rôle *du héros.*
4. *Cette dame* va souvent chez *la coiffeuse.*
5. *Le parrain du frère du directeur* est très riche.
6. *La duchesse* raconte des histoires sur *la reine.*
7. *La femme* de *son oncle* n'aime pas *sa petite amie.*

EXERCICE 9 Votre opinion (pluriel des noms)

oral ou écrit

Exprimez votre opinion sur les sujets suivants. Utilisez les expressions *peu de*, *beaucoup de*, *pas assez de* ou *trop de.*

Modèle : politicien qui dit toujours la vérité
→ *Il y a peu de politiciens qui disent toujours la vérité.*

1. chauffeur qui prend des risques
2. film qui évite les scènes violentes
3. professeur qui est exigeant
4. cours où il n'y a pas d'examen
5. jour de congé durant l'année
6. rue piétonnière* en ville
7. comique à la télévision
8. avocat qui devient riche
9. personne qui divorce

***rue piétonnière**—street restricted to pedestrians

Exercice 10 Noms composés (pluriel des noms composés)

écrit

Mettez les noms composés suivants au pluriel.

1. un rouge-gorge
2. un porte-documents
3. un hôtel de ville
4. une robe de chambre
5. un château fort
6. une pomme de terre

Exercice 11 Rédaction (présent de l'indicatif + correction de texte)

écrit

Écrivez un paragraphe sur le sujet suivant.

Sujet Selon vous, est-il possible de vivre d'amour et d'eau fraîche? Expliquez pourquoi.

Consignes Ne dépassez pas les 100 mots.
Utilisez la grille de correction de la section *Expression écrite* pour vous assurer que vous avez bien corrigé votre texte.

Chapitre 2

Lecture

Nouvelle

Les amours de Fannie de Danielle Cadorette

Fable

Le laboureur et ses enfants de Jean de La Fontaine

Vocabulaire

La famille

Les sentiments

Grammaire

Le passé composé

L'accord du participe passé

L'imparfait

Le passé composé ou l'imparfait?

Le plus-que-parfait

La syntaxe des temps composés

Le passé simple

Expression écrite

Le récit

Les formules de transition

II

Lecture et Vocabulaire

Dossier 1 *Les amours de Fannie*

Introduction à la lecture

Danielle Cadorette habite dans la région de la Huronie (lac Huron). Elle a écrit des nouvelles, des chansons et des pièces de théâtre. Elle travaille aussi comme scénariste pour TVOntario et Radio-Canada.

Activités de pré-lecture

Lisez le descriptif ci-dessous et répondez aux questions qui suivent.

Fannie, franco-ontarienne, est amoureuse d'un anglophone.
Son père n'accepte pas cette liaison.
La tristesse s'installe dans la maison familiale lorsque Fannie quitte les siens pour aller vivre avec son amoureux à Toronto.
Six ans passent . . .
Fannie revient à Penetanguishene, sa ville natale . . .

1. Qu'est-ce qu'une «franco-ontarienne»?
2. Selon vous, pourquoi le père de Fannie n'accepte-t-il pas cette liaison avec un anglophone?
3. Connaissez-vous Penetanguishene? Où se trouve cette ville?
4. Comment imaginez-vous le retour de Fannie après six ans d'absence?

Lecture

Lisez le texte *Les amours de Fannie.*

1. Dans le deuxième paragraphe, relevez les verbes au passé composé et à l'imparfait.
2. Répondez aux questions de compréhension qui suivent le texte.

Lecture

Les amours de Fannie

1 Par où commencer? Par le commencement. Dans le fond, c'est la meilleure façon de commencer. C'est évident. Nous habitons Penetanguishene depuis toujours, mon mari et moi. C'est dans cette jolie ville que nous avons *élevé* nos cinq enfants. Nous les avons élevés en français malgré toutes les difficultés et nous en sommes *fiers*! Ils sont tous partis de la mai-
5 son maintenant mais c'est le départ de Fannie, *la cadette*, qui m'a fait le plus mal. Il y a six ans qu'elle est partie de la maison. Elle avait vingt ans.

À cette époque, elle travaillait à la pharmacie, sur la rue Main. C'est là qu'elle a rencontré son gentil pharmacien, John, le grand amour de sa vie! Un grand amour qui a causé beaucoup de *chagrin* dans notre famille. Je m'explique : Gaston, le père de Fannie, est un passionné. Il a passé sa vie à se battre pour conserver sa langue et sa culture. Il travaille comme cuisinier à l'hôpital de Penetanguishene. Souvent, après sa journée de travail, il partait pour assister à des réunions qui duraient tard dans la nuit. Gaston s'est battu pour l'école secondaire française, pour *les garderies*, pour le Centre d'activités françaises, pour notre radio communautaire. Le drapeau franco-ontarien flotte fièrement devant la maison. En plus de se battre, il amuse aussi les gens avec son violon. Au *festival de quenouilles*, c'est toujours lui qui fait chanter les gens en français, sur ses airs de violon! Il n'y a jamais eu un mot d'anglais chez nous. Et j'en suis bien heureuse. On parle notre langue, on la parle fort et avec fierté!

Mais voilà que Fannie *tombe en amour*! Avec un Anglais. Vous pouvez facilement vous imaginer la colère de Gaston et sa déception. Il ne comprenait pas : pour lui c'était une trahison. Il était certain que Fannie allait tout renier, qu'elle allait tout oublier, sa langue, sa culture. «Ses frères, ses sœurs ont tous épousé des francophones! Ils n'ont pas *craché sur leur héritage* eux!» disait-il. Essayez donc d'expliquer que l'Amour n'a pas de langue! Un homme comme Gaston aura l'impression de recevoir *une gifle* en plein visage! C'est ce qu'il a cru recevoir de Fannie. À partir de ce moment, la guerre s'est déclarée entre Gaston et notre fille.

Elle a essayé . . . tellement essayé, la pauvre Fannie. Elle répétait à son père que John était en train d'apprendre le français, que jamais elle ne perdrait sa culture, que cet héritage qu'il lui avait laissé, elle en prendrait soin toute sa vie. Rien à faire. Gaston ne voulait rien entendre. John n'a jamais mis les pieds dans la maison. Gaston *l'aurait mis à la porte* et vite fait! Les tensions entre Gaston et Fannie augmentaient de jour en jour, de mois en mois. Plus l'amour entre John et Fannie *fleurissait*, plus Gaston devenait en colère! Il ne voulait même pas qu'on prononce le nom de John à la maison. Fannie ressemble beaucoup à son père. Elle est passionnée et fière. Elle n'avait pas l'intention de *céder* : le père et la fille vivaient chacun de leur côté leur amour, leur passion jusqu'au bout.

Un beau matin . . . Fannie n'était plus là. Elle avait quitté la maison sans nous avertir. Elle avait simplement laissé un mot sur la table dans la cuisine. Elle me disait qu'elle se sentait déchirée entre son père et John. «Je ne peux plus vivre à la maison, écrivait-elle. On n'arrive pas à se comprendre, papa et moi. Dis-lui que j'aurai toujours la force de garder ma langue comme lui l'a fait. Je le jure!» Fannie me disait qu'elle était partie avec John pour Toronto. Il venait de *décrocher* un bon emploi comme pharmacien dans un hôpital. Elle me disait de ne pas m'en faire, qu'elle m'écrirait bientôt.

J'ai pensé mourir! Quand j'ai appris la nouvelle à Gaston, il n'a rien dit. Mais j'ai eu l'impression que sa bouche pleurait. Pourtant, aucune larme n'a coulé. C'est à partir de ce moment-là que la tristesse s'est installée. Et . . . laissez-moi vous dire qu'elle était bien installée. Elle était assise dans le plus gros et confortable fauteuil du salon. Et ce n'est pas tout! La tristesse s'est mise à faire des petits. Plus le temps passait, plus il y avait des petites tristesses partout : dans nos yeux, sur notre bouche, dans nos cœurs. Il y avait même des petites tristesses sur les mains de Gaston. Il ne jouait plus de violon. Il faut dire qu'on ne joue pas du violon avec des mains tristes!

Cette grande tristesse a duré six ans! Même les lettres de Fannie me rendaient triste. Non pas parce que ses lettres étaient tristes. Au contraire! Elles étaient toujours remplies de lumière. Je me suis fâchée. Six ans de tristesse! J'étais grand-mère et je n'avais jamais vu ma petite-fille! Alors un jour j'ai dit à Gaston que j'avais invité Fannie, qu'elle arrivait *le lendemain* avec John et Amélie, notre petite-fille. Cette maison était aussi la mienne et j'y invitais qui je voulais. J'ai eu l'impression que ses lèvres souriaient mais je n'ai pas entendu de rires. J'étais fière de moi. Jamais je ne me serais crue capable de dire une telle chose! Je me sentais mieux. Cette nuit-là, Gaston n'a pas dormi. Moi non plus. Il m'a demandé, pour la première fois, ce que Fannie faisait à Toronto. Je lui ai répondu qu'elle travaillait à la librairie Champlain : la seule librairie française à Toronto. Il *a haussé les sourcils* et ses yeux se sont mis à briller. Mais il n'a rien dit.

Fannie, John et Amélie sont arrivés le lendemain. Quand je les ai vus sortir de la voiture, je ne pouvais plus bouger. Le bonheur *venait de me clouer sur place*. Elle avançait, ma Fannie si belle! Elle avait toujours ce même sourire généreux. Fannie tenait la main d'Amélie, sa fille de quatre ans. Que je les ai trouvées belles toutes les deux! John restait à l'arrière, l'air timide. Gaston le fixait comme on fixe un ennemi. Il n'a pas pris la peine de regarder sa fille. Fannie, non plus, ne l'a pas regardé. Un silence lourd, gourmand, s'est installé. J'ai cru que le silence allait nous *avaler*! C'est alors qu'Amélie a demandé à son grand-père, comme seuls les enfants savent le faire :

—C'est vrai que tu joues du violon, toi? Gaston l'a fixée sans répondre. Amélie a répété sa question. «Mais . . . tu parles français?» a murmuré Gaston. John s'est avancé, il a pris la main de sa fille et celle de Fannie. «Nous parlons toujours français à la maison!» a dit John d'une voix lente *en pesant ses mots*. Gaston a répondu : «Ici aussi!» Et des larmes se sont mises à couler de ses yeux. Fannie s'est avancée vers lui et l'a serré tendrement. Je les regardais. Je me suis mise à trembler. Je crois que mon corps et mon cœur n'en pouvaient plus d'avoir tant attendu. Sans dire un mot John a passé, tout doucement, son bras autour de mes épaules. On se comprenait. Il faut croire qu'Amélie en a eu assez. Elle s'est approchée de son grand-père, en tirant sur la manche de sa chemise, elle lui a dit : «Joue-moi un air de violon, grand-papa!» Gaston a regardé ses grandes mains. Enfin la tristesse venait de les quitter. Il a pris Amélie dans ses bras et, en turlutant, il est entré dans la maison. On l'a suivi. Ce soir-là, il nous a joué du bonheur sur son violon! La tristesse a déménagé et le Bonheur a pris sa place!

Tiré de Danielle Cadorette, *La fièvre de l'or*, La littérature de l'oreille inc., 1990, pp. 17–25.

- l.3 **élevé : participe passé du verbe «élever», éduquer un enfant**—to raise (children, a family)
- l.4 **fiers : qui a un vif sentiment de sa dignité, de son honneur**—proud
- l.5 **la cadette : la plus jeune**
- l.9 **chagrin : tristesse**—sadness
- l.13 **les garderies : (une garderie) endroit où l'on garde les jeunes enfants**—daycare centres
- l.15 **festival de quenouilles : en juin, fête populaire avec spectacles de musique et d'animation**
- l.19 **tomber en amour avec : expression fréquemment utilisée au Canada français**
- l.23 **craché sur leur héritage**—to spit on one's heritage

- l.24 **une gifle: coup donné (de la main) sur la joue de qqu.**—a slap in the face
- l.30 **l'aurait mis (v. mettre) à la porte**—to throw, boot out (of the house)
- l.32 **fleurissait : imparfait du verbe «fleurir», éclore et s'épanouir comme une fleur**—to grow, flourish
- l.34 **céder : ne plus résister, déférer, obéir**—to give in
- l.41 **décrocher : trouver**
- l.54 **le lendemain**—the following day
- l.60 **a haussé les sourcils**—raised his eyebrows
- l.63 **venait de me clouer sur place**—had nailed me, paralyzed me
- l.68 **avaler**—to swallow (the silence was going to swallow us)
- l.73 **en pesant ses mots**—weighing his words

Compréhension globale

Dites si les affirmations suivantes sont vraies ou fausses. Si l'affirmation est fausse, corrigez-la! Essayez de faire cet exercice *sans* regarder le texte.

1. Fannie est la seule de sa famille à avoir épousé un anglophone.
2. Les parents de Fannie ont vécu dans plusieurs villes différentes.
3. L'histoire est racontée par la mère six ans après le départ de Fannie.
4. Fannie et Gaston sont différents de caractère.
5. Fannie est partie à Toronto avec l'intention de garder son héritage francophone.
6. C'est Fannie qui prend l'initiative d'aller voir ses parents.
7. C'est Amélie, la fille de Fannie, qui brise la glace le jour de la visite chez ses grands-parents.
8. Quand il apprend que Fannie est amoureuse de John, Gaston est fâché et déçu parce qu'il n'aime pas les Anglais.
9. Fannie n'a aucun contact avec sa famille pendant six ans.

Vocabulaire 1

La famille

Les personnes apparentées vivant sous le même toit : père, mère et enfants. (Le Petit Robert)

- un foyer : lieu où vit la famille, une demeure, une maison—*a home*
- en famille : avec les siens, «passer le week-end en famille»—*with one's family*
- une famille nombreuse : qui a plusieurs enfants—*a large family*
- une famille monoparentale : qui n'a qu'un seul parent—*a single-parent family*
- une famille reconstituée : qui a des parents remariés, des enfants de différentes unions—*a blended or step-parent family*
- le milieu famil**ial**, la vie famil**iale**—*family life*
- des ennuis famil**iaux** : des problèmes de famille—*family problems*
- le planning famil**ial**—*family planning*
- les allocations famil**iales**—*family allowance*

- fonder une famille—*to start a family*
- élever des enfants (l'éducation des enfants)—*to raise a family, children (upbringing)*
- conserver sa langue, sa culture, son héritage : garder ces choses, ne pas les perdre—*to hold on to one's heritage*
- garder des enfants, une gardienne, une garderie—*to babysit, a babysitter, a daycare centre*
- s'installer, emménager/déménager—*to move in/to move out*
- vivre à la maison/quitter la maison—*to live at home/to leave home*
- ressembler à (son père, sa mère . . .) : avoir des ressemblances physiques ou psychologiques—*to look like, to share the same characteristics as . . .*

- l'enfance, l'adolescence, la vie adulte—*childhood, adolescence, adult life*
- un(e) enfant abandonné(e), un(e) orphelin(e)—*an abandoned child, an orphan*
- un fils, une fille (unique)—*a son, a daughter (only)*
- le cadet, la cadette/l'aîné(e)—*the younger (of two), the youngest (of many)/the eldest*
- les petits-enfants : un petit-fils, une petite-fille—*grandchildren, a grandson, a granddaughter*
- un parrain, une marraine—*a godfather, a godmother*
- un(e) filleul(e)—*a godchild*

Exploitation lexicale 1

1. Répondez aux questions suivantes à l'oral.

a) Ressemblez-vous (de caractère) à quelqu'un de votre famille? À qui?

b) Êtes-vous l'aîné(e) de votre famille, le(la) cadet(te)?

c) Combien d'enfants votre grand-mère maternelle a-t-elle élevés? Dans quelles conditions?

d) Pourquoi les familles sont-elles moins nombreuses aujourd'hui?

e) Avez-vous un parrain, une marraine? Est-ce que cela est important dans votre culture?

2. Minisondage. Répondez individuellement aux questions suivantes en utilisant l'échelle proposée ci-dessous.

1 = pas du tout d'accord **2** = pas d'accord **3** = plus ou moins d'accord **4** = d'accord **5** = tout à fait d'accord

a) Être enfant unique a plus d'avantages que d'inconvénients.

1 2 3 4 5

b) Le cadet/la cadette a la vie plus facile que l'aîné(e).

1 2 3 4 5

c) L'adolescence est une période difficile de la vie.

1 2 3 4 5

d) Il est difficile de vivre à la maison quand on a 18 ans.

1 2 3 4 5

e) Il est impossible de conserver sa culture quand on épouse une personne d'une culture différente.

1 2 3 4 5

Maintenant, en groupes de trois ou quatre, comparez vos réponses à celles de vos camarades. Une personne pourra ensuite faire part des résultats devant la classe.

Vocabulaire 2

Les sentiments

État affectif complexe, assez stable et durable, lié à des représentations. (Le Petit Robert)

- s'en faire, se préoccuper : s'inquiéter/rassurer—*to worry/to reassure*
- se faire du souci : s'inquiéter, avoir des inquiétudes—*to worry, to have worries*
- avoir du souci/être sans souci—*to be worried, to be free from worries*
- se sentir mal/mieux—*to feel bad/better*
- faire mal (du mal)/du bien—*to hurt/to do good* : «Le départ de Fannie lui a *fait mal*; son retour lui *fait du bien*.»
- se sentir déchiré—*to feel torn* : «Fannie se sent déchirée entre son père et John.»
- pleurer/rire, sourire—*to cry/to laugh, to smile*
- avoir les larmes aux yeux, fondre en larmes, pleurer à chaudes larmes—*to have tears in one's eyes, to break down into tears, to cry one's eyes out*
- la colère—*anger*; se mettre en colère : se fâcher—*to get angry*
- céder, accepter/nier, jurer—*to give in, to accept/to deny, to swear*

- les sentiments (n.m), les émotions (n.f.)—*feelings, emotions*
- le chagrin, la tristesse/la joie—*grief, sadness/joy*
- le bonheur/le malheur—*happiness/unhappiness*
- la fierté (être fier)/la honte (avoir honte)—*pride (to be proud)/shame (to be ashamed)*
- la trahison/la loyauté—*betrayal/loyalty*

Exploitation lexicale 2

1. Complétez les proverbes suivants et les expressions suivantes en choisissant le mot qui convient dans la liste de vocabulaire ci-dessus.

a) L'argent ne fait pas le ____________________ *(happiness).*

b) Un ____________________ *(misfortune)* n'arrive jamais seul.

c) Vous me faites ____________________ *(laugh).* (= Je me moque de ce que vous dites.)

d) Il vaut mieux en rire qu'en ____________________ *(cry).*

e) La ____________________ *(anger)* est mauvaise conseillère.

f) Il est ____________________ *(proud)* comme un coq. (= Il est prétentieux.)

2. Relisez le vocabulaire présenté plus haut et constituez des unités lexicales à l'aide des mots des deux colonnes (les mots de la colonne B sont dans le désordre).

Colonne A		**Colonne B**
1. un enfant*	h	**a)** monoparentale
2. mettre*	____	**b)** du souci
3. quitter*	____	**c)** quelqu'un à la porte
4. une famille*	____	**d)** familiaux
5. se mettre	____	**e)** aux yeux
6. avoir	____	**f)** la maison
7. des ennuis*	____	**g)** en colère
8. les larmes	____	**h)** abandonné

3. Maintenant, rédigez une phrase illustrant clairement le sens de chaque unité lexicale que vous avez constituée dans l'exercice précédent à partir des mots ayant un astérisque.

   a) Un enfant abandonné par ses parents, ou dont les parents sont morts, s'appelle un orphelin . . .

   b) mettre ____________________ . . .

   c) quitter ____________________ . . .

   d) une famille ____________________ . . .

   e) des ennuis ____________________ . . .

Compréhension détaillée 1

1. Reconstituez les événements marquants de l'histoire de Fannie en numérotant les phrases mélangées qui suivent de 1 à 9.

   ____ **a)** La tristesse s'installe dans la maison familiale.

   ____ **b)** Gaston demande ce que fait Fannie à Toronto.

   ____ **c)** Malgré les efforts de Fannie, les tensions entre elle et son père augmentent de jour en jour.

   ____ **d)** Six ans passent.

   ____ **e)** Un jour, Fannie quitte la maison sans avertir, laissant un mot à sa mère.

   ____ **f)** Gaston réagit mal : il croit que sa fille l'a trahi.

   ____ **g)** Le bonheur prend la place de la tristesse.

   ____ **h)** Fannie tombe amoureuse d'un pharmacien anglophone qui s'appelle John.

   ____ **i)** La mère en a assez : un jour elle décide d'inviter Fannie, John et Amélie.

Compréhension détaillée 2

1. Expliquez la phrase «L'amour n'a pas de langue».
2. Pourquoi Gaston s'est-il battu pour l'école secondaire française, le Centre d'activités francophones, les garderies et la radio communautaire?
3. La mère de Fannie dit que Gaston et sa fille se ressemblent beaucoup. Elle les décrit comme étant «fiers et passionnés». Donnez un ou deux exemples de chacune de ces qualités que partagent le père et sa fille.
4. Comment les parents de Fannie réagissent-ils après son départ?
5. Pour quelles raisons la mère de Fannie décide-t-elle d'inviter sa fille et son mari après six ans de séparation?

Réflexion et discussion

1. On sait que John et Fannie se sont installés à Toronto et ont décidé d'y élever leur fille Amélie. Comment, à votre avis, ont-ils pu s'assurer que la petite Amélie parle couramment français?
2. Croyez-vous qu'il soit possible de conserver sa culture et sa langue dans un milieu où celles-ci sont minoritaires?
3. Connaissez-vous une histoire d'amour semblable à celle de Fannie? Est-ce que les difficultés ont été surmontées? Comment?

Dossier 2 *Le laboureur et ses enfants*

Introduction à la lecture

Jean de La Fontaine (1621–1695) a écrit et publié des centaines de fables (243 au total) qui ont immortalisé son nom. Ce poète français s'est beaucoup inspiré des fables anciennes (surtout du fabuliste grec Ésope). La Fontaine a complètement renouvelé le genre littéraire; il a beaucoup amélioré certaines fables anciennes et il en a écrit de nouvelles, toutes en vers et dans une langue belle et simple. Grâce à La Fontaine, la fable est devenue un «court récit à intrigue rapide et vive» au lieu de la «sèche démonstration d'une morale». Parmi ses fables les plus célèbres, on retrouve «*La Cigale et la Fourmi*» et «*Le Corbeau et le Renard*». La fable que vous allez lire traite de la famille et du travail.

Activités de pré-lecture

1. Quelles sont les caractéristiques typiques d'une fable?
2. Quelles fables connaissez-vous?
3. Quelles sont les fables que vous avez lues à l'école?

Lecture

Lisez la fable *Le laboureur et ses enfants.*

1. Soulignez les verbes qui sont au passé simple.
2. Répondez aux questions de compréhension qui suivent le texte.

Lecture

Le laboureur et ses enfants

1 Travaillez, prenez de la peine :
C'est le fonds qui manque le moins.
Un riche *laboureur*, sentant sa mort prochaine,
Fit venir ses enfants, leur parla sans témoins.
5 «*Gardez-vous*, leur dit-il, de vendre l'héritage
Que nous ont laissé nos parents.
Un trésor est caché dedans.
Je ne sais pas l'endroit; mais un peu de courage
Vous le fera trouver, vous en viendrez à bout.
10 *Remuez* votre champ *dès qu'on aura fait l'oût.*
Creusez, fouillez, *bêchez,* ne laissez nulle place
Où la main ne passe et repasse.»
Le père mort, les fils vous retournent le champ,
Deçà, delà, partout; si bien qu'au bout de l'an
15 Il en *rapporta davantage*.
D'argent, point de caché. Mais le père fut sage
De leur montrer, avant sa mort,
Que le travail est un trésor.

Tiré du livre ***Œuvres complètes I*** de Jean de La Fontaine, Bibliothèque de la Pléiade, Éditions Gallimard, 1987, p. 123.

l.2 **C'est le fonds qui manque le moins : c'est le fonds qui est le plus certain de réussir, on parle du travail qui peut le moins ne pas réussir, ne pas produire**—work is the least not to succeed (you cannot lose by working)

l.3 **laboureur : personne qui travaille la terre, cultivateur**—plowman, farmer

l.5 **gardez-vous (*v.* se garder de) : s'abstenir de**—to be careful not to do something ("Be careful not to sell the family estate.")

l.10 **remuez (*v.* remuer) : faire bouger**—to stir

l.10 **dès qu'on aura fait l'oût (faire l'oût—le mois d'août) : dès que les vacances seront finies**

l.11 **bêchez : (*v.* bêcher) couper et retourner la terre (avec une bêche)**—to dig, to turn over (with a hoe)

l.15 **rapporta davantage : rapporter plus, de plus grandes récoltes**—brought a bigger harvest

Compréhension globale

Lisez les affirmations suivantes et dites si elles sont vraies ou fausses.

1. Le laboureur qui va bientôt mourir cherche à vendre l'héritage de la famille.

2. Les fils trouvent un trésor caché quelque part dans les champs.

3. En cherchant le trésor, les fils travaillent la terre si bien qu'elle rapporte plus.

4. Dans cette fable, le travail est perçu comme une chose très positive.

Approfondissement lexical

Nous avons vu dans le premier chapitre qu'une bonne façon d'élargir son vocabulaire est d'apprendre les mots d'une même famille. Si vous lisez la définition du verbe **déchirer** ci-dessous, vous verrez que l'entrée nous donne les mots de la même famille. On trouve un adjectif (*déchirant, ante*) et deux noms (*déchirement* et *déchirure*). Il n'y a pas d'adverbe pour ce verbe.

DÉCHIRER [deʃiʀe] *v. tr.* (1) ★ I. • 1e Mettre en morceaux. V. Déchiqueter. *Déchirer une lettre. Déchirer une affiche*. V. Lacérer. – Partager en deux (une étoffe) en la tirant des deux côtés à la fois, ou y faire un accroc. *Elle a déchiré son pantalon.* – Au p. p. *Chemise déchirée.* – (Abstrait) *Déchirer le voile,* découvrir la vérité. – *Se déchirer un muscle,* se rompre des fibres musculaires. – (Abstrait) *Un cri perçant déchira le silence.* V. Rompre, traverser. • 2e Causer une vive douleur physique ou morale à. *Toux qui déclaire la poitrine. Déchirer le cœur.* V. Fendre. • 3e Troubler par de tragiques divisions. V. Diviser. *Guerre civile qui déchire le pays.* – Au p. p. *Famille déchirée.* • 4e Critiquer férocement (qqn). ★ II. SE DÉCHIRER. *v. pron.* • 1e *(Réfl.)* Devenir déchiré, se fendre. *Sa robe s'est déchirée en s'accrochant.* • 2e *(Récipr.)* Se faire réciproquement du mal, de la peine avec violence. *Amants qui se déchirent.* V. Entre-déchirer (s'). ▼ DÉCHIRANT, ANTE [deʃiʀɑ̃, ɑ̃t] *adj.* • Qui déchire le cœur, émeut fortement. *Des adieux déchirants.* V. Douloureux. *Spectacle déchirant.* V. Navrant. *Des cris déchirants.* ▼ DÉCHIREMENT [deʃiʀmɑ̃] *n. m.* • 1e Action de déchirer ; son résultat. *Dechirement d'un tissu.* • 2e Grande douleur morale avec impression de rupture intérieure. *Le déchirement des séparations.*▼ DÉCHIRURE [deʃiʀyʀ] *n.f.* • Fente faite en déchirant. V. Accroc. *Sa robe a une déchirure dans le dos.*

Définition tirée du *Petit Robert*, p. 458.

1. Remplissez le tableau ci-dessous avec les mots de la même famille que le mot donné. Suivez l'exemple du verbe *déchirer*. La plupart des mots se trouvent dans le texte ou dans les listes de vocabulaire.

NOM	ADJECTIF	VERBE	ADVERBE
un déchirement une déchirure	déchirant(e)	déchirer	■
		attrister	
		■	fièrement
le chagrin			■
		trahir	
	souriant(e)		■
			soucieusement
la honte		■	
	courageux(se)	■	
la joie		■	
		inquiéter/s'inquiéter	■

2. Remplacez les blancs par un mot de la même famille que le mot en caractères gras.

- **déchirer**

On dit que la ____________________ d'un muscle, c'est douloureux.

On a séparé ces enfants de leur mère. C'était un spectacle ____________________.

- **honte**

Vous avez vu ce qu'il a fait! C'est ____________________.

On a traité cette femme ____________________.

- **s'inquiéter**

On dit que ces pauvres gens ont beaucoup d'____________________.

Ceci est ____________________ pour l'avenir.

- **joie**

Notre réunion de famille a été un des événements les plus ____________________ de l'année.

Elle a ____________________ accepté notre invitation.

Compréhension détaillée

Relisez la fable, au besoin, et répondez aux questions suivantes.

1. Pourquoi le père a-t-il raconté à ses enfants qu'il y avait un trésor caché dans les champs?

2. Quelle est la morale de cette fable?

Sites Web : activités complémentaires

Consultez le site suivant sur la vie et l'œuvre de Jean de La Fontaine :

- http://www.lafontaine.net

Faites des recherches sur les sujets suivants :

1. Les personnages des fables : quels sont les animaux les plus souvent représentés? Pourquoi?
2. La représentation de la femme dans les fables
3. L'époque de La Fontaine : avec quels autres auteurs était-il ami?

Grammaire et Expression écrite

Grammaire

Le passé composé

Formation du passé composé

Tableau 2.1

Comment former le passé composé

auxiliaire *avoir*		auxiliaire *être*		auxiliaire *être*	
	réussir		*monter*		*se laver*
j'	ai réussi	je	suis monté(e)	je	me suis lavé(e)
tu	as réussi	tu	es monté(e)	tu	t'es lavé(e)
il/elle	a réussi	il/elle	est monté(e)	il/elle	s'est lavé(e)
nous	avons réussi	nous	sommes monté(e)s	nous	nous sommes lavé(e)s
vous	avez réussi	vous	êtes monté(e)	vous	vous êtes lavé(e)
		vous	êtes monté(e)s	vous	vous êtes lavé(e)s
ils/elles	ont réussi	ils/elles	sont monté(e)s	ils/elles	se sont lavé(e)s

Formation → présent de *avoir* ou *être* + participe passé

Mise en pratique 1 (formation du passé composé)

Mettez les phrases suivantes au passé composé.

1. Fannie n'a aucun contact avec sa famille.
2. Fannie épouse un anglophone.
3. Fannie part à Toronto.
4. Gaston se fâche.

Mise en pratique 2 (participes passés)

Donnez la forme du participe passé des verbes suivants. Consultez l'appendice A (conjugaison des verbes), si cela est nécessaire.

1. réussir ________________
2. rendre ________________
3. aller ________________
4. prendre ________________
5. avoir ________________
6. être ________________

7. détruire	_______________	**10.** ouvrir	_______________
8. savoir	_______________	**11.** lire	_______________
9. s'asseoir	_______________	**12.** tenir	_______________

MISE EN PRATIQUE 3 (participes passés)

Donnez la forme infinitive des participes passés suivants.

1. contraint	**4.** cousu	**7.** valu	**10.** haï
2. parvenu	**5.** acquis	**8.** vêtu	**11.** surpris
3. plu	**6.** conçu	**9.** peint	**12.** dû

Choix de l'auxiliaire avoir *ou* être

Tableau 2.2

Comment choisir l'auxiliaire

1. La majorité des verbes se conjuguent avec *avoir.*

a) tous les verbes transitifs (c'est-à-dire qui prennent un complément d'objet direct ou indirect)

Ils ***ont*** *conservé leur langue et leur culture.*

b) la plupart des verbes intransitifs (c'est-à-dire qui ne prennent pas de complément d'objet direct ou indirect)

Elle ***a*** *beaucoup voyagé.*

2. Certains verbes intransitifs se conjuguent avec *être.*

aller (s'en aller)	partir (repartir)
arriver	passer
descendre (redescendre)	rester
entrer (rentrer)	retourner
monter (remonter)	sortir (ressortir)
mourir	tomber
naître	venir (devenir, revenir, parvenir, survenir)

Quand ***es****-tu revenu?*

Attention!

a) Les verbes *descendre, monter, passer, rentrer, retourner* et *sortir* se conjuguent avec *avoir* s'ils sont suivis d'un complément d'objet direct.

Ils ***ont passé*** *leur lune de miel à Paris.*
(*leur lune de miel* = complément d'objet direct)
(*They spent their honeymoon in Paris.*)

mais

Ils ***sont passés*** *par Paris.*
(*They came through Paris.*)

b) Les verbes *dépasser* (to overtake), *prévenir* (to warn, to let know), *surpasser* (to surpass) et *subvenir à* (to provide for) se conjuguent avec l'auxiliaire *avoir.*

Le résultat ***a surpassé*** *les espérances.*

Aide-mémoire Certains verbes intransitifs conjugués avec *être* sont des antonymes.

monter	↔	*descendre*	*naître*	↔	*mourir*
entrer	↔	*sortir*	*aller*	↔	*venir*
arriver	↔	*partir*			

3. Tous les verbes pronominaux se conjuguent avec *être*.

   *Ils se **sont** installés à Montréal.*

4. Tous les verbes à la forme passive se conjuguent avec *être*.

   *Elle **est** très appréciée de ses collègues.*

Mise en pratique 4 (auxiliaires *avoir* et *être*)

Indiquez si le verbe se conjugue avec *avoir* ou *être*.

	avoir	*être*
1. prendre	___	___
2. descendre	___	___
3. quitter	___	___
4. vivre	___	___
5. naître	___	___
6. faire	___	___
7. être	___	___
8. retourner	___	___
9. se fiancer	___	___
10. aller	___	___

Mise en pratique 5 (formation du passé composé)

En utilisant les verbes entre parenthèses, complétez les phrases suivantes avec la forme appropriée du passé composé.

1. Fannie ____________________ (venir) jusqu'à lui.
2. Il ____________________ (entrer) dans la maison.
3. Pendant la guerre, c'est la mère qui ____________________ (subvenir) à leurs besoins.
4. John ____________________ (passer) son bras autour des épaules de sa belle-mère.
5. Ils ____________________ (ne pas parvenir) à s'entendre.
6. Elle ____________________ (rentrer) la voiture au garage.

Emploi du passé composé

Tableau 2.3

Quand employer le passé composé

contexte	explication
1. *Ils **ont élevé** trois enfants.* *Elle **a conservé** sa culture.*	Ce sont des faits qui ont eu lieu, qui sont achevés.

2. *Leurs ennuis familiaux* ***ont commencé*** *l'année passée.* *Il s'****est mis*** *à pleuvoir dès notre arrivée à Penetanguishene.* *Le maire n'****a*** *pas* ***pris*** *la parole à la réunion.*	Ce sont des faits qui ont commencé dans le passé.
3. *Après quelques remarques, il s'****est tu****.* *Elle* ***a fait*** *du ski jusqu'à l'âge de soixante ans.*	Ce sont des faits qui se sont terminés dans le passé.
4. *J'y* ***suis resté*** *deux jours.* *Gaston* ***a passé*** *sa vie à se battre pour conserver sa langue et sa culture.*	Ce sont des faits qui ont duré une période de temps déterminée.
5. *Je lui* ***ai parlé*** *trois fois.* *Il m'****a*** *souvent* ***aidé****.* *Ils* ***ont déménagé*** *six fois en dix ans.*	Ce sont des faits qui se sont répétés un certain nombre de fois dans une période de temps déterminée et achevée.

MISE EN PRATIQUE 6 (emploi du passé composé)

Pour chacun des verbes en italique ci-dessous, expliquez l'emploi du passé composé.

1. Quand Robert *est rentré* à deux heures du matin sans avoir prévenu sa femme de son retard, elle *s'est mise* en colère.
2. Vladimir et Irina *se sont rencontrés* à l'université de Moscou et c'est là qu'ils *sont tombés* amoureux. «Un vrai coup de foudre!» *ont-ils dit*. Deux mois plus tard, ils *se sont mariés*. Après cela, ils *ont attendu* deux ans avant de pouvoir émigrer au Canada. Ils *se sont installés* à Moncton où ils *ont fondé* une famille.

L'accord du participe passé

Accord du participe passé avec l'auxiliaire être

Tableau 2.4

Comment accorder le participe passé (auxiliaire *être*)

1. verbes comme *aller* (voir tableau 2.2)
   Elle *y est allé****e*** *sans lui.*
   → **ACCORD AVEC LE SUJET**
2. verbes pronominaux dont le pronom réfléchi est le complément d'objet direct (COD)
   Elle s'*est habillé****e*** *avant de se maquiller.*
   (s'habiller = habiller soi-même)

   Ils se *sont vu****s*** *plusieurs fois.*
   (se voir = voir l'un l'autre)
   → **ACCORD AVEC LE COD**

3. verbes pronominaux dont le pronom réfléchi est le complément d'objet indirect (COI)
Ils se sont dit bonjour.
(se dire bonjour = dire bonjour l'un à l'autre)
→ **PAS D'ACCORD**

Aide-mémoire Verbes pronominaux qui ne font pas l'accord :

se dire	se parler	se sourire
s'écrire	se plaire	se téléphoner
s'imaginer	se rendre compte	

4. verbes pronominaux suivis d'un complément d'objet direct
Elle s'est lavé ***les mains****.*
→ **PAS D'ACCORD**

5. verbes pronominaux précédés d'un complément d'objet direct autre que le pronom réfléchi
Les robes qu'*elle s'est achet****ées*** *n'étaient pas chères.*
(que = les robes)
→ **ACCORD AVEC LE COD QUI PRÉCÈDE**

6. verbes essentiellement pronominaux (toujours à la forme pronominale)
Fannie *s'est efforc****ée*** *de le lui dire.*
→ **ACCORD AVEC LE SUJET**

7. verbes à la voix passive
Fannie *a été photographi****ée*** *par John.*
→ **ACCORD AVEC LE SUJET**

MISE EN PRATIQUE 7 (accord du participe passé)

Choisissez la forme correcte du participe passé.

1. ils sont → **a)** allé **b)** allée **c)** allés **d)** allées
2. elles se sont → **a)** fiancé **b)** fiancée **c)** fiancés **d)** fiancées
3. elle est → **a)** tombé **b)** tombée **c)** tombés **d)** tombées

MISE EN PRATIQUE 8 (accord du participe passé)

Mettez les phrases suivantes au passé composé.

1. La pharmacienne se foule la cheville*.
2. Ils partent de la maison l'un après l'autre.
3. La guerre se déclare entre Gaston et notre fille.
4. La jupe que Fannie s'offre lui coûte très cher.
5. Fannie s'avance vers son père.

***se fouler la cheville** = to twist one's ankle

Accord du participe passé avec l'auxiliaire avoir

Tableau 2.5

Comment accorder le participe passé (auxiliaire *avoir*)

1. verbes qui ne sont pas précédés d'un complément d'objet direct
Ils ont beaucoup étudié.
→ **PAS D'ACCORD**

2. verbes précédés d'un complément d'objet direct *(COD)*
Ta cousine*? Je* ***l'****ai vu****e*** *hier.*
Les blouses*?* ***Lesquelles*** *as-tu achet****ées****?*
La chanson que *j'ai chant****ée*** *était triste.*
→ **ACCORD AVEC LE COD QUI PRÉCÈDE**

Attention! Le COD qui précède le verbe peut être :

a) le pronom COD ***l'*** (fém.)
Notre dispute! Je ***l'****ai oubli****ée****.*

b) le pronom COD ***les*** (masc. ou fém.)
Fannie et sa fille, je ***les*** *ai trouv****ées*** *belles.*

c) le groupe [adjectifs ***quelle***, ***quels***, ***quelles*** + nom]
Quelle tristesse *elle a caus****ée****!*

d) les pronoms ***laquelle***, ***lesquels*** et ***lesquelles***
De toutes ces offres, ***laquelle*** *as-tu choisi****e****?*

MISE EN PRATIQUE 9 (accord du participe passé)

Faites l'exercice suivant selon le modèle.
Modèle : la lettre/écrire
→ *la lettre qu'il a écrite*

1. la voiture/conduire
2. la porte/ouvrir
3. le roman/lire
4. le match/gagner
5. la maison/construire
6. le problème/résoudre
7. l'erreur/faire
8. la faute/admettre
9. les fleurs/offrir
10. la table/mettre

MISE EN PRATIQUE 10 (accord du participe passé)

Faites l'accord du participe passé, s'il y a lieu.

1. Ses frères, ses sœurs ont tous épousé___ des francophones.
2. Les enfants qu'ils ont élevé___ sont tous parti___.
3. Quelle famille nombreuse vous avez eu___!
4. Sa fille, il l'aurait mis___ à la porte!
5. Nos enfants, nous les avons éduqué___ en français.

Tableau 2.6

Comment accorder le participe passé (cas particuliers)

1. expressions verbales impersonnelles
   La patience qu'il a ***fallu*** *pour travailler avec lui.*
   → **PAS D'ACCORD**
2. expression verbale *faire* + infinitif
   Sa robe bleue, elle ne l'a pas ***fait*** *nettoyer.*
   → **PAS D'ACCORD**
3. verbes de perception (*voir*, *entendre*, etc.) suivis d'un infinitif
   Les chansons qu'on a ***entendu*** *chanter . . .*
   - qu' (les chansons) = COD qui précède les verbes
   - qu' = COD de *chanter* → chanter les chansons
   - pas d'accord *(entendu)*

   Les jeunes filles qu'on a ***entendues*** *chanter . . .*
   - qu' (les jeunes filles) = COD qui précède les verbes
   - qu' = COD de *entendre* → entendre les jeunes filles
   - accord (*entendues*)

   → **ACCORD SEULEMENT SI LE COD QUI PRÉCÈDE EST BIEN LE COD DU VERBE DE PERCEPTION**

MISE EN PRATIQUE II (accord du participe passé)

Corrigez les participes passés des phrases suivantes, s'il y a lieu.

1. Les jeunes athlètes qu'il a vu__ courir ont tous été choisi__ pour représenter le Canada aux prochains Jeux olympiques.
2. Elle a fait__ une liste de toutes les livraisons que le pharmacien lui a fait__ faire.
3. Elle parle des emplois qu'il lui a fallu__ décrocher à cette époque-là.

L'imparfait

Formation de l'imparfait

Tableau 2.7

Comment former l'imparfait

1. On remplace la terminaison de la 1re personne du pluriel (forme en *ons*) du présent de l'indicatif par les terminaisons de l'imparfait.

   *nous parl**ons** → parl → je parl**ais**, vous parl**iez**, etc.*

   terminaisons de l'imparfait

je	parl**ais**	je	→	**ais**
tu	parl**ais**	tu	→	**ais**
il/elle	parl**ait**	il/elle	→	**ait**
nous	parl**ions**	nous	→	**ions**
vous	parl**iez**	vous	→	**iez**
ils/elles	parl**aient**	ils/elles	→	**aient**

2. On forme l'imparfait de tous les verbes de cette façon à l'exception du verbe *être*.

présent		imparfait	présent		imparfait
parl**ons**	→	parl**ais**	pouv**ons**	→	pouv**ais**
agiss**ons**	→	agiss**ais**	compren**ons**	→	compren**ais**
rend**ons**	→	rend**ais**	fais**ons**	→	fais**ais**

Attention! *étudiions* *riions* *commencions* *mangions*

Attention! *être : j'étais, tu étais, il/elle était, nous étions, vous étiez, ils/elles étaient*

MISE EN PRATIQUE 12 (formation de l'imparfait)

Mettez les verbes entre parenthèses à la forme appropriée de l'imparfait.

1. Gaston ne ______________________ (vouloir) rien entendre.
2. Elle ______________________ (ne pas avoir) l'intention de céder.
3. Plus l'amour entre John et Fannie ______________________ (fleurir), plus Gaston ______________________ (devenir) en colère.
4. En ce temps-là, elle ______________________ (vivre) à la maison.
5. Fannie ______________________ (se sentir) déchirée entre son père et John.

Emploi de l'imparfait

Tableau 2.8

Quand employer l'imparfait

contexte	explication
1. *Il **était** malade ce jour-là. Il **pleuvait,** mais il ne **faisait** pas assez mauvais pour nous décourager de faire notre promenade habituelle.*	On décrit une personne, une chose ou un fait dans le passé. On exprime la notion de progression, la notion de l'inachevé.
2. *À cette époque-là, on **faisait** souvent du camping.*	On décrit des actions ou des faits habituels, sans en indiquer le début ou la fin.
3. *C'**était** le bon vieux temps. On **sortait** presque tous les soirs, on se **couchait** très tard, et cela sans jamais être fatigués le lendemain matin.*	On décrit des souvenirs ou l'état des choses à une certaine époque.
4. *Il **finissait** de préparer leur dîner quand elle est arrivée.*	On décrit une action passée interrompue par une autre action passée.
5. *Gaston **croyait** que John n'**allait** pas apprendre le français.*	On décrit ce qu'on pensait. **Aide-mémoire** Certains verbes tels que *croire*, *penser*, *savoir*, *s'imaginer* et *sembler* se mettent souvent à l'imparfait.
6. *Si on **allait** manger au restaurant ce soir? Ah, si je **pouvais** refaire ma vie!*	On utilise l'imparfait après *si* pour proposer quelque chose ou pour exprimer un regret.

7. *S'il* ***était*** *(1) riche, il ne* ***serait*** *(2) peut-être pas plus heureux.* *Si j'****étais*** *riche (1), je* ***donnerais*** *(2) une partie de ma fortune aux œuvres de charité.*	On utilise l'imparfait (1) dans la proposition subordonnée introduite par *si*, lorsque la proposition principale est au conditionnel présent (2).
8. *Je* ***venais*** *vous demander de m'aider.*	On peut utiliser l'imparfait dans une formule de politesse.
9. *Elle* ***travaillait*** *pour cette entreprise depuis 30 ans quand elle a pris sa retraite.*	On utilise l'imparfait avec *depuis* quand le point de référence est le passé.

MISE EN PRATIQUE 13 (emploi de l'imparfait)

Pour chacun des verbes en italique, expliquez l'emploi de l'imparfait. Consultez le tableau ci-dessus, si cela est nécessaire.

1. Les lettres de Fannie *étaient* toujours remplies de lumière.
2. À cette époque-là, elle *travaillait* à la pharmacie.
3. Je *passais* pour prendre de vos nouvelles.
4. Nous *déjeunions* ensemble tous les vendredis.
5. Si tu *étais* raisonnable, on pourrait trouver une solution.

Le passé composé ou l'imparfait?

Tableau 2.9

Comment choisir entre le passé composé et l'imparfait

le passé composé : temps de la narration	**l'imparfait : temps de la description**
1. *Jacques* ***s'est mis*** *à rire quand il* ***s'est rendu compte de*** *son erreur.* Que s'est-il passé? → Jacques a commencé à rire. → Il s'est rendu compte de son erreur.	*Jacques* ***était*** *un peu gêné de s'être trompé.* Comment étaient les choses? → Jacques était un peu gêné.
On utilise le passé composé pour exprimer une action qui a commencé, un fait qui a eu lieu dans le passé.	On utilise l'imparfait pour décrire une personne, une chose, un aspect ou un fait dans le passé.
2. *Il* ***a fini*** *de lire le journal.* Que s'est-il passé? → Il a fini de lire le journal.	*Il* ***finissait*** *de lire le journal quand le téléphone a sonné.* Comment étaient les choses? → Il était en train de finir de lire le journal.
On utilise le passé composé pour exprimer une action (ou un état) qui s'est terminé(e) dans le passé.	On utilise l'imparfait pour décrire une action (ou un état) en cours au moment où une autre action a lieu dans le passé.

3. *Fannie lui **a téléphoné** deux fois ce samedi-là.*
Que s'est-il passé?
→ Fannie lui a téléphoné deux fois.

*Vanessa, qui lui **téléphonait** tous les jours, a été la première à apprendre que Paul était malade.*
Comment étaient les choses?
→ Vanessa lui téléphonait tous les jours (par habitude).

On utilise le passé composé pour exprimer une action qui a eu lieu (ou qui n'a pas eu lieu) dans le passé.

On utilise l'imparfait pour décrire les circonstances d'une autre action dans le passé.

4. *Il **est resté** deux jours à Montréal.*
Que s'est-il passé?
→ Il est resté à Montréal pendant une période déterminée (deux jours).

*Il **passait** ses vacances à Montréal quand il était petit.*
Comment étaient les choses?
Il passait ses vacances à Montréal à une certaine époque.

On utilise le passé composé pour exprimer une action (ou un état) qui a duré une période de temps déterminée ou qui s'est terminée dans le passé.

On utilise l'imparfait pour décrire des souvenirs ou ce qu'on faisait à une certaine époque.

5. *Elle **est allée** plusieurs fois à Calgary.*
Que s'est-il passé?
→ Elle est allée plusieurs fois à Calgary.

*Elle **allait** souvent à Calgary pour le rencontrer.*
Comment étaient les choses?
→ Elle allait souvent à Calgary pour le rencontrer.

On utilise le passé composé pour exprimer une action (ou un état) répété(e) un certain nombre de fois dans le passé.

On utilise l'imparfait pour décrire un état (ou une action) habituel(le) passé(e), mais sans limite de temps.

MISE EN PRATIQUE 14 (passé composé/imparfait)

Mettez les verbes entre parenthèses au temps du passé qui convient.

1. L'écrivaine franco-ontarienne, Danielle Cadorette, ________________ (écrire) des nouvelles, des chansons et des pièces de théâtre.
2. Gaston ________________ (ne pas comprendre) : pour lui, c' ________________ (être) une trahison.
3. Quand j' ________________ (apprendre) la nouvelle à Gaston, il ________________ (ne rien dire).
4. J' ________________ (avoir) l'impression que sa bouche ________________ (pleurer).
5. Quand John ________________ (arriver), Gaston le ________________ (fixer*) comme on fixe un ennemi.

***fixer quelqu'un** = to stare at someone

Le plus-que-parfait

Formation du plus-que-parfait

Tableau 2.10

Comment former le plus-que-parfait

Le plus-que-parfait est formé de deux éléments :

1) l'auxiliaire *avoir* ou *être* à l'imparfait
2) le participe passé (p.p.)

*Fannie m'a dit qu'elle **était partie** avec John.*
aux. *être* + p.p.

*Elle **avait quitté** la maison sans nous avertir.*
aux. *avoir* + p.p.

Attention! Les règles d'accord du participe passé étudiées précédemment dans ce chapitre s'appliquent au plus-que-parfait et à tous les temps composés.

MISE EN PRATIQUE 15 (formation du plus-que-parfait)

Mettez les verbes entre parenthèses au plus-que-parfait.

1. Elle n'a pas remarqué que son chien ________________________ (disparaître).
2. Il n'a pas pu renier ce qu'il ________________________ (dire).
3. Elles ________________________ (partir) quand nous sommes arrivés.
4. Nous ________________________ (venir) vous voir pour prendre de vos nouvelles.
5. Je me suis rendu compte trop tard que j'________________________ (oublier) mes gants.

Emploi du plus-que-parfait

Tableau 2.11

Quand employer le plus-que-parfait (PQP)

	contexte	explication
1.	*Ils **avaient mangé** quand nous sommes arrivés hier soir à 19 heures.*	Le PQP est utilisé pour exprimer une action qui a eu lieu et qui s'est terminée avant une autre action dans le passé. Le PQP permet donc de faire allusion à une action (dans le passé) terminée avant une autre action (dans le passé).

(avant 19 h) (19 h) (maintenant)

Ils avaient mangé (1) *nous sommes arrivés (2)*

2.	*Il n'a pas pu ouvrir la porte de sa voiture parce qu'il **avait oublié** ses clés chez lui.* *Il faisait chaud, car elle **n'avait pas ouvert** les fenêtres.*	Le PQP est utilisé pour expliquer un événement qui a précédé l'action qu'on décrit.

3. *Quand il **avait fini** d'écouter le bulletin d'informations, il allait se coucher.*	Le PQP est utilisé pour exprimer une action habituelle qui a eu lieu et qui précède une autre action habituelle.
4. *Si tu m'**avais aidé*** (1), *j'**aurais pu*** (2) *le faire.*	Le PQP (1) est utilisé dans la proposition subordonnée introduite par *si* lorsque la proposition principale est au conditionnel passé (2).
5. *Je **n'avais pas vu** ma sœur **depuis** deux ans quand elle est revenue.*	Le PQP est utilisé avec *depuis* pour exprimer une action négative qui a débuté dans le passé avant qu'une autre action ne débute dans le passé.
6. *Ah, **si j'avais su**!*	Après *si*, le PQP peut exprimer le regret.

MISE EN PRATIQUE 16 (emploi du plus-que-parfait)

Pour chacun des verbes en italique, expliquez l'emploi du PQP. Utilisez les explications ci-dessus, si cela est nécessaire.

1. Si seulement elle l'*avait épousé*!
2. Je ne savais pas pourquoi il *avait menti*.
3. Ils *étaient déjà rentrés* quand l'orage a éclaté.
4. Si vous *n'étiez pas venue*, il aurait été déçu.
5. On *ne s'était pas téléphoné* depuis plusieurs semaines quand je l'ai rencontrée dans la rue.

La syntaxe des temps composés

Les formes des temps simples (le présent, l'imparfait) n'ont qu'un seul élément (je ***travaille***, je ***travaillais***). Par contre, les temps composés (comme le passé composé et le plus-que-parfait) sont formés de deux éléments : l'auxiliaire et le participe passé (*j'**ai travaillé***, *j'**avais travaillé***).

Tableau 2.12

Ordre des mots aux temps composés

affirmatif	**Elle a épousé** son petit ami. sujet + *avoir* + participe passé **Elle était tombée** amoureuse de son patron. sujet + *être* + participe passé
négatif	Il **n' a pas été** fidèle. sujet + ne + *avoir* + pas + participe passé
interrogatif/ inversion	**Avaient-ils compris?** *avoir* + sujet + participe passé
interrogatif/ négatif/inversion	**N' est-elle pas allée** chez son cousin? ne + *être* + sujet + pas + participe passé
interrogatif/ réfléchi/inversion	**Vous étiez-vous trompée**? pron. réfléchi + *être* + sujet + participe passé

MISE EN PRATIQUE 17 (négatif/temps composés)

Mettez les phrases suivantes à la forme négative.

1. Elle s'était fait beaucoup de souci.
2. Cette fois-ci, je me suis mise en colère.
3. J'avais déjà accepté sa décision.

MISE EN PRATIQUE 18 (interrogatif/temps composés)

Mettez les phrases suivantes à la forme interrogative en faisant l'inversion du verbe et du sujet.

1. Tu as nié ce que tu avais dit.
2. Elle ne s'était pas fait de souci à ce sujet.

MISE EN PRATIQUE 19 (syntaxe du passé composé)

Transformez chaque phrase selon l'indication entre parenthèses.

1. Ils ont passé leur lune de miel en Grèce. (interrogatif/inversion)
2. Ses parents ont filé le parfait amour. (négatif)
3. Ils ne se sont pas mariés en mai. (affirmatif)
4. Elle a préparé sa liste d'achats. (interrogatif/négatif/inversion)

Le passé simple

Formation du passé simple

Tableau 2.13

Comment former le passé simple

1. verbes réguliers en *er*

chercher (radical → *cherch*)

je	cherch**ai**	nous	cherch**âmes**
tu	cherch**as**	vous	cherch**âtes**
il/elle	cherch**a**	ils/elles	cherch**èrent**

2. verbes réguliers en *ir*

finir (radical → *fin*)

je	fin**is**	nous	fin**îmes**
tu	fin**is**	vous	fin**îtes**
il/elle	fin**it**	ils/elles	fin**irent**

3. verbes réguliers en *re*

répondre (radical → *répond*)

je	répond**is**	nous	répond**îmes**
tu	répond**is**	vous	répond**îtes**
il/elle	répond**it**	ils/elles	répond**irent**

Attention!

a) Certains verbes irréguliers ont un participe passé qui anticipe le passé simple.

suivre → suivi → ***je suivis***

b) Certains verbes irréguliers ont un passé simple en *u*.
Terminaisons : us, us, ut, ûmes, ûtes, urent

avoir → ***eus, eus, eut, eûmes, eûtes, eurent***

être → ***fus, fus, fut, fûmes, fûtes, furent***

c) Les verbes *tenir* et *venir* (et leurs composés) ont un passé simple en *in*.

venir → ***vins, vins, vint, vînmes, vîntes, vinrent***

Mise en pratique 20 (formation du passé simple)

Mettez les verbes entre parenthèses au passé simple.

1. (tenir) il ________________

2. (être) elle ________________

3. (faire) ils ________________

4. (chercher) je ________________

5. (prendre) nous ________________

6. (servir) vous ________________

Mise en pratique 21 (infinitif/passé simple)

Donnez l'infinitif de chaque verbe en italique et expliquez comment vous l'avez reconstitué.

1. Jean de La Fontaine *vécut* au XVIIe siècle.

2. Ce *fut* une grande victoire.

3. Ils *cherchèrent* à se réconcilier.

Emploi du passé simple

Tableau 2.14

Quand employer le passé simple

contexte	explication
1. *Comme au dénouement d'un drame de Shakespeare, Charles d'Anjou* ***arriva*** *quelques heures plus tard. Sur le rivage, il* ***apprit*** *la mort de son frère en entendant pleurer l'armée [. . .] Il* ***se rendit*** *donc sous la tente d'Alphonse de Poitiers. Alphonse le* ***conduisit*** *auprès du cadavre de*	Le passé simple est un temps historique et littéraire. Il est donc employé fréquemment dans les récits et les romans. Parfois, on retrouve également le passé simple dans la presse écrite où son usage est plus ou moins parallèle à celui du passé composé. On utilise donc le passé simple pour exprimer tout développement (action ou état) qui a commencé, s'est terminé, a eu lieu ou s'est répété

*Saint Louis. Charles d'Anjou, cet homme de violence, **s'agenouilla*** et **pleura**, en baisant les pieds du mort.*

Tiré de *Saint Louis, roi de France* de Paul Guth.

*s'agenouiller = to kneel

durant une période de temps limitée. Alors que le passé composé relie le plus souvent une action dans le passé au présent, le passé simple exprime une action arrivée à une certaine période sans aucun rapport avec le présent.

2. *Nous pénétrons ici dans la partie la plus ancienne du château. On pense généralement qu'elle **fut** construite par Charles IV qui **vint** s'installer dans cette région en 1565. Il y **mourut** en 1570 . . .*

Le passé simple est un temps écrit qui est très rarement utilisé dans la langue orale. Les guides de musées ou de monuments historiques l'emploient par exemple dans leurs commentaires, en géneral à la troisième personne.

Mise en pratique 22 (emploi du passé simple)

Pour chacun des verbes en italique, expliquez l'emploi du passé simple.

1. Ces habitants *s'établirent* là où se trouve Montréal aujourd'hui.
2. Louis Pasteur *fit* de nombreuses découvertes importantes.
3. Un beau jour, le mari *mourut*. J'*accueillis* avec toute la satisfaction imaginable la disparition d'un monsieur peu intéressant par lui-même, et dont je ne vous cache pas que j'étais sourdement jaloux.

Tiré de *Les femmes d'amis* de Georges Courteline.

Problèmes de traduction

Tableau 2.15

Comment traduire

1. She **wrote** a poem. → Elle **a écrit** un poème.
   She **has written** a poem. → Elle **a écrit** un poème.
   Did she **write** a poem? → **A**-t-elle **écrit** un poème?

   Le passé composé du français peut traduire différentes versions du passé anglais.

2. He **spent** two weeks in Paris. → Il **a passé** deux semaines à Paris.
   He **wrote** an exam. → Il **a passé** un examen.
   He **handed** me the book. → Il m'**a passé** le livre.

   Lorsque le verbe *passer* prend un complément d'objet direct (verbe transitif), il se conjugue avec l'auxiliaire *avoir* et peut avoir plusieurs sens.

3. We'll **pass** through Montreal. → Nous **passerons** par Montréal.
   She **stopped by** to see us. → Elle **est passée** nous voir.
   What **happened**? → Que s'**est**-il **passé**?

   Lorsque le verbe *passer* est intransitif (c'est-à-dire qu'il ne prend pas de complément d'objet), il se conjugue avec l'auxiliare *être* et peut également avoir plusieurs sens.

4. She **used to take** her vacation in July at that time. → Elle **prenait** ses vacances en juillet à cette époque-là.

   En français, l'imparfait communique la notion d'habitude. L'anglais utilise la construction *used to*.

5. He **was sleeping** when the phone rang. → Il **dormait** quand le téléphone a sonné.

   En français, on utilise l'imparfait pour exprimer le passé progressif de l'anglais.

6. **How about** a game of tennis? → Et **si** on **jouait** au tennis?

   En français, on utilise *si* + l'imparfait pour traduire les formules anglaises *how about . . .* ou *shall we . . .* suivies d'une suggestion.

7. She **left** at seven. → Elle **est partie** à sept heures.
   She **left** the house at seven. → Elle **a quitté** la maison à sept heures.

   To leave se traduit par le verbe *partir* s'il n'y a pas de complément d'objet direct. On utilise le verbe *quitter* s'il y a un complément d'objet direct.

8. **It had been snowing for a week** when he returned. → **Il neigeait depuis une semaine** quand il est revenu.
   → **Il y avait une semaine qu'il neigeait** quand il est revenu.
   → **Ça faisait une semaine qu'il neigeait** quand il est revenu.

   L'imparfait est utilisé dans les constructions avec *depuis, il y avait . . . que* et *ça faisait . . . que* pour décrire une action commencée avant une autre action dans un contexte passé.

9. He **was going to leave**, but he decided to stay. → Il **allait partir**, mais il a décidé de rester.

   On utilise l'imparfait du verbe *aller* suivi d'un infinitif pour traduire un futur proche dans un contexte passé.

10. He **had just arrived** when she phoned. → Il **venait juste d'arriver** quand elle a téléphoné.

    On utilise l'imparfait du verbe *venir* suivi d'un infinitif pour traduire un passé récent dans un contexte passé.

11. She **was in the process of getting ready** when the door bell rang. → Elle **était en train de se préparer** quand la sonnette a retenti.

    On utilise l'imparfait de la locution verbale *être en train de* suivie d'un infinitif pour traduire l'expression anglaise *to be in the process of* dans un contexte passé.

12. He wanted to know what (had) **happened**. → Il voulait savoir ce qui **s'était passé**.

    L'anglais n'emploie pas toujours le plus-que-parfait pour exprimer une action qui a eu lieu avant une autre action dans un contexte passé. En français, on est obligé d'utiliser le plus-que-parfait pour indiquer ce saut en arrière.

Mise en pratique 23 (traduction)

Traduisez les phrases suivantes en français.

1. The road passes through Saint-Julien, a small village.
2. Fanny handed the violin to her father.
3. Anna spent the whole summer in Alberta.
4. She did write him a letter.
5. They did not speak about the inheritance their parents left them.
6. I had just fallen asleep when there was an explosion.
7. He had been sick for a week when he went to the hospital. (traduisez de 2 façons)

Expression écrite

Le récit

1. Faire un récit, c'est raconter une histoire, c'est relater un événement ou une série d'événements réels ou imaginaires. Pour réaliser un bon récit, il ne s'agit pas seulement de faire revivre, pour le lecteur, les événements tels qu'ils se sont passés. Il faut aussi le familiariser avec les circonstances, le lieu et l'époque de l'histoire. Il y a donc nécessairement des éléments de description ajoutés à la narration des faits.
2. Lorsqu'on s'apprête à écrire un récit, il est souhaitable de préparer un plan et un brouillon. En effet, comme tout autre texte écrit, un récit doit être bien structuré et cohérent.

Tableau 2.16

Composantes d'un récit

1. **L'introduction** situe l'action du récit. Elle doit être assez courte. (un paragraphe)
2. **Le développement** décrit les événements. Le lecteur ne devrait pas avoir de peine à suivre le déroulement de l'action. Dans ce but, il faut observer la chronologie des événements et utiliser les formules de transition qui permettent de passer clairement d'un fait à un autre. (plusieurs paragraphes)
3. **La conclusion** présente le dénouement de l'action. Tout comme l'introduction, cette partie du texte devrait être relativement courte. (un paragraphe)

Les formules de transition

Comme nous l'avons dit dans le tableau précédent, le déroulement de l'action d'un récit doit être facile à suivre. À cette fin, le français dispose de nombreuses formules (adverbes, conjonctions, prépositions, locutions, etc.) qui permettent de passer d'un événement à un autre.

Tableau 2.17

Formules de transition

1. **pour situer le début du récit**

ce jour-là	un matin
ce matin-là	un après-midi
cet après-midi-là	par un beau jour de (juin)
en ce jour (d'automne)	figurez-vous qu'un jour
un jour	

2. pour situer d'autres événements dans le récit

la veille, l'avant-veille
le lendemain, le surlendemain
à la nuit tombante, tard dans la soirée
au beau milieu de la nuit, en plein jour
ce jour-là, ce soir-là, cette fois-là, à ce moment-là
en même temps, à la fois, simultanément
pendant, durant, au cours de
un peu plus tard, deux jours après, quelques jours après
une semaine plus tard, un mois plus tard
déjà, à nouveau, de nouveau, encore
tout à coup, soudain, soudainement, presque aussitôt

3. pour marquer une séquence d'événements

a) d'abord, tout d'abord, en premier lieu, premièrement, au premier abord, à première vue
b) ensuite, puis, de plus, par ailleurs, en outre, outre + nom
c) ainsi, enfin, finalement, en somme, en dernier lieu, par conséquent, pour conclure

4. pour marquer une opposition

mais, en revanche
pourtant, cependant, toutefois, néanmoins
au contraire
par contre, par ailleurs, d'autre part
d'une part, . . . d'autre part, . . .

Mise en pratique 24 (analyse d'un récit)

Après avoir lu le conte ci-dessous, dressez une liste des mots de transition utilisés (avec le numéro de la ligne) et expliquez l'emploi des différents temps du passé.

Lecture

La pension de famille

1 J'étais arrivé là-bas à la nuit tombante. Je pris mon repas dans la salle commune, puis je me retirai dans ma chambre. Je restai un certain temps à la fenêtre et je vis sortir successivement trois personnes, sans doute désireuses de prendre l'air avant de rejoindre leurs chambres.

Une clôture entourait le jardin, et la petite porte était munie d'une sonnette dont le
5 son rappelait celui d'un grelot. Vers dix heures, je me couchai.

Un peu plus tard, j'entendis le premier déclic de la sonnette. Puis presque aussitôt, le deuxième. Malgré moi, j'attendais le troisième; je ne serais jamais arrivé à m'endormir avant de l'avoir entendu. Je l'attendis longtemps, car la troisième personne ne dut rentrer que vers minuit.

10 Ce fut vers minuit et demi que j'entendis un quatrième déclic. J'allais me lever pour savoir qui donc avait bien pu entrer, mais déjà j'entendais le pas dans l'escalier.

Un pas lourd, régulier, un peu fatiqué sans doute, mais un pas d'habitué. Et le pas atteignit le premier étage, puis le deuxième étage, il résonna très près de ma porte, il attaqua ensuite l'escalier vers le troisième étage et se tut.

15 Je sortis alors de ma chambre et je vis ce que déjà j'avais bien cru voir : l'escalier s'arrêtait près de ma porte et la maison n'avait que deux étages, sans grenier.

Tiré de *Contes glacés* de Jacques Sternberg (Les nouvelles éditions Marabout).

Le coin du correcteur

Tableau 2.18

Le participe passé en *é* et l'infinitif en *er*

Il faut toujours faire attention à l'orthographe des homophones (mots prononcés de la même manière comme *travaillé* et *travailler*).

Rappel!

1. Avec les auxiliaires *être* et *avoir*, on utilise le participe passé en *é*.
   Il s'est bien repos**é**.
2. Après les verbes comme *aimer, aller, devoir, pouvoir, savoir, vouloir,* etc., on utilise l'infinitif en *er*.
   Il va se couch**er**.
3. Après les prépositions comme *afin de, avant de, de, à, pour, sans,* etc., on utilise l'infinitif en *er*.
   Gaston s'est mis à jou**er** du violon.

Mise en pratique 25 (correction des fautes)

Corrigez les phrases suivantes et expliquez vos corrections. Il y a en tout cinq erreurs.

1. Dès leur arrivée à l'université, ils ont rencontrer de nouveaux amis.
2. Pour y allé, vous prenez la première rue à gauche.
3. Tu peux vérifié cela dans le dictionnaire.
4. Pas la peine de le dérangé, je lui dirai que vous avez téléphoner.

Synthèse

Exercice 1 Biographie (passé composé)

oral ou écrit

Partie A Complétez l'exercice suivant selon le modèle.

Modèle : naître à Montréal
→ *Marie-Claude est née à Montréal. Elle . . .*

1. passer son enfance à Moncton
2. faire ses études universitaires à Halifax
3. devenir médecin
4. retourner à Moncton
5. s'acheter une maison dans un vieux quartier
6. rencontrer un homme d'affaires très sympa
7. tomber amoureuse de lui
8. se marier avec lui deux ans plus tard
9. avoir deux enfants

Partie B Rédigez un paragraphe en utilisant toutes les phrases ci-dessus. Utilisez des formules de transition (*en* + année, *à l'âge de, ensuite, après, l'année suivante,* etc.) pour bien établir la chronologie des événements. Consultez le tableau 2.17, pp. 64–65, si cela est nécessaire.

EXERCICE 2 D'accord ou pas d'accord? (accord du participe passé)

écrit

Mettez les verbes en italique au passé composé. Attention de bien faire les accords s'il y a lieu.

1. Fannie *quitte* les siens pour aller vivre avec son amoureux à Toronto.
2. Les chaussures qu'il *s'achète* sont de très bonne qualité.
3. Des deux nouvelles que nous *lisons*, laquelle *préfères-tu*?
4. Voici les deux dictées qu'il *faut* faire.
5. Quelle sorte d'annonce *mets-tu* dans le journal?
6. Cette communauté *reste* vivante.
7. Ses parents *s'aiment* passionnément.
8. Cette histoire, il la *fait* raconter à sa mère.

EXERCICE 3 Quand j'étais petit(e) . . . (imparfait)

oral

Racontez ce que vous faisiez quand vous étiez plus jeune. Modifiez le verbe en utilisant *souvent, ne . . . pas souvent* ou *ne . . . jamais.*

Modèle : aller à la pêche
→ *Quand j'étais petit(e), j'allais souvent à la pêche.*
ou → *Quand j'étais petit(e), je n'allais pas souvent à la pêche.*
ou → *Quand j'étais petit(e), je n'allais jamais à la pêche.*

1. regarder les dessins animés à la télé
2. jouer dehors avec mes amis
3. faire mes devoirs avant le dîner
4. nettoyer et ranger ma chambre
5. lire les bandes dessinées dans le journal
6. taquiner mes amis
7. aller à l'école à bicyclette
8. faire la grasse matinée* le samedi
9. aller à la piscine
10. avoir envie de faire la grasse matinée pendant la semaine

***faire la grasse matinée = se lever tard**

EXERCICE 4 À ce moment-là . . . (imparfait)

oral ou écrit

Hier, il y a eu une éclipse de soleil. Dites où différentes personnes étaient et ce qu'elles faisaient.

Modèle : moi/au bureau/travailler
→ *À ce moment-là, j'étais au bureau et je travaillais.*

1. lui/au centre d'athlétisme/faire son jogging
2. elles/à la bibliothèque/étudier
3. Marcelle/à l'hôpital/rendre visite à une amie
4. nous/au restaurant/prendre notre déjeuner
5. vous/en ville/se promener
6. eux/au centre commercial/finir leurs courses
7. toi/chez toi/se reposer
8. moi/à l'école/aller chercher mon frère

EXERCICE 5 Explications (imparfait/plus-que-parfait)

oral ou écrit

Expliquez vos actions.

Modèle : être fatigué(e)/ne pas bien dormir
→ *J'étais fatigué(e) parce que je n'avais pas bien dormi.*

1. être en retard/manquer l'autobus
2. avoir faim/ne rien manger de la journée
3. tousser/attraper un rhume
4. être content(e)/recevoir de bonnes notes
5. me sentir à l'aise/bien me préparer
6. avoir soif/courir
7. être triste/ne pas pouvoir y aller
8. être en avance/partir plus tôt que d'habitude
9. me sentir mal à l'aise/ne pas bien comprendre
10. avoir mal à la tête/boire trop de café

EXERCICE 6 Encore des explications! (passé composé/plus-que-parfait)

oral ou écrit

Donnez une explication pour chaque incident.
Modèle : Il tombe. Il n'a pas vu la marche.
→ *Il est tombé parce qu'il n'avait pas vu la marche.*

1. Je me lève tard. Mon réveil n'a pas sonné.
2. Cet étudiant reçoit une mauvaise note. Il n'a pas fini tous les devoirs.
3. Ils n'ont pas de table. Ils n'ont pas fait de réservation.
4. Tu oublies ton rendez-vous. Tu ne l'as pas noté.
5. Il ne l'achète pas. Il a oublié son portefeuille.
6. Vous ne réussissez pas. Vous n'avez pas assez étudié.
7. Elle prend froid. Elle n'a pas apporté de chandail.
8. Nous n'allons pas à cette conférence. On l'a annulée.

EXERCICE 7 Difficiles à joindre (passé composé/imparfait)

oral ou écrit

Quand les gens essaient de nous contacter, nous ne sommes pas toujours disponibles. Formez des phrases avec les groupes de mots suivants.

Modèle : tu/l'appeler/elle/prendre une douche
→ *Quand tu l'as appelée, elle prenait une douche.*

1. elle/vous téléphoner/vous/être absent(e)
2. vous/essayer de les voir/ils/être en voyage
3. tu/aborder le professeur/il/parler à quelqu'un
4. nous/essayer de la contacter/elle/ne pas être disponible
5. il/vouloir leur parler/ils/ne pas avoir le temps
6. on/avoir besoin de toi/tu/ne pas être chez toi
7. Jacques/nous télégraphier/nous/être en vacances
8. je/essayer de te parler/tu/être occupé(e)

EXERCICE 8 Quelle est la raison? (passé composé/imparfait)

oral ou écrit

Expliquez le pourquoi des choses.

Modèle : Son copain ne vient pas à la fête. Il est malade.
→ *Son copain n'est pas venu à la fête parce qu'il était malade.*

1. Nous travaillons cet été. Nous devons gagner de l'argent.
2. Tu ne l'entends pas. Tu es dans la lune comme d'habitude.
3. Jacqueline réussit cette traduction. Elle a un bon dictionnaire.
4. On va au restaurant. On ne veut pas faire la cuisine.
5. Je ne lui téléphone pas. Je crains de la déranger.
6. Elle ne fait pas l'exercice. Il est trop difficile.
7. Vous ne sortez pas. Il pleut à verse.
8. Il n'obtient pas cette promotion. Son patron le trouve trop jeune.

EXERCICE 9 Retour en arrière (temps du passé)

écrit

Mettez chaque verbe entre parenthèses au temps approprié du passé. Vous devez choisir entre le passé composé, le plus-que-parfait et l'imparfait.

1. Le week-end dernier, ils (sortir) deux fois au restaurant.
2. L'autre jour, il lui (falloir) deux heures pour se rendre au bureau.
3. D'habitude, cela ne nous (déranger) pas du tout.
4. À cette époque-là, on (aller) rarement au cinéma.
5. Mon petit frère (commencer) à marcher à l'âge de 15 mois.
6. Qu'est-ce que tu (faire) pendant les vacances? Raconte-le-nous.
7. Il (sursauter) quand le téléphone (sonner).
8. Elle (rester) une heure, puis elle (repartir).
9. Généralement, mon frère (être) tellement drôle qu'on (rire) dès qu'il (arriver).
10. Parfois, mon père nous (conduire) à l'école en voiture.
11. La semaine dernière, il (pleuvoir) presque tous les jours.
12. Soudain, elle (se retourner) et elle (se rendre compte) que personne ne la (suivre).
13. Il (comprendre) finalement ce qu'elle (vouloir).
14. Je (aller) lui téléphoner quand vous (arriver).
15. Il y (avoir) longtemps qu'on (savoir) cela.

EXERCICE 10 *Rose Latulipe* (temps du passé)

écrit

Partie A Mettez chaque verbe entre parenthèses au temps approprié du passé (passé simple, imparfait ou plus-que-parfait).

On __________ (1 *être*) à la veille du Carême. Chez le père Latulipe, un colon du Québec, on __________ (2 *fêter*) le Mardi Gras. Cet homme __________ (3 *avoir*) une fille appelée Rose à qui il __________ (4 *tenir*) comme à la prunelle de ses yeux. Elle __________ (5 *aimer*) d'amour tendre un certain Gabriel Lépard mais, par coquetterie et par vanité, il lui __________ (6 *arriver*) souvent de l'abandonner pour se laisser faire la cour par d'autres cavaliers.

Ce soir-là, tout le monde __________ (7 *s'amuser*) follement. Tout à coup, on __________ (8 *entendre*) un bruit effrayant devant la porte; une cariolle __________ (9 *venir*) d'arriver, tirée par deux chevaux à la robe aussi noire que du charbon et aux yeux aussi ardents que le feu. Un homme __________ (10 *descendre*) et __________ (11 *s'avancer*) vers la maison. Grand, tout de noir vêtu, le regard foudroyant, il __________ (12 *demander*) au maître de maison s'il __________ (13 *pouvoir*) se divertir lui aussi. En bon hôte, le père Latulipe l' __________ (14 *inviter*) à se joindre au groupe et lui __________ (15 *offrir*) un verre d'eau-de-vie. Chose étrange, à chaque gorgée, l'inconnu __________ (16 *faire*) une grimace infernale. C'est que, comme ses réserves d'eau de vie __________ (17 *tirer*) à leur fin, notre hôte y __________ (18 *ajouter*) de l'eau bénite un peu avant l'arrivée du mystérieux visiteur.

Puis l'étranger __________ (19 *se mettre*) à danser avec Rose. Plus ils __________ (20 *danser*), plus Rose __________ (21 *se sentir*) attirée par ce bel inconnu. Tant et si bien qu'avant même d'y avoir réfléchi deux fois, elle lui __________ (22 *donner*) son âme pour toujours.

Tiré de la légende de *Rose Latulipe* (légende québécoise).

Partie B En quelques phrases, imaginez la fin de l'histoire de *Rose Latulipe*.

EXERCICE 11 Moulin à phrases (temps du passé)

écrit

Complétez chaque phrase.

1. Quand on est arrivé au cinéma, on s'est rendu compte que . . .
2. Je ne savais pas que . . .
3. Il est tombé pendant que . . .
4. Ils se sont arrêtés à Paris cette fois-ci, mais deux ans plus tôt . . .
5. Quand elle était jeune . . .
6. C'était un samedi après-midi et . . .
7. Nous venions de rentrer quand . . .

EXERCICE 12 Mise en texte (temps du passé)

écrit

1. Mentionnez cinq choses que vous avez faites aujourd'hui.
2. Mentionnez trois choses que vous aviez l'habitude de faire quand vous aviez douze ou treize ans.
3. Décrivez, en trois phrases, un objet que vous aviez, mais que vous n'avez plus.
4. Citez, en trois phrases, ce que faisaient les autres membres de la famille un soir où vous regardiez seul(e) la télévision.
5. Citez trois qualités que vous avez découvertes au sujet d'une personnalité de votre choix. (Commencez par la phrase «J'ai appris que . . .»)
6. Utilisez chaque mot (ou expression) dans une phrase au passé. Utilisez le temps verbal approprié.

   a) pendant que
   b) au moment où
   c) plusieurs fois
   d) habituellement

EXERCICE 13 Traduction (divers éléments)

écrit

Traduisez les phrases suivantes en français.

1. John went several times to the Librairie Champlain to see Fanny.
2. Fanny spent a few years in Toronto.
3. Fanny hadn't spoken to Gaston for a few years when she returned to Penetanguishene.
4. Did you really pass through Montreal?
5. I was never sure she was telling the truth.
6. There was so much snow that we couldn't open the car doors.
7. All of a sudden she kissed the man she had just met. It was something she had never done before.
8. My brother and I used to go camping in Algonquin Park.
9. If you had asked me earlier, I would have come with you.
10. He left the house before his sister, but he did not leave without saying goodbye.

EXERCICE 14 Rédaction (récit)

écrit

Sujet Rédigez un récit dans lequel vous racontez comment vos parents se sont rencontrés. Ont-ils eu des obstacles à surmonter? Lesquels?

Consignes Utilisez les temps du passé.
Consultez la section *Expression écrite* de ce chapitre.
Ne dépassez pas les 300 mots.
N'oubliez pas de vous relire plusieurs fois.

Chapitre 3

Lecture

Article tiré de la revue *Phosphore*

Métiers : éducateur de jeunes enfants d'Isabelle Vial

Article tiré de la revue *L'actualité*

Petits miracles au lac Claire d'Hugo Joncas

Vocabulaire

Les études

Les métiers

Grammaire

L'article défini

L'article indéfini et l'article partitif

L'omission de l'article

L'adjectif démonstratif et l'adjectif possessif

L'article défini ou l'adjectif possessif ?

Expression écrite

L'emploi des dictionnaires

Les entrées de dictionnaires expliquées

Lecture et Vocabulaire

Dossier 1 *Métiers : éducateur de jeunes enfants*

Introduction à la lecture

La revue *Phosphore* est une revue mensuelle destinée aux *lycéens* français. Chaque numéro contient différents dossiers. On y trouve, entre autres, des articles sur la littérature, le cinéma, la préparation au *bac*, les actualités, les sciences et les métiers. Il y a un site Web que vous pouvez consulter (*www.phoshore.com*), qui est fort amusant et intéressant. Le site reprend certains dossiers présentés dans la revue, mais offre également, parmi d'autres, des informations *quotidiennes* et des possibilités de participer aux débats d'actualité. Le texte que vous allez lire est tiré du dossier *Métiers.*

lycéens—high-school students

le bac : examen oral et écrit que passe un lycéen dans sa dernière année d'études

quotidien(ne)s : qui paraît tous les jours—daily

Activités de pré-lecture

1. Avez-vous choisi le métier (la profession) que vous voulez pratiquer? Si oui, lequel (laquelle)?
2. Quels sont les métiers que vous trouvez les plus intéressants? Les moins intéressants?
3. On dit que peu de personnes pratiquent un métier qu'elles aiment. Êtes-vous d'accord avec cette affirmation?

Lecture

Lisez le texte ci-dessous.

1. Dans le premier paragraphe, relevez les articles définis (*le, la, les*) et indéfinis (*un, une, des*) avec les noms qui les suivent.
2. Répondez aux questions de compréhension qui suivent le texte.

Lecture

Métiers : éducateur de jeunes enfants

1 **David, 26 ans, est éducateur de jeunes enfants. Il ne s'occupe pas que du goûter et des couches : son travail, c'est avant tout l'éveil des enfants.** Pour son grand bonheur : depuis un an, David est éducateur de jeunes enfants à Paris, dans une *crèche privée baptisée «Enfant-Présent».* Deux jours par semaine, les *assistantes maternelles* amènent les enfants à la
5 crèche. Là, David les reçoit par petits groupes : quatre assistantes maternelles et une quinzaine d'enfants à chaque fois. Ces journées sont importantes pour les enfants, car elles permettent de les socialiser et de les préparer à l'entrée à l'école. Et puis, ici, les activités sont beaucoup plus drôles que dans un appartement : on peut peindre avec les mains ou battre le record du nombre de *galipettes* à l'heure.

10 Le matin, à leur arrivée, David répartit les enfants selon trois groupes («bébés», «moyens» et «grands»). À chaque groupe ses activités. C'est David qui, chaque trimestre, définit le programme de ces journées et le transmet aux assistantes maternelles et aux parents. Le but de ce planning est *l'éveil*, puis le développement des capacités des enfants. «Alors qu'on fait, par exemple, de ***l'éveil sonore*** **ou de** ***l'apprentissage de la motricité*** **de** 15 **la main avec les plus petits, les moyens, eux, font des jeux d'eau pour apprendre à apprivoiser leur corps.** Les grands, eux, en sont déjà aux découpages de marionnettes ou de mobiles», explique l'éducateur. Après le repas et la sieste viennent d'autres activités, des jeux et parfois des sorties. Pour David, ces journées sont aussi l'occasion de discuter des progrès des enfants avec les assistantes maternelles. Il lui faut aussi remplir le dossier de 20 chaque enfant, y noter les progrès, les changements . . .

N'est-il pas trop difficile de s'imposer auprès des jeunes enfants dans un monde où maternité, tendresse et douceur sont des mots féminins? «Non, pas à Enfant-Présent», répond David en rigolant. «Car ici, les enfants connaissent souvent mal leur père. Les mères se rendent compte qu'une image masculine est importante pour eux.» Mais lors de 25 *stages* précédents, David s'est amusé à voir des mères confier *les soucis de fièvre ou de dents* à la première femme présente et pas à lui. À l'en croire, David serait devenu éducateur de jeunes enfants un peu par hasard.

Pourtant, David est tombé dans le pays des enfants très tôt. À 17 ans, quand il passe son BAFA (Brevet d'aptitude aux fonctions d'animateur), il a déjà occupé bon nombre de ses étés 30 à *animer des colonies de vacances.* **Après son bac, il** ***entame*** **des études de langues. Mais au bout de quelques semaines, il fait un remplacement dans** ***un foyer de l'aide sociale*** **à l'enfance. Il devait y rester un mois, il y passe un an. Sa résolution est prise : lui qui** ***se voyait*** **instituteur sera éducateur : «Ça me semblait plus riche. Un éducateur accompagne les enfants tandis qu'un instituteur transmet seulement un savoir.»**

35 **Pour** ***exercer*** **ce métier, le DEEJE (Diplôme d'état d'éducateur de jeunes enfants) est obligatoire.** Il est fortement conseillé d'avoir le bac (*L* ou *ES* de préférence), car 80 % des candidats qui parviennent à entrer dans une école sont bacheliers. L'examen d'entrée est sélectif : un candidat sur cinq est reçu. **L'école dure 27 mois et au programme il y a 1 200 heures de formation théorique et technique**. Il faut faire au moins trois stages 40 (total de neuf mois) et l'examen final comporte cinq *épreuves* : trois écrites et deux orales.

Article d'Isabelle Vial, tiré de la revue *Phosphore*, mars 1998, pp. 37–39.

l.3–4 **crèche privée baptisée «Enfant-Présent»**—private daycare centre for underprivileged children : **les enfants y passent la journée mais peuvent être hébergés nuit et jour, sept jours sur sept au besoin**

l.4 **assistante maternelle**—childcare assistant

l.9 **galipettes (n.f.)**—somersaults

l.13 **l'éveil : activités destinées à stimuler l'observation, la curiosité intellectuelle**—early learning games

l.14 **l'éveil sonore : activités auditives**—early learning hearing/listening activities

l.14 **l'apprentissage de la motricité : l'apprentissage de l'ensemble des fonctions qui assurent les mouvements**—learning motor skills

l.25 **un stage : période de formation pour pratiquer un métier**—a training period, practise teaching

l.25 **les soucis de fièvre ou de dents**—fever and toothache problems

l.30 **animer des colonies de vacances : travailler comme animateur**—summer camp counsellor

l.30 **entamer : commencer**

l.31 **un foyer de l'aide sociale**—a welfare community centre

l.33 **se voyait (instituteur) : pensait qu'il allait être** (primary teacher)

l.35 **exercer : pratiquer**

l.40 **des épreuves (n.f.) : des tests**

Compréhension globale

Répondez aux questions à choix multiples. Indiquez la bonne réponse en essayant de ne pas regarder le texte.

1. Un éducateur de jeunes enfants . . .
- **a)** s'occupe principalement des goûters et des couches.
- **b)** planifie un grand nombre d'activités dont le but est l'éveil.
- **c)** enseigne aux assistantes maternelles.

2. Pour exercer le métier d'éducateur de jeunes enfants, il faut . . .
- **a)** obligatoirement avoir le bac.
- **b)** faire deux ans de formation.
- **c)** réussir aux examens du DEEJE.

3. David . . .
- **a)** a décidé qu'il préférait le métier d'éducateur de jeunes enfants à celui d'instituteur.
- **b)** n'aimait pas ses études de langues, alors il a décidé de devenir éducateur de jeunes enfants.
- **c)** a pris la décision de devenir éducateur de jeunes enfants à l'âge de 17 ans.

4. On dit que les journées à la crèche sont importantes pour les enfants parce que . . .
- **a)** la crèche est le seul endroit où on peut socialiser les enfants.
- **b)** la crèche permet de socialiser les enfants et de les préparer à l'école.
- **c)** les enfants ne peuvent pas jouer dans un appartement.

5. David trouve que . . .
- **a)** son métier est difficile : les enfants préfèrent les femmes qui travaillent à la crèche.
- **b)** il n'est pas difficile d'exercer un métier vu traditionnellement comme «féminin».
- **c)** une image masculine n'est pas importante pour des enfants si jeunes.

Vocabulaire 1

Les études

Série ordonnée de travaux et d'exercices nécessaires à l'instruction—parcourir successivement les divers degrés de l'enseignement scolaire. (Le Petit Robert)

- étudier (la psychologie, le français, l'informatique, les mathématiques)—*to study (psychology, French, computer science, mathematics)*

- suivre des cours (de psychologie, de français, d'informatique, de mathématiques)—*to take courses (in psychology, French, computer science, mathematics)*
- apprendre, l'apprentissage, un(e) apprenant(e)—*to learn, learning, a learner*
- enseigner, l'enseignement, un(e) enseignant(e)—*to teach, teaching, a teacher*
- se spécialiser (en psychologie, en français, en informatique, en mathématiques)—*to specialize, to major (in psychology, French, computer science, mathematics)*
- être spécialiste (de français, d'informatique)—*to be a specialist (in French, computer science)*
- être en première année, deuxième année, etc.—*to be in first year, second year, etc.*
- être diplômé(e), un(e) récent(e) diplômé(e)—*to be a graduate, a recent graduate*
- être titulaire de—*to hold (a degree)*
- passer un examen (d'entrée), une épreuve—*to write an (entrance) exam, a test*
- réussir à/échouer à un examen—*to pass/fail an exam*

- un(e) élève : reçoit l'enseignement dans un établissement—*a pupil, a student*; un(e) jeune élève = un(e) écolier(ère)—*a schoolboy, schoolgirl*
- un(e) étudiant(e) : fait des études supérieures et suit les cours d'une université—*a student (post-secondary education)*
- la vie étudiante, estudiantine—*student life*
- un(e) éducateur(trice) de jeunes enfants : s'occupe de l'éducation de jeunes enfants—*early childhood teacher*
- un(e) instituteur(trice) : enseigne dans une école primaire ou une maternelle—*a teacher (primary school)*
- un(e) professeur(e) : enseigne une discipline, un art—*a teacher (secondary school or university), a professor (university)*
- un(e) conseiller(ère) pédagogique : donne des conseils en matière de pédagogie—*guidance counsellor, academic advisor*
- un(e) directeur(trice) : dirige une école *(a principal)* ou un département dans un collège ou une université *(chairperson)*

- une crèche, une garderie—*a daycare centre, a nursery school*
- une école maternelle—*a kindergarten*
- une école primaire—*a primary school*
- une école secondaire, un lycée (en France)—*a secondary school, a high school*
- un établissement postsecondaire—*a post-secondary institution*
- un collège (professionnel, technique)—*a college (vocational, technical)*
- une université—*a university;* la vie universitaire—*university life*
- des études de premier cycle—*undergraduate studies*
- l'alternance (l'apprentissage ou les stages en France) : système qui permet à l'étudiant(e) d'étudier et de travailler dans son domaine en même temps—*co-op program, apprenticeship*
- des études supérieures—*graduate studies* (deuxième/troisième cycle = *masters/Ph.D.*)
- un brevet, un certificat—*a diploma, a certificate*
- une formation—*training, education*
- une mise à niveau—*a qualifying program*

Exploitation lexicale 1

1. Et vous? Préparez votre profil d'étudiant(e).

- Année d'études : *C'est ma . . . Je suis . . .*
- Spécialisation : *Je me spécialise en . . .*
- Cours suivis : *J'étudie . . . Je suis des cours . . .*
- Métier : *J'aimerais être . . . Je veux devenir . . .*

2. Maintenant, interrogez votre voisin(e) sur son profil :

- Année d'études : *En quelle. . . ? Tu es. . . ?*
- Spécialisation : *Quelle est ta spécialisation? En quoi. . . ?*
- Cours suivis : *Quels cours. . . ? Qu'est-ce que tu. . . ?*
- Métier : *Quel métier veux-tu. . . ?*

3. Formez des phrases en reliant les éléments de la colonne B à ceux de la colonne A. Les éléments de la colonne B sont dans le désordre.

Colonne A		Colonne B
1. Julie va bientôt aller	____	**a)** en français et en droit.
2. Julien est titulaire	____	**b)** les mathématiques.
3. Elles veulent réussir	____	**c)** d'un bac *L (lettres).*
4. Nous nous spécialisons	____	**d)** à l'école maternelle.
5. Jean veut étudier	____	**e)** à l'examen d'entrée.

4. Trouvez le mot ou l'expression qui convient.

a) Daniel aime beaucoup les enfants. Il veut devenir __________ dans une école primaire.

b) Cette année, Lise et Lucie ont travaillé très fort à l'école. Elles __________ à tous leurs examens.

c) Avant de rentrer à la maison, Alice doit aller chercher son petit frère de deux ans à la __________.

d) Jean est __________ d'une maîtrise en sciences politiques.

e) Pour devenir éducateur de jeunes enfants, il faut une __________ spéciale.

Vocabulaire 2

Les métiers

Genre de travail déterminé ou reconnu par la société et dont on peut tirer ses moyens d'existence. (Le Petit Robert)

- un métier, une profession, une carrière—*an occupation (or a trade), a profession, a career*
- un emploi, un boulot (fam.)—*a job*
- le marché du travail—*the labour market*
- une recherche d'emploi, une offre d'emploi—*a job search, a job offer, posting or advertisement*
- être candidat(e) à un poste—*to be a candidate for a position*
- une planification de carrière—*career planning*
- une formation : l'acquisition d'un ensemble de connaissances théoriques et pratiques dans un métier—*training or education*

- les compétences (requises) : connaissances approfondies dans un domaine—*skills (required)*
- les qualifications : ensemble des aptitudes et connaissances acquises par un travailleur—*qualifications*
- les débouchés : accès à une profession, perspective d'emploi—*employment opportunities*
- générateur d'emplois : qui génère beaucoup d'emplois
- un horaire (souple/infernal)—*a schedule (flexible/crazy)*
- une rémunération : somme d'argent reçue pour un travail fait—*a payment*
- un salaire (brut, mensuel, annuel, bas/élevé, bon/mauvais)—*a salary (gross, monthly, annual, low/high, good/poor)*

- aimer, adorer/détester son métier—*to love/hate one's occupation*
- faire beaucoup d'heures—*to work long hours*
- être qualifié(e)—*to be qualified*
- travailler à mi-temps/à temps plein—*to work part/full time*
- travailler de jour, de nuit, en semaine—*to work days, nights, during the week*

Exploitation lexicale 2

1. Répondez aux questions suivantes.

a) Nommez un travail que vous avez beaucoup aimé.
b) Quelles sont les compétences requises pour le métier que vous aimeriez exercer?
c) D'après vous, quels sont les domaines générateurs d'emplois en ce moment? Et dans dix ans, quels seront-ils?

2. Composez des phrases d'environ 8 à 10 mots avec chacune des expressions suivantes.
le marché du travail—travailler à mi-temps—des débouchés—un horaire infernal—des compétences

Compréhension détaillée

1. Relisez la description du métier d'éducateur de jeunes enfants et notez les différentes activités de David du matin jusqu'au soir.

2. Expliquez la phrase suivante : «Il ne s'occupe pas que du goûter et des couches : son travail, c'est avant tout l'éveil des enfants.»

3. Pensez-vous qu'il soit difficile pour un homme/une femme de faire un métier qui est traditionnellement considéré comme féminin/masculin? Expliquez.

Dossier 2 *Petits miracles au lac Claire*

Introduction à la lecture

L'actualité est une revue bi-mensuelle québécoise qui traite de toute une gamme de sujets d'actualité au Québec, au Canada et dans le monde entier. Vous pouvez consulter le site Web (http://www.lactualite.com). Il est informatif et intéressant, et offre beaucoup d'informations culturelles sur le Québec.

Activités de pré-lecture

L'article que vous allez lire présente un nouveau programme pour les jeunes enfants autistes et les adolescents qui ont des difficultés (délinquance).

1. Que savez-vous de l'autisme? Connaissez-vous des familles où il y a un enfant autiste?
2. Comment définir la délinquance? Quelles sont les caractéristiques d'un adolescent délinquant?

Lecture

Lisez le texte ci-dessous.

1. Dans les trois premiers paragraphes, relevez les adjectifs démonstratifs (*ce, cette, ces*) et possessifs (*mon, ton, son,* etc.) avec les noms qui les suivent.
2. Répondez aux questions qui suivent le texte.

Lecture

Petits miracles au lac Claire

1 Si Alain vivait en Ontario, il scrait en prison. Au Québec, ce jeune délinquant de 17 ans s'occupe plutôt de la petite Kim Do, une autiste de Montréal. Alain et Kim participent au programme Grands pas, qui *jumelle ados turbulents* et enfants autistes. Une première au Canada.

5 À plusieurs reprises, le printemps dernier, Alain et une dizaine d'autres adolescents montréalais atteints de troubles graves du *comportement* ont passé quelques heures en compagnie de jeunes élèves autistes de l'école primaire Saint-Pierre-Apôtre, à Montréal. Chaque ado surveillait son protégé et l'aidait à communiquer, alors que les autistes—âgés de sept à neuf ans—*inculquaient* à ces «grands enfants terribles» le sens des responsabilités.

10 C'est *donnant, donnant.*

En ce début de juin, le groupe passe la journée au bord du lac Claire, à Sainte-Béatrix, dans Lanaudière. Alain a dû obtenir la permission de son agente de probation pour s'y rendre. Kim, la petite dont il s'occupe, semble *rayonner.* «J'aime passer du temps avec les enfants, dit Alain. Je m'amuse, je les aide, au lieu de consommer . . .» Car «consommer»

15 de la drogue, c'est un des problèmes d'Alain.

Soudain sur le lac, des ados poussent des cris de *frayeur.* Sam, un jeune autiste, vient de *sauter du pédalo* tout habillé. Puis, *c'est la rigolade* : il nage à merveille. Incapable d'attendre l'heure de la baignade, il s'est jeté à l'eau. Inutile d'essayer de le retenir. «Ces enfants-là, tu ne peux pas les mettre en punition. Et crier après eux ne sert à rien», dit Catherine, la

20 «marraine» de Sam. Assise à une table de pique-nique, cigarette au coin de la bouche, la jeune femme de seize ans m'apprend les rudiments de la communication avec son protégé, pendant que d'autres enfants atteints d'autisme—ce trouble du développement qui provoque *un repli sur soi*—jouent dans les *glissades* et sur la *balançoire,* près du lac.

Le programme Grands pas, auquel participent une dizaine d'autistes et autant

25 d'adolescents, *s'apparente* à celui des Grands frères. Mais dans ce cas-ci, personne ne peut dire qui, des deux groupes, a le plus besoin d'aide ni qui en retirera le plus de bénéfices. «Nos adolescents ont souvent l'estime de soi au point de congélation», dit Pierre Dionne, directeur de l'école Henri-Julien, que fréquentent les jeunes. «Le seul fait qu'ils décident de

participer à ce programme *bénévole*—qui compte pour 60 % de la note finale de leur cours de morale—et qu'ils maintiennent leur décision, c'est énorme!»

30

À la Commission scolaire de Montréal, on dit d'un élève qu'il a des troubles graves du comportement quand, par exemple, il profère des menaces contre le personnel de l'école, attaque ou blesse ses camarades de classe, abuse de drogues ou commet des vols. Bref, les «*TC*»—comme les surnomment leurs éducateurs—ne sont pas des *enfants de chœur*.

35

Le but de ce programme n'est pas d'en faire des intervenants psychosociaux ni des élèves modèles, dit Pierre Dionne, «mais si le jeune délinquant devient un citoyen responsable, l'objectif aura été atteint». Le printemps dernier, cette bande hétéroclite a organisé cinq activités, dont une journée «piscine et trampoline», une randonnée sur le Mont-Royal et une visite de la ferme écologique du parc-nature du Cap-Saint-Jacques. Cinq cents des 4 000 dollars nécessaires à la bonne marche du programme proviennent de fonds recueillis par les «parrains», qui lavent des voitures et font des collectes de bouteilles consignées.

40

Bien sûr, avant que leur enfant soit jumelé à un «TC», les parents doivent donner leur accord. «J'ai posé quelques questions au sujet de la supervision, puis j'ai accepté sans hésiter, dit Lorraine Bélanger, dont le fils autiste participe au programme. Pourquoi aurais-je des *préjugés* envers ces adolescents, alors que moi, je ne veux pas que les autres en aient envers mon enfant?»

45

Comme le programme s'étend sur trois mois, enfants autistes et enfants terribles ont le temps de *s'apprivoiser*. Mais l'expérience, concède Mohammed, 16 ans, n'est pas toujours de tout repos. «Des fois, on ne peut pas les endurer. Par exemple, dès que mon jeune arrive dans un endroit inconnu, il pleure. Alors je le prends dans mes bras, je reste avec lui.»

50

Denise Normand-Guérette, professeure d'adaptation scolaire à l'Université du Québec à Montréal, estime que le programme a du mérite. «Cependant, dit-elle, il faudrait prolonger l'expérience avec les mêmes adolescents pendant deux ou trois ans, question de savoir à quel point elle les responsabilise.»

55

À l'école Henri-Julien, le programme est repris cet automne, mais ce sont d'autres élèves qui auront la chance d'aller patauger au lac Claire avec les jeunes autistes de l'école Saint-Pierre-Apôtre.

Article d'Hugo Joncas, tiré de *L'actualité*, 1er octobre 2002, pp. 41–42.

l.3 **jumelle (*v.* jumeler) : mettre ensemble**—to pair

l.3 **ados (fam.) : adolescents**

l.3 **turbulent : agité, dissipé, insupportable**—unruly

l.6 **comportement : manière d'agir, de se conduire**—behaviour

l.9 **inculquaient (*v.* inculquer) : apprendre, enseigner**—to instill

l.10 **donnant, donnant : en ne donnant qu'à la condition de recevoir en échange**—to give and to expect something in return

l.13 **rayonner : briller (de joie, de bonheur)**—to be radiant or glowing

l.16 **frayeur : peur très vive**—fright

l.17 **sauter du pédalo**—to jump off the pedal boat

l.17 **c'est la rigolade : amusement, divertissement, rire**—they have a good laugh

l.23 **un repli sur soi**—withdrawal into oneself

l.23 **glissades**—slides

l.23 **une balançoire**—a swing

l.25 **s'apparenter : avoir une ressemblance avec, être de la même nature**—to be similar to

l.29 **bénévole : qui fait qqch sans obligation et gratuitement**—volunteer

l.34 **un TC : on parle des adolescents identifiés avec des troubles graves du comportement**

l.34 **un enfant de chœur : un enfant qui est sage**—these kids are no angels (talking about *les «TC»*)

l.45 **préjugé(s) (avoir des préjugés) : croyance ou opinion préconçue**—to be biased or prejudiced against

l.48 **s'apprivoiser : devenir plus sociable**—to come out of one's shell

Compréhension globale

Répondez aux questions à choix multiples. Indiquez la bonne réponse en essayant de ne pas regarder le texte.

1. Alain, un jeune délinquant de 17 ans, . . .
- **a)** est en prison.
- **b)** ne va plus à l'école.
- **c)** participe à un programme bénévole.

2. On dit que le programme Grands pas . . .
- **a)** aide les ados turbulents à apprendre le sens des responsabilités.
- **b)** est obligatoire pour tous les jeunes délinquants de l'école Henri-Julien.
- **c)** s'apparente à un programme déjà existant en Ontario.

3. Dans ce programme, . . .
- **a)** les enfants autistes ont plus besoin d'aide que les ados turbulents.
- **b)** on ne sait pas qui a le plus besoin d'aide.
- **c)** les adolescents ne sont pas supervisés.

4. On dit que les «TC» ne sont pas des enfants de chœur . . .
- **a)** parce qu'ils n'ont pas confiance en eux.
- **b)** parce qu'ils ont commis des actes violents.
- **c)** parce qu'ils veulent aider les enfants autistes.

5. D'après Madame Normand-Guérette, le programme Grands pas . . .
- **a)** a du mérite, car tous les ados sont devenus des citoyens responsables.
- **b)** devrait être prolongé d'au moins une année pour qu'on puisse voir les résultats à long terme.
- **c)** permet aux adolescents d'acquérir des compétences en intervention psychosociale.

Approfondissement lexical

Un **dérivé** contient un **mot** (base) et un **préfixe** ou un **suffixe.** Dans la définition du mot *école*, ci-dessous, on trouve le nom *écolier*, qui a pour base un mot (*école*) et un suffixe (*ier*). Le suffixe **ier/ière** est utilisé, ici, pour désigner la personne qui va à l'école. Plusieurs noms de métiers possèdent ce suffixe (épic**ier**/épic**ière**).

ÉCOLE [ekɔl] *n. f.* ★ I.• 1° Établissement dans lequel est donné un enseignement collectif (général ou spécialisé). V. **Scol-**. *École primaire. École de danse, de dessin.* V. **Cours**. *Les grandes écoles,* appartenant à l'enseignement supérieur. *Il a fait l'école des Chartes, des Beaux-Arts. Suivre les cours d'une école. Examens, concours d'une école (d'entrée, de sortie).* – Loc. *Renvoyer qqn à l'école,* lui montrer qu'il ne connaît pas la question. – Loc. *Faire l'école buissonnière**.• 2° Établissement d'enseignement primaire (par oppos. à *lycée, collège*). *École publique, laïque. École privée, confessionnelle. École maternelle. École de garçons, de filles, mixte. Directeur d'école. Maître d'école.* V. **Instituteur**. *Un enfant en âge d'aller à l'école* (V. **Scolaire**). ★ II. Ensemble des locaux de l'école. *L'école est sur la place. La cour de l'école.* ★ III. L'ensemble des élèves et des enseignants d'une école. *L'école aura congé à telle date. Toute l'école est conviée à cette fête.* ★ IV. • 1° Enseignement donné à l'école primaire. *Faire l'école.* V. **Classe.** • 2° Instruction, exercice militaire. *L'école du soldat.* – Exercice d'équitation. *Haute école,* équitation *savante.* [. . .]. ▼ ÉCOLIER, IÈRE [ekɔlje, jɛʀ] *n.* • 1° Jeune enfant qui fréquente l'école primaire, ou suit les petites classes d'un collège ou d'un lycée. V. **Élève.** *Tablier, cartable d'écolier.* – Loc. *Le chemin des écoliers,* le chemin le plus long, qui permet de flâner. – Par appos. *Papier écolier,* quadrillé. • 2° Apprenti, débutant. *C'est une faute d'écolier. C'est encore un écolier en la matière.*

Tiré et adapté du *Livret pédagogique du Robert Méthodique,* p. 10 (Les Dictionnaires Le Robert, 1984).

Il existe d'autres suffixes pour désigner les métiers :

ien/ienne	informatic**ien**, informatic**ienne**
eur/euse	chant**eur**, chant**euse**
teur/trice	direc**teur**, direc**trice**
ant/ante	commerç**ant**, commerç**ante**
aire	disqu**aire**
iste	garag**iste**

Formez des noms de métiers à partir des mots en italique. Consultez un dictionnaire au besoin.

1. Il aime raconter des histoires en *dessins*. Il veut être . . .
2. Elle joue de la *guitare* dans un orchestre. C'est une . . .
3. Elle travaille dans une *pharmacie*. Elle est . . .
4. Il *sert* les plats principaux dans un resto. C'est un . . .
5. Il *coiffe* les grandes vedettes de Hollywood. Il est . . .
6. Elle veut écrire des *scénarios* de cinéma. Elle veut être . . .
7. Il travaille dans une *banque* multinationale. C'est un . . .
8. Elle *anime* une émission à la télé. Elle est . . .
9. Il *fabrique* des meubles traditionnels. C'est un . . .
10. Elle *vend* des vêtements dans une boutique. Elle est . . .

Compréhension détaillée 1

Répondez aux questions suivantes. Relisez le texte si vous pensez en avoir besoin.

1. Expliquez le titre de l'article «Petits miracles au lac Claire».
2. On dit que si Alain vivait en Ontario, il serait en prison. Expliquez.

3. Pourquoi a-t-on décidé de jumeler des enfants autistes et des adolescents délinquants? Quels sont les objectifs de ce programme?
4. À quel type d'activités participe-t-on?
5. On dit que les «TC» ne sont pas obligés de participer à ce programme. Ce programme fait-il quand même partie de leur programme scolaire? Donnez des détails.
6. Cette expérience a-t-elle été une réussite? Expliquez.

Compréhension détaillée 2

- Si vous désirez garder des traces d'un article ou d'un texte que vous avez lu afin d'y avoir accès rapidement (pour la révision), une fiche de lecture, comme celle qui se trouve ci-dessous, vous sera très utile.
- Il s'agit de retrouver les informations essentielles du texte et de les organiser de façon claire et concise. Vous avez sans doute remarqué que certaines phrases du premier article de ce chapitre étaient en **caractères gras**. L'auteur et l'éditeur ont sélectionné ce qui représentait l'essentiel des renseignements concernant le métier d'éducateur de jeunes enfants.
- En relisant l'article *Métiers : éducateur de jeunes enfants* attentivement et en tenant compte des informations en caractères gras, vous verrez que la fiche de lecture en exprime l'essentiel.
- En utilisant le modèle proposé, préparez une fiche de lecture pour l'article *Petits miracles au lac Claire.* Essayez de suivre les étapes suivantes :

  a) Repérez les informations essentielles du texte (celles que l'on pourrait mettre en caractères gras) en répondant à des questions telles que *qui*?, *quoi*?, *quand*?, *comment*? et *pourquoi*?
  b) Organisez ces informations de façon claire et concise.
  c) Faites une liste du vocabulaire à retenir : mots clés, mots nouveaux.

Fiche de lecture

Titre :	Métiers : éducateur de jeunes enfants
Source :	Revue *Phosphore*, mars 1998
Auteur(e) :	Isabelle Vial
Type de texte :	Descriptif, informatif
Informations principales :	
Qui?	David, un jeune homme de 26 ans
Quoi?	On parle de son métier, il est éducateur de jeunes enfants. L'article décrit ce travail qui implique, avant tout, l'éveil des enfants. Exemple : l'éveil sonore, l'apprentissage de la motricité.
Quand?	Après son bac, David commence des études de langue, mais il fait également un remplacement dans un foyer de l'aide sociale à l'enfance. C'est à ce moment-là qu'il prend la décision de devenir éducateur.
Pourquoi?	Ce métier semble plus riche pour David, car il lui permet d'accompagner les enfants plutôt que de leur transmettre un savoir.
Comment?	Pour exercer ce métier, il faut avoir le DEEJE (Diplôme d'état d'éducateur de jeunes enfants). Il est aussi conseillé d'avoir le bac. L'école dure 27 mois avec 1 200 heures de formation théorique et pratique.
Vocabulaire :	une crèche, l'éveil, l'apprentissage, la motricité, un stage, éducateur (vs instituteur), développement des capacités

Sites Web : activités complémentaires

- Consultez le site Web suivant : **http://www.mazemaster.on.ca**. Il s'agit d'un projet communautaire et d'un partenariat entre la commission scolaire catholique de Toronto et le DRHC (Développement des ressources humaines Canada). Cliquez sur le menu **français** et entrez dans le menu à gauche (il faut créer un compte).

1. Le site Auto-évaluation propose trois séries d'activités qui aident les jeunes à découvrir leurs valeurs, leurs intérêts et leurs aptitudes. Cliquez sur le premier exercice intitulé ***intérêts*** et faites l'activité proposée. Il faut simplement cocher tous les types de choses que vous aimez faire.

2. À la fin de l'exercice, appuyez sur **sauvegarder** pour avoir les résultats. Le site vous propose un certain nombre de carrières ou de domaines à considérer et vous offre certaines pistes à suivre pour la recherche d'emploi.

3. Répondez aux questions ci-dessous puis, quand vous aurez terminé, comparez vos réponses avec celles de vos camarades de classe. Bonne recherche!

a) Quels sont les domaines/métiers proposés par le site?

b) Connaissez-vous ces domaines?	❑ Oui	❑ Non
c) Avez-vous cherché plus de renseignements?	❑ Oui	❑ Non
d) Les métiers proposés vous intéressent-ils?	❑ Oui	❑ Non
e) Trouvez-vous ce genre d'exercice utile?	❑ Oui	❑ Non

Grammaire et Expression écrite

Grammaire

L'article défini

Formes de l'article défini

Tableau 3.1

Article défini

1. devant les noms qui commencent par une consonne ou un *h* aspiré (voir appendice H)

singulier		pluriel
masculin	féminin	masc. et fém.
le	**la**	**les**
le *droit*	***la*** *médecine*	***les*** *beaux-arts* (masc.)
le *hasard*	***la*** *hiérarchie*	***les*** *mathématiques* (fém.)

2. devant les noms qui commencent par une voyelle ou un *h* muet

masc. et fém. sing.	masc. et fém. pluriel
l'	**les**
l'*espagnol* (masc.)	***les*** *horaires* (masc.)
l'*histoire* (fém.)	***les*** *études* (fém.)

Attention! exceptions : *le onze, le onzième*

MISE EN PRATIQUE 1 (article défini)

Complétez les phrases suivantes en utilisant la forme correcte de l'article défini.

1. ____ apprentissage consiste à partager son temps entre ____ école et ____ travail.
2. ____ but de cette réunion est ____ élaboration du nouvel horaire.
3. ____ onzième candidat à ce poste n'a pas ____ qualifications nécessaires.
4. C'est ____ hasard qui a joué quand il a rencontré sa femme à ____ université.
5. ____ hiérarchie des commis que ce cuisinier a imposée fait bien rire toutes ____ serveuses.

Contraction de l'article défini avec les prépositions à *et* de

Tableau 3.2

Formes contractées de l'article défini

singulier		pluriel
masculin	féminin	masc. et fém.
au	**à la**	**aux**
du	**de la**	**des**
masc. et fém.		masc. et fém.
à l'		**aux**
de l'		**des**

Attention! Dans ce tableau, *au, aux, du* et *des* sont des formes contractées de l'article défini.
à + le = au, à + les = aux, de + le = du, de + les = des

De nombreux verbes, certaines expressions et certains adjectifs sont suivis de la préposition *à* ou de la préposition *de*. Afin d'utiliser la forme correcte de l'article, consultez les appendices D et E.

parler ***à*** → *Elle a parlé* ***au*** *directeur de l'école.*
entendre parler ***de*** → *Elle a entendu parler* ***du*** *directeur.*
ravi ***de*** → *Elle est ravie* ***du*** *travail du nouvel employé.*

MISE EN PRATIQUE 2 (article défini avec *à* et *de*)

Complétez les phrases suivantes en utilisant la forme correcte de l'article défini. (Attention! *être candidat à, la tendance est à, se présenter à, veiller à*)

1. Est-elle candidate ____ poste qui a été annoncé?
2. Un éducateur veille ____ développement ____ capacités ____ enfants.
3. Elle a fait ses études secondaires ____ lycée Henri IV.
4. La tendance est ____ allongement ____ études jusqu'____ brevet professionnel.
5. Elle va se présenter ____ examen d'entrée.

Emploi de l'article défini

Tableau 3.3

Quand employer l'article défini

contexte	explication
1. *Nous avons interviewé* ***la*** *directrice* ***de la*** *crèche «Enfant-Présent».* ***Le*** *chef de cuisine de ce restaurant est très connu.* *Elle a réussi* ***à l'****examen qu'elle devait passer.*	Devant un nom désignant des personnes ou des choses bien définies (par le contexte, des précisions diverses, l'évidence, etc.). En anglais, l'article est aussi utilisé. (***The*** *chef of this restaurant is well known.*)
2. *Elle étudie* ***le*** *français et* ***les*** *mathématiques.*	Devant un nom de langue ou de matière. En anglais, l'article n'est pas utilisé. (*She studies French.*)
Attention!	
Elle parle portugais.	Omission de l'article avec *parler.*
3. *Il aime* ***le*** *chocolat.* *On lave* ***la*** *vaisselle.* ***Les*** *enfants nous apportent beaucoup de bonheur.*	Devant un nom pris dans un sens général sans idée de division. En anglais, l'article n'est pas utilisé. (*She likes chocolate.*)
4. ***L'****argent ne fait pas* ***le*** *bonheur.* ***La*** *vie est belle!*	Devant un nom abstrait pris dans un sens général. En anglais, l'article n'est pas utilisé. (*Money can't buy happiness.*)
5. *Elle a reçu son diplôme* ***le*** *4 juin.*	Devant les dates.
6. *Ils suivent un cours* ***le*** *mardi.* *Je prends mes vacances* ***l'****été.* *Elle travaille mieux* ***le*** *matin.*	Devant les jours de la semaine, les saisons et les parties d'une journée pour indiquer que quelque chose est habituel. En anglais, on utilise souvent une préposition. (*They have a course Tuesday/****on*** *Tuesday.*)
Attention!	
Il est arrivé vendredi et il repart dimanche soir.	Omission de l'article quand on parle d'un jour de la semaine passée, présente ou prochaine.
7. ***le*** *prince Edward* ***le*** *général de Gaulle*	Devant un nom propre précédé d'un titre. En anglais, l'article n'est pas utilisé. (*Prince Edward*)
8. ***la*** *France* ***le*** *Québec* ***le*** *Saint-Laurent* ***les*** *Suisses* ***les*** *Laurentides* ***l'****Ouest* ***du*** *Canada*	Devant des noms géographiques (pays, provinces, cours d'eau, peuples, montagnes, points cardinaux).
Attention !	
Montréal est la ville des festivals.	Omission de l'article devant les noms de villes.

9. *Elle a reçu **la** meilleure note de la classe.*	Devant un nom modifié par un superlatif ou devant les adjectifs *premier* et *dernier*.
10. *Levez **la** main.* *Il se promène **les** mains dans **les** poches.*	Devant les noms de parties du corps et de vêtements quand l'identité du possesseur est évidente.
11. *On peut faire du cent kilomètres **à l'**heure sur l'autoroute.* *Les œufs s'achètent **à la** douzaine.*	Devant les expressions de mesure, de poids ou de quantité avec la préposition *à*.

MISE EN PRATIQUE 3 (emploi de l'article défini)

Expliquez l'emploi de l'article défini.

1. Mon grand-père avait toujours **la** pipe à **la** bouche.
2. Où est **l'**offre d'emploi que **la** directrice a rédigée?
3. **La** capitale de **la** Colombie-Britannique? C'est Victoria.
4. C'est **la** dernière recette que ce chef a mise dans son nouveau livre de cuisine. C'est aussi **la** meilleure.
5. Dans **le** programme Grand Pas, **les** enfant autistes sont jumelés à des TC.
6. **La** patience est une vertu quand on est éducateur de jeunes enfants.
7. Ils n'ont jamais étudié **l'**allemand.

L'article indéfini et l'article partitif

Formes de l'article indéfini

Tableau 3.4

Article indéfini

singulier		pluriel
masculin	féminin	masc. et fém.
un	**une**	**des**
***un** métier*	***une** profession*	***des** emplois* (masc.)
		***des** carrières* (fém.)

Au pluriel, on utilise ***de*** au lieu de ***des*** quand le nom est précédé d'un adjectif qualificatif.

***de** longues études* (l'adjectif précède le nom)

mais

***des** études interminables* (l'adjectif suit le nom)

Attention!

On garde la forme ***des*** pour certaines expressions très usitées, bien que l'adjectif précède le nom.

***des** petits pains*	***des** jeunes filles*
***des** petits pois*	***des** vieux garçons*
***des** jeunes gens*	***des** vieilles filles*
***des** jeunes mariés*	***des** grands-parents*

MISE EN PRATIQUE 4 (article indéfini)

Complétez les phrases suivantes en utilisant la forme correcte de l'article indéfini.

1. Elle a trouvé ____ boulot intéressant.
2. Il a ____ formation d'éducateur de jeunes enfants.
3. Les universités sont ____ établissements postsecondaires.
4. À son nouveau poste, elle recevra ____ salaire plus élévé.
5. Il faut être titulaire d'____ bac pour se présenter aux examens d'entrée de certaines universités.
6. Aujourd'hui plus que jamais, il y a ____ jeunes qui font ____ longues études.

Formes de l'article partitif

Tableau 3.5

Article partitif

singulier		
masculin	féminin	masc. et fém.
du	**de la**	**de l'**
du *lait*	***de*** *la crème*	***de l'****eau* (fém.) ***de l'****or* (masc.)

MISE EN PRATIQUE 5 (article partitif)

Complétez les phrases suivantes en utilisant la forme correcte de l'article partitif.

1. Il y a ____ pain sur la planche. (expression signifiant «il y a du travail à faire»)
2. Il faut ____ temps et ____ patience pour accomplir ce qu'on veut.
3. Vous voulez ____ confiture ou ____ miel?

Articles indéfinis et partitifs après la négation

Tableau 3.6

Articles indéfinis et partitifs après la négation

Après une négation, on utilise ***de*** ou ***d'*** au lieu de *un, une, du, de la, de l'* et *des.*

> *Il n'y a pas* ***de*** *sots métiers.*
> *Elle n'a pas* ***d'****horaire fixe.*
> *Je ne prends jamais* ***de*** *lait.*

Attention!

On maintient les formes *un, une, du, de la, de l'* et *des* après la forme négative du verbe quand :

a) la négation signifie que l'on nie l'attribut de quelqu'un ou de quelque chose.
Ce brevet n'est pas ***un*** *vrai diplôme.*
Charles n'est pas ***un*** *bon cuisinier.*

b) la phrase négative est mise en parallèle avec une phrase affirmative.
Il ne cherche pas ***un*** *commis, il cherche* ***un*** *autre chef de cuisine.*

c) on utilise les verbes *être, devenir* et *rester.*
Ce n'est pas ***un*** *métier pour toi.*
Ce n'est pas ***du*** *vin pur.*

d) *ne . . . pas un(e)* veut dire *ne . . . pas un(e) seul(e).*
Il ne me reste pas ***un*** *sou.*
N'y a-t-il pas ***une*** *vendeuse qui puisse m'aider?*
Je n'ai pas ***une*** *minute à perdre.*

Attention!

L'expression ***ne . . . que*** veut dire *seulement* et n'est pas une négation.
Il ne boit que ***de la*** *bière hollandaise.*

L'article défini ne change pas de forme après une négation.
Je n'aime pas ***le*** *café.*

MISE EN PRATIQUE 6 (articles indéfinis et partitifs après la négation)

Complétez les phrases suivantes en utilisant la forme correcte de l'article indéfini ou de l'article partitif.

1. Ce professeur n'a pas ____ patience.
2. C'est un mariage où il n'y pas seulement ____ amour, mais où il y a aussi ____ amitié.
3. Il ne jouait plus ____ violon.
4. Je suis désolée, mais aujourd'hui nous n'avons pas ____ œufs, donc pas ____ omelettes.
5. Ce n'est pas ____ beurre, c'est ____ margarine.

Emploi des articles indéfinis et partitifs

Tableau 3.7

Quand employer les articles indéfinis et partitifs

contexte	explication
1. *Il cherche* ***un*** *commis.* *Les pompiers ont* ***des*** *horaires difficiles.*	L'article indéfini s'emploie au singulier pour désigner une personne ou une chose indéterminée, et au pluriel pour désigner un nombre indéterminé de personnes ou de choses.
2. ***Un*** *cuisinier doit faire attention à ce qu'il fait.*	L'article indéfini s'emploie pour désigner un membre d'un groupe, d'une profession.
3. *Il faisait* ***un*** *soleil magnifique.* *Elle possède* ***une*** *grande intelligence.*	L'article indéfini s'emploie pour désigner un aspect, une qualité ou une caractéristique. Le nom est alors qualifié par un adjectif ou un complément déterminatif (un adjectif ou un complément qui détermine ou précise le sens d'un mot).

4. *C'est* ***un*** *excellent professeur.* *C'est* ***un*** *catholique pratiquant.*	L'article indéfini s'emploie avec les noms de profession, religion ou nationalité, quand ceux-ci sont modifiés par un adjectif.
Attention! *Elle est architecte.* *Elle est protestante.*	
5. *Votre fils n'est pas* ***un*** *Einstein, Madame.* *J'ai acheté* ***un*** *Renoir.*	L'article indéfini s'emploie devant un nom propre quand celui-ci s'applique à un aspect particulier de l'individu nommé ou à l'une de ses œuvres.
6. *Ils sont venus* ***un*** *lundi* *et sont partis* ***un*** *jeudi.*	On emploie l'article indéfini devant les noms des jours de la semaine lorsque la date exacte de l'action passée n'est pas précisée.
Attention! *Il est venu jeudi.* (= **jeudi dernier**) *Il vient jeudi.* (= **jeudi prochain**)	
7. *Veux-tu* ***du*** *café?* *Il n'y a plus* ***de*** *pain.*	L'article partitif s'emploie pour désigner une certaine quantité (indéterminée) ou une partie de quelque chose.
8. *Elle a* ***de la*** *chance.*	L'article partitif s'emploie pour désigner une certaine quantité (indéterminée) d'une qualité abstraite qu'on ne peut pas compter.
Attention! *Il a* ***la*** *personnalité de son père.* *Il a* ***un*** *courage indomptable.*	Quand un nom abstrait est modifié par un adjectif ou un complément qui lui donne un sens déterminé, on utilise soit l'article défini, soit l'article indéfini, selon le sens.

MISE EN PRATIQUE 7 (emplois des articles indéfinis et partitifs)

Expliquez l'emploi des articles indéfinis et partitifs.

1. **Une** femme peut faire cela aussi bien, ou même mieux, qu'un homme.
2. Avez-vous **de la** monnaie?
3. Il est prétentieux et il est fier comme **un** coq.
4. Je crois que le jour où ils se sont fiancés était **un** samedi.
5. Il faisait **un** brouillard à couper au couteau.
6. Elle est sortie longtemps avec **un** Don Juan.
7. Ce sont vraiment **de** bons parents.

L'omission de l'article

Tableau 3.8

Quand omettre l'article

contexte	explication
	On omet l'article :
1. *en France, en vacances, en avril, en danger*	après la préposition *en*.

Attention! Parmi les exceptions :
en l'air, en l'absence de, en l'occurrence, en l'honneur de

2.	*Il le traite avec froideur.* (= froidement) *Je vous le dis sans rancune.*	après les prépositions *avec* et *sans* précédant un nom abstrait, et quand les deux éléments ont une valeur adverbiale ou adjectivale.
	Attention! *Il le traite avec* ***la*** *froideur qu'on réserve à ses pires ennemis.*	nom déterminé, ici par une proposition relative (phrase qui commence avec les pronoms *qui, que, dont,* etc.)
3.	*à Montréal, à Rome, de Vancouver*	devant les noms de villes.
	Attention! ***le*** *Vieux-Montréal*	nom de ville modifié exceptions : ***La*** *Mecque,* ***Le*** *Caire,* ***La*** *Nouvelle-Orléans*
4.	*les parents et amis de la mariée*	parfois, devant le deuxième terme de groupements par catégories.
5.	*beaucoup d'emplois* *couvert de neige* *deux litres de cidre*	après presque tous les mots et presque toutes les expressions de quantité, et après certains adjectifs, quand le nom qu'ils déterminent n'est pas déterminé.
	Attention! *Nous avons bu deux litres* ***du*** *cidre que vous avez apporté.*	nom déterminé, ici, par une proposition relative exceptions : *la plupart* ***du*** *temps* *la majorité* ***des*** *gens* *la moitié* ***de la*** *classe* *encore* ***de l'****eau*
6.	*un livre de français* *une brosse à dents* *un costume sur mesure* *un bracelet en argent*	après certaines prépositions (*à, de, en, sur*) formant un complément déterminatif avec le nom (c'est-à-dire un complément qui détermine ou précise le sens du nom qui précède).
7.	*Elle a raison.*	devant le nom de certaines expressions verbales telles que : *avoir raison* — *avoir tort* *avoir besoin de* — *avoir envie de* *avoir soif* — *avoir faim* *avoir peur de* — *perdre patience* *faire mal à* — *faire peur à* *donner congé* — *prendre congé* *faire attention à* — *prendre garde* *se rendre compte de* — *perdre connaissance*
8.	*Je l'ai choisi comme commis.*	après *en, comme, en tant que, en sa qualité de* introduisant un titre ou une capacité.

9. *Elle veut devenir médecin.* devant un nom attribut non déterminé qui indique
Elles sont canadiennes. la profession, la nationalité, la religion du sujet de la
Robert est luthérien. phrase.
Il est professeur.

Attention! *C'est **un** professeur.* après *c'est, ce sont.*

MISE EN PRATIQUE 8 (omission de l'article)

Complétez les phrases suivantes en utilisant, s'il y a lieu, l'article qui convient.

1. En tant que ____ chef de cuisine, il décide ____ menu ____ journée.
2. Son père est ____ ingénieur. On dit que c'est ____ très bon ingénieur.
3. Il se rend ____ compte qu'il a mal agi.
4. Il est ____ professeur. Il parle ____ anglais et ____ portugais.
5. Elle lui a donné ____ montre en ____ or.

Problèmes de traduction

Tableau 3.9

Comment traduire

1. I don't do windows! — *Je ne nettoie pas **les** fenêtres!*
Passion devoured him. — ***La** passion le dévorait.*
Whales are interesting animals. — ***Les** baleines sont des animaux intéressants.*
Jet airplanes didn't exist in those days. — ***Les** jets n'existaient pas à cette époque-là.*

En français, l'article défini est de rigueur devant les noms pris dans un sens général, les noms abstraits et les noms d'espèces ou de catégories.

2. We stay at home on Fridays. — *On reste à la maison **le** vendredi.*

La notion exprimée, en anglais, par la préposition *on* suivie d'un jour de la semaine au pluriel est rendue en français par l'article défini suivi du jour de la semaine au singulier.

3. He has sisters and brothers. — *Il a **des** sœurs et **des** frères.*

Tandis que l'anglais n'emploie pas d'article, le français emploie l'article indéfini avec les noms qu'on peut compter.

4. Do you have any stamps to give me? — *As-tu **des** timbres à me donner?*

La notion exprimée par le mot anglais *any* est souvent rendue en français par l'article indéfini.

5. Mister Prime Minister — *Monsieur **le** premier ministre*
Your Worship/Your Honour — *Monsieur **le** juge*
Officer — *Monsieur **l'**agent*

Le français utilise l'article défini entre *monsieur, mademoiselle* ou *madame* et un titre utilisé quand on s'adresse au possesseur de ce titre.

6. the car keys — *les clés* ***de la*** *voiture*

En français, on utilise *du, de la, de l'* ou *des* pour introduire certains compléments déterminatifs.

7. the teacher's pet — *le chouchou* ***du*** *professeur*

Cette tournure du possessif anglais est exprimée en français par *du, de la, de l'* ou *des* suivi du nom.

8. He is a professor. — *Il est professeur.*
On peut dire aussi :
C'est ***un*** *professeur.*

Le français omet l'article lorsque le nom de profession, de nationalité ou de religion est employé avec le verbe *être* précédé d'un pronom personnel sujet. Dans ce type de construction, l'anglais utilise toujours l'article indéfini.

9. What a day! — *Quelle journée!*

Alors que l'anglais utilise un article indéfini après *what* (exclamatif), le français omet l'article après l'adjectif *quel.*

Mise en pratique 9 (traduction)

Traduisez les phrases suivantes en français.

1. She is an accountant.
2. I have classes on Mondays and Wednesdays.
3. The assistant chef doesn't have the answer.
4. What luck!
5. Thank you, your Worship.

L'adjectif démonstratif et l'adjectif possessif

Formes de l'adjectif démonstratif

Tableau 3.10

Adjectif démonstratif

	singulier		pluriel
	masculin	féminin	masc. et fém.
devant une consonne ou un *h* aspiré	**ce** ***ce*** *candidat* ***ce*** *hibou*	**cette** ***cette*** *candidate* ***cette*** *hache*	**ces** ***ces*** *candidat(e)s* ***ces*** *hiboux/haches*
devant une voyelle ou un *h* muet	**cet** ***cet*** *employé* ***cet*** *hôtel*	**cette** ***cette*** *employée* ***cette*** *histoire*	**ces** ***ces*** *employé(e)s* ***ces*** *hôtels/histoires*

Attention! L'adjectif démonstratif est parfois utilisé avec *-ci* (qui indique la proximité) ou *-là* (qui indique l'éloignement). Ces particules sont ajoutées aux noms à l'aide d'un trait d'union.
Il pleut beaucoup ***ces*** *jours-**ci**.*

MISE EN PRATIQUE 10 (adjectif démonstratif)

Complétez chaque phrase avec l'adjectif démonstratif approprié.

1. ____ rue débouche sur ____ place-là.
2. ____ tomates-ci semblent plus mûres.
3. On m'a amené dans ____ hôpital quand j'étais malade.
4. C'est ____ bus que nous devons prendre.

Formes de l'adjectif possessif

Tableau 3.11

Adjectif possessif

personne	le nom qui suit est au singulier masculin	 féminin	le nom qui suit est au pluriel masc. et fém.
je	**mon**	**ma**	**mes**
tu	**ton**	**ta**	**tes**
il	**son**	**sa**	**ses**
elle	**son**	**sa**	**ses**
nous	**notre**	**notre**	**nos**
vous	**votre**	**votre**	**vos**
ils	**leur**	**leur**	**leurs**
elles	**leur**	**leur**	**leurs**

1. En français, l'adjectif possessif s'accorde avec le nom qui suit, pas avec le possesseur (comparez avec l'anglais *his*, *her* et *its*).

   ***Jean-Pierre** a apporté **sa** guitare.* (**his** guitar)
   ***Jacqueline** a apporté **sa** guitare.* (**her** guitar)

2. L'adjectif possessif s'accorde en genre et en nombre avec le nom qui suit.

   *Elle a invité **sa** tante, **son** oncle et tous **ses** cousins.*

   Attention!

   ***mon** assistante, **ton** ancienne voisine, **son** honneur*

   (*mon, ton* ou *son* sont utilisés devant un mot au féminin singulier qui commence par une voyelle ou un *h* muet.)

   mais

   ***sa** hache* (*h* aspiré; voir appendice H)

3. Quand le possesseur est le pronom *on*, *tout le monde* ou *chacun*, on utilise en général les adjectifs possessifs de la troisième personne du singulier.

   *Comme on fait **son lit,** on se couche.*

   Attention!

   *On avait oublié **nos** imperméables.*
   (Quand *on* veut dire *nous*, on utilise *notre* ou *nos*.)

4. Il est préférable d'utiliser l'adjectif possessif devant chaque nom ou groupe nominal d'une série.

__Ils__ nous ont envahis avec __leurs enfants__, __leur chien__, __leur chat__ et je ne sais quoi d'autre.

Attention!

Écrire __vos nom, prénom et adresse__ en lettres moulées.
Je vous présente __mon ami et collègue__ Jean Baron.
(Dans la langue administrative, et lorsque les noms désignent la même personne ou la même chose, on utilise un seul adjectif possessif.)

Mise en pratique II (adjectifs possessifs)

Complétez chaque phrase avec l'adjectif possessif qui convient.

1. Véronique a déjà oublié ____ petit ami de l'été passé.
2. Quelle est ____ adresse, Madame?
3. Les employés n'aiment pas ____ nouveau patron.
4. Est-ce que tu as déjà fait ____ toilette?
5. Ils ne se rendent pas compte de ____ problèmes et ils en ont beaucoup!
6. Qu'est-ce que j'ai fait de ____ clés?
7. Lui et ____ femme, quelle paire!
8. Voyez-vous souvent ____ anciens collègues?
9. Jean-Paul a encore oublié où il a mis ____ voiture.
10. Occupe-toi de ____ oignons! (= Mind your own business!)

Emploi des adjectifs démonstratifs et possessifs

Tableau 3.12

Quand employer les adjectifs démonstratifs et possessifs

	contexte	explication
1.	***Ce** garçon a de l'avenir.* *Il a réussi à **cet** examen mais pas à l'autre.*	Les adjectifs démonstratifs servent à montrer ou à désigner un être, un objet ou une idée.
2.	***Ce** travail-**ci** est mal rémunéré; par contre, **cet** emploi-**là** est bien payé.*	Les particules suffixes *-ci* et *-là* permettent soit de marquer une opposition entre deux choses, soit de faire la distinction entre deux choses.
3.	***Ces** pays-**là** sont bien défavorisés.* *À **cette** époque-**là**, il n'était pas encore marié.* *Dans deux ans, j'aurai mon diplôme. À **ce** moment-**là**, je ferai un beau voyage.*	La particule suffixe *-là* s'emploie souvent pour désigner ce qui est éloigné du sujet parlant, ce qui est déjà arrivé ou ce qui va arriver.
4.	*Je n'aime pas du tout **ce** type-**là**.* (familier) ***Ce** petit vin-**là** est merveilleux.*	La particule suffixe *-là* peut marquer l'indignation ou l'appréciation.
5.	***Mon** frère est éducateur de jeunes enfants.*	Les adjectifs possessifs s'emploient pour indiquer le possesseur.

6. *À l'université, chacun a* ***son propre*** *domaine d'études.* — Le mot *propre* placé avant le nom s'emploie pour renforcer l'adjectif possessif.

7. *Sandrine et Paul ont chacun leur carrière, mais Sandrine préfère* ***son*** *horaire* ***à elle****.* — On utilise la préposition *à* suivie d'un pronom disjoint pour bien éviter toute ambiguïté.

8. *Elle a manqué* ***son*** *train.* (le train qu'elle voulait prendre) — Parfois, le possessif n'indique pas l'appartenance mais d'autres rapports.

Mise en pratique 12 (emploi des adjectifs démonstratifs et possessifs)

Expliquez l'emploi des mots en italique.

1. Jacqueline et Paul ont chacun leur imperméable, mais elle préfère *son* imperméable *à lui*.
2. Nos enfants ont *leur propre* compte en banque.
3. *Ce* travail-*là* n'est pas acceptable.
4. *Ce* menu-*ci* est pour le déjeuner, *ce* menu-*là* est pour le dîner.

L'article défini ou l'adjectif possessif?

Tableau 3.13

Comment choisir entre l'article défini et l'adjectif possessif

On emploie l'article défini à la place de l'adjectif possessif :

1. quand il s'agit d'une partie du corps, d'un vêtement ou, parfois, d'un objet personnel.

   Tu as encore mal à ***la*** *tête?*
   Le commis avait ***les*** *mains sales.*
   Il travaille toujours ***la*** *cravate dénouée.*

   Attention!
   On utilise l'adjectif possessif si le nom représentant la partie du corps, le vêtement ou l'objet personnel est qualifié par un adjectif autre que *droit* ou *gauche*.

   Il m'a tendu ***sa*** *main couverte de boue.*
   Il m'a tendu ***la*** *main droite.*

2. quand il n'y a aucun doute sur l'identité du possesseur.

   Elle lui a pris ***la*** *main.*

3. quand le verbe est pronominal.

   Je me suis cassé ***la*** *jambe en faisant du ski.*

4. quand le possesseur est identifié par *dont*.

   C'est le voisin dont ***les*** *enfants sont bruyants.*

MISE EN PRATIQUE 13 (article défini ou adjectif possessif)

Complétez les phrases suivantes en choisissant l'article défini ou l'adjectif possessif approprié.

1. Ce motocycliste ne porte pas _____ casque.
2. Elle s'est foulé _____ cheville ce matin.
3. Le cuisinier m'a tendu _____ main mouillée.
4. Elle a fermé _____ beaux yeux bleus.

Problèmes de traduction

Tableau 3.14

Comment traduire

1. **This** exercise is difficult. → ***Cet** exercice est difficile.*
   I bought **those** records. → *J'ai acheté **ces** disques.*

   À moins de vouloir insister sur la proximité (avec la particule *-ci*) ou l'éloignement (avec la particule *-là*), l'anglais *this* ou *that* se traduit par l'adjectif démonstratif singulier (*ce, cet, cette*) et *these* ou *those* par l'adjectif démonstratif pluriel (*ces*).

2. No smoking in **this** office. → *Prière de ne pas fumer dans **le** bureau.*
   Those students who registered late . . . → ***Les** étudiants qui se sont inscrits en retard . . .*
   In **this** textbook . . . → *Dans **le présent** manuel . . .*

   Le français utilise presque toujours l'article défini lorsque l'être ou l'objet dont on parle : **a)** ne s'oppose pas à un autre être ou objet (premier modèle), **b)** est déjà déterminé, ici par une proposition relative (deuxième modèle), ou **c)** est utilisé comme auto-référence (troisième modèle).

3. Is it **his** (**her**) car? → *C'est **sa** voiture?*
   Yes, it's **his** (**her**) car. → *Oui, c'est **la sienne**.*

   À la troisième personne du singulier, l'anglais distingue entre un possesseur masculin et un possesseur féminin; le français ne fait pas cette distinction.

4. **her** success → ***sa** réussite*
   his success → ***sa** réussite*
   its success → ***sa** réussite*

   À la troisième personne du singulier, l'anglais distingue entre un possesseur chose et un possesseur personne; le français ne fait pas cette distinction.

5. Is it **his** towel or **hers**? → *Est-ce que c'est **sa** serviette **à lui** ou **à elle**?*

   Puisqu'à la troisième personne du singulier, le français ne distingue pas entre un possesseur masculin et un possesseur féminin, il y a parfois ambiguïté (*sa serviette à lui ou à elle?*). Ce problème peut se résoudre en ajoutant la préposition *à* suivie de *lui* ou de *elle*.

6. Their cottage has **its own** electric generator. → *Leur chalet a **son propre** groupe électrogène.*

   L'adjectif possessif anglais suivi de *own* (+ un nom) se traduit par l'adjectif possessif français suivi de *propre* (+ un nom).

Mise en pratique 14 (traduction)

Traduisez les phrases suivantes en français.

1. They showed up with her car and his.
   (to show up = *se pointer*)
2. I have my own computer.
3. This type of career has its drawbacks.
4. This shirt here is clean, that shirt there is dirty.
5. Are these her keys or his keys?

Expression écrite

L'emploi des dictionnaires

1. Les dictionnaires permettent à ceux qui écrivent de trouver les mots ou les expressions qui rendent le mieux ce qui est à exprimer. Cette quête du mot juste implique des recherches dans un ou plusieurs dictionnaires.
2. On doit noter, toutefois, que le recours aux dictionnaires ne résout pas toujours les difficultés rencontrées lorsqu'il s'agit de trouver la tournure la plus heureuse. Ceci dit, les dictionnaires sont des outils de consultation indispensables pour améliorer la richesse et la variété du vocabulaire utilisé dans un texte, et pour vérifier la justesse des termes employés.
3. Pour savoir utiliser les dictionnaires, il faut connaître les ressources qu'ils mettent à notre disposition.

Tableau 3.15

Quel dictionnaire utiliser

1. On utilise **un dictionnaire bilingue** pour :
   - **a)** trouver l'équivalent français d'un mot ou d'une expression que l'on ne connaît qu'en anglais.
   - **b)** trouver ou vérifier la signification d'un mot.
   - **c)** vérifier la prononciation d'un mot en français.
2. On utilise **un dictionnaire unilingue** pour :
   - **a)** trouver la/les définition(s) d'un mot ou d'une expression.
   - **b)** trouver ou vérifier la signification d'un mot dans un contexte particulier.
   - **c)** trouver les différents sens d'un mot (sens propre, sens figuré, etc.).
   - **d)** vérifier la prononciation d'un mot en français.
   - **e)** trouver les renseignements grammaticaux rattachés à un mot.
   - **f)** comprendre les différents emplois d'un mot.
   - **g)** trouver des exemples illustrant le bon usage d'un mot ou d'une expression.
3. On utilise **un dictionnaire des synonymes** ou **un thésaurus** pour :
   - **a)** trouver les synonymes d'un mot.
   - **b)** trouver les antonymes d'un mot.

Tableau 3.16

Conseils concernant l'emploi des dictionnaires

1. Ne pas utiliser de dictionnaires de poche abrégés.
2. Vérifier l'emploi d'un terme dans un ou plusieurs exemples pour bien s'assurer de son bon usage.
3. Ne pas s'arrêter à la première définition ni au premier exemple, mais bien chercher ce dont on a besoin.
4. Chercher dans un deuxième ou troisième dictionnaire si l'on ne trouve pas ce qu'on cherche dans le premier.

Les entrées de dictionnaires expliquées

Tableau 3.17

Entrées de dictionnaires

1. **entrée dans un dictionnaire unilingue**

   Le Petit Robert, Dictionnaires Le Robert, 2002

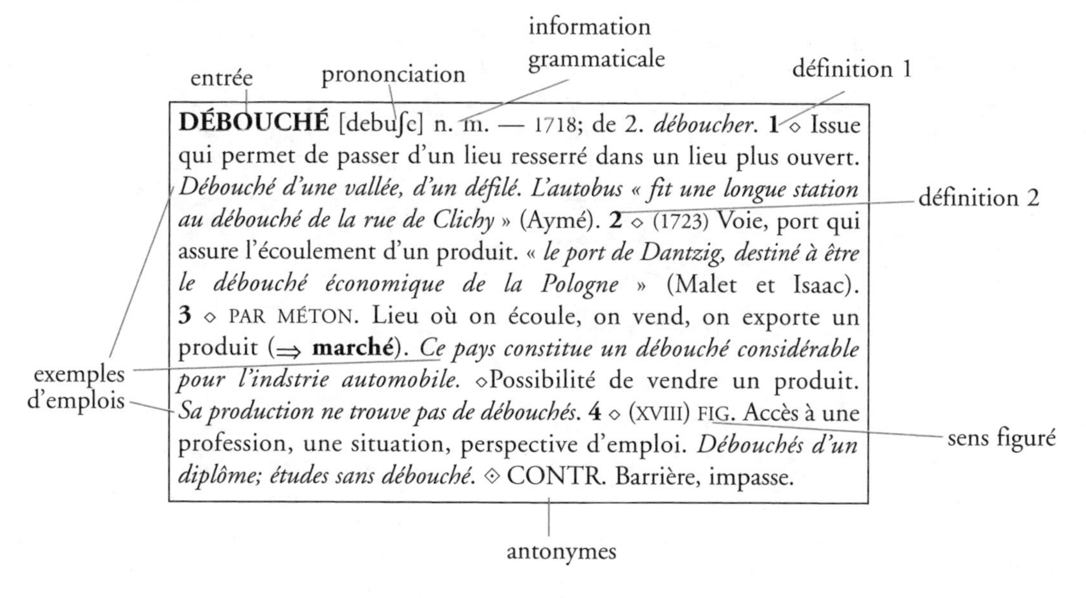

DÉBOUCHÉ [debuʃe] n. m. — 1718; de 2. *déboucher.* **1** ◇ Issue qui permet de passer d'un lieu resserré dans un lieu plus ouvert. *Débouché d'une vallée, d'un défilé. L'autobus « fit une longue station au débouché de la rue de Clichy »* (Aymé). **2** ◇ (1723) Voie, port qui assure l'écoulement d'un produit. « *le port de Dantzig, destiné à être le débouché économique de la Pologne* » (Malet et Isaac). **3** ◇ PAR MÉTON. Lieu où on écoule, on vend, on exporte un produit (⇒ **marché**). *Ce pays constitue un débouché considérable pour l'indstrie automobile.* ◇Possibilité de vendre un produit. *Sa production ne trouve pas de débouchés.* **4** ◇ (XVIII) FIG. Accès à une profession, une situation, perspective d'emploi. *Débouchés d'un diplôme; études sans débouché.* ◇ CONTR. Barrière, impasse.

2. **entrée dans un dictionnaire bilingue**

   Collins Robert : Dictionnaire français-anglais et anglais-français, Dictionnaires Le Robert, 2002

   section français-anglais

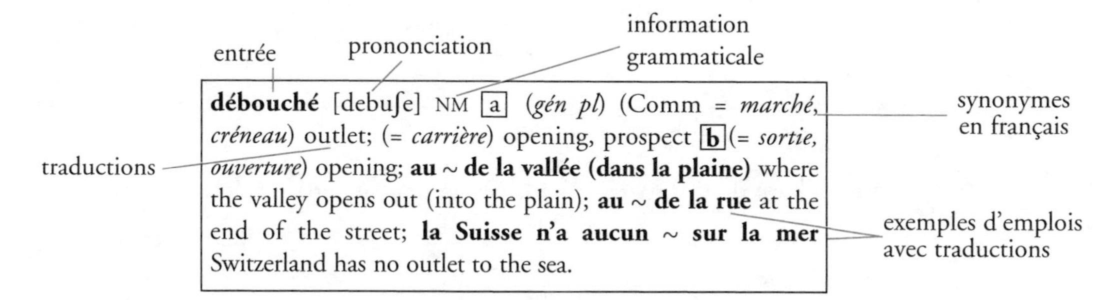

débouché [debuʃe] NM [a] (*gén pl*) (Comm = *marché, créneau*) outlet; (= *carrière*) opening, prospect [b] (= *sortie, ouverture*) opening; **au ~ de la vallée (dans la plaine)** where the valley opens out (into the plain); **au ~ de la rue** at the end of the street; **la Suisse n'a aucun ~ sur la mer** Switzerland has no outlet to the sea.

section anglais-français

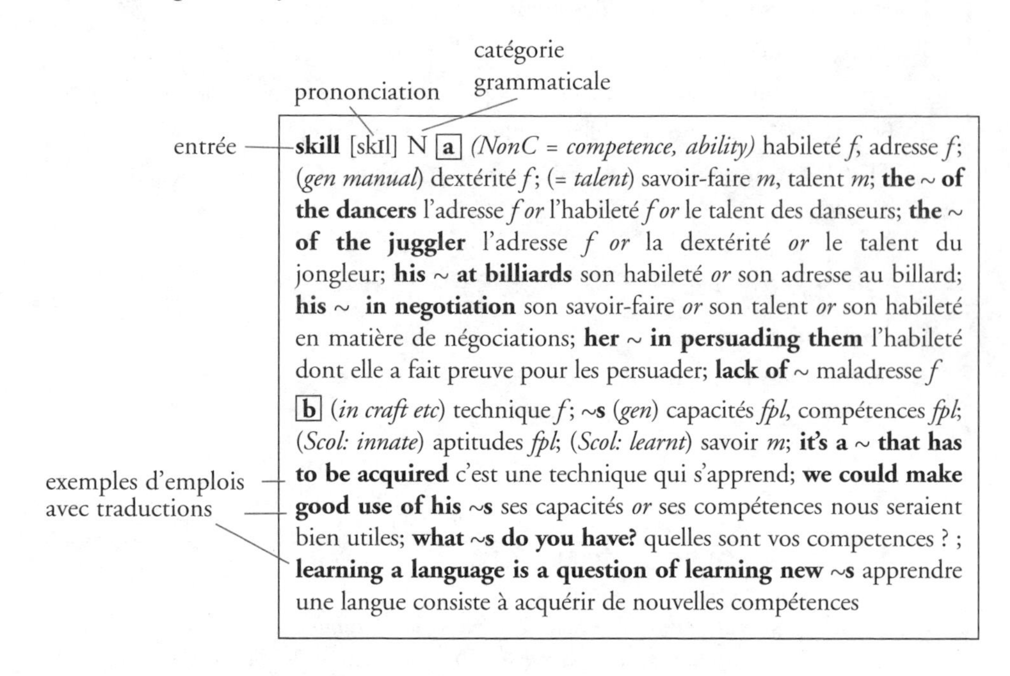

skill [skɪl] N [a] *(NonC = competence, ability)* habileté *f*, adresse *f*; (*gen manual*) dextérité *f*; (= *talent*) savoir-faire *m*, talent *m*; **the ~ of the dancers** l'adresse *f or* l'habileté *f or* le talent des danseurs; **the ~ of the juggler** l'adresse *f or* la dextérité *or* le talent du jongleur; **his ~ at billiards** son habileté *or* son adresse au billard; **his ~ in negotiation** son savoir-faire *or* son talent *or* son habileté en matière de négociations; **her ~ in persuading them** l'habileté dont elle a fait preuve pour les persuader; **lack of ~** maladresse *f*

[b] (*in craft etc*) technique *f*; **~s** (*gen*) capacités *fpl*, compétences *fpl*; (*Scol: innate*) aptitudes *fpl*; (*Scol: learnt*) savoir *m*; **it's a ~ that has to be acquired** c'est une technique qui s'apprend; **we could make good use of his ~s** ses capacités *or* ses compétences nous seraient bien utiles; **what ~s do you have?** quelles sont vos competences ? ; **learning a language is a question of learning new ~s** apprendre une langue consiste à acquérir de nouvelles compétences

3. entrée dans un dictionnaire des synonymes

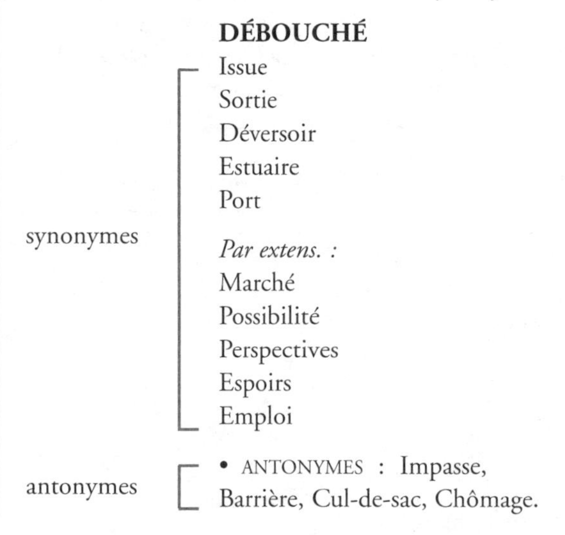

DÉBOUCHÉ

Issue
Sortie
Déversoir
Estuaire
Port

Par extens. :
Marché
Possibilité
Perspectives
Espoirs
Emploi

• ANTONYMES : Impasse, Barrière, Cul-de-sac, Chômage.

MISE EN PRATIQUE 15 (dictionnaires)

Indiquez le(s) dictionnaire(s) à utiliser pour trouver les éléments suivants.

1. les synonymes d'un mot
2. une illustration de l'emploi d'un mot
3. les différents sens d'un mot
4. la prononciation d'un mot

Le coin du correcteur

Tableau 3.18

Les homonymes *ses, ces, sait* et *c'est*

Rappel!

1. *ses* est un adjectif possessif.
   Ses frères ne l'ont pas accompagné(e). (*his or her brothers)*
2. *ces* est un adjectif démonstratif.
   Ces enfants-là, on ne peut pas les punir.
3. *sait* est la forme de la 3e personne du singulier du présent du verbe *savoir.*
   Il **sait** bien nager.
4. *c'est* est une expression formée avec le verbe *être.*
   C'est lui son protégé.

Mise en pratique 16 (correction des fautes)

Corrigez les phrases suivantes et expliquez vos corrections. Il y a une erreur par phrase.

1. Ses adolescents ont pu aller au lac Claire.
2. On va peut-être partir demain. Qui c'est?
3. Moi, j'ai mes clés, Caroline a ces clés, et Paul?

Synthèse

Exercice 1 Professions (emploi et omission des articles)

oral ou écrit

En vous fondant sur chaque définition, dites ce que fait la personne.

Modèle : Elle coupe les cheveux de ses client(e)s.
→ Elle est coiffeuse.

1. Elle s'occupe des affaires légales de ses client(e)s.
2. Elle rédige des articles pour un journal.
3. Elle fait la cuisine dans un restaurant.
4. Elle s'occupe de la comptabilité d'une compagnie.
5. Elle dactylographie des lettres sur un ordinateur.
6. Elle dirige une entreprise.
7. Elle travaille dans une usine.
8. Elle vend des produits de beauté dans un grand magasin.
9. Elle soigne des patients.
10. Elle trace les plans de divers édifices.

EXERCICE 2 Que sais-je? (emploi et omission des articles)

oral ou écrit

Trouvez les informations demandées ci-dessous. S'il y a lieu, donnez les articles qui correspondent aux noms.

Modèle : Les deux langues officielles du Canada?
→ *le français et l'anglais.*

1. Quatre choses dont on a besoin quand on fait du camping?
2. Deux îles au sud de Cuba?
3. Trois pays d'Amérique latine où l'on parle espagnol?
4. Trois ingrédients nécessaires à la préparation d'une omelette?
5. Trois pays européens où l'on parle français?
6. Trois pays d'Afrique du Nord?
7. Cinq domaines d'études à l'université?
8. Trois systèmes de gouvernement?
9. Trois appareils ménagers qu'on peut trouver dans une cuisine?
10. Trois sortes d'écoles?

EXERCICE 3 Phrases déshydratées (articles)

écrit

Composez une phrase à l'aide des éléments donnés en faisant bien attention à incorporer les articles et les prépositions qui manquent. Gardez l'ordre des mots établi.

1. métier/chef/cuisine/est/métier/traditionnellement dominé par/hommes
2. chômage est/problème sérieux dans/beaucoup/pays
3. frère de/directrice fait/études/médecine
4. tous/pays/Afrique/sont aujourd'hui/pays indépendants
5. en/été/comme en/hiver/Anglais/boivent/thé
6. maire dit/qu'il s'agit de créer/milieu plus humain/cœur/ville
7. dépenses/gouvernement dans/domaine/sciences et technologies/sont insuffisantes
8. réduction/déficit/va continuer à être/priorité/gouvernement
9. beaucoup/jeunes/jouent/hockey/pour/plaisir et/compétition

EXERCICE 4 Métier chef cuisinier (articles)

écrit

Complétez le passage suivant en ajoutant, s'il y a lieu, les articles et les prépositions qui conviennent. Mettez un *x* s'il n'y a pas d'article.

Dans (1) ____ cuisines (2) _____ restaurant, (3) _____ chef est (4) _____ organisateur et (5) ____ meneur d'équipe. Chaque jour, il élabore (6) _____ menus (7) _____ midi et (8) _____ soir, et choisit (9) _____ produits. Ensuite, il coordonne (10) _____ travail (11) _____ chefs de partie—qui supervisent (12) _____ entrées ou (13) _____ viandes—et (14) _____ commis, qui exécutent (15) _____ plats ou qui servent en salle. «C'est (16) _____ métier très physique où l'on travaille debout dans (17) _____ chaleur et où l'on fait beaucoup (18) _____ heures», explique Flora, (19) _____ chef cuisinier (20) ____ restaurant parisien «Les Olivades», (21) ____ des rares femmes dans ce métier masculin.

Tiré et adapté de l'article *Métier chef cuisinier* de Catherine Stern dans la revue *Phosphore*, avril 1998, p. 41

EXERCICE 5 Combien ça coûte? (adjectifs démonstratifs)

oral ou écrit

Vous êtes en train de faire vos achats dans un grand magasin. Parmi les articles qui vous intéressent, certains n'ont pas d'étiquette. Demandez le prix au vendeur ou à la vendeuse.

Modèle : montre

→ —*Quel est le prix de cette montre?*

→ —*Quelle montre?*

→ —*Cette montre-ci.*

1. blouse
2. ordinateur
3. peignoir
4. téléviseur
5. écharpe
6. gants
7. sac à main
8. réveil
9. poste de radio à cassettes
10. porte-clés
11. chaîne en or
12. porte-monnaie
13. appareil photo
14. ceinture
15. flacon de parfum
16. paire de boucles d'oreilles

EXERCICE 6 Les petits oublis (adjectifs possessifs)

oral ou écrit

Faites l'exercice suivant selon le modèle.

Modèle : moi/clés
→ *Qu'est-ce que j'ai fait de mes clés?*
le chef de cuisine/menu
→ *Qu'est-ce qu'il a fait de son menu?*

1. moi/portefeuille
2. les étudiants/livres
3. toi/montre
4. nous/billets
5. vous/porte-documents
6. Marie-Claude/broche
7. ses parents/valises
8. moi/agenda de poche
9. Jean-Paul/dictionnaire

EXERCICE 7 Possesseurs et possession (adjectifs possessifs)

oral ou écrit

Complétez chaque phrase avec l'adjectif possessif approprié.

1. Il prend souvent _____ petite fille dans _____ bras.
2. Il a deux frères, _____ frère aîné a treize ans.
3. Alors, avez-vous corrigé _____ copies?
4. En tant que parents, nous ne voulons pas qu'il existe de préjugés envers _____ enfants.
5. Ces enfants ont une confiance absolue en _____ moniteurs.
6. Je sais que vous n'êtes pas d'accord, mais c'est _____ opinion à moi.
7. Comme tout le monde, il a _____ qualités et _____ défauts.
8. As-tu fait des projets pour _____ vacances?

EXERCICE 8 À qui est-ce? (adjectifs démonstratifs et possessifs)

oral ou écrit

Après une soirée bien réussie, vous essayez de déterminer qui est le/la propriétaire de quoi.

Modèle : disque/Jean-Paul/moi
→ —***Ce*** *disque est à Jean-Paul?*
—*Non, c'est* ***mon*** *disque.*

1. appareil photo/Monique/nous
2. chandail/vous/elle
3. bouteille d'eau minérale/Gisèle/moi
4. cassettes/eux/nous
5. souliers/Margot/moi
6. morceau de gâteau/Yves/vous
7. jaquette/toi/lui
8. poste de radio à cassettes/lui/moi

EXERCICE 9 On complète (article ou adjectif possessif)

écrit

Complétez chaque phrase avec l'adjectif possessif ou l'article qui convient.

1. Levez _____ main avant de répondre.
2. Ils ont chacun _____ opinion sur cette question.
3. À l'intérieur, on ne garde pas _____ chapeau sur _____ tête.
4. Le concierge s'est encore fait mal _____ dos.
5. Hier, je me suis fait couper _____ cheveux.
6. Il s'est foulé _____ cheville droite.
7. J'ai oublié _____ parapluie au restaurant.
8. Édith a pleuré quand la coiffeuse lui a coupé _____ beaux cheveux blonds.
9. Son cousin a perdu _____ vie dans un accident de voiture.
10. Chaque personne a _____ petits malaises.
11. Il s'en sortira, il a _____ épaules larges.
12. Non, c'est la brosse à dents que j'utilise, c'est _____ brosse à dents.

EXERCICE 10 Moulin à phrases (divers éléments)

écrit

Incorporez l'élément donné dans une phrase complète.

1. cet horaire-ci/cet horaire-là
2. son propre
3. la plupart des
4. leur conseiller pédagogique
5. différent de
6. un kilo de
7. sa . . . /mais leur

EXERCICE 11 Traduction (divers éléments)

écrit

Traduisez les phrases suivantes en français.

1. I like strawberry ice cream, but I am on a diet.
2. His sister-in-law is a cook in a restaurant.
3. On Friday afternoons she usually plays a few games of tennis.
4. He takes the subway to work because he doesn't have a car.
5. Most people buy a newspaper on Saturday.
6. Last week we bought milk, but we didn't buy any cream.
7. Those students who missed the test will have to bring an excuse to class.
8. This system allows a student to study and work in his field concurrently.
9. They have already passed their exam.
10. Close your left eye and try to read these two lines here.

EXERCICE 12 Rédaction (emploi des dictionnaires)

écrit

Sujet Faites la description d'un métier qui vous intéresse.

Consignes À l'aide des dictionnaires qui sont à votre disposition, essayez d'améliorer le vocabulaire utilisé dans votre récit et de corriger les fautes d'orthographe.

Chapitre 4

Lecture

Article tiré de la revue *Sphère*
Qui a dit que la route qui mène au succès était de tout repos? d'Andréa Coutu

Article tiré de la revue *L'Express*
Les drogués du Web d'Alexandra Guillet

Vocabulaire

L'entrepreneuriat
Les nouvelles technologies

Grammaire

Les adjectifs qualificatifs
Les adverbes
La comparaison

Expression écrite

La correspondance
Les formules épistolaires

Lecture et Vocabulaire

Dossier 1 *Qui a dit que la route qui mène au succès était de tout repos?*

Introduction à la lecture

La revue *Sphère* est une revue canadienne publiée en Colombie-Britannique. Elle est destinée aux étudiants ou récents diplômés à la recherche de l'emploi parfait ou désireux de se lancer en affaires. On y trouve des articles sur les sciences et la technologie, le travail à domicile et sur les débouchés dans différents domaines. Le site Web bilingue de la revue *(http://www.spheremag.net)* est un outil de référence utile et intéressant. Le texte que vous allez lire est tiré de cette revue.

Activités de pré-lecture

Lisez l'introduction ci-dessous et répondez aux questions qui suivent.

Lila Lewandosky, 30 ans, et Shashi Behl, 28 ans, ont vite appris à affronter les problèmes . . . et à couvrir leurs arrières. *Il le fallait pour faire ce qu'elles aiment le plus au monde. Ensemble, elles ont créé Ankh inc. Cette petite entreprise à succès de Calgary confectionne des vêtements pour enfants* à l'épreuve des rayons solaires. *Ankh a réussi à entrer dans l'industrie albertaine du vêtement en y mettant sa marque, mais non sans difficultés.*

couvrir leurs arrières—to cover their backsides
à l'épreuve des rayons solaires—sun proof

1. Imaginez les difficultés rencontrées par l'entreprise.
2. Qu'est ce que Lila et Shashi aiment le plus faire au monde?
3. Comment pensez-vous qu'elles se sont rencontrées?

Lecture

Lisez le texte ci-dessous.

1. Relevez tous les adjectifs contenus dans les trois premiers paragraphes.
2. Répondez aux questions de compréhension qui suivent le texte.

Lecture

Qui a dit que la route qui mène au succès était de tout repos?

1 **LE RÊVE** C'est à l'université de la Saskatchewan que Lila et Shashi se sont rencontrées en 1988. La première étudiait le commerce, et la deuxième l'économie. Souvent, leurs conversations tournaient autour de la création d'entreprise. «Quand on a parlé de se lancer en affaires, raconte Lila, on savait que ce serait dans l'industrie du vêtement.» Mais les 5 deux jeunes étudiantes voulaient d'abord trouver «le vêtement» qui les classerait dans une catégorie à part.

LE FLASH Un voyage en 1993 a été source d'inspiration. Depuis plusieurs années, Lila travaillait comme *surveillante de baignade,* l'été, et commençait à s'inquiéter des effets *néfastes* du soleil. Mais c'est en revenant d'un séjour particulièrement ensoleillé à Whistler que toutes deux eurent l'idée de concevoir des vêtements qui protègent des rayons solaires.

LA RECHERCHE En faisant des recherches à la bibliothèque et au Centre de développement économique, Lila et Shashi découvrent qu'un enfant sur sept sera un jour *atteint du cancer de la peau.* Mais ce n'est pas tout. Très peu de parents savent qu'il existe des vêtements protecteurs. Autre découverte : la majorité des entreprises qui les fabriquent sont en Australie. Il s'agit maintenant de *recueillir* toute l'information possible pour créer l'entreprise.

LE PLAN D'AFFAIRES Pour lancer l'entreprise, il fallait de l'argent. Les deux entrepreneures savaient que ce ne serait pas facile de convaincre les banquiers. Elles ont donc préparé leur plan d'affaires *avec minutie* : objectifs, produits, marché, recherches et stratégies. *Le prêt* pour étudiant-entrepreneur ainsi obtenu de la Banque de développement du Canada leur a permis de confectionner un prototype.

LE TEST DE MARCHÉ En mai 1996, le premier «Body Blocker» était prêt. Lila le décrit comme «un ensemble d'une pièce avec *un col montant* qui recouvrait le corps *jusqu'aux coudes et aux genoux*». Durant l'été, elles l'ont testé auprès des parents qui utilisent *la pataugeoire* à Eau Claire Market à Calgary. C'est ainsi que Lila et Shashi ont découvert que les parents préféraient un modèle d'allure plus sportive, plus riche en couleurs et que le col montant irritait le cou des enfants. Elles ont fait les *retouches* nécessaires : *une fermeture éclair* à l'avant, un look plus sportif en mauve ou en bleu avec des rayures sur le côté dans les tons de vert, noir, rouge ou rose.

LE FINANCEMENT Étape suivante : l'ouverture du premier *point de vente* Ankh. Là encore, *il fallait emprunter*. Lila et Shashi ont retravaillé le plan d'affaires et convaincu la Fondation canadienne des jeunes entrepreneurs (FCJE) de leur prêter 10 000 $. Mais ça ne s'est pas fait sans difficultés. Un comité a évalué la demande, puis les jeunes entrepreneures ont dû vendre leur idée à deux responsables de la FCJE. Le prêt a été accordé à la condition qu'elles participent au *programme de mentorat* qui augmente les chances de réussite des jeunes entreprises.

LE GRAND SAUT En mai 1997, le premier point de vente Ankh ouvrait ses portes au complexe Eau Claire Market. «C'est à ce moment-là que nous avons quitté nos emplois et que *nous nous sommes engagées* à fond», raconte Shashi. Cinq mois plus tard, l'équipe ouvrait un deuxième point de vente à Calgary mais devait bientôt le fermer en raison des mauvaises conditions économiques et du *peu d'affluence.*

EN RÉTROSPECTIVE La première règle dans la vente au détail : les liquidités. «Nous ne connaissions rien à la vente au détail, explique Lila. Bâtir une entreprise sur papier, c'est une chose, mais la réalité est différente.» Elle admet que l'*intrapreneuriat* aurait pu les aider au début. «S'il fallait recommencer, nous travaillerions d'abord dans un magasin de détail pour savoir acheter, tenir un budget, faire de la publicité et vendre une ligne de vêtements.»

LA PRÉVOYANCE L'avenir de Ankh (mot qui signifie «vie éternelle») est dans *la vente en gros,* par la poste et par Internet, estime Lila. Shashi et elle comptent passer les prochains mois à raffiner leur plan d'affaires. L'expérience des deux dernières années et *les liquidités accumulées* devraient leur permettre de procéder à la prochaine étape.

Article d'Andréa Coutu, tiré de la revue *Sphère*, printemps 1999, p. 33.

l.8 **surveillante de baignade : personne qui surveille les enfants dans une piscine**—lifeguard
l.9 **néfastes : dangereux**
l.13 **atteint du cancer de la peau**—diagnosed with skin cancer
l.15 **recueillir : amasser**—to gather
l.19 **avec minutie : avec beaucoup de détails**
l.20 **le prêt**—the loan
l.23 **un col montant**—a high-necked collar
l.24 **jusqu'aux coudes et aux genoux**—to the elbows and knees
l.25 **la pataugeoire : petite piscine pour les jeunes enfants**—wading pool
l.27 **les retouches**—alterations
l.28 **une fermeture éclair**—a zipper
l.30 **un point de vente**—a sales outlet, a retail store
l.31 **il fallait emprunter**—it was necessary to borrow
l.35 **un programme de mentorat**—a mentoring program
l.37 **le grand saut**—the big jump, leap
l.39 **nous nous sommes engagées (v. s'engager)**—to commit oneself to
l.41 **peu d'affluence : pas très occupé, où il y a peu de personnes**—few people, crowds
l.44 **l'intrapreneuriat : travail salarié dans une entreprise**
l.47 **la prévoyance**—foresight
l.47 **la vente en gros**—wholesale
l.49 **les liquidités (accumulées)**—liquid assets (accumulated)

Compréhension globale

Répondez aux questions à choix multiples. Indiquez la bonne réponse en essayant de ne pas regarder le texte.

1. Shashi et Lila ont eu l'idée de se lancer en affaires . . .

a) après un voyage ensoleillé à Whistler.
b) en travaillant comme surveillantes de baignade.
c) en discutant à l'université de la Saskatchewan.

2. Les vêtements Ankh sont . . .

a) des vêtements de baignade pour enfants qui protègent du soleil.
b) des vêtements de sport pour enfants et adolescents.
c) des vêtements pour enfants qui protègent du soleil.

3. Les jeunes entrepreneures ont . . .

a) prêté de l'argent avant d'ouvrir leur premier magasin.
b) obtenu deux prêts pour la confection du prototype et l'ouverture de leur premier point de vente.
c) n'ont pas eu besoin d'emprunter.

4. Après le test de marché, Lila et Shashi . . .
   a) ont décidé de fabriquer une autre sorte de vêtement.
   b) n'ont rien changé : le «Body Blocker» était parfait.
   c) ont fait quelques changements importants.
5. Dans l'avenir, Shashi et Lila vont . . .
   a) ouvrir un deuxième point de vente.
   b) se concentrer sur la vente en gros.
   c) confectionner d'autres types de vêtements.

Vocabulaire

L'entrepreneuriat

Fonction d'une personne qui mobilise et gère des ressources humaines et matérielles pour créer, développer et implanter des entreprises. (Office québécois de la langue française)

- se lancer en affaires, ouvrir un magasin, un point de vente—*to start a business, to open a store*
- créer une entreprise, une société, une boîte (familier)—*to create a business*
- faire sa marque : se distinguer des autres, réussir—*to make one's name*
- partir de rien : commencer à zéro, avoir peu de ressources au départ—*to start from nothing, from scratch*
- avoir pignon sur rue : avoir un magasin connu et être solvable (capable de respecter ses engagements financiers)—*to have a prosperous and respected business*

- une PME : une petite ou moyenne entreprise/une grande entreprise—*a small business/big business*
- une entreprise à succès : qui réussit, une réussite/qui échoue, un échec—*a successful/ an unsuccessful business*
- une entreprise privée/publique—*a private/public corporation*
- une entreprise agricole, industrielle, commerciale—*an agricultural, industrial, commercial business*

- les étapes—*the stages, phases (in starting up a business)*
- le flash : une source d'inspiration, on trouve l'idée
- la recherche : étape où l'on fait sa recherche, où l'on recueille *(to gather)* de l'information—*research*
- le plan d'affaires : étape où l'on se prépare sur papier (objectifs, produits, marché) et où l'on fait les démarches pour (*take necessary steps to)* obtenir un prêt *(a loan)* afin de confectionner un prototype—*business plan*
- le test (l'étude) de marché : on teste le produit pour voir s'il fait ce que l'on veut, on demande du feedback des consommateurs, on évalue la demande—*market study*
- le financement : on emprunte *(to borrow)* de l'argent pour ouvrir son premier point de vente, pour faire la publicité *(advertising)* nécessaire—*financing*

- le grand saut : l'ouverture de l'entreprise—*the big jump*

____

- un produit, vendre/acheter—*a product, to sell/buy*
- un point de vente, en vente, un rabais—*a retail store, on sale, a discount*
- la vente au détail (magasin de détail)/la vente en gros (par la poste ou Internet)—*retail/wholesale*
- un détaillant/un grossiste : personne qui vend au détail/en gros—*retailer/wholesaler*
- les liquidités : argent immédiatement disponible—*liquid assets*

Les nouvelles technologies

l'ordinateur

- un ordinateur (fam. un ordi)—*a computer*
- une unité de disque dur—*a hard(disk) drive*
- un écran—*a screen*
- un clavier—*a keyboard*
- une souris (le tapis pour souris)—*a mouse (mousepad)*
- une imprimante—*a printer*
- une disquette—*a diskette*
- un logiciel—*software*
- les touches (d'espacement, de rappel arrière, de retour)—*the keys (space bar, backspace, enter)*
- la barre de défilement—*the scroll bar*
- l'économiseur d'écran—*the screensaver*
- une fenêtre—*a window*
- un menu—*a menu*
- un icône—*an icon*
- un curseur—*a cursor*
- taper—*to type*
- cliquer—*to click on*
- sauvegarder—*to save (a document)*
- télécharger—*to download*
- annuler—*to delete*
- dérouler vers le haut (vers le bas)—*to scroll up (down)*
- imprimer—*to print*

l'Internet

- un courriel (courrier électronique), un e-mail—*an e-mail*
- pourriel—*spam mail*
- une liste d'envoi—*a mailing list*
- une pièce jointe—*an attachment*
- en ligne—*online*

- un lien—*a link*
- une base de données—*a database*
- une boîte de réception—*an inbox*
- une boîte de sortie—*an outbox*
- courrier indésirable—*junkmail*
- un dossier—*a file*
- un brouillon—*a draft*
- naviguer, surfer sur le Net—*to surf the Net*
- dénicher un site—*to find a site*
- réseauter—*to network*

Exploitation lexicale

1. Trouvez l'antonyme des mots suivants :

a) prêter
b) au détail
c) solvable
d) privée
e) vendre

2. Trouvez le mot ou l'expression qui convient en consultant le vocabulaire ci-dessus. Attention à l'accord des participes passés dans les quatre premières phrases.

a) Lila et Shashi sont ______________ de rien : elles avaient des idées, c'est tout!
b) Souvent, lorsqu'on se lance en affaires, il faut de l'argent. Les jeunes entrepreneures ont ______________ de la Banque de développement du Canada.
c) Le deuxième point de vente à Calgary n'a pas ______________ parce qu'il y avait peu de clients et parce que les conditions économiques étaient mauvaises.
d) Avec l'argent qu'elles ont obtenu, Lila et Shashi ont ______________ un prototype.
e) ______________ est une étape importante dans la création d'une entreprise, car il faut savoir si les consommateurs aiment le produit qu'on veut vendre.
f) Un ______________ fait de la vente au détail.
g) On dit que l'entreprise Ankh a fait ______________ parce que l'idée de confectionner des vêtements pour enfants à l'épreuve des rayons solaires est nouvelle au Canada.
h) Quand on vend un produit par la poste ou par Internet, on fait de la ______________.

3. Mettez le ou les mots qui conviennent.

a) Aujourd'hui, on utilise moins le téléphone qu'avant, on écrit aussi moins de lettres traditionnelles, car on peut facilement envoyer un __________________ à quelqu'un qui habite à l'autre bout du monde.
b) On peut trouver des informations utiles sur les emplois en ___________ sur le Net.
c) Sur ce site, on peut __________________ des documents intéressants.
d) J'ai mis une belle photo sur mon __________________.
e) Il faut ______________ sur cet icône pour imprimer votre document.

Compréhension détaillée

1. Pourquoi l'entreprise Ankh a-t-elle réussi?
2. Citez les difficultés rencontrées par les deux femmes.
3. Que pensez-vous de l'idée de confectionner ce type de vêtement? Si vous aviez l'occasion de confectionner un produit qui pourrait aider les gens ou la société en général, qu'inventeriez-vous?

DOSSIER 2 *Les drogués du Web*

Activités de pré-lecture

Répondez aux questions suivantes.

1. Utilisez-vous l'Internet?
   - **a)** Oui, plusieurs fois par semaine
   - **b)** Oui, environ une fois par semaine
   - **c)** Pas souvent, une fois par mois peut-être
   - **d)** Très rarement
2. Dans quel but?
   - **a)** Pour me divertir (jeux, cinéma)
   - **b)** Pour me renseigner (lecture de journaux, de documents)
   - **c)** Pour communiquer (courrier électronique)
   - **d)** Pour chercher un emploi
3. Selon moi, l'Internet est . . .
   - **a)** un outil indispensable dans ma vie quotidienne.
   - **b)** un outil que j'aime bien utiliser.
   - **c)** un outil dont je peux me passer.
   - **d)** une perte de temps.

Lecture

Lisez le texte ci-dessous et répondez aux questions de compréhension qui suivent.

Lecture

Les drogués du Web

1 Certains, surtout aux États-Unis, ne peuvent pas lâcher leur écran des yeux. De là à parler de cyberdépendance . . .

Les psychiatres *ne savent plus où donner de la tête*. Aux côtés de leurs traditionnels clients *toxicomanes* apparaissent de plus en plus de nouveaux cas de dépendance bien plus
5 complexes à diagnostiquer et répertoriés sous le nom de «toxicomanies sans drogues». Dépendance aux jeux, aux bonbons, à la télévision, aux sectes, à la nourriture, au téléphone portable . . . et dernière née : l'Internet addiction.

D'après une récente étude menée par l'Association américaine des psychologues, sur 18 000 utilisateurs d'Internet, 6 % des Américains seraient des drogués du Web, de la
10 même façon que l'on peut être alcoolique et toxicomane. 83 % d'entre eux ressentent un besoin impérieux de se connecter, 68,5 % ont en vain tenté de réduire leur consommation et 79 % de ceux qui ont essayé sont devenus plus nerveux. Jour et nuit, ces *accros* de la connexion ne cessent de surfer (78 %), de consulter leur mail (75 %), de jouer (62 %) ou de discuter (57 %).

15 Un autre rapport, celui du Docteur Kimberley Young, fondateur d'un centre pour les «drogués du Net», à Bradford, en Pennsylvanie, souligne que les «*cyberliaisons* sont une raison de plus en plus invoquée dans les affaires de divorce». Sur le Web lui-même, les sites consacrés à ce sujet fleurissent. Psynternaute, Jean-Pierre Rochon propose une définition du cyber-dépendant : «Un individu de sexe masculin, âgé de 25 à 35 ans, scolarisé, 20 financièrement capable de se doter d'un ordinateur assez *dispendieux* et de passer un nombre incalculable d'heures devant son écran.»

Le phénomène laisse les psychiatres assez sceptiques. «Il faut toujours se méfier de la dérive métaphorique du terme dépendance, rappelle Marc Valleur, psychiatre spécialisé dans le traitement des joueurs pathologiques. Il y a danger à appeler "addiction" une habitude 25 que tous les gens ne comprennent pas. Lors du très médiatique procès O. J. Simpson en Amérique du Nord, un psychiatre avait établi une grille de dépendance au procès Simpson! Certes, l'Internet addiction peut exister, mais il ne faut pas la diaboliser. Je pense que, comme pour les jeux, on arrivera à 1 % de dépendants au Web.» Un chiffre marginal, certes, mais qui finit par être important lorsque les utilisateurs se comptent par dizaine de 30 millions. «Par sa facilité d'accès, par sa connotation scientifique et la note d'acceptation sociale qui l'accompagne, l'Internet devient facilement l'objet d'abus,» explique Dan Velea, médecin dans un centre de toxiomanie dans l'Oise et auteur de nombreux rapports sur l'Internet addiction. «Les personnes ayant des difficultés à communiquer sont les plus enclines à cette dépendance, car l'Internet, c'est la parole sans risque. Le Web est un lieu où réel et 35 virtuel ne sont plus dissociables. Il y a un risque de dépersonnalisation.» Le plus dur est de les déconnecter. Leur dire de *supprimer* leur abonnement à l'Internet est illusoire : la plupart s'en servent pour leur travail. D'où cette idée paradoxale des Américains de se servir du mal pour enrayer le mal, en les orientant vers des groupes de discussion sur Internet. Le plus connu d'entre eux, Internetters Anonymous, fonctionne comme les Alcooliques Anonymes.

Article d'Alexandra Guillet, tiré de la revue *L'Express*, 14–20 octobre 1999, No. 2519.

l.3 **ne savent plus où donner de la tête : ne savent plus quoi faire**—do not know which way to turn

l.4 **un toxicomane**—a drug addict

l.12 **un accro (fam. accroché)**—a person who has a habit, who is hooked (addicted)

l.16 **cyberliaison : liaison avec une personne que l'on a rencontrée sur l'Internet**

l.20 **dispendieux : cher**

l.36 **supprimer : éliminer**—to cancel (a membership, a subscription)

Compréhension globale

Encerclez la réponse qui convient le mieux.

1. Un drogué du Web . . .

a) a des difficultés à réduire sa consommation informatique.

b) est souvent un vrai toxicomane.

c) a peu de temps disponible pour naviguer sur l'Internet.

d) a déjà eu plusieurs cyberliaisons.

2. Le cyberdépendant typique est . . .

a) une fille adolescente qui vit chez ses parents.
b) un garçon adolescent qui a de l'argent et du temps libre.
c) une femme adulte d'environ 30 ans et qui travaille.
d) un homme adulte instruit qui gagne bien sa vie.

3. Les toxicomanies sans drogues sont . . .

a) plutôt difficiles à diagnostiquer.
b) devenues très graves aux États-Unis.
c) complexes à diagnostiquer.
d) liées à l'alcoolisme.

4. L'article présente l'idée que . . .

a) le phénomème de la dépendance à Internet est bon pour notre société.
b) le procès d'O. J. Simpson a créé des toxicomanes.
c) les psychiatres n'ont pas la compétence pour évaluer les cas de dépendance à Internet.
d) le phénomène d'«Internet addiction» n'est pas facile à cerner.

5. Les psychiatres sont sceptiques parce que . . .

a) il y a beaucoup de personnes qui font semblant d'être dépendantes.
b) il est dangereux de considérer toute habitude incomprise comme une «addiction».
c) il y a seulement 1 % de dépendants à Internet.
d) «l'Internet addiction» est un phénomène nouveau.

Approfondissement lexical

La nominalisation

- La nominalisation est la transformation d'une phrase verbale (avec verbe) en phrase nominale (sans verbe). On utilise un nom (substantif) qui indique le sens du verbe.
- La nominalisation s'emploie souvent dans les titres de presse (*newspaper headlines*). On l'utilise aussi dans les biographies et pour la prise de notes. La nominalisation a l'avantage de raccourcir la phrase. Comparez :

> Phrase verbale →
> En mai 1997, le premier point de vente Ankh ***a ouvert*** ses portes. (13 mots)
> Phrase nominale →
> ***Ouverture du*** premier point de vente Ankh en mai 1997. (10 mots)
>
> Phrase verbale →
> Cette année, on ***a construit*** un nouveau stade. (8 mots)
> Phrase nominale →
> ***Construction d'***un nouveau stade cette année. (6 mots)

- La transformation d'une phrase verbale en phrase nominale se fait en mettant le nom qui correspond au verbe en début de phrase (sans article) et en utilisant la préposition ***de*** (on fait la contraction *de* + *le* = *du*). Il suffit donc de connaître le nom qui correspond au verbe de la phrase.

1. Trouvez le nom qui correspond aux verbes suivants :
   a) produire **b)** vendre **c)** fermer **d)** partir **e)** s'engager **f)** détruire **g)** confectionner **h)** piquer

2. Transformez les phrases suivantes en phrases nominales.
   a) Les petites librairies ferment.
   b) Le patron de l'entreprise XYZ a démissionné hier soir.
   c) Le premier ministre arrive en Chine.
   d) On va financer la nouvelle PME.
   e) On a créé le «Body Blocker».

Compréhension détaillée

1. À quelles informations correspondent les paires de chiffres ou les pourcentages suivants?
   a) 18 000 – 6 %
   b) 78 % – 75 %
   c) 25 ans – 35 ans
   d) 1 % – des dizaines de millions
2. Citez quelques exemples de toxicomanies sans drogues. Pourquoi ces nouveaux cas de dépendance sont-ils plus complexes à diagnostiquer?
3. Donnez une définition du «cyberdépendant».
4. Comment l'Internet devient-il facilement un objet d'abus?
5. Quel type de personne est le plus susceptible de devenir cyberdépendant?
6. On parle de «paradoxe» à la fin du texte. Qu'est-ce que l'auteure trouve paradoxal?

Réflexion et discussion

1. Connaissez-vous des personnes qui sont des «drogués du Web»? Expliquez.
2. Que pensez-vous de la notion de toxicomanie «sans drogue»?

Grammaire et Expression écrite

Grammaire

Les adjectifs qualificatifs

Formation du féminin des adjectifs qualificatifs

Tableau 4.1

Comment former le féminin des adjectifs qualificatifs

formation	exemples
1. On ajoute un *e* muet à la forme du masculin.	*français* → *français**e*** *ennuyant* → *ennuyant**e*** *bleu* → *bleu**e*** *hindou* → *hindou**e*** *ensoleillé* → *ensoleillé**e***

2. La forme du féminin est la même que celle du masculin.	*vide* → *vide* *énorme* → *énorme*
3. On redouble la consonne finale devant le *e* du féminin.	*personnel* → *personne**lle*** *canadien* → *canadie**nne*** Parmi ces adjectifs : *ancien, annuel, bas, bon, épais, gentil, gras, gros, habituel, las, naturel, net, nul, mignon, muet, pareil, quotidien, tel, violet* (et tous les adjectifs de nationalité en *ien* comme *italien*)
4. On remplace la terminaison en *x* par *se*.	*heureu**x*** → *heureu**se*** *jalou**x*** → *jalou**se*** Parmi ces adjectifs : *ambitieux, amoureux, courageux, douloureux, ennuyeux, joyeux, malheureux, peureux, précieux, religieux, silencieux, studieux* Mais : *dou**x*** → *dou***ce** *rou**x*** → *rou**sse*** *fau**x*** → *fau**sse*** *vieu**x*** → *vi**eille***

Mise en pratique 1 (féminin des adjectifs qualificatifs)

Donnez la forme du féminin de chaque adjectif.

1. amoureux	**4.** canadien	**7.** joyeux	**10.** blond
2. exigeant	**5.** américain	**8.** roux	**11.** nul
3. épais	**6.** plein	**9.** loyal	**12.** jaune

Tableau 4.2

Comment former le féminin des adjectifs qualificatifs (suite)

formation	exemples
1. *eur* → *euse*	*tromp**eur*** → *tromp**euse*** Parmi ces adjectifs : *flatteur, menteur, rieur, voleur* Mais : **a)** *supéri**eur*** → *supéri**eure*** Parmi ces adjectifs : *antérieur, extérieur, inférieur, intérieur, majeur, meilleur* **b)** *veng**eur*** → *veng**eresse*** Parmi ces adjectifs : *enchanteur, pécheur* **c)** *créa**teur*** → *créa**trice*** Parmi ces adjectifs : *admirateur, protecteur*

2. *et* → *ète*

*discr**et*** → *discr**ète***

Parmi ces adjectifs :

complet, concret, désuet, inquiet, incomplet, replet, secret

Attention! *muet* → *mu**ette***

3. *f* → *ve*

*acti**f*** → *acti**ve***

Parmi ces adjectifs :

agressif, attentif, compétitif, compulsif, craintif, naïf, neuf, passif, pensif, portatif, veuf, vif

Attention! *bref* → *brè**ve***

4. *er* → *ère*

*premi**er*** → *premi**ère***

Parmi ces adjectifs :

amer, cher, coutumier, dernier, familier, étranger, léger

MISE EN PRATIQUE 2 (féminin des adjectifs qualificatifs)

Donnez la forme du féminin de chaque adjectif.

1. dernier
2. enchanteur
3. craintif
4. admirateur
5. inquiet
6. meilleur
7. menteur
8. incomplet
9. léger
10. muet
11. veuf
12. vengeur

Tableau 4.3

Comment former le féminin des adjectifs qualificatifs (suite)

1. Les adjectifs *beau, fou, nouveau, mou* et *vieux* ont une autre forme (*bel, fol, nouvel, mol* et *vieil*) devant un nom masculin qui commence par une voyelle ou par un *h* muet.

*un homme **beau*** → *un **bel** homme*
*un amour **fou*** → *un **fol** amour*
*un ami **nouveau*** → *un **nouvel** ami*
*un oreiller **mou*** → *un **mol** oreiller*
*un habit **vieux*** → *un **vieil** habit*

2. Les adjectifs *beau, fou, nouveau, mou* et *vieux* ont un féminin irrégulier.

beau (bel) → ***belle***
fou (fol) → ***folle***
nouveau (nouvel) → ***nouvelle***
mou (mol) → ***molle***
vieux (vieil) → ***vieille***

3. D'autres adjectifs ont un féminin irrégulier. Parmi ceux-ci, il faut noter :

bénin → ***bénigne***
blanc → ***blanche***
favori → ***favorite***
frais → ***fraîche***
franc → ***franche***
grec → ***grecque***
long → ***longue***
malin → ***maligne***
public → ***publique***
sec → ***sèche***
traître → ***traîtresse***
turc → ***turque***

4. Certains adjectifs ne changent pas au féminin. Parmi ceux-ci, il faut noter :
   a) *chic, kaki, snob* et *bon marché*.

      une fille ***snob***
      une robe très ***chic***

   b) Certains adjectifs de couleur, qui sont aussi des noms, tels que *argent, citron, crème, cerise, indigo, marron, or, orange*, etc.

      une jupe ***marron*** (un marron = a chestnut)

   c) Les adjectifs *grand, nu* et *demi* quand ils font partie d'un mot composé au singulier. Dans ce cas-là, les adjectifs précèdent les noms.

      une ***grand****-mère*
      une enfant ***nu****-tête*
      une ***demi****-heure*

   d) Les adjectifs de couleur qualifiés par *clair, pâle, foncé* ou par une autre couleur.

      une jupe ***bleu clair***
      une blouse ***vert foncé***
      une robe ***bleu vert***

   e) Les adjectifs de couleur composés.

      une chevelure ***poivre et sel***

5. Les adjectifs qui se terminent en *gu* au masculin ont un féminin en *guë*. Le tréma reflète la prononciation de la voyelle *u* qui, autrement, serait muette comme dans *longue*.

   *ai**gu*** → *ai**guë***   *ambi**gu*** → *ambi**guë***   *conti**gu*** → *conti**guë***

Mise en pratique 3 (féminin des adjectifs qualificatifs)

Donnez la forme du féminin de chaque adjectif.

1. fou	**4.** grec	**7.** frais	**10.** sec
2. marron	**5.** bleu roi	**8.** ambigu	**11.** nouveau
3. chic	**6.** malin	**9.** violet foncé	**12.** franc

Formation du pluriel des adjectifs qualificatifs

Tableau 4.4

Comment former le pluriel des adjectifs qualificatifs

1. Pour la plupart des adjectifs, le pluriel est construit en ajoutant un *s* à la forme du singulier.

   intéressant → *intéressant**s***
   intéressante → *intéressante**s***

2. Les adjectifs qui se terminent en *s* ou en *x* au masculin singulier ne changent pas au masculin pluriel.

   gros → *gros* (*grosse* → *grosses*)
   heureux → *heureux* (*heureuse* → *heureuses*)

3. Les adjectifs en *eau* et *eu* ont un masculin pluriel en *x*.

beau → *beau**x*** *hébreu* → *hébreu**x***

jumeau → *jumeau**x***

Attention! *bleu* → *bleu**s***

4. Les adjectifs en *al* ont un masculin pluriel en *aux*.

normal → *norm**aux***

central → *centr**aux***

Attention! Certains adjectifs comme *banal, fatal, final, glacial, idéal, natal* et *naval* ont un pluriel en *s* au masculin.

final → *final**s***

MISE EN PRATIQUE 4 (pluriel des adjectifs qualificatifs)

Donnez la forme du masculin pluriel de chaque adjectif.

1. fatal **3.** sèche **5.** nouveau **7.** long

2. bleu **4.** heureux **6.** égal **8.** injuste

Tableau 4.5

Comment former le pluriel des adjectifs qualificatifs (suite)

1. La plupart des adjectifs qui sont invariables quant au genre le sont aussi quant au nombre.

des blouses ***bon marché*** *des chandails* ***marron***

des volets ***orange*** *des jupes* ***bleu pâle***

toutes les ***demi****-heures* *des cheveux* ***poivre et sel***

mais *une heure et demi**e*** (ici, *demie* est un nom)

Attention! Il faut aussi noter que *rose* et *snob* prennent un *s* au pluriel.

*des filles snob**s*** *des blouses rose**s***

2. L'adjectif *grand* se met au masculin pluriel quand il fait partie d'un nom composé au pluriel.

*des grand**s**-parents*

*des grand**s**-mères*

3. La forme du masculin pluriel de l'adjectif *tout* est *tous*. Au féminin, les formes sont régulières.

tout *le temps* ***tous*** *les jours*

toute *la nuit* ***toutes*** *les semaines*

4. Les adjectifs composés prennent la marque du pluriel.

sourd-muet → *sourd**s**-muet**s***

aigre-doux → *aigre**s**-doux* (= sweet and sour)

Attention! Il faut noter que le premier adjectif ne change pas quand il a valeur de préfixe ou d'adverbe.

les accords ***franco****-allemands*

mais *grand* et *frais* s'accordent.

des portes ***grandes*** *ouvertes*

des fleurs ***fraîches*** *écloses* (= newly opened)

Mise en pratique 5 (pluriel des adjectifs qualificatifs)

Ajoutez l'adjectif entre parenthèses et faites l'accord, s'il y a lieu.

1. des costumes (chic)
2. des chandails (rouge tomate)
3. des vêtements (bon marché)
4. des blouses (rose)
5. (tout) la soirée
6. des mets (aigre-doux)

Accord des adjectifs qualificatifs

Tableau 4.6

Comment faire l'accord des adjectifs qualificatifs

1. L'adjectif s'accorde en genre et en nombre avec le nom ou le pronom qu'il qualifie.
   *une idée intéressant**e***
   *Elle est fatigué**e**.*
2. Quand un adjectif qualifie plus d'un nom ou plus d'un pronom, il faut respecter les règles d'accord suivantes :
   a) Si les noms ou les pronoms sont masculins, l'adjectif se met au masculin pluriel.
   *un chandail et un pantalon bleu**s***
   b) Si les noms ou les pronoms sont de genres différents, l'adjectif se met au masculin pluriel.
   *une blouse et un foulard bleu**s***
   *Elle et lui, ils sont égyptien**s**.*
   c) Si les noms ou les pronoms sont féminins, l'adjectif se met au féminin pluriel.
   *une chemise et une cravate bleue**s***

   Attention! Quand un seul adjectif qualifie des noms de genres différents, on évite de placer le nom féminin devant l'adjectif au masculin.
   ***une** blouse et **un** chandail bleus*
3. Quand on emploie l'expression *avoir l'air* + un adjectif, l'adjectif s'accorde le plus souvent avec le sujet, mais on peut faire l'accord avec *l'air* (masculin) si le sujet est une personne.
   ***Elle** a l'air heureu**se**.* *Elle a **l'air** heureu**x**.* (rare)
4. Quand un nom est suivi d'un complément déterminatif (c'est-à-dire qui précise le sens du nom), l'adjectif s'accorde avec le nom qu'il qualifie.
   *une paire de **gants** noir**s*** (des gants noirs)
   ***un cours** d'histoire intéressant* (un cours intéressant)
   des chemises** de nuit blanc**hes (des chemises blanches)
   *un tas de **feuilles** mort**es*** (des feuilles mortes)
5. L'adjectif est invariable :
   a) quand il suit l'expression *c'est*.
   *C'est **cher**, les sorties!*
   b) quand il est utilisé adverbialement.
   *Ils sont **fort** aimables.*
   *Il a de l'argent **plein** les poches.*

MISE EN PRATIQUE 6 (accord des adjectifs qualificatifs)

Complétez chaque phrase avec la bonne forme de l'adjectif entre parenthèses.

1. Jacqueline a l'air (fatigué).
2. Ajoutez un peu de crème (frais).
3. Les liaisons d'amour, c'est parfois (surprenant).
4. As-tu assisté à ce festival de films (italien)?
5. Elle s'est acheté des souliers (bleu foncé).
6. Ces nouveaux produits coûtent (cher).

Tableau 4.7

Comment faire l'accord des adjectifs qualificatifs (suite)

1. Quand l'adjectif *tout* est utilisé adverbialement (c'est-à-dire quand il fonctionne comme un adverbe et qu'il modifie un adjectif ou une préposition), il est invariable devant un nom masculin ou féminin qui commence par une voyelle ou par un *h* muet.

   *Elle est à la fois **tout** étonnée et **tout** heureuse.*
   *Les enfants sont **tout** excités.*
   (*tout excités* = quite excited; *tout* = adverbe)

   Attention! *Les enfants sont **tous** excités.*
   (*tous* = all, everyone of them; *tous* = pronom)

   L'adjectif *tout* (utilisé adverbialement) s'accorde en genre et en nombre devant un mot féminin qui commence par une consonne ou un *h* aspiré.

   *Elle est **toute** bouleversée.*
   *Elle est **toute** honteuse.*

2. Les mots *demi* et *nu* s'accordent avec le nom quand ils le suivent.

   *une heure et **demie*** (mais : *une demi-heure*)
   *des pieds **nus*** (mais : *être nu-pieds*)

3. Quand un adjectif suit l'expression *quelqu'un de, quelque chose de, rien de* ou *personne de*, on utilise le masculin singulier.

   *quelque chose d'**intéressant***
   *rien de **nouveau***

4. Quand un adjectif qualifie le pronom *on*, l'accord se fait avec le pronom *on* selon le sens.

   *On est fatigu**é** après une longue journée de travail.*
   *On est travailleur**s**, nous!*
   *On est patient**e** quand on est maman.*

5. Quand deux adjectifs qualifient un seul nom au pluriel, les adjectifs sont au singulier ou au pluriel, selon le sens.

   *les littératures français**e** et russ**e***
   *les impôts féd**éraux** et provinci**aux***

Mise en pratique 7 (accord des adjectifs qualificatifs)

Complétez la phrase avec la bonne forme de l'adjectif entre parenthèses.

1. Quand ce jeune entrepreneur n'a pas obtenu son prêt, il était (tout) triste.
2. Cette calculatrice est très (bon marché).
3. Il n'y a rien d'(étonnant) à ce que Shashi dit.
4. Le week-end prochain, faisons quelque chose de (différent).
5. Nous, les contribuables*, on devient (impatient).
6. Ils ont encore attendu une journée et (demi) avant d'ouvrir ce nouveau point de vente.

***contribuables**—taxpayers

Emploi des adjectifs qualificatifs

Tableau 4.8

Comment employer les adjectifs qualificatifs

	contexte	explication
1.	*un examen **difficile*** *Les Dupont sont très **gentils**.* *Elle est trop **exigeante**.* *Il les trouve **banals**.*	L'adjectif qualificatif exprime une qualité du nom ou du pronom auquel il se rapporte.
2.	*C'est **facile** à faire.*	L'adjectif qualificatif peut servir à introduire un infinitif.
3.	*Il est **essentiel** de travailler son français.* *C'est **évident**!*	L'adjectif qualificatif fait partie de nombreuses expressions impersonnelles formées avec *il est* et *c'est*.
4.	*Il a rencontré quelqu'un d'**intelligent**.*	L'adjectif qualificatif peut être utilisé avec les constructions *quelque chose de*, *quelqu'un de* et *rien de*.

Mise en pratique 8 (emploi des adjectifs qualificatifs)

En vous référant au tableau ci-dessus, identifiez l'emploi de l'adjectif en italique.

1. Il est *important* de préparer un plan d'affaires avec minutie.
2. Cette entrepreneure est toujours très *prudente*.
3. Le banquier n'a rien dit de bien *intéressant*.
4. C'est *difficile* à comprendre.

Place de l'adjectif qualificatif

Tableau 4.9

Adjectifs qui suivent le nom

L'adjectif qualificatif suit le nom quand :

1. il exprime la nationalité, l'ethnie, la religion ou le groupe social ou politique.
   *un poète **canadien***
   *une école **catholique***
   *le parti **néo-démocrate***

2. il exprime la couleur ou la forme.

*une robe **bleue***
*des enfants **blonds***
*un cheval **blanc***
*une table **ovale***

3. il est modifié par un adverbe polysyllabique.

*un concert extraordinairement **beau***

Attention! Quand un adjectif est modifié par un adverbe monosyllabique (une seule syllabe), l'adjectif peut précéder le nom.

*une très **forte** dose*

4. il est déterminé par un complément.

*un vin **bon** à boire*
*une composition **pleine** de fautes*

5. c'est un participe présent ou un participe passé utilisé comme adjectif.

*un travail **fatigant***
*une étudiante **douée***

Tableau 4.10

Adjectifs qui précèdent le nom

En règle générale, les adjectifs suivants précèdent le nom qu'ils qualifient :

1. les adjectifs courants (d'une ou deux syllabes)

*un **petit** garçon*
*une **longue** interview*
*un **autre** film*
*une **vraie** surprise*

Parmi ces adjectifs, il faut noter :

bon	*mauvais*	*beau*
petit	*grand*	*joli*
vrai	*faux*	*nouveau*
vieux	*jeune*	*vilain*
long	*bref*	*gentil*
meilleur	*pire*	*autre*

2. les adjectifs intégrés à un nom

*une **belle**-mère*
*des **jeunes** mariés*
*faire la **grasse** matinée*

3. les adjectifs qui qualifient un nom propre

*le **célèbre** inspecteur Maigret*

4. les adjectifs employés au sens affectif (c'est-à-dire qui concerne les sentiments)

*Quelle **heureuse** surprise!*
*ce **pauvre** type*

Mise en pratique 9 (place de l'adjectif qualificatif)

Mettez l'adjectif entre parenthèses à la bonne place et faites l'accord, s'il y a lieu.

1. (petit) Ils possèdent une entreprise.
2. (obéissant) Les Dupont ont un chien.
3. (autre) Ils ont vu un film.
4. (divin) On parle encore de la Sarah Bernhardt*.
5. (québécois) Nous sommes allées voir une pièce.
6. (magnifique) Ce jeune entrepreneur les a invités à un banquet.

*__Sarah Bernhardt__—famous actress

Changement de sens de l'adjectif selon sa place

Certains adjectifs ont deux sens différents selon qu'ils précèdent ou suivent le nom qu'ils qualifient. Dans la majorité des cas, quand ces adjectifs précèdent le nom, ils sont utilisés au sens figuré. Quand ils suivent le nom, ils sont utilisés au sens propre.

Tableau 4.11

Sens des adjectifs selon leur place

un **ancien** boxeur *a former boxer*	une église **ancienne** *a very old church*
un **brave** homme *a nice man, a good man*	un homme **brave** *a courageous man*
un **certain** charme *a certain charm*	des progrès **certains** *definite progress*
ma **chère** Louise *my dear Louise*	un restaurant **cher** *an expensive restaurant*
le **dernier** jour du mois *the last day of the month*	la semaine **dernière** *last (just past) week*
différents aspects *various aspects*	un style **différent** *a different (dissimilar) style*
une **drôle** d'histoire *a strange story*	une histoire **drôle** *an amusing story*
un **grand** homme *a great man*	un homme **grand** *a tall man*
la **même** équipe *the same team*	la bonté **même** *goodness personified, goodness itself*
son **nouveau** livre *his/her latest book*	un appareil **nouveau** *a brand-new device*
un **pauvre** homme *an unfortunate man*	un homme **pauvre** *a poor (not wealthy) man*
la **prochaine** étape *the next (in a series) stage*	la semaine **prochaine** *next (coming) week*

ma **propre** salle de bains
my own bathroom

une cuisine **propre**
a clean kitchen

un **sale** type
a nasty character

des chaussures **sales**
dirty shoes

mon **seul** plaisir
my one and only pleasure

un homme **seul**
a man on his own, a single man

MISE EN PRATIQUE 10 (place de l'adjectif qualificatif)

Mettez l'adjectif entre parenthèses à la bonne place et faites l'accord, s'il y a lieu. L'adjectif qualifie le nom en italique.

1. (même) Ce jeune homme, c'est la *paresse*.
2. (prochain) Il obtiendra le financement la *semaine*.
3. (ancien) Ce *monastère* sert aujourd'hui de musée.
4. (pauvre) Cette femme n'a pas hésité à se jeter à l'eau pour sauver le *garçon* qui se noyait.
5. (dernier) C'est le *week-end* du mois.
6. (seul) Surfer sur le Net, c'est ma *distraction*.

Emploi de plusieurs adjectifs avec le même nom

Tableau 4.12

Où placer les adjectifs qualifiant le même nom

Quand on utilise plus d'un adjectif pour qualifier le même nom, il faut respecter les règles suivantes :

1. Quand deux ou plusieurs adjectifs qualifient le même nom, chaque adjectif prend sa place habituelle.
   Elle s'est acheté une ***belle*** *robe* ***blanche****.*
   un ***vieux*** *fauteuil* ***confortable***
   un ***bon*** *vin* ***blanc français***
2. Quand deux ou plusieurs adjectifs ont la même position et expriment le même type de qualité, on les réunit généralement avec la conjonction *ou* (choix) ou la conjonction *et* (addition), selon le contexte.
   des fruits frais ***ou*** *congelés*
   une belle ***et*** *longue amitié*
   un employé sérieux ***et*** *compétent*
3. Lorsque les adjectifs expriment deux qualités qui ont un rapport inattendu, on utilise *mais.*
   un patron exigeant ***mais*** *juste*

MISE EN PRATIQUE 11 (ordre des adjectifs qualificatifs)

Mettez les mots dans le bon ordre. Faites les accords, s'il y a lieu.

1. un étudiant/intelligent/travailleur
2. une voiture/nouveau/américain
3. une patineuse/jeune/joli
4. un café/bon/petit/bien mérité
5. un devoir/difficile/intéressant

Problèmes de traduction

Tableau 4.13

Comment traduire

1. a blue sky → *un ciel **bleu***
   a fast car → *une voiture **rapide***
   a beautiful sunset → *un **beau** coucher de soleil*

   En anglais, l'adjectif qualificatif est toujours placé devant le nom. En français, par contre, la position peut dépendre du sens de l'adjectif (voir le tableau 4.11).

2. a rural inn → *une auberge **de campagne***
   a chemical plant → *une usine **de produits chimiques***
   a fishing boat → *un bateau **de pêche***

   Certains adjectifs anglais se traduisent en français par un complément déterminatif.

3. a rewarding book → *un livre **qui vaut la peine d'**être lu*

   L'anglais et le français n'ont pas toujours des adjectifs équivalents. Pour traduire certains adjectifs anglais, on doit parfois employer des tournures propres aux ressources de la langue française.

4. You make me happy. → *Tu me **rends** heureux/heureuse.*
   This makes her sad. → *Cela la **rend** triste.*

   La notion exprimée par la formule anglaise *to make* suivie d'un adjectif se traduit en français par le verbe *rendre* suivi de l'adjectif.

5. a tired-looking old man → *un vieillard **à l'air fatigué***
   a blue-eyed baby → *un bébé **aux yeux bleus***
   a grumpy-looking professor → *un professeur **à la mine renfrognée***

   L'anglais forme facilement des adjectifs composés. Le français a plutôt recours au complément déterminatif.

6. something interesting → *quelque chose **d'intéressant***
   someone older → *quelqu'un **de plus vieux***

   Alors que l'adjectif anglais suit directement les mots *something* et *someone*, l'adjectif français est précédé de la préposition *de (d')*.

MISE EN PRATIQUE 12 (traduction)

Traduisez les phrases suivantes en français.

1. She said something surprising.
2. He makes her really sad.
3. A child needs a caring environment.

Les adverbes

Formation des adverbes

Tableau 4.14

Comment former les adverbes

1. La plupart des adverbes se forment en ajoutant *ment* au féminin de l'adjectif.

   active → *active**ment***
   dernière → *dernière**ment***
   folle → *folle**ment***
   heureuse → *heureuse**ment***
   rapide → *rapide**ment***

2. Certains adverbes se forment en ajoutant *ment* au masculin de l'adjectif. Il s'agit des adjectifs qui se terminent en *u, é* ou *i.*

absolu	→	*absolu**ment***
passionné	→	*passionné**ment***
poli	→	*poli**ment***

Attention! Exceptions :

a) *gai* → ***gaiement** ou **gaîment***

b) adjectifs en *u* qui forment l'adverbe en *ûment*

assidu	→	*assid**ûment***
goulu	→	*goul**ûment***

3. Certains adverbes se forment en ajoutant *ément* au masculin de l'adjectif.

a) adjectifs se terminant par un *e* muet

énorme	→	*énorm**ément***
intense	→	*intens**ément***

b) adjectifs se terminant par une consonne

précis	→	*précis**ément***
profond	→	*profond**ément***

Mise en pratique 13 (formation des adverbes)

Donnez l'adverbe qui correspond à l'adjectif.

1. résolu
2. doux
3. vrai
4. vague
5. assidu
6. confus
7. positif
8. aisé
9. premier

Tableau 4.15

Comment former les adverbes (suite)

1. Les adverbes formés à partir d'adjectifs en *ant* ont une terminaison en *amment.*

courant	→	*cour**amment***
galant	→	*gal**amment***

2. Les adverbes formés à partir d'adjectifs en *ent* ont une terminaison en *emment.*

prudent	→	*prud**emment***
patient	→	*pati**emment***

Attention! Exceptions :

lent	→	*lent**ement***
présent	→	*présent**ement***

3. Certains adverbes ont une formation particulière.

bon	→	***bien***
bref	→	***brièvement***
gentil	→	***gentiment***
mauvais	→	***mal***
meilleur	→	***mieux***
pire	→	***pis***

4. Certains adverbes sont formés de plusieurs mots. Ce sont des locutions adverbiales. En voici quelques exemples :

à peu près	*tout à fait*
de plus en plus	*tout à l'heure*
n'est-ce pas	*tout de suite*

5. Certains adverbes sont des adjectifs employés adverbialement.
   Vous vous débrouillez ***fort*** *bien.*
   Elle chante ***faux.***
   C'est une ***tout*** *autre affaire.*

6. Beaucoup d'adverbes ne sont pas dérivés d'adjectifs. Vous trouverez une liste partielle de ces adverbes dans l'appendice J.
   vite *beaucoup* *tôt*

7. Les adverbes sont toujours invariables.
   Il danse ***mal.*** *Elles dansent* ***bien.***

   Attention! Voir le tableau 4.7 concernant l'accord de l'adjectif *tout* utilisé adverbialement.
   Elle est toute rêveuse. *Elle est tout angoissée.*

Mise en pratique 14 (formation des adverbes)

Donnez l'adverbe qui correspond à l'adjectif.

1. élégant **4.** récent **7.** mauvais
2. bref **5.** savant **8.** meilleur
3. lent **6.** bon **9.** évident

Fonction des adverbes

Tableau 4.16

Éléments de phrase modifiés par les adverbes

	contexte	explication
1.	*Il mange* ***lentement.***	Un adverbe peut modifier un verbe.
2.	*Cela est* ***vraiment*** *intéressant.*	Un adverbe peut modifier un adjectif.
3.	*Je vais* ***très*** *bien.*	Un adverbe peut modifier un autre adverbe.
4.	*Il est arrivé* ***tout de suite*** *après nous.*	Un adverbe peut modifier une préposition suivie d'un nom ou d'un pronom.
5.	***Évidemment,*** *ce n'est pas lui qui en subit les conséquences.*	Un adverbe peut modifier toute une proposition.
6.	*un roi* ***tout à fait*** *roi*	Un adverbe peut modifier un nom qui est utilisé comme un adjectif.

Mise en pratique 15 (emploi des adverbes)

En vous référant au tableau ci-dessus, indiquez ce que l'adverbe en italique modifie.

1. *Parfois,* elle se demande si elle va pouvoir le supporter encore longtemps.
2. Elle habite *tout* près d'ici.
3. Ils y vont *presque* toujours ensemble.
4. Ce phénomène est *bien* rare.
5. Il parle toujours très *lentement.*

Place de l'adverbe

Tableau 4.17

Où placer l'adverbe

1. Quand un adverbe modifie un adjectif, un autre adverbe ou une préposition suivi(e) d'un pronom, il précède le terme qu'il qualifie.

   Vous êtes ***très*** *gentil.*
   Il va ***beaucoup*** *mieux.*
   On jouera ce morceau ***immédiatement*** *après celui-là.*
   Cet avion volait ***juste*** *au-dessus des arbres.*

2. Quand un adverbe modifie un verbe conjugué à un temps simple, il suit la forme verbale.

   Elle conduit ***vite*** *mais* ***prudemment****.*

   À l'impératif affirmatif, l'adverbe suit la forme verbale et tout pronom qui s'y rattache.

   Dites-le-lui ***tout de suite****.*

   L'adverbe de négation composé de plus d'un élément se place autour d'une forme verbale simple (c'est-à-dire, le *ne* est placé avant la forme verbale et tout pronom qui la précède, et les autres éléments de la négation suivent le verbe).

   Il ***ne*** *lui en parle* ***plus****.*
   N'*y va* ***pas non plus****!*

3. Quand un adverbe modifie un verbe conjugué à un temps composé, il se place entre l'auxiliaire et le participe passé.

   Ils ont ***toujours*** *habité à Vancouver.*

   Les adverbes de négation composés de plus d'un élément se placent autour de l'auxiliaire (c'est-à-dire, le *ne* est placé avant l'auxiliaire et tout pronom qui le précède, et les autres éléments suivent l'auxiliaire).

   Elle ***ne*** *m'a* ***pas encore*** *donné sa réponse.*

4. Les adverbes longs (qui ont plus de deux syllabes) et peu courants (en principe, les adverbes en *ment*, *emment* et *amment,* ainsi que les locutions adverbiales) suivent en général le participe passé.

   Ils se sont embrassés ***passionnément****.*

   Quelques adverbes en *ment* assez usités prennent la place habituelle entre l'auxiliaire et le participe passé.

   Elle n'a ***malheureusement*** *pas accepté de venir.*
   Il a ***complètement*** *oublié.*

   Attention! On peut placer certains adverbes au début ou à la fin de la phrase pour les mettre en relief.

   Malheureusement*, elle n'a pas accepté de venir.*

5. Certains adverbes de temps et de lieu (appendice J) suivent le participe passé, mais ils peuvent parfois également se placer au début ou à la fin de la phrase.

   Hier*, il a fait très froid.*
   Il a fait très froid ***hier****.*

6. Il faut noter que les adverbes de temps *toujours, souvent* et *déjà* précèdent le participe passé.

   Elle a ***déjà*** *mangé.*

7. En règle générale, l'adverbe peut se placer avant ou après l'infinitif qu'il modifie.

   *Ils ont l'intention de **souvent** se voir.*
   *Ils ont l'intention de se voir **souvent**.*

   Les deux (ou plusieurs) parties de l'adverbe de négation se placent avant l'infinitif.

   *C'est mieux de **ne pas** y aller.*

   L'adverbe *bien* se place avant l'infinitif.

   *Je lui ai dit de **bien** travailler.*

MISE EN PRATIQUE 16 (place de l'adverbe)

Mettez l'adverbe entre parenthèses à la bonne place.

1. (vraiment) A-t-il travaillé tout le week-end?
2. (impunément) On ne peut pas toujours faire cela.
3. (là-bas) Je suis arrivé plus tard que d'habitude.
4. (ailleurs) On ne trouve pas mieux.
5. (peut-être) C'est l'occasion que vous cherchiez.
6. (aujourd'hui) Nous restons à la maison.
7. (précisément) C'est cela qu'elle a dit.

La signification de certains adverbes

Tableau 4.18

- **auparavant** signifie : *avant tel événement ou telle action, avant (before that). Je ne vais arriver qu'à deux heures car, **auparavant**, j'assiste à une réunion.*
- **autrement** peut signifier : *d'une autre façon, d'une façon différente (differently). Il faudra la convaincre **autrement**.*
- **autrement** en tête de phrase peut signifier : *sinon (otherwise). Fais attention, **autrement** tu auras des difficultés.*
- **certes** veut dire : *certainement, c'est vrai (true). Il l'a dit, **certes**, mais il le regrette maintenant.*
- **comme il faut** veut dire : *de la bonne façon, bien (well). On fera cela **comme il faut**.*
- **davantage** veut dire : *plus (more). Paul est moins doué, mais il travaille **davantage**.*
- **en ce moment** veut dire : *maintenant (now, presently). Il fait beau **en ce moment**.*
- **à ce moment-là** veut dire : *à un moment donné (at that time). Ce n'était pas **à ce moment-là** qu'il pouvait nous répondre.*
- **en même temps** veut dire : *au même moment (at the same time). Ils sont arrivés **en même temps**.*
- **fort** devant un adjectif, veut dire : *très (very). C'est un homme **fort** occupé.*
- **par moments** veut dire : *de temps à autre (at times). Il m'énerve **par moments**.*

MISE EN PRATIQUE 17 (traduction)

Complétez les phrases suivantes en traduisant les mots entre parenthèses.

1. (At that time), elle n'avait pas d'économiseur d'écran.
2. En classe, il faut que tu parles (more; n'utilisez pas *plus*).
3. (Before that; n'utilisez pas *avant*), elle n'avait pas d'ordinateur, donc elle écrivait tout à la main.
4. Il faudra éliminer le courrier indésirable (differently; n'utilisez pas *différemment*).

Problèmes de traduction

Tableau 4.19

Comment traduire

1. She is actually his sister-in-law. → *C'est **vraiment** sa belle-sœur.*
   He is presently in Europe. → *Il est **actuellement** en Europe.*

   Il ne faut pas confondre le mot anglais *actually* (qui veut dire *en fait, vraiment, réellement*) avec le mot français *actuellement* (qui veut dire *présentement, en ce moment*).

2. urgently → ***de toute urgence***
   pleadingly → ***d'un ton suppliant***
   admiringly → ***avec admiration***

   Certains adverbes anglais n'ont pas d'équivalents français à forme simple. Il s'agit alors de trouver la tournure qui traduit le mieux l'adverbe anglais.

3. He works hard; consequently he receives good marks. → *Il travaille beaucoup; **aussi** reçoit-il de bonnes notes.*

   Les mots anglais *consequently, thus* et *as a result* peuvent se traduire en français par l'adverbe *aussi.* Quand il a ce sens, cet adverbe se met en tête de phrase et force l'inversion du sujet et du verbe.

MISE EN PRATIQUE 18 (traduction)

Traduisez les phrases suivantes en français.

1. The manager fired the assistant manager unceremoniously.
2. You actually told this to the boss.

La comparaison

Le comparatif

Le comparatif permet de faire la comparaison entre deux êtres, deux objets, deux faits ou deux groupes.

***Les tigres** sont plus féroces que **les lapins**.*

Tableau 4.20

Comparatif des adjectifs et des adverbes

degrés	formes	exemples
supériorité	plus + adjectif + que	*Paul est **plus grand que** Robert.*
	plus + adverbe + que	*Paul marche **plus lentement** que moi.*
infériorité	moins + adjectif + que	*Robert est **moins grand que** Paul.*
	moins + adverbe + que	*Robert marche **moins lentement que** son copain.*
égalité	aussi + adjectif + que	*Elle est **aussi grande que** sa mère.*
	aussi + adverbe + que	*Elle marche **aussi lentement que** toi.*

Attention! Dans une phrase négative, le mot *si* peut remplacer *aussi*.
*Il n'est pas **si** tard que ça.*

Tableau 4.21

Comparatif des noms

degrés	formes	exemples
supériorité	plus de + nom + que	*Elle a* ***plus de travail que*** *Jacques.*
infériorité	moins de + nom + que	*Jacques a* ***moins de travail qu'****elle.*
égalité	autant de + nom + que	*Nous avons* ***autant de travail que*** *vous.*

Attention! Dans une phrase négative, le mot *tant* peut remplacer *autant.*

On n'a jamais vu ***tant*** *de monde.*

On n'utilise pas l'article défini ou partitif après *plus de, moins de* ou *autant de.*

Elle a plus **de** *travail que Jacques.*

Il faut signaler l'emploi possible de *plus/moins d'un/d'une; plus de deux, de trois, etc.*

Elle a écrit ***plus d'une*** *composition.*

Tableau 4.22

Comparatif des verbes

degrés	formes	exemples
supériorité	verbe + plus que	*Il* ***travaille plus que*** *moi.*
infériorité	verbe + moins que	*Jeanne* ***travaille moins que*** *sa sœur.*
égalité	verbe + autant que	*Paul* ***travaille autant que*** *les autres.*

Attention! Dans une phrase négative, le mot *tant* peut remplacer *autant.*

Il ne travaille pas ***tant*** *que ça.*

Aux temps composés, *plus, moins* et *autant* peuvent se placer avant ou après le participe passé.

Il a ***moins*** *travaillé que lui.*
Il a travaillé ***moins*** *que lui.*

Mise en pratique 19 (comparatif)

Établissez une comparaison avec le terme en italique en utilisant le code entre parenthèses et en suivant le modèle.

Code : (+) supériorité (–) infériorité (=) égalité

Modèle : Robert court *vite.* (–) Jean
→ *Robert court moins vite que Jean.*

1. Jacques est *sportif.* (+) Paul
2. Il *dort.* (=) elle
3. Nous avons *de l'argent.* (–) vous
4. Ce dictionnaire est *utile.* (=) celui-là
5. Mon frère fait *de l'exercice.* (=) moi
6. Je suis *fatigué.* (–) toi
7. Vous étudiez *sérieusement.* (+) nous
8. Je n'ai pas *de chance.* (+) les autres
9. On tond *souvent* le gazon. (=) les voisins
10. Il *boit.* (–) son père

Le superlatif

1. Le superlatif établit la supériorité absolue d'un être, d'un objet, d'un fait ou d'un groupe.

   *le mois **le plus chaud***

2. Le superlatif peut être suivi d'un complément introduit par *de*.

   *C'est lui qui est le plus bavard **de la classe**.*

3. Lorsque le superlatif est précédé directement par le nom qu'il modifie, on répète l'article défini.

   *Jacques est **l'**étudiant **le** plus bavard de la classe.*

Tableau 4.23

Superlatif des adjectifs et des adverbes

degrés	**formes**	**exemples**
supériorité	le plus + adjectif	C'est Sylvie qui est **la plus grande**.
	la plus + adjectif	
	les plus + adjectif	
	le plus + adverbe*	C'est Paul qui marche **le plus lentement**.
infériorité	le moins + adjectif	C'est Robert qui est **le moins grand**.
	la moins + adjectif	
	les moins + adjectif	
	le moins + adverbe*	C'est Robert qui marche **le moins lentement**.

***une seule forme en *le* avec l'adverbe**

Tableau 4.24

Superlatif des noms

degrés	**formes**	**exemples**
supériorité	le plus de + nom	C'est elle qui a **le plus de travail**.
infériorité	le moins de + nom	C'est elle qui a **le moins de travail**.

Attention! L'article *le* du superlatif des noms ne change pas, même si le nom qui suit le superlatif est féminin ou pluriel.

*C'est elle qui a **le** plus de persévérance.*
(*persévérance* est un nom féminin)
*Ce sont eux qui ont **le** plus de problèmes.*

Tableau 4.25

Superlatif des verbes

degrés	**formes**	**exemples**
supériorité	verbe + le plus	C'est lui qui **travaille le plus**.
infériorité	verbe + le moins	C'est Jeanne qui **travaille le moins**.

Attention! L'article *le* du superlatif des verbes ne change pas, même si le sujet du verbe est féminin ou pluriel.

*Ce sont eux qui mangent **le** plus.*

Aux temps composés, *le plus* et *le moins* peuvent se placer avant ou après le participe passé.

*C'est vous qui avez **le plus** dépensé.*
*C'est vous qui avez dépensé **le plus**.*

Formes irrégulières du comparatif et du superlatif

Tableau 4.26

Comparatif et superlatif des adjectifs *bon, mauvais* et *petit*

adjectifs	formes régulières	formes irrégulières
bon		meilleur le meilleur
mauvais	plus mauvais le plus mauvais	pire le pire
petit	plus petit le plus petit	moindre (peu usité) le moindre

Tableau 4.27

Comparatif et superlatif des adverbes *bien, mal, peu* et *beaucoup*

adverbes	formes régulières	formes irrégulières
bien		mieux le mieux
mal	plus mal le plus mal	pis (peu usité) le pis (peu usité)
peu		moins le moins
beaucoup		plus, davantage le plus

MISE EN PRATIQUE 20 (superlatif)

Établissez une comparaison avec le terme en italique en utilisant le code entre parenthèses et en suivant le modèle.

Code : (+) supériorité (–) infériorité

Modèle : Jacqueline a un *bon* coiffeur. (+)
→ *C'est Jacqueline qui a le meilleur coiffeur.*

1. Robert court *vite.* (+)
2. Paul lui téléphone *souvent.* (–)
3. Ils ont reçu de *bonnes* notes. (+)
4. Georges danse *bien.* (+)

Emploi de la comparaison

Tableau 4.28

Comment employer la comparaison

contexte	explication
1. *Elle est **moins tendue que** lui.* *Ce que l'on fait **vaut plus que** ce que l'on dit.*	La comparaison peut exprimer un rapport entre deux êtres, deux objets, deux faits ou deux groupes.

2. *Cette méthode est* ***plus efficace****.* *Parlez* ***plus fort****.*	Le comparatif peut simplement indiquer un degré sans que le deuxième élément soit exprimé.
3. *J'ai fait* ***deux*** *exercices* ***de plus que*** *toi.*	Avec un nombre, on utilise *de plus que* ou *de moins que*.
4. *Il a* ***bien*** *plus d'ennuis que toi.* *Cette composition est* ***nettement*** *meilleure.* *On travaille* ***beaucoup*** *plus qu'auparavant.*	On peut renforcer les termes *plus* et *moins* du comparatif avec *bien, beaucoup, de loin, infiniment, nettement* et *tellement.*
5. *Ce logiciel-ci est supérieur à celui-là.*	Certains adjectifs en *ieur* marquent déjà un degré de comparaison sans avoir à ajouter *plus* ou *moins.* Ces adjectifs sont suivis de la préposition *à* et non de la conjonction *que*. Parmi ces adjectifs, on peut citer : *antérieur à, postérieur à, inférieur à* et *supérieur à.*
6. *Cette voiture est* ***plus rapide*** *et* ***plus*** *nerveuse que celle que j'avais auparavant.* *Il a couru* ***le plus*** *loin et* ***le plus*** *vite.*	On répète les termes du comparatif (*plus, moins, aussi* et *autant*) et du superlatif (*le plus* ou *le moins*) devant chaque mot subissant la comparaison.
7. *Il est* ***plus*** *bête* ***que*** *je* ***ne*** *le pensais.* *Elle a chanté cette chanson* ***mieux que*** *je* ***ne*** *le pourrais.*	Dans une phrase subordonnée qui suit un comparatif, on utilise le mot *ne*. Ce *ne,* qu'on nomme dans ce cas *ne* explétif, n'est pas un négatif.
8. *C'est le garçon le plus sympathique* ***du*** *groupe.* *La meilleure note* ***de*** *la classe n'était qu'un B.*	Le complément du superlatif est précédé de la préposition *de* (ou des formes contractées *du* ou *des*).
9. *C'est mon disque* ***favori****.* *Ce livre est* ***unique****.*	Certains mots ont déjà un sens superlatif. Parmi ceux-ci, il faut noter : *délicieux* — *infect* *favori* — *magnifique* *formidable* — *merveilleux* *épatant* — *sensationnel* *excellent* — *superbe* *exquis* — *terrible* *horrible* — *unique*
10. *Nous sommes* ***très*** *fatiqués.* *Il parle* ***remarquablement*** *bien le français.* *C'est* ***tout à fait*** *vrai.*	Certains adverbes et certains préfixes expriment la notion du superlatif. Parmi ces adverbes, il faut citer : *absolument* — *bien* *remarquablement* — *très* *tout à fait* — *complètement* *extrêmement* — *vraiment*
Ce député est ***archi-****conservateur.* *Cette robe est* ***super-****chic.*	Parmi les préfixes, il faut citer : *archi-* et *ultra-*. Les préfixes *extra- et super-* appartiennent surtout au langage parlé.

Mise en pratique 21 (traduction)

Complétez chaque phrase en traduisant les mots entre parenthèses.

1. Pour cette recette, on a besoin de sucre (*extra) fin.*
2. Je ne dors pas (*as well*) qu'auparavant.
3. Cette laine est de qualité (*inferior*).
4. Il a mangé deux morceaux de gâteau (*more than*) son frère.
5. C'est (*the least of his*) soucis.
6. C'est (*the best employee in the*) service.
7. Elle est (*extremely*) susceptible.
8. Les résultats sont (*better*) que prévus.

Place de l'article ou omission de l'article dans la comparaison

1. Quand un adjectif au superlatif précède le nom qu'il qualifie, l'article est placé devant l'adjectif.

    *C'est **la** meilleure chanson du disque.*

2. Quand un adjectif au superlatif suit le nom qu'il qualifie, l'article précède le nom et est répété devant le superlatif.

    *C'est **la** chanson **la** plus longue du disque.*

3. Quand un adjectif au superlatif précède le nom qu'il qualifie et qu'il est lui-même précédé d'un adjectif possessif, on omet l'article.

    *C'est **mon** meilleur score.*

Mise en pratique 22 (place de la comparaison)

Dans chaque phrase, ajoutez l'expression entre parenthèses.

1. C'est l'entreprise qui a réussi. (le mieux)
2. Comme toujours, il achète les produits. (les plus chers)
3. Je crois que c'est elle qui a eu le score. (le meilleur)

Problèmes de traduction

Tableau 4.29

Comment traduire

1. a **most** pleasant person → *une personne **très** sympathique*
   This is **the most** interesting painting. → *C'est la toile **la plus** intéressante.*

   La construction anglaise *most* + adjectif se traduit en français par *exceptionnellement, extrêmement, très,* etc., suivi de l'adjectif en question. Par contre, la construction anglaise *the most* + adjectif se traduit par le superlatif français *le plus/la plus/les plus* + adjectif.

2. the best student **in** the class → *le meilleur étudiant* ***de*** *la classe*

   Le superlatif anglais est suivi de la préposition *in*, tandis que le superlatif français introduit son complément avec la préposition *de*.

3. Of the two, he is **the stronger**. → *Des deux, c'est lui* ***le plus fort****.*

   En anglais, on peut parfois utiliser le comparatif là où le français utilise le superlatif.

4. My brother is **taller than** I. → *Mon frère est* ***plus grand que*** *moi.*
   My brother is **more athletic than** I. → *Mon frère est* ***plus doué*** *pour les sports* ***que*** *moi.*

   L'anglais forme généralement le comparatif de supériorité de deux façons. Le français n'a qu'une formation (à l'exception des adjectifs qui ont des formes irrégulières).

5. **the most important** point → *le point* ***le plus important***

   L'anglais forme le superlatif en utilisant l'article *the* suivi de *most* ou *least* suivi du nom. En français, le nom précède la forme complète du superlatif.

Tableau 4.30

Comment traduire (suite)

1. more and more → de plus en plus
   Il est ***de plus en plus*** *malade.*

2. less and less → de moins en moins
   Il est ***de moins en moins*** *intéressé.*

3. even more → encore plus; even less → encore moins
   Il fait ***encore plus*** *froid.*
   Il est ***encore moins*** *patient qu'avant.*

4. even better → encore mieux; même mieux
   Elle a réussi ***encore mieux*** *qu'on ne le croyait.*
   C'est ***même mieux*** *comme ça.*

5. so much the better → tant mieux
   Tu as fini. ***Tant mieux!***

6. all the more . . . since → d'autant plus . . . que
   C'est ***d'autant plus*** *agréable* ***qu'****on ne s'y attendait pas.*

7. to do one's best → faire de son mieux
   Elles ***font*** *toujours* ***de leur mieux****.*

8. it's better to . . . → il vaut mieux + infinitif
   Il vaut mieux *l'acheter chez un grossiste.*

9. the more . . . the more → plus . . . plus
   the less . . . the less → moins . . . moins
   the more . . . the less → plus . . . moins
   Plus *il insiste,* ***plus*** *elle se fâche.*
   Plus *il parle,* ***moins*** *elle l'écoute.*

Mise en pratique 23 (traduction)

Traduisez les phrases suivantes en français.

1. Her success is all the more surprising since she started from nothing.
2. This company is even more successful than before.
3. The most important thing is to have a business plan.
4. Unfortunately, the more you worry, the less he cares. (forme *vous*)

Expression écrite

La correspondance

1. La rédaction d'une lettre en français doit satisfaire à plusieurs critères essentiels :
   l'ordre (disposition correcte des éléments)
   la simplicité (facile à comprendre)
   la concision (qui est écrit en peu de mots)
   la clarté (qui est clair et précis)
   la convenance (qui est approprié)
2. En ce qui concerne la convenance, il faut tenir compte :
   de la personne à qui l'on écrit (le destinataire)
   du rapport que l'on a avec cette personne (ami, collègue, supérieur hiérarchique, etc.)
   du type de lettre que l'on écrit (lettre de désistement, de félicitations, de demande d'emploi, etc.)

   Et ces éléments influenceront :
   le **ton** de la lettre (affectueux, courtois, sec, etc.)
   les formules épistolaires utilisées

Les formules épistolaires

Tableau 4.31

Formules épistolaires

Les formules présentées ci-dessous conviennent aux lettres d'affaires, aux lettres de désistement, aux lettres de sollicitation et aux lettres de demande d'emploi. Le/La destinataire prévu(e) est donc une personne avec qui l'on a (ou espère avoir) des contacts professionnels ou des rapports d'affaires.

1. Le premier élément d'une lettre, **l'en-tête**, identifie l'expéditeur, c'est-à-dire la personne ou la compagnie (ou l'organisme) qui écrit. L'en-tête comporte le nom du particulier ou de la compagnie, l'adresse complète et parfois le numéro de téléphone.

   Jacques Chaput
   36, rue Riel
   Montréal (Québec)
   H2V 5H2

2. Le deuxième élément d'une lettre est la formule qui indique **le lieu d'origine** et la date de la lettre.

   Trois-Rivières, le 5 décembre 2000

3. Le troisième élément d'une lettre se nomme **la vedette**, et cet élément incorpore le nom du **destinataire** (ainsi que son titre) et son **adresse**.

   Madame Renée Toussaint
   133, rue de Chenonceaux
   Montréal (Québec)
   H2V 1W3

4. Le quatrième élément d'une lettre est **l'appel** (c'est-à-dire la formule par laquelle on s'adresse au destinataire).

   a) Quand le destinataire est une personne que l'on ne connaît pas ou un supérieur, on utilise :
   Monsieur,
   Madame,
   Mademoiselle,
   Si l'on ne connaît pas le nom du destinataire, on utilise :
   Madame, Monsieur,

   b) Quand le destinataire a un titre, on emploie celui-ci de la manière suivante :
   Madame la Directrice,
   Monsieur le Maire,

   c) Quand le destinataire est une personne que l'on connaît depuis assez longtemps, on peut se permettre d'être moins formel. Selon les rapports que l'on a avec cette personne, on peut utiliser :
   Cher Monsieur, (mais pas *Cher Monsieur Tati,*)
   Mademoiselle et chère collègue,
   Cher collègue,
   Cher Paul,

5. L'élément qui suit l'appel se nomme **l'introduction**.

   Formules d'introduction possibles

   En réponse à votre lettre du . . . je désire vous informer que . . .
   J'ai bien reçu votre lettre/votre documentation . . .
   J'ai bien reçu votre aimable invitation et je vous en remercie.
   J'ai bien reçu votre lettre et je vous en suis reconnaissant.
   J'ai bien reçu votre lettre du 16 courant et je tiens à vous en remercier.
   Je vous remercie de votre lettre et je m'empresse de vous répondre afin de . . .
   J'ai pris connaissance de votre lettre et . . .
   À la suite de notre entretien/conversation téléphonique, . . .
   À la suite de notre rencontre, je vous confirme que . . .
   Permettez-moi de vous informer que . . .
   J'ai le plaisir de vous apprendre que . . .
   Vous trouverez ci-joint . . .
   J'ai lu avec grand intérêt votre offre d'emploi parue dans . . .

6. À la suite du paragraphe d'introduction vient **le corps** de la lettre en un ou plusieurs paragraphes, selon les besoins.

7. Le dernier paragraphe comprend toujours une formule de **salutation** qui peut être précédée d'une phrase de **conclusion**.

Formules de conclusion et de salutation

a) formules de conclusion

Dans l'attente de votre réponse, je vous prie . . .
Dans l'attente d'une réponse favorable, je vous prie . . .
En espérant que vous serez en mesure de donner suite à ma demande, je vous prie . . .
Dans l'espoir d'une réponse favorable, je vous prie . . .
N'hésitez pas à communiquer avec moi pour toute information complémentaire.
Je vous téléphonerai jeudi prochain pour savoir quand nous pourrions fixer un rendez-vous.

b) Formules de salutation

La salutation peut se composer à partir des éléments ci-dessous :
Je vous prie d'agréer,
Je vous prie de recevoir,
Veuillez agréer,

toujours suivi de **l'appel** du début de la lettre, à savoir :

Monsieur, ou *Madame,* ou *Mademoiselle,* ou
Madame, Monsieur,

suivi de :

l'expression de mes sentiments
l'assurance de mes sentiments

suivi de :

distingués.
respectueux.
dévoués.
les meilleurs.

On peut aussi utiliser :

Veuillez agréer, Madame, mes salutations distinguées.
Je vous prie d'agréer, Madame la Directrice, mes salutations les meilleures.
Je vous prie de croire, Messieurs, à l'assurance de mes sentiments respectueux.
Recevez, Monsieur, mes meilleures salutations.

Plus familier :

Meilleures salutations.
Bien à vous.

Tableau 4.32

Modèle de lettre de demande d'emploi

Michel Poitras
234, avenue Withrow
Toronto (Ontario) M4K 1C5
Tél. (416) 325-4231

16 novembre 2004

Mme Shelly Wong, gérante
Broadway Theatre Productions
2496 Front Street
Toronto, Ontario M3J 4K1

Madame,

J'ai lu avec grand intérêt votre offre d'emploi parue dans le *Toronto Star* pour l'embauche d'un machiniste de scène. Je m'installe définitivement dans la région de Toronto et je voudrais continuer à travailler dans le domaine du théâtre.

Mes qualifications concordent parfaitement avec les exigences que vous avez énoncées. En effet, j'ai eu plus de trois ans d'expérience comme président du Cercle dramatique de mon école secondaire, puis j'ai travaillé quatre ans comme machiniste de scène à l'université. J'ai passé deux ans au théâtre du Centre national des Arts à Ottawa, puis deux années au Théâtre français de Toronto. *Antigone, Les Belles Sœurs* et *Le Médecin malgré lui* comptent parmi les pièces auxquelles j'ai travaillé. J'ai été menuisier principal au Centre national des Arts et régisseur au Théâtre français de Toronto. J'ai aussi été entrepreneur général de construction, ayant eu la responsabilité de 3 à 8 employés ou sous-traitants.

Vous trouverez dans le C.V. ci-joint une description plus détaillée de mes compétences et de mon expérience.

Dans l'espoir d'une réponse favorable, je vous prie d'agréer, Madame, mes meilleures salutations.

Michel Poitras

Michel Poitras

Synthèse

Exercice 1 Mais . . . (genre des adjectifs)

oral ou écrit

Faites l'exercice selon le modèle.

Modèle : Ce petit pain est frais. (cette pâtisserie)
→ *Mais cette pâtisserie n'est pas fraîche.*

1. Ce parc est public. (cette entreprise)
2. Cette voiture est neuve. (ce camion)
3. Ce jeune homme semble heureux. (sa fiancée)
4. Ce sac est léger. (cette valise)

5. Sa mère est canadienne. (son père)
6. Cette exposition est intéressante. (ce musée)
7. Son frère est arrogant. (sa sœur)
8. Cette voiture est puissante. (ce vélomoteur)
9. Le fils des Dupont est très actif. (la fille)
10. Ce pantalon est sec. (cette chemise)

Exercice 2 Galerie de portraits (accord des adjectifs)

oral ou écrit

Décrivez un trait marquant des personnes présentées ci-dessous.

Modèle : Paul/les yeux/bleu
→ *Paul a les yeux bleus.*

1. Martine/le nez/retroussé
2. Monsieur Ravage/la moustache/fin
3. Ricky/la démarche/fier
4. Gilbert/les cheveux/frisé
5. Jeannette/les joues/creux
6. Elvis/la voix/puissant
7. Monique/la mine/joyeux
8. Mademoiselle Letessier/les épaules/étroit

Exercice 3 Qualités et défauts (accord des adjectifs)

oral ou écrit

Mentionnez les qualités ou les défauts des personnes de la même famille. Suivez le modèle et changez le genre de la personne.

Modèle : Alain est généreux et naïf.
→ *Sa sœur est généreuse et naïve aussi.*

Jacqueline est travailleuse et ambitieuse.
→ *Son frère est travailleur et ambitieux aussi.*

1. Robert est intelligent et travailleur.
2. Chantal est sérieuse et discrète.
3. Jean-Pierre est triste et malheureux.
4. Marie-Josée est agressive et ambitieuse.
5. Roger est sportif et courageux.
6. Sylvie est mesquine et jalouse.
7. Hervé est malin et flatteur.
8. Josiane est menteuse et cruelle.

Exercice 4 On a visité . . . (place de l'adjectif)

oral ou écrit

Décrivez ce que vous avez visité.

Modèle : monastère/vieux
→ *On a visité un vieux monastère.*

1. château/joli
2. théâtre/grec
3. tour/très élevée
4. port/vieux
5. monument aux morts/bizarre
6. marché/plein de monde
7. parc/grand
8. musée/renommé
9. église/gothique
10. boîte de nuit/bruyante

EXERCICE 5 Alors . . . (place de l'adjectif)

oral ou écrit

Pour bien souligner la qualité de la personne ou de l'objet dont on parle, exprimez différemment ce qu'on vient de vous dire.

Modèle : C'est un homme qui n'est plus acteur. (ancien)
→ *Alors, c'est un ancien acteur.*

1. C'est un homme célèbre. (grand)
2. Ce sont des histoires qui font rire. (drôle)
3. C'est un homme qui n'est pas accompagné. (seul)
4. C'est sa voiture à lui. (propre)
5. C'est un homme qui a très peu d'argent. (pauvre)
6. C'est une prison qui n'est plus une prison. (ancienne)
7. C'est une femme qui est courageuse. (brave)
8. C'est un restaurant où l'on dépense beaucoup d'argent. (cher)
9. C'est un homme à qui il est arrivé des malheurs. (pauvre)
10. C'est un meuble qui date du XVIIe siècle. (ancien)

EXERCICE 6 C'est vrai . . . (formation des adverbes)

oral ou écrit

Vous êtes d'accord avec le fait que ces personnes ont les traits de personnalité indiqués. Exprimez cet accord.

Modèle : Yves est soigneux.
→ *C'est vrai, il fait tout soigneusement.*

1. Lena et Sylvie sont méticuleuses.
2. Jacques est patient.
3. La patronne est honnête.
4. Laurent et Max sont prudents.
5. Jeannette est consciencieuse.
6. Alain est lent.
7. Ces étudiants sont diligents.
8. Claudette est calme.
9. Paul est attentif.
10. Ces enfants sont bruyants.

EXERCICE 7 C'est pour cela . . . (formation des adverbes)

oral ou écrit

Fournissez une explication aux affirmations suivantes en utilisant les mots entre parenthèses et en suivant le modèle.

Modèle : Il apprend le français. (parler/lent)
→ *C'est pour cela qu'il parle lentement.*

1. Elle est méticuleuse. (faire son travail/soigneux)
2. Il prend bien les choses. (réagir/positif)
3. Elles semblent intéressées. (écouter/attentif)
4. Elle ne raconte jamais de potins. (agir/discret)
5. Il dit toujours la vérité. (parler/franc)
6. Elle est très spirituelle. (répondre/brillant)
7. Elles ont beaucoup de goût. (s'habiller/élégant)
8. Il est toujours énervé. (faire tout/brusque)

EXERCICE 8 Les détails (place de l'adverbe)

oral ou écrit

Répondez aux questions suivantes en donnant une précision.

Modèle : Comment a-t-il réagi? (très bien)
→ *Il a très bien réagi.*

1. Quand est-ce que tu lui as téléphoné? (hier)
2. Comment a-t-elle répondu? (intelligemment)
3. Où l'as-tu vu? (là-bas)
4. Comment a-t-il conduit? (bien)
5. Comment vont-ils réagir? (positivement)
6. Où vas-tu le mettre? (ici)
7. Combien de films a-t-il vus? (beaucoup)
8. Quand est-ce qu'ils sont partis? (avant-hier)

EXERCICE 9 À mon avis . . . (comparatif)

oral ou écrit

Faites des comparaisons en utilisant *plus, moins* ou *aussi/autant.*

Modèle : le vol delta/la planche à voile/dangereux
→ *À mon avis, le vol delta est plus dangereux que la planche à voile.*

être vendeur/créer une entreprise/audacieux (= *daring*)
→ *À mon avis, être vendeur est moins audacieux que créer une entreprise.*

1. l'argent/l'amour/important
2. regarder une émission de sport/participer à un sport/fatigant
3. les Français/les Italiens/manger des pâtes
4. être heureux dans son travail/gagner beaucoup d'argent/satisfaisant
5. les femmes/les hommes/délicat
6. les professeurs/les étudiants/travailler
7. la cuisine anglaise/la cuisine française/bon
8. cet exercice/l'exercice précédent/difficile

EXERCICE 10 Libre expression (comparatif)

oral ou écrit

Faites les comparaisons que vous voulez.

Modèle : la vie à la campagne/la vie en milieu urbain
→ *La vie à la campagne est moins stressante que la vie en milieu urbain.*

1. travailler seul/travailler en équipe
2. les Anglais/les Français
3. cette année/l'année dernière
4. regarder la télévision/lire
5. ma meilleure amie/moi
6. l'été/l'hiver
7. avoir beaucoup d'argent/être heureux
8. les parents/les enfants

Exercice 11 Saviez-vous que . . . (superlatif)

oral ou écrit

Mettez les phrases au superlatif.

Modèle : Charlot était un grand comédien. (son époque)
→ *Charlot était le plus grand comédien de son époque.*
ou → *Charlot n'était pas le plus grand comédien de son époque.*

1. La tour CN est un édifice élevé. (l'Amérique du Nord)
2. Le mois de janvier est un mois froid. (l'année)
3. Babe Ruth était un célèbre joueur de baseball. (sa génération)
4. Le Québec est une grande province. (le Canada)
5. L'Australie est un petit continent. (le monde)
6. Le «fast food» est une cuisine appréciée. (les jeunes)
7. Le Canada est un grand pays. (le monde)
8. La Chine est un pays peuplé. (le monde)

Exercice 12 Chaque chose à sa place (ordre des mots)

écrit

Dans chaque phrase, mettez les adjectifs et les adverbes à la place qui convient. Attention aux accords!

1. Elle a acheté une voiture. (nouveau/récemment)
2. Ce fut mon vin. (blanc/favori/pendant longtemps)
3. As-tu rencontré ma sœur? (petit/déjà)
4. Elle aime les roses. (ne . . . plus/beaucoup/rouge)
5. J'apprécie un chocolat. (bon/chaud/de temps en temps)
6. On n'a pas voté pour ce candidat. (pauvre/incompétent/heureusement)
7. J'ai voulu faire du ski. (alpin/ne . . . jamais/bien sûr)
8. Il faut corriger les fautes. (soigneusement/tout/d'abord)

Exercice 13 Moulin à phrases (divers éléments)

écrit

Utilisez chaque mot ou expression dans une phrase.

1. de plus en plus
2. plus d'une
3. le pire
4. à plusieurs reprises
5. tout (adverbe)
6. davantage
7. autant de
8. autrement (sinon)

EXERCICE 14 Traduction (divers éléments)

écrit

Traduisez les phrases suivantes en français.

1. What a beautiful day!
2. That makes me very proud.
3. Where is the medical school?
4. He doesn't play any musical instrument.
5. He actually likes translation exercises.
6. This is the largest room in the house.
7. I tasted a marvellous little rosé wine from the south of France.
8. He smokes; consequently he is often out of breath.
9. I feel better today.
10. It was a most pleasant evening.

EXERCICE 15 Rédaction (expression écrite)

écrit

Sujet Découpez une offre d'emploi dans un journal et rédigez une lettre dans laquelle vous faites une demande en vue d'obtenir le poste indiqué dans l'annonce.

Consignes Consultez la section *Expression écrite* de ce chapitre.
Ne dépassez pas les 180 mots.
Prenez soin de bien vous corriger (une lettre avec des fautes fait mauvaise impression).

Chapitre 5

Lecture

Article tiré de la revue *L'actualité*

Intégration des nouveaux immigrants au Québec : Une question de survie pour la langue française d'Isabelle Grégoire

Article tiré de la revue *L'actualité*

L'école des nouveaux Québécois d'Isabelle Grégoire

Vocabulaire

L'immigration, la francisation

Grammaire

L'infinitif

Le subjonctif

Expression écrite

Les phrases complexes

Les propositions subordonnées

Lecture et Vocabulaire

Dossier 1 *Intégration des nouveaux immigrants au Québec : Une question de survie pour la langue française*

Introduction à la lecture

La situation de la francophonie canadienne est précaire. Certains linguistes disent même que la survie de la langue française est menacée au Québec. Les causes? Nous pouvons tout d'abord citer le taux de natalité qui baisse constamment dans la province. N'oublions pas non plus la place de plus en plus importante que prennent la culture américaine et la langue anglaise. Toutes les communautés francophones d'Amérique du Nord sont affectées. Au Québec, on fait beaucoup d'efforts pour intégrer les immigrants et s'assurer que le français deviendra leur langue d'adoption.

Activités de pré-lecture

Pouvez-vous citer au moins trois communautés francophones au Canada (à part le Québec)?

1. Savez-vous combien d'immigrants arrivent chaque année au Canada?
2. Que faisons-nous pour assurer leur intégration dans notre société?

Lecture

Lisez le texte ci-dessous.
Relevez tous les verbes à l'infinitif dans les trois premiers paragraphes.

Lecture

Une question de survie

1 Le Québec *met le paquet* pour intégrer, en français, les nouveaux immigrants. Avec succès.
Quelque 14 000 immigrants suivent chaque année le programme de *francisation* du Ministère des Relations avec les citoyens et de l'Immigration (MRCI). Ce programme représente un investissement annuel de près de 40 millions de dollars, dont 9 millions sont
5 alloués à l'«aide financière à l'intégration linguistique» (de 61 à 157 dollars par semaine, selon que l'immigrant a des enfants ou non), ainsi qu'à l'allocation pour *frais de garde* d'enfants et frais de transport.
Question de survie pour le Québec. «L'immigration, c'est notre sécurité, dit André Boulerice, ministre délégué aux Relations avec les citoyens et à l'Immigration. La sécurité
10 d'être encore là demain, d'assurer notre développement, de grandir et de parler français.»
La proportion d'immigrants francophones est en hausse (ils sont passés de 36 % en 1995 à 49 % en 2002, sur un total de 41 600), même si le Québec *n'est* pas totalement *maître* en matière d'immigration. En 2002, la province a sélectionné 65 % de ses immigrants—les 35 % restants (*demandeurs d'asile* et personnes invoquant la réunification
15 familiale) *relevaient* du fédéral. Les non-francophones sont fortement encouragés à suivre le programme de francisation.

La formation, d'une durée maximale de 1 000 heures, est divisée en cinq parties de 200 heures (8 semaines à raison de 25 heures par semaine), correspondant à 5 *échelons* d'apprentissage, au terme desquels une évaluation est effectuée. L'*assiduité* est impérative : après cinq jours d'absence consécutive, l'élève est exclu. Environ 70 % des participants réussissent leur formation.

Les élèves sont groupés en fonction de leur scolarité et de leurs besoins particuliers— de l'*alphabétisation* au perfectionnement. Les cours ne se déroulent pas que dans les *carrefours d'intégration*, mais aussi dans certains *cégeps*, universités et organismes communautaires *subventionnés*. Le programme pédagogique vise l'utilisation du français dans la vie de tous les jours : faire connaissance, trouver un logement, se déplacer, chercher un emploi, faire ses courses, aller à l'hôpital, regarder le téléjournal, participer à des activités de loisir . . . Mais sans négliger la production écrite pour autant —la rédaction d'un CV par exemple.

Premier pôle d'attraction des nouveaux immigrants, Montréal compte quatre carrefours, auxquels s'ajoutent ceux de Longueuil et de Laval. Dans la métropole, la demande pour les cours de français est telle que la période d'attente s'étire parfois sur plusieurs mois. Moins fréquentés, les carrefours de Québec, Gatineau et Sherbrooke peuvent offrir un service plus rapide et plus personnalisé. C'est d'ailleurs l'un des arguments qu'invoque le MRCI pour *inciter* les immigrants à *s'établir* en dehors de la région montréalaise.

Article d'Isabelle Grégoire, tiré de *L'actualité*, mars 2003, Vol. 28, No. 3, pp. 43–44.

l.1 mettre le paquet : expression québécoise qui veut dire investir beaucoup dans quelque chose

l.2 la francisation : l'action de rendre français. Dans le contexte de l'immigration au Québec, il s'agit d'encourager la population immigrante à adopter le français comme langue seconde ou langue d'utilisation dans la vie quotidienne (dans le milieu du travail par exemple)

l.6 des frais de garde : des frais (costs) **pour la garde des enfants**

l.13 être maître (en matière de) : avoir pleine autorité

l.14 demandeurs d'asile : personnes qui demandent à se réfugier dans un endroit où elles ne seront pas poursuivies

l.15 relever (du fédéral) : dépendre de (ici, on dit que 35 % de la sélection des immigrants dépend du gouvernement fédéral)

l.18 un échelon : un niveau

l.19 l'assiduité (n.f.) : présence régulière dans un lieu où l'on s'applique dans ses tâches, dans son travail

l.23 l'alphabétisation (n.f.) : l'enseignement de l'écriture et de la lecture à une personne qui ne sait ni lire ni écrire

l.24 un carrefour d'intégration : au Québec, endroit où l'on assure l'intégration des nouveaux immigrants en leur offrant différents services

l.24 cégep : mot québécois, acronyme pour Collège d'enseignement général et professionnel

l.25 subventionné : qui reçoit de l'aide financière

l.35 inciter : encourager

l.35 s'établir : s'installer

Compréhension globale

Répondez aux questions à choix multiples. Indiquez la bonne réponse en essayant de ne pas regarder le texte.

1. Selon l'auteure, l'intégration des immigrants au Québec est essentielle à la survie . . .

a) politique.

b) économique.

c) touristique.

d) linguistique.

2. Comment pourrait-on décrire la formation donnée dans le cadre du programme de francisation?

a) intensive et sévère

b) courte et facile

c) longue mais facile

d) courte et intensive

3. Quelle phrase décrit le mieux le rôle du gouvernement provincial québécois dans la sélection des immigrants?

a) Le Québec n'est pas du tout maître en matière d'immigration.

b) Le Québec choisit plus de la moitié de ses immigrants.

c) Le Québec sélectionne 100 % de ses immigrants.

d) La sélection des immigrants au Québec relève entièrement du gouvernement fédéral.

4. Le programme pédagogique offert aux immigrants est…

a) le même pour tout le monde.

b) littéraire et classique.

c) plutôt axé sur la production écrite.

d) adapté aux besoins des apprenants.

5. Le MRCI aimerait bien que les immigrants…

a) apprennent le français plus vite.

b) restent à Montréal.

c) s'établissent en dehors de Montréal.

d) quittent le Québec.

Vocabulaire

L'immigration, la francisation

Entrée, dans un pays, de personnes non autochtones (non natives) qui viennent s'y établir, généralement pour y trouver un emploi. (Le Petit Robert)

- un(e) immigrant(e) : personne qui immigre (immigrer) dans un pays ou qui y a immigré récemment—*an immigrant*
- un(e) immigré(e) (adj. et n.) : personne qui est venue de l'étranger, par rapport au pays qui l'accueille. Dans certains contextes, ce mot est utilisé pour décrire quelqu'un qui est venu d'un pays peu développé pour travailler dans un pays industrialisé

- un(e) immigré(e) de la deuxième génération—*a second generation immigrant*
- un(e) immigré(e) politique : un(e) réfugié(e), un demandeur d'asile—*a refugee, an asylum seeker*
- un(e) immigré(e) clandestin(e)—*an illegal immigrant*
- un(e) émigrant(e) : personne qui émigre (émigrer)
- un(e) émigré(e) : personne qui s'est expatriée pour des raisons politiques, économiques, etc., par rapport à son pays; exilé(e) politique, expatrié(e)—*expatriate, émigré*
- un travailleur émigré—*a migrant worker*
- un(e) étranger/ère : personne qui vient d'un autre pays—*a foreigner*
- un(e) résident(e) : personne établie dans un autre pays que son pays d'origine, un résident temporaire/permanent—*a temporary/permanent resident*

- quitter son pays, s'expatrier—*to leave one's country, to expatriate oneself*
- immigrer à/dans—*to immigrate into*
- s'établir— *to settle*
- se réfugier—*to take refuge*
- s'intégrer, l'intégration—*to become integrated, integration*
- devenir citoyen(ne)—*to become a citizen*
- la citoyenneté (obtenir)— *citizenship*
- services d'immigration—*immigration department*
- les lois d'immigration—*immigration laws*

- franciser : donner un caractère français à qqch
- francisant(e) : qui apprend le français
- allophone : dans le contexte québécois, il s'agit d'une personne qui ne parle ni l'une ni l'autre des deux langues officielles du pays (l'anglais et le français)
- une formation : éducation morale et intellectuelle d'un être humain
- la formation continue—*continuing education*
- un apprentissage : l'action d'apprendre, une langue par exemple
- un(e) apprenant(e)—*a learner*
- le français littéraire : le français qu'on lit dans la littérature classique
- le français parlé, populaire : le français parlé dans la rue

Exploitation lexicale

1. Complétez les phrases suivantes en utilisant le mot qui convient le mieux.

Attention à la conjugaison des verbes et aux accords.

a) ______________________ d'une langue seconde est souvent difficile pour un adulte qui vient d'un pays étranger.

b) Si on veut ____________________dans la société québécoise et trouver un bon emploi, il faut parler français.

c) Au Québec, les immigrants qui ne sont pas francophones doivent suivre un programme de ______________________.

d) Le MRCI aimerait que les immigrants ______________________ en dehors de la région montréalaise. Les carrefours d'intégration de Québec et de Sherbrooke peuvent offrir un service plus rapide et plus personnalisé.

e) Il faut résider un certain nombre d'années au Canada avant d'obtenir la ______________________ canadienne.

2. Donnez un mot de la même famille en suivant les indications entre parenthèses.
   a) assiduité : (adjectif)
   b) apprendre : (nom)
   c) l'intégration : (verbe)
   d) la francisation : (adjectif)
   e) subventionner : (nom)
   f) maître : (verbe)

Compréhension détaillée

Relisez le texte et répondez aux questions suivantes.

1. Que dit-on au sujet de la proportion d'immigrants francophones au Québec?
2. Décrivez, dans vos propres mots, le programme pédagogique offert aux immigrants.
3. Pour quelles raisons veut-on encourager les nouveaux immigrants à s'installer en dehors de la région montréalaise?

DOSSIER 2 *L'école des nouveaux Québécois*

Introduction à la lecture

Grâce à cet article, vous allez mieux comprendre comment se déroulent les cours de français que l'on donne aux nouveaux immigrants québécois.

Activités de pré-lecture

1. Quelles sont les difficultés rencontrées par les immigrants dans un nouveau pays?
2. Citez quelques caractéristiques du professeur idéal selon vous.
3. Comment un professeur peut-il rendre un cours de français intéressant et motivant?

Lecture

Lisez le texte suivant.

1. Soulignez les verbes au subjonctif dans les deux premiers paragraphes.
2. Répondez aux questions de compréhension globale qui suivent le texte.

Lecture

L'école des nouveaux Québécois

1 Ils sont chinois, moldaves, bulgares. Et bientôt québécois. C'est d'ailleurs pour le devenir qu'ils fréquentent les carrefours d'intégration. Mais que leur apprend-on?

On ne s'ennuie pas dans la classe de Marcel Dubé. Les 19 élèves s'amusent comme des gamins. Il y a Innessa la Moldave, Ghoji le Chinois, Bhabini l'Indienne, Tsvetko le
5 Bulgare . . . des immigrants de fraîche date qui sont là pour apprendre le français. «Pas le français littéraire, dit Marcel Dubé, mais celui qu'on parle dans la rue, dans le métro et dans les toilettes! Pour qu'ils se débrouillent rapidement au quotidien et qu'ils puissent s'intégrer en douceur dans la société québécoise.»

S'il a passé la moitié de sa vie à enseigner notre langue aux nouveaux arrivants, ce
10 professeur de 53 ans n'a perdu ni son humour ni sa *verve*. Gestes théâtraux, mimiques comiques, chansons d'ici et d'ailleurs : il fait de son cours un vrai spectacle. Et ses élèves en redemandent. «Le français, c'est très difficile», me chuchote Georgui, cuisinier bulgare devenu concierge, avec son accent slave *mâtiné* d'intonations québécoises. «Mais avec Marcel, nous rions beaucoup.»

15 Nous sommes au carrefour d'intégration du Sud, dans un immeuble du boulevard De Maisonneuve, à deux pas de la Station Centrale de la rue Berri à Montréal—l'un des neuf carrefours du genre au Québec. Relevant du Ministère des Relations avec les citoyens et de l'Immigration (MRCI), ces organismes ont remplacé, en 2000, les anciens COFI (Centres d'orientation et de formation des immigrants). Ils offrent de nombreux services gratuits
20 aux immigrants, depuis l'aide à l'installation jusqu'aux cours de français.

Dans la salle jaune clair, les pupitres sont disposés en «U». Comme dans toute classe, il y a les *zélés*, toujours prêts à lever la main, et les timides, cachés derrière leur cahier. Marcel Dubé fait en sorte qu'ils participent tous. Chacun répond du mieux qu'il peut, avec les encouragements chaleureux du professeur. «Ils sont très bons, affirme l'enseignant. Ils me
25 surprennent chaque fois!» Celui-ci se montre compréhensif envers les élèves qui «oublient» de faire leurs exercices à la maison : «Beaucoup ont déjà les devoirs de leurs enfants à superviser.» Il est moins tolérant envers ceux qui suivent aussi des cours d'anglais : «apprendre deux langues en même temps, c'est inefficace.»

Arrivés au Québec depuis trois à six mois, ses élèves *amorcent* leur sixième semaine de
30 cours. Ce matin, ils révisent les motifs de retard ou d'absence. «Chui zallé chez l'dentiss'», «Hier, j'travaillais», «J'ai manqué l'autobus», répètent-ils en chœur. «Utile pour les cours de français!» dit d'un air enjoué Mark, *opérateur de grue* originaire de la Russie.

Tous ont déjà un petit accent québécois et connaissent quelques-unes de nos expressions locales, dont certaines sont plutôt *salées*. Marcel Dubé a dressé une courte liste
35 de termes crus extraits du film Hochelaga, de Michel Jetté, qui les amusent beaucoup. «Difficile pour des adultes de se rasseoir sur les bancs de l'école pour apprendre une nouvelle langue, observe l'enseignant. Surtout que bon nombre d'entre eux ont vécu des situations pénibles. Ils savent que le français est indispensable pour fonctionner au Québec. Pourquoi ne pas avoir du plaisir à apprendre?»

40 Les exercices rigolos concoctés par Marcel Dubé ont de quoi les garder éveillés. Dans *La Presse*, il a découpé et photocopié des petites annonces «Femme cherche homme» et «Homme cherche femme», à partir desquelles il demande aux élèves de former des couples. Manière divertissante de faire réviser les adjectifs qualificatifs et le vocabulaire des parties du corps qu'ils ont étudié la semaine précédente. Tout en glissant, l'air de rien, des notions
45 de grammaire et de l'information sur la culture et les valeurs québécoises. Mariage, divorce,

éducation des enfants, homosexualité, condition féminine, violence conjugale . . . C'est fou le nombre de sujets qui défilent en une journée dans une classe! «Les élèves ne font pas que l'apprentissage de notre langue, explique Marcel Dubé. Ils comparent aussi nos valeurs avec celles de leur pays d'origine.» Et on travaille en équipe, s'il vous plaît. «Je ne veux pas
50 que des Chinois ou des Russes dans les groupes, répète-t-il. Mélangez-vous!»

La salle de classe *s'avère* parfois l'unique réseau social de ceux qui viennent d'arriver au Québec, et leur professeur de français leur tout premier contact humain. Celui-ci doit posséder une culture générale *en béton* pour répondre à leurs innombrables questions sur l'éducation, la santé, l'habitation, les lois du travail ou le système judiciaire. «Pour eux, je suis
55 à la fois un bon père de famille, un médecin, un psychologue et un travailleur social», dit Marcel Dubé. Pas étonnant que le prof soit complètement «vidé» après une journée de cours.

Titulaire de sa classe, Marcel Dubé est néanmoins secondé par une «monitrice», Marie-Ève Paquette, 21 ans, présente une heure par jour. Son rôle : assurer le «renforcement» des connaissances—non seulement en classe, mais aussi à l'extérieur. Chaque trimestre, on
60 organise différentes activités, de la journée de magasinage jusqu'à l'initiation au patinage ou la sortie au théâtre. Utile quand on sait que—à Montréal du moins—les élèves n'ont guère l'occasion d'exercer leur français en dehors du cours. «J'habite Côte St-Luc, raconte Ylena, coiffeuse ukrainienne dans la quarantaine. Dans ce quartier tout est en anglais.» Et ailleurs à Montréal? «C'est la même chose», dit-elle avec regret.
65 «Trop de Québécois s'adressent aux immigrants en anglais dès qu'ils entendent leur accent étranger, dit Marcel Dubé. Alors qu'ils devraient être patients et faire l'effort de leur parler en français. C'est grâce aux immigrants que nous sauverons notre langue.»

Article d'Isabelle Grégoire, tiré de *L'actualité*, mars 2003, Vol. 28, No. 3, pp. 43–44.

l.10 verve (n. f.) : vivacité

l.13 mâtiné : mêlé (de)—mixed with

l.22 zélé : qui a du zèle, qui est enthousiaste

l.29 amorcer : commencer, entamer

l.32 un opérateur de grue—a crane operator

l.34 salée (une expression) : grossière—dirty or vulgar

l.51 s'avérer : se montrer—it turns out that

l.53 en béton : très forte

Compréhension globale

Lisez les affirmations et dites si elles sont vraies ou fausses. Si l'affirmation est fausse, corrigez-la! Essayez de faire cet exercice *sans* regarder le texte.

1. Marcel Dubé entame sa carrière d'enseignant de français.
2. Les élèves trouvent que le français est une langue difficile à apprendre.
3. Selon Marcel Dubé, c'est une bonne idée d'apprendre deux langues en même temps.
4. La formation des immigrants comprend des activités en dehors de la salle de classe.
5. Les élèves de Marcel Dubé sont de jeunes célibataires.
6. Il y a une monitrice qui donne des cours à la place du professeur titulaire.
7. Marcel Dubé doit parfois jouer le rôle de psychologue.
8. On enseigne des choses utiles aux immigrants pour qu'ils puissent se débrouiller.

Approfondissement lexical

Les verbes de mouvement

- **aller** et **venir**

  Il faut considérer le point de départ par rapport au sujet.
  Comparez :

  Je **vais** → en Corse.
  I'm going to Corsica.

  Il **va** souvent → à Montréal.
  He often goes to Montreal.

  Pierre **vient** chez moi ← ce soir.
  Pierre is coming to my house this evening.

  Il ne **vient** jamais ← à Toronto.
  He never comes to Toronto.

- **partir**, **arriver** et **revenir**

  Comparez :

  L'avion **part** pour Paris à 20 heures.
  The plane for Paris leaves at 8 p.m.

  J'**arrive** à Paris à 6 heures du matin.
  I arrive in Paris at 6 a.m.

  Je ne sais pas exactement quand je vais **revenir**.
  I don't know exactly when I'll be coming back.

- **retourner**, **repartir** et **rentrer**

  Comparez :

  Elle a vécu en France quand elle était jeune, mais elle n'y est jamais **retournée**.
  She lived in France when she was young, but she has never gone back.

  Il **retourne** dans son pays natal.
  He is going back to his native country.

  Le colonel va **repartir** en Afrique le mois prochain.
  The colonel is leaving for Africa again next month.

  Elle **rentre** de voyage ce soir.
  She is coming back from her trip this evening.

  Ce soir, Jean va **rentrer** un peu plus tard que d'habitude.
  This evening, Jean is going home a little later than usual.

- On utilise le verbe **rentrer** pour exprimer l'idée d'entrer à nouveau, mais aussi pour exprimer l'idée de revenir chez soi (*to come home, to go home*). Évitez d'utiliser le verbe **retourner** pour exprimer l'idée de revenir chez soi. *I came home late* se traduira par «Je suis rentré tard».

- Le verbe **retourner** est polysémique, c'est-à-dire qu'il a plusieurs sens. Il peut vouloir dire :
  - **a)** *to return, go back somewhere* : Je crois que je vais **retourner** en Suisse un jour.
  - **b)** *to turn around* : Quand on a prononcé son nom, il s'est **retourné**.
  - **c)** *to return something* : J'ai **retourné** la viande, elle n'était pas bonne.
  - **d)** *to turn one's coat (idiomatic)* : Il a **retourné** sa veste. (Il a changé brusquement d'opinion.)

1. Quel verbe allez-vous utiliser? Traduisez ces phrases en français.

- **a)** The train *leaves* at 7:30 p.m.
- **b)** The colonel wants his daughter *to go* with him.
- **c)** I want to stop at the bank before *going home*.
- **d)** He never *went back* to Japan.
- **e)** Do you want *to come* with me to Quebec City?

2. Composez une phrase d'environ huit mots avec chacun des verbes ci-dessous.

- **a)** aller
- **b)** revenir
- **c)** partir
- **d)** rentrer
- **e)** retourner
- **f)** arriver

Compréhension détaillée

1. Quels types d'activités Marcel Dubé utilise-t-il pour motiver ses élèves?

2. Pourquoi ces immigrants ne peuvent-ils pas toujours faire leurs devoirs pour le cours de français?

3. Décrivez l'attitude de ce professeur en ce qui concerne l'apprentissage du français et la situation dans laquelle se trouvent ses étudiants?

4. On dit qu'il n'est pas surprenant que le prof soit «vidé» après une journée d'enseignement. Pouvez-vous expliquer pour quelles raisons?

Réflexion et discussion

1. Comparez la politique d'intégration des immigrants au Québec à celle d'une autre province ou d'un autre pays. Pourquoi la situation est-elle différente au Québec?

2. Expliquez la phrase : «C'est grâce aux immigrants que nous sauverons notre langue.»

3. Que pourrait-on faire pour rendre l'intégration des immigrants plus facile?

Grammaire et Expression écrite

Grammaire

L'infinitif

Formes de l'infinitif

Tableau 5.1

Infinitif présent

verbes réguliers		**verbes irréguliers**	
terminaison	*forme*	*terminaison*	*forme*
er	travailler	er	aller
ir	réussir	ir	servir
re	répondre	re	dire, être, faire
		oir	devoir, avoir
		oire	croire

Tableau 5.2

Infinitif passé

auxiliaire *avoir*	auxiliaire *être*
avoir travaillé	être allé(e)(s)
avoir fini	être sorti(e)(s)
avoir répondu	s'être assis(e)(s)

Attention! Les règles d'accord du participe passé s'appliquent à l'infinitif passé.

*Après s'être reposé**es**, elles sont reparties.*
(Après qu'elles se sont reposées . . .)

Mise en pratique 1 (infinitif présent et passé)

Donnez l'infinitif présent et passé des verbes suivants.

1. elles craignaient
2. elle a dû
3. tu es né(e)
4. il a plu
5. vous eûtes
6. j'ai
7. ils naquirent
8. ils furent
9. nous acquérons
10. elle avait mis

Syntaxe de l'infinitif

Tableau 5.3

Ordre des mots avec l'infinitif

les pronoms Habituellement, un pronom précède un infinitif dont il est le complément.

*Ce livre, je pense **l'**avoir lu quelque part.*
*Nous allons **y** passer quelques jours.*
*Il regrette de ne pas **lui en** avoir parlé.*

Attention! Avec la construction *faire* + infinitif et les verbes de perception suivis d'un infinitif, les pronoms précèdent le premier verbe.

*Il **l'**a fait réparer.*
*Je **les** vois jouer.*

la négation Les deux éléments d'une négation précèdent généralement l'infinitif présent. Ils précèdent aussi les pronoms objets.

*Je lui ai demandé de **ne pas** faire cela.*
*Il m'a répondu de **ne plus** l'embêter.*

Attention! Les éléments de négation *personne*, *non plus* et *nulle part* suivent l'infinitif.

*J'ai fermé la porte de mon bureau afin de **ne** voir **personne**.*
*Il a déclaré **ne pas** s'y intéresser **non plus**.*
*Elle affirme n'être allée **nulle part**.*

MISE EN PRATIQUE 2 (ordre des mots)

Récrivez les phrases suivantes en incorporant les mots entre parenthèses au segment en italique.

1. Il nous a demandé *de venir*. (ne . . . pas)
2. Le professeur nous a priés *de remettre* les compositions sans brouillon. (lui/ne . . . jamais)
3. Elle préfère *écouter*. (ne . . . personne)
4. Nous espérons *les rencontrer* à Montréal. (ne . . . nulle part)
5. Je pense *avoir vu* ce film. (ne . . . pas encore)
6. Il a dit de *s'énerver*. (ne . . . plus)
7. Elle voulait *faire escale*. (y/ne . . . pas)

Emploi de l'infinitif

Tableau 5.4

Comment employer l'infinitif

	contexte	explication L'infinitif :
1.	***Apprendre** une nouvelle langue nécessite de la patience.*	peut être le sujet d'un verbe; (*Apprendre . . .* = sujet de *nécessite*)
2.	*Elle veut **s'établir** au Québec.*	peut être le complément d'objet direct d'un verbe; (*s'établir* = COD de *veut*)
3.	*C'est facile à **faire**.* *Il a décidé de **travailler** au Québec.* *Elle a dit cela pour lui **faire** plaisir.*	peut suivre une préposition;

4.	***Vouloir**, c'est pouvoir.* ***Il** est difficile d'**être** toujours de bonne humeur.*	peut être représenté par *c'* ou *il*; (*vouloir est pouvoir*)
5.	*Il a un **rire** bruyant.*	peut parfois être nominalisé (être utilisé comme un nom);
6.	*Cette grande ville m'effrayait. Que **faire**? Où **aller**?* ***Voyager**! Ah, si c'était possible.*	peut être utilisé dans une interrogation ou une exclamation;
7.	*Après **avoir fait** ce voyage organisé, il a juré de voyager seul dorénavant.*	se construit au passé avec *après* quand le sujet de la principale est le même que celui de l'infinitif. On peut dire aussi : «*Après qu'il a fait . . .*»
8.	***Faire** cuire à petit feu.* *Ne pas **marcher** sur le gazon.*	remplace souvent l'impératif dans les indications, les avis, les recettes, les modes d'emploi.

MISE EN PRATIQUE 3 (emploi de l'infinitif)

En vous référant au tableau ci-dessus, expliquez l'emploi de l'infinitif en italique.

1. *Exprimer* ses sentiments, c'est parfois difficile.
2. Ils veulent *louer* une voiture à Trois-Rivières.
3. Elle comprend le *parler* des Québécois.
4. Vous refusez de *prendre* l'avion? Pourquoi?
5. Que *dire* dans ce genre de situation?

Verbes et adjectifs suivis de l'infinitif

Tableau 5.5

Verbes suivis de l'infinitif

L'infinitif peut se construire après un verbe :

a) sans préposition (appendice C)
*J'espère **apprendre le français**.*

b) avec la préposition *à* (appendice C)
*Elle s'est habituée **à vivre** seule.*

c) avec la préposition *de* (appendice C)
*Ils nous ont conseillé **de suivre des leçons particulières**.*

Attention!

1. Certains verbes possèdent deux constructions.

continuer de	–	continuer à	risquer de	–	se risquer à
commencer de	–	commencer à	essayer de	–	s'essayer à
être obligé de	–	obliger à	attendre de	–	s'attendre à
être forcé de	–	forcer à	décider de	–	se décider à
refuser de	–	se refuser à	décider de	–	être décidé à

Attention de bien vérifier le sens de chaque construction!
être forcé de (*to be forced*) forcer à (*to force*)

2. Les expressions verbales formées avec l'auxiliaire *avoir* sont construites avec *de*.

avoir besoin de	*avoir la chance de*	*avoir l'intention de*
avoir envie de	*avoir l'air de*	*avoir peur de*
avoir hâte de	*avoir le droit de*	*avoir raison de*
avoir honte de	*avoir le temps de*	*avoir tort de*

MISE EN PRATIQUE 4 (verbes suivis d'un infinitif)

Indiquez si le verbe introduit un infinitif : **a)** sans préposition; **b)** avec la préposition *à*; **c)** avec la préposition *de*; **d)** avec *à* ou *de*. Consultez l'appendice C, s'il y a lieu.

1. se décider
2. croire
3. jurer
4. pouvoir
5. apprendre
6. essayer
7. continuer
8. risquer
9. espérer
10. refuser
11. laisser
12. travailler
13. s'attendre
14. être forcé
15. se hâter

Tableau 5.6

Adjectifs suivis de l'infinitif

L'infinitif peut se construire après un adjectif :

a) avec la préposition *de* (appendice D)
*Je suis content **de** te **voir**.*

b) avec la préposition *à* (appendice D)
*Je suis prêt **à** vous **aider**.*

MISE EN PRATIQUE 5 (adjectifs suivis d'un infinitif)

Complétez chaque phrase avec la préposition appropriée. Consultez l'appendice D au besoin.

1. J'ai été très heureuse ____ pouvoir vous accueillir.
2. Ils ne sont pas les seuls ____ vouloir s'intégrer dans notre société.
3. Ce dictionnaire est lourd ____ porter.
4. Elle est ravie ____ venir au Canada avec sa famille.
5. Il n'est vraiment pas raisonnable ____ lui demander cela.
6. Il est le premier de sa famille ____ faire des études.

Le subjonctif

Formes du présent du subjonctif

Tableau 5.7

Formation régulière du présent du subjonctif

	écouter	*obéir*	*vendre*
que je/j'	écout**e**	obéiss**e**	vend**e**
que tu	écout**es**	obéiss**es**	vend**es**
qu'il/elle	écout**e**	obéiss**e**	vend**e**
que nous	écout**ions**	obéiss**ions**	vend**ions**
que vous	écout**iez**	obéiss**iez**	vend**iez**
qu'ils/elles	écout**ent**	obéiss**ent**	vend**ent**

Formation 1 → radical = 3^e^ personne du pluriel du présent de l'indicatif moins la terminaison *ent*
2 → radical + *e, es, e, ions, iez, ent*

Attention! Certains verbes ayant des particularités orthographiques devant les terminaisons muettes (*e, es, ent*) du présent de l'indicatif conservent ces particularités au présent du subjonctif.

*Il faut que j'ach**è**te un dictionnaire.*

mais Notez les formes conjuguées des 2e et 3e personnes du pluriel (*nous* et *vous*) (*que nous nagions, que vous nagiez*).

*que nous commen**c**ions*	*que nous man**g**ions*
*que nous appe**l**ions*	*que nous je**t**ions*
*que nous ache**t**ions*	*que nous am**e**nions*
*que nous rép**é**tions*	*que nous pa**yi**ons*
*que nous netto**yi**ons*	*que nous essu**yi**ons*

Mise en pratique 6 (présent du subjonctif)

Mettez chaque verbe entre parenthèses au présent du subjonctif.

1. que vous (réussir)
2. qu'elle (essayer)
3. que nous (répondre)
4. qu'ils (espérer)
5. que nous (s'ennuyer)
6. que je (rejeter)
7. que tu (descendre)
8. qu'elle (se lever)

Tableau 5.8

Formation régulière du présent du subjonctif de certains verbes irréguliers

La plupart des verbes irréguliers ont un subjonctif dont le radical est formé à partir du présent de l'indicatif.

*dire → ils disent → radical **dis** → que je **dise***

infinitif	**radical**	**subjonctif**
battre	ils **batt**ent	que je batte
conduire	ils **conduis**ent	que je conduise
connaître	ils **connaiss**ent	que je connaisse
courir	ils **cour**ent	que je coure
dire	ils **dis**ent	que je dise
écrire	ils **écriv**ent	que j'écrive

lire	ils **lis**ent	que je lise
mettre	ils **mett**ent	que je mette
ouvrir	ils **ouvr**ent	que j'ouvre
plaire	ils **plais**ent	que je plaise
rire	ils **ri**ent	que je rie
suivre	ils **suiv**ent	que je suive
vivre	ils **viv**ent	que je vive

MISE EN PRATIQUE 7 (présent du subjonctif)

Mettez chaque verbe entre parenthèses au présent du subjonctif.

1. que tu (suivre)
2. qu'elles (écrire)
3. que nous (craindre)
4. que je (résoudre)
5. que vous (vivre)
6. qu'il (acquérir)
7. que nous (conclure)
8. que vous (rire)

Tableau 5.9

Formation du présent du subjonctif des verbes irréguliers à deux radicaux

Certains verbes irréguliers ont un radical particulier pour les formes *je, tu, il/elle, ils/elles*, et un autre radical pour les formes *nous* et *vous*. D'autres verbes irréguliers ont un seul radical (voir tableau 5.10).

deux radicaux :	*que je **boiv**e*	*que nous **buv**ions*
un radical :	*que je **sach**e*	*que nous **sach**ions*

1. conjugaison modèle des verbes à deux radicaux

devoir → radicaux = *doiv, dev*

que je	doive	que nous	devions
que tu	doives	que vous	deviez
qu'il/elle	doive	qu'ils/elles	doivent

2. principaux verbes à deux radicaux

aller	que j'**aill**e que nous **all**ions	recevoir	que je **reçoiv**e que nous **recev**ions
boire	que je **boiv**e que nous **buv**ions	venir	que je **vienn**e que nous **ven**ions
croire	que je **croi**e que nous **croy**ions	vouloir	que je **veuill**e que nous **voul**ions
devoir	que je **doiv**e que nous **dev**ions	voir	que je **voi**e que nous **voy**ions
prendre	que je **prenn**e que nous **pren**ions	tenir	que je **tienn**e que nous **ten**ions

MISE EN PRATIQUE 8 (présent du subjonctif)

Mettez chaque verbe entre parenthèses au présent du subjonctif.

1. qu'elle (tenir)
2. que vous (tenir)
3. que tu (vouloir)
4. que vous (vouloir)
5. qu'ils (voir)
6. que vous (voir)
7. que tu (recevoir)
8. que vous (recevoir)

Tableau 5.10

Formation du présent du subjonctif des verbes irréguliers à un radical

Certains verbes irréguliers ont un subjonctif dont le radical n'est pas formé à partir du présent de l'indicatif.

	faire (*fass*)	pouvoir (*puiss*)	savoir (*sach*)
que je	fasse	puisse	sache
que tu	fasses	puisses	saches
qu'il/elle	fasse	puisse	sache
que nous	fassions	puissions	sachions
que vous	fassiez	puissiez	sachiez
qu'ils/elles	fassent	puissent	sachent

Tableau 5.11

Formation du présent du subjonctif des verbes *avoir* et *être*

	avoir	*être*
que je/j'	aie	sois
que tu	aies	sois
qu'il/elle	ait	soit
que nous	ayons	soyons
que vous	ayez	soyez
qu'ils/elles	aient	soient

Mise en pratique 9 (présent du subjonctif)

Mettez chaque verbe entre parenthèses au présent du subjonctif.

1. qu'elle (pouvoir)
2. que nous (avoir)
3. qu'on (savoir)
4. qu'ils (recevoir)
5. que je (être)
6. que tu (faire)
7. qu'il (s'en aller)
8. que nous (apprendre)
9. que tu (fuir)
10. que tu (voir)
11. que je (vouloir)
12. qu'elles (tenir)
13. qu'on (avoir)
14. que nous (être)
15. que nous (voir)
16. que tu (devoir)

Formes du passé du subjonctif

Tableau 5.12

Formation du passé du subjonctif

1. auxiliaire *avoir*

croire	
que j'aie cru	que nous ayons cru
que tu aies cru	que vous ayez cru
qu'il/elle ait cru	qu'ils/elles aient cru

2. auxiliaire *être*

retourner

que je sois retourné(e)	que nous soyons retourné(e)s
que tu sois retourné(e)	que vous soyez retourné(e)(s)
qu'il soit retourné	qu'ils soient retournés
qu'elle soit retournée	qu'elles soient retournées

Attention! Les règles d'accord du participe passé s'appliquent au subjonctif passé.

*Je doute qu'elle y soit retourné**e**.*

Mise en pratique 10 (passé du subjonctif)

Mettez chaque verbe au passé du subjonctif.

1. qu'elle meure
2. que nous hésitions
3. qu'ils périssent
4. que tu lises
5. qu'elles rentrent
6. que vous offriez
7. qu'ils peignent
8. que je coure
9. qu'ils tombent
10. que tu conduises

Emploi du subjonctif

Le subjonctif est souvent utilisé dans des propositions subordonnées introduites par la conjonction *que*. Dans la majorité des cas, l'emploi du subjonctif dépend du verbe ou de l'expression verbale de la proposition principale. Par exemple, si un verbe de volonté introduit une proposition subordonnée, le verbe de celle-ci doit se mettre au subjonctif.

La directrice veut	*que tu ailles la voir.*
proposition principale	proposition subordonnée
(verbe de volonté)	(subjonctif)

Tableau 5.13

Quand employer le subjonctif (verbes de volonté et de nécessité)

	contexte	explication
1.	*Nous voulons que vous **veniez**.* *Nous souhaitons que vous **soyez** présents.*	On met le verbe de la subordonnée au subjonctif quand le verbe de la principale exprime la **volonté**, l'accord, le désir, le consentement, l'opposition, la préférence ou le souhait.

Parmi ce groupe de verbes, il faut noter :

accepter que	*il est préférable que*	*s'opposer à ce que*
comprendre que	*il vaut mieux que*	*souhaiter que*
consentir à ce que	*permettre que*	*vouloir que*
désirer que	*refuser que*	

Pour une liste plus complète, consultez l'appendice F.

Attention! **a)** Le verbe *espérer que* à l'affirmatif est suivi de l'indicatif.

*J'espère qu'elle s'y **plaira**.*

b) Le verbe *comprendre que* est suivi de l'indicatif sauf s'il signifie *comprendre pourquoi.*

*Je comprends qu'il **s'agit** de gagner.*
*Je comprends qu'elle **soit** mécontente.*

2. *Faut-il que je lui **écrive**?*
*Il n'est pas nécessaire que tu y **ailles**.*

On met le verbe de la subordonnée au subjonctif quand le verbe de la principale exprime la **nécessité**, l'avantage, le besoin, la contrainte, la convenance, l'importance, l'obligation ou l'urgence.

Parmi ce groupe de verbes, il faut noter :

avoir besoin que	*il est essentiel que*	*il est temps que*
avoir hâte que	*il est important que*	*il est urgent que*
défendre que	*il est indispensable que*	*il est utile que*
exiger que	*il est nécessaire que*	*il faut que*
il convient que	*il est obligatoire que*	*peu importe que*

Pour une liste plus complète, consultez l'appendice F.

Attention! **a)** Les expressions impersonnelles peuvent être suivies de la préposition *de* + un infinitif, tandis que l'expression *il faut* peut être suivie directement d'un infinitif. Cet emploi donne un sens à valeur générale.

***Il est important de faire** attention à ce qu'on mange.* (sens général)
*De temps à autre, **il faut s'amuser**.* (sens général)

b) L'expression *il faut que* suivie du subjonctif peut parfois être remplacée par la construction *il* + pronom objet indirect + *faut* + infinitif. Cette forme est moins courante que l'emploi du subjonctif.

Il faut que je signe. → *Il **me** faut **signer**.*

c) *Peu importe que* est la restriction de *il importe que.*

*Peu importe qu'il **soit** fâché.*

MISE EN PRATIQUE II (emploi du subjonctif)

Mettez chaque verbe entre parenthèses au mode et au temps qui conviennent.

1. Il est nécessaire que je (faire) tous mes devoirs de français.
2. Il convient que vous (s'en débarrasser).
3. Marcel Dubé exige que les élèves (être) en classe.
4. Je comprends qu'elle (être) déçue.
5. Nous tenons à ce qu'elles (venir) à notre soirée.
6. Je ne suis pas d'accord que tu y (aller) à pied.
7. Ils espèrent que tu (pouvoir) venir.
8. Il est indispensable de (savoir) utiliser un dictionnaire bilingue.

Tableau 5.14 Quand employer le subjonctif (suite) (verbes de possibilité et de doute)

	contexte	explication
1.	*Il est possible que ce **soit** vrai.*	On met le verbe de la proposition subordonnée au subjonctif quand le verbe de la principale exprime la **possibilité**, la réalisation possible ou impossible, la réalisation possible mais rare, l'éventualité ou la réalisation attendue.

Parmi ce groupe de verbes, il faut noter :

attendre que	*il est possible que*	*il semble que*
il arrive que	*il est peu probable que*	*il se peut que*
il est impossible que	*il est rare que*	*s'attendre à ce que*

Pour une liste plus complète, consultez l'appendice F.

Attention! **a)** L'expression *il est probable* que (qui exprime la probabilité) est suivie de l'indicatif.

*Il est probable qu'elle **viendra**.* (indicatif)
*Il est peu probable qu'elle **vienne**.* (subjonctif)

b) L'expression *il me semble que* (qui introduit une opinion) est suivie de l'indicatif.

*Il me semble qu'elle **a fait** le maximum.*
(= *I think that* → indicatif)

*Il semble qu'elle **ait fait** le maximum.*
(= *It seems that* → subjonctif)

c) Les expressions *il est possible, il est impossible* et *il est rare* peuvent être suivies de la préposition *de* + un infinitif. Cet emploi donne un sens général à la phrase.

*Il est possible **d'y aller** en métro.*

d) Les verbes *attendre de* et *s'attendre à* sont suivis d'un infinitif lorsque le sujet du verbe principal fait également l'action du deuxième verbe.

*Il attend de **partir**.*
(*Il* = sujet de *attendre* et de *partir*)

*Il s'attend à ce que **je parte**.*
(*Il* = sujet de *s'attendre; je* = sujet de *partir*)

	contexte	explication
2.	*Je doute qu'elle **puisse** y assister.*	On met le verbe de la proposition subordonnée au subjonctif quand le verbe de la principale exprime le **doute**, le contestable, l'improbable ou l'invraisemblable.

Parmi ce groupe de verbes, il faut noter :

il est douteux que	*il est peu probable que*
il est faux que	*ne pas être certain/sûr que*
il est improbable que	*nier que*
il est inconcevable que	*rien ne prouve que*

Pour une liste plus complète, consultez l'appendice F.

Attention! **a)** *Douter, ne pas être certain, ne pas être convaincu* et *ne pas être sûr* sont suivis de la préposition *de* + un infinitif lorsque le sujet du verbe principal et le sujet du deuxième verbe représentent la même personne.

*Nous doutons **de pouvoir** le faire.*

b) Il est préférable de ne pas mettre les expressions impersonnelles de la liste ci-dessus au négatif étant donné la valeur négative des préfixes *im, in* et de l'adverbe *peu.* Au lieu de *il n'est pas incertain,* utilisez *il est certain*; au lieu de *il n'est pas improbable,* utilisez *il est probable.* Les expressions qui expriment la **certitude** ou la **probabilité** sont suivies de l'indicatif.

*Il est certain que c'**est** vrai.*
*Il est probable que nous **aurons fini** avant vendredi.*

Expressions qui expriment la certitude ou la probabilité :

être certain que	*être sûr que*
il est probable que	*être convaincu que*

c) Le verbe *se douter que,* qui signifie *soupçonner,* est suivi de l'indicatif.

*Je me doutais qu'il **était** là.*

Mise en pratique 12 (emploi du subjonctif)

Mettez chaque verbe entre parenthèses au mode et au temps qui conviennent.

1. Il semble que ce (être) possible d'apprendre cette langue!
2. Il est probable qu'elle (venir) à pied.
3. Il est inconcevable qu'il ne (tenir) pas sa promesse.
4. Je me doutais qu'elle le (tromper).
5. Rien ne prouve que vous ne (pouvoir) pas y retourner.

Tableau 5.15

Quand employer le subjonctif (suite) (verbes de sentiment)

contexte	**explication**
*Il est étonnant qu'on **se dise** encore bonjour.* *Je crains qu'elle n'**ait oublié** de le lui dire.*	On met le verbe de la proposition subordonnée au subjonctif quand le verbe de la principale exprime un **sentiment** positif ou négatif, le regret, l'incrédulité ou les réactions à ce qui est drôle, acceptable ou inexcusable.

Parmi ce groupe de verbes, il faut noter :

sentiment positif	**sentiment négatif, regret**
être content/heureux/ravi que	*avoir peur que*
être satisfait que	*être fâché que*
il est bon que	*il est dommage que*
il est extraordinaire que	*regretter que*

réactions

il est amusant/drôle que	*il est inexcusable que*
il est curieux que	*il est normal que*
il est embêtant que	*s'étonner que*

Pour une liste plus complète, consultez l'appendice F.

Attention! a) Les adjectifs des expressions de la liste ci-dessus peuvent être employés avec le verbe *trouver.*

il est bon que → *nous **trouvons bon** que*

b) Les expressions de la liste ci-dessus peuvent être suivies de la préposition *de* + un infinitif pour indiquer un fait général.

__Il est étonnant de réussir__ à un examen si difficile.

c) Certaines expressions verbales (*être content, être triste*) et certains verbes (*regretter, craindre, s'étonner,* etc.) sont suivis de la préposition *de* + un infinitif lorsque le sujet du verbe principal et le sujet du deuxième verbe représentent la même personne.

__Elle__ est heureuse __de pouvoir__ partir en vacances. (*Elle* = sujet de *être* et de *pouvoir*)
__Elle__ est heureuse __que nous partions__ en vacances. (*Elle* = sujet de *être; nous* = sujet de *partir*)

d) Après les verbes *craindre* et *avoir peur*, il est de bon usage d'utiliser un *ne* explétif dans la proposition subordonnée. Ce *ne* n'a pas de valeur négative.

Ils craignent que vous __ne__ soyez trop jeune. (niveau de langue soutenu)

MISE EN PRATIQUE 13 (emploi du subjonctif)

Mettez chaque verbe entre parenthèses au mode et au temps qui conviennent.

1. Je m'étonne que Robert n'(avoir) pas aimé ce restaurant.
2. Il est surpris que nous ne nous (être) pas vus.
3. Il est impardonnable qu'il (s'être) fâché.
4. Ils se réjouissent qu'on leur (rendre) visite.
5. Il est toujours mieux de (s'excuser).
6. On est ravis que vous (pouvoir) partir avec nous.
7. N'est-il pas triste que tant de vieillards (être) seuls?
8. Je serais heureux que vous m'(accompagner).
9. Je suis triste de ne pas (pouvoir) la revoir.

Tableau 5.16

Quand employer le subjonctif (suite) (après certaines conjonctions et dans des propositions indépendantes)

contexte	explication
Je m'en occupe __jusqu'à ce que__ vous __arriviez__.	On met le verbe de la proposition subordonnée au subjonctif quand celle-ci est introduite par une conjonction qui se construit avec le subjonctif.

conjonctions qui se construisent avec le subjonctif

but
afin que
de crainte que
de façon que
de manière que
de peur que
pour que

concession
bien que
malgré le fait que
quoique
soit que . . . soit que

condition
à condition que
à supposer que
pourvu que

restriction
à moins que
sans que

temps
avant que
en attendant que
jusqu'à ce que

Attention! **a)** Après les conjonctions *avant que, à moins que, de crainte que* et *de peur que*, il est de bon usage d'utiliser un *ne* explétif dans la proposition subordonnée complétive. Ce *ne* n'a pas de valeur négative.

Je finirai mon travail avant qu'il ***ne*** *vienne.*

b) Lorsque *de façon que, de manière que* et *de sorte que* introduisent un résultat ou une conséquence au lieu d'un but, ces conjonctions sont suivies de l'indicatif.

Il m'a prévenu ***de sorte que j'ai pu*** *prendre des dispositions.*
(résultat → l'indicatif)

Il m'a prévenu ***de sorte que je puisse*** *prendre des dispositions.*
(but → le subjonctif)

c) Il est préférable de substituer *bien que* ou *quoique* aux locutions conjonctives *malgré le fait que* et *malgré que,* qui appartiennent à la langue familière.

Bien qu*'il ait raison, il n'a pu obtenir gain de cause.*

conjonctions et prépositions équivalentes

Certaines des conjonctions de la liste ci-dessus ont une forme prépositive équivalente. Ces prépositions sont suivies d'un infinitif.

Elle lui téléphone ***pour qu****'ils se parlent.*
Elle lui téléphone ***pour*** *lui* ***parler****.*

conjonctions	**prépositions**
à condition que	*à condition de*
afin que	*afin de*
à moins que	*à moins de*
avant que	*avant de*
de crainte que	*de crainte de*
de façon que	*de façon à*
de manière que	*de manière à*
de peur que	*de peur de*
en attendant que	*en attendant de*
jusqu'à ce que	*jusqu'à*
malgré le fait que	*malgré*
pour que	*pour*
sans que	*sans*

Attention! **a)** Si le sujet du verbe principal est différent de celui du deuxième verbe, on utilise la conjonction suivie du subjonctif.

Je *suis venue afin que* ***tu puisses*** *me parler.*
(*Je* = sujet de *venir*; *tu* = sujet de *pouvoir*)

b) Si le sujet du verbe principal est le même que celui du deuxième verbe, on utilise la préposition suivie de l'infinitif.

Je *suis venu afin de* ***pouvoir*** *te parler.*
(*Je* = sujet de *venir* et de *pouvoir*)

c) Lorsque la conjonction n'a pas de préposition équivalente, on utilise la conjonction (même si les sujets sont identiques).

*Je lui parle encore bien qu'****il soit*** *fâché.*
(*Je* = sujet de *parler*; *il* = sujet de *être*)

Je *lui parle encore bien que* ***je sois*** *fâché.*
(*Je* = sujet de *parler* et de *être*)

d) La conjonction *avant que* est suivie du subjonctif, mais la conjonction *après que* est suivie de l'indicatif.

Je l'ai revu ***avant qu'il ne parte.***
Je l'ai revu ***après qu'il est parti.***

e) Il est parfois possible et même préférable d'utiliser une préposition suivie d'un nom à la place d'une subordonnée introduite par la conjonction équivalente.

Je l'ai revu ***avant qu'il ne parte.***
Je l'ai revu ***avant son départ.***

Prépositions de la liste ci-dessus qui peuvent être suivies d'un nom ou d'un pronom :

avant	*malgré*
en attendant	*pour*
jusqu'à	*sans*

f) Lorsqu'une deuxième condition est ajoutée à une première condition introduite par la conjonction *si*, on utilise la conjonction *que* suivie du subjonctif pour cette deuxième condition.

Si *tu me téléphones et* ***que*** *tu me préviennes, je viendrai avec toi.*
(*Si tu me téléphones* → *si* + indicatif)
(*et que tu me préviennes* → *que* + subjonctif)

MISE EN PRATIQUE 14 (emploi du subjonctif)

Mettez chaque verbe entre parenthèses au mode et au temps qui conviennent.

1. Il est parti sans (se rendre compte) qu'il n'avait pas payé l'addition.
2. Bien qu'elle (être) encore très jeune, elle sait déjà ce qu'elle veut faire dans la vie.
3. Je le ferai à condition que vous m'(aider).
4. Il faut manger pour (vivre).
5. Si j'avais le temps et que je (être) riche, je voyagerais partout dans le monde.
6. Il ne vient pas au cours aujourd'hui parce qu'il (être) malade.
7. Pourvu qu'ils (pouvoir) prendre des vacances, ils sont contents.
8. Je leur ai téléphoné afin de les (avertir) qu'on ne pourrait pas venir.

Tableau 5.17 Quand employer le subjonctif (suite) (verbes d'opinion et de déclaration)

contexte	explication
1. ***Pensez-vous*** *que ce* ***soit*** *possible?* *Je* ***ne dis pas*** *que ce* ***soit*** *impossible.*	On met le verbe de la proposition subordonnée au subjonctif quand celle-ci est introduite par un verbe d'**opinion** ou de **déclaration** conjugué à la forme négative ou interrogative, et si, à ce moment-là, on exprime l'**incertitude** ou l'**improbabilité**.

verbes et expressions d'opinion ou de déclaration

opinion

croire que	*penser que*
être certain que	*supposer que*
être sûr que	*trouver que*
il me semble que	*voir que*

déclaration

affirmer que	*il paraît que*
annoncer que	*se rappeler que*
déclarer que	*se souvenir que*
dire que	*soutenir que*

Attention! **a)** Si ce qu'on dit ou ce qu'on pense est probable ou certain, on emploie l'indicatif.

*Je **n'ai pas dit** que vous **aviez** tort.*
***Crois-tu** qu'il **sera** là?*

b) Les verbes d'opinion et de déclaration à l'affirmatif ne sont jamais suivis du subjonctif.

***Il paraît** que vous **êtes** de Vancouver.*
*J'**ai dit** que cette fois-ci on **éviterait** ce problème.*

2. *Que personne ne **sorte**!*
***Vive** le prince André!*
*Que Dieu **soit** avec toi!*
*Bon, bon, qu'il **vienne**!*
*Qu'elles le **fassent**!*

On emploie le subjonctif dans des propositions indépendantes (sans verbes ou expressions qui précèdent) pour exprimer un souhait d'une manière formelle ou pour exprimer un ordre ou une suggestion à la troisième personne.

MISE EN PRATIQUE 15 (emploi du subjonctif)

Mettez chaque verbe entre parenthèses au mode et au temps qui conviennent.

1. Qu'il (sortir) tout de suite!
2. Il a déclaré qu'il ne (participer) pas à cette réunion.
3. Affirmez-vous qu'il (être) chez vous ce soir-là?
4. Penses-tu qu'un jour il n'y (avoir) plus de guerres?
5. J'espère que tout (se passer) bien.
6. Nous ne sommes pas certains que tu (avoir) tort.
7. Nous trouvons que le subjonctif (être) difficile à apprendre.
8. (advenir) que pourra. (= *Come what may.*)

Tableau 5.18

Quand employer le subjonctif (suite) (divers autres emplois)

contexte	explication
1. *Je cherche **une** secrétaire qui **sache** traduire du français à l'anglais.* (On ne sait pas si l'on va trouver une personne qui possède cette compétence.)	On emploie le subjonctif dans une subordonnée relative (c'est-à-dire qui commence par un pronom relatif) si l'information n'est pas confirmée ou lorsqu'il y a un élément de **doute**.

Attention! Lorsqu'on est sûr des faits, on utilise l'indicatif.

*Je cherche **la** secrétaire qui **sait** traduire du français à l'anglais.*
(Cette secrétaire travaille au bureau et je la cherche.)

2. *C'est la pire insulte qu'on* ***puisse*** *lui faire.* (D'après ce qu'on sait, c'est la pire insulte; mais on ne peut pas en être complètement certain.)	On emploie le subjonctif dans une subordonnée qui qualifie le superlatif lorsqu'il y a un élément de **doute** quant à la véracité de ce qu'on dit. Cela sert à atténuer le ton absolu du superlatif.

Attention! Lorsqu'on est absolument sûr du fait exprimé par le superlatif, on utilise l'indicatif.
C'est la pire insulte qu'on ***peut*** *me faire.* (Je me connais et je sais que c'est vraiment la pire insulte qu'on peut me faire.)

3. *Paul est probablement* ***le seul*** *qui* ***puisse*** *l'aider.* (En vérité, il y a peut-être d'autres personnes dans le monde qui pourraient l'aider.)	On emploie le subjonctif dans une subordonnée qui qualifie un restrictif (c'est-à-dire les expressions telles que *le seul, l'unique,* etc.) quand il y a le moindre élément de **doute** dans ce qu'on dit.

Attention! **a)** Si l'on est absolument sûr du fait exprimé par le restrictif, on utilise l'indicatif.
Paul est ***la seule personne*** *au bureau qui* ***va*** *pouvoir résoudre ce problème.*
(Je connais tous mes collègues au bureau et il est évident que Paul est la seule personne qui pourra résoudre ce problème.)

b) *Le seul/la seule* peut être suivi de la préposition *à* et un infinitif.
Vous n'êtes pas le seul ***à vous plaindre.***

MISE EN PRATIQUE 16 (emploi du subjonctif)

Mettez chaque verbe entre parenthèses au mode et au temps qui conviennent.

1. Nous cherchons la maison qui (être) à vendre dans ce quartier.
2. Ce n'est pas le seul étudiant qui (pouvoir) réussir.
3. C'est probablement la chose la plus difficile qu'il (devoir) faire.
4. Vancouver est la ville la plus agréable que je (connaître).
5. C'est certainement le devoir le plus difficile que nous (avoir) à faire cette année.

Subjonctif, infinitif ou indicatif?

Tableau 5.19

Récapitulation : quand employer le subjonctif, l'infinitif ou l'indicatif

1. QUAND LE VERBE DE LA PROPOSITION PRINCIPALE EXPRIME LA VOLONTÉ, LA POSSIBILITÉ OU LE DOUTE

subjonctif	infinitif	indicatif
(sujets différents)	(sujets identiques)	espérer que
Nous tenons à ce qu'elle ***vienne.***	*Nous tenons à* ***venir.***	*J'espère qu'elle* ***viendra.***
Il est possible qu'elle le ***fasse.***	*Il est possible de le* ***faire.***	il paraît que
Il est peu probable que nous y ***allions.***	*Il est impossible de* ***s'ennuyer*** *ici.*	*Il paraît que vous* ***êtes*** *français.*
		il est probable que
		Il est probable qu'elle ***viendra.***
		se douter que
		Je me doute que ***c'est*** *vrai.*

2. QUAND LE VERBE DE LA PROPOSITION PRINCIPALE EXPRIME LA NÉCESSITÉ OU LE SENTIMENT

subjonctif	infinitif
(sujets différents)	(sens général)
Il faut que vous y ***résistiez****.*	*Il faut y* ***résister****.* (Tout le monde doit y résister.)
Il est triste que vous ***partiez****.*	*Il est triste de* ***partir****.*

3. QUAND LE VERBE DE LA PROPOSITION PRINCIPALE EXPRIME LA CERTITUDE

indicatif
être certain que
être sûr que
être convaincu que
Je suis sûr que vous ***avez*** *raison.*

4. QUAND LE VERBE DE LA PROPOSITION PRINCIPALE EXPRIME UNE OPINION OU UNE DÉCLARATION

subjonctif	infinitif	indicatif
(au négatif ou à l'interrogatif; sujets différents)	(à l'affirmatif, au négatif ou à l'interrogatif; sujets identiques)	(à l'affirmatif; sujets différents)
Je ne pense pas qu'il ***puisse*** *le faire.*	*Je pense* ***pouvoir*** *le faire.*	*Je pense qu'il* ***peut*** *le faire.*
Pensez-vous qu'il ***puisse*** *le faire?*	*Je ne pense pas* ***pouvoir*** *le faire.*	*Penses-tu* ***pouvoir*** *le faire?*

on peut aussi dire :
Penses-tu qu'il viendra?

5. QUAND LA PROPOSITION SUBORDONNÉE EST INTRODUITE PAR CERTAINES CONJONCTIONS OU PRÉPOSITIONS

subjonctif	infinitif	indicatif
(conjonctions) (tableau 5.16)	(prépositions équivalentes) (tableau 5.16)	(conjonctions) après que, aussitôt que, dès que, lorsque, si, pendant que, tandis que
Je vous donnerai mon adresse avant que vous ne ***partiez****.*	*Il est parti sans nous* ***dire*** *au revoir.* *Je l'ai remercié avant* ***son départ****.*	*Dès que tu le pourras,* ***téléphone****-moi.*

6. QUAND LA PROPOSITION SUBORDONNÉE EST UNE RELATIVE

subjonctif	indicatif
(faits incertains)	(faits certains)
Y a-t-il quelqu'un qui ***puisse*** *l'aider?* (La personne n'existe peut-être pas.)	*J'ai trouvé quelqu'un qui* ***peut*** *faire ce travail.* (La personne existe.)

Présent ou passé du subjonctif?

Tableau 5.20

Quand employer le présent ou le passé du subjonctif

	contexte	explication
1.	*Je ne crois pas qu'il **soit** ici.* (actions simultanées) *Je ne crois pas qu'il **vienne**.* (*vienne* → action postérieure = qui arrive après)	On emploie le présent du subjonctif dans la subordonnée quand l'action du verbe est simultanée ou postérieure à celle de la proposition principale.
2.	*Je ne crois pas qu'il **ait plu**.* (*ait plu* → action antérieure = qui est arrivée avant)	On emploie le passé du subjonctif dans la subordonnée quand l'action du verbe est antérieure à celle de la proposition principale.
3.	*Je ne crois pas qu'il **ait fini** ce travail jeudi prochain.* (*ait fini* → action antérieure dans le futur)	On emploie le passé du subjonctif dans la subordonnée quand l'action du verbe est antérieure à un moment mentionné dans l'avenir.

MISE EN PRATIQUE 17 (passé du subjonctif)

Faites une phrase à partir des éléments donnés.

1. Je ne crois pas/il est venu au cours de français
2. Elle est très contente/vous êtes venu hier
3. C'est le meilleur compliment/tu as pu lui faire
4. Il est possible/elle s'est trompée
5. Il est peu probable/nous aurons terminé avant demain

Problèmes de traduction

Tableau 5.21

Comment traduire

1. I doubt he'll come. → *Je doute **qu**'il vienne.*
I am afraid you missed your appointment. → *Je crains **que** vous n'ayez manqué votre rendez-vous.*

En anglais, on peut souvent omettre la conjonction *that* pour introduire une proposition subordonnée. En français, l'emploi de la conjonction *que* est obligatoire.

2. It is possible that he had an accident. → *Il est possible qu'il **ait eu** un accident.*

Le subjonctif anglais est relativement peu usité (ex. *May the force be with you!*, *Long live the Queen!*, *So be it!*). En français, par contre, l'emploi du subjonctif est très fréquent.

3. She wants to leave. → *Elle veut **partir**.*
   She wants you to leave. → *Elle veut que vous **partiez**.*

   La construction anglaise avec l'infinitif peut présenter un problème de traduction puisqu'en français, lorsque les sujets des deux propositions sont différents, on utilise le subjonctif avec de nombreux verbes.

4. We'll wait until you get here. → *Nous attendrons (jusqu'à ce) que vous **arriviez**.*
   We won't decide until you get here. → *Nous ne prendrons pas de décision avant que vous **n'arriviez**.*

   La conjonction anglaise *until* se traduit souvent en français par *jusqu'à ce que* ou *que*, mais quand *until* signifie *before*, on utilise la conjonction française *avant que*.

5. I don't think he'll come. → *Je ne crois pas qu'il **vienne**.*
   I am pleased you came. → *Je suis content que vous **soyez venu**.*

   Le subjonctif français peut exprimer le présent, le futur et le passé.

Mise en pratique 18 (traduction)

Traduisez les phrases suivantes en français.

1. I am glad you immigrated to this country.
2. It is surprising that they travelled by boat.
3. He believed that finding a job would be easier.
4. We won't leave until you get here.

Expression écrite

Les phrases complexes

1. Une **phrase** est un ensemble de mots ayant un sens complet. Il y a des **phrases simples** et des **phrases complexes**.
2. La **phrase simple** peut être :
   - **a)** un groupe nominal seul
     Tremblement de terre au Mexique
   - **b)** un groupe verbal seul
     Partons!
   - **c)** un groupe nominal + un groupe verbal
     Le directeur démissionne.
   - **d)** un groupe nominal + un groupe verbal + des compléments/attributs
     Il descendit avec sa fille à l'hôtel Beauvau.
     Elle semblait tout à fait désemparée.

   La **phrase simple** peut comprendre plusieurs verbes reliés soit par la ponctuation, soit par des conjonctions de coordination (*car, donc, et, mais, ni, or, ou*).

3. Une **proposition** est un groupe de mots qui comprend un verbe, et dont les termes sont étroitement liés par le sens.

*Ils ont dîné dans leur restaurant favori **et** ils sont allés au cinéma.*

La phrase simple ci-dessus se compose de deux **propositions indépendantes** reliées par la conjonction *et.*

4. La **phrase complexe**, par contre, incorpore une **proposition principale** et une ou plusieurs **propositions subordonnées**. La proposition subordonnée dépend de la proposition principale ou d'un élément de cette proposition.

J'ai rencontré le jeune homme	*avec qui elle est sortie.*
(proposition principale)	(proposition subordonnée)

Dans la phrase ci-dessus, la proposition principale est indépendante (l'idée est complète), tandis que la proposition subordonnée relative dépend de la proposition principale (l'idée n'est pas complète sans la proposition principale).

5. Dans l'ensemble d'une phrase, les propositions subordonnées ont souvent une fonction semblable à celle du nom. Comparez, par exemple :

*Il admire la robe **que porte sa fiancée**.* (subordonnée)
*Il admire la robe **de sa fiancée**.* (préposition + nom)

*Je voudrais savoir **comment s'est produit l'accident**.* (subordonnée)
*Je voudrais savoir **la cause de l'accident**.* (complément d'objet direct)

*Il attendait **qu'elle revienne**.* (subordonnée)
*Il attendait **son retour**.* (complément d'objet direct)

6. On relève deux groupes de subordonnées :

a) Celles qui déterminent ou qualifient un nom ou un pronom : ce sont les subordonnées **relatives**. Il faut noter que les mots de subordination qui introduisent les subordonnées relatives sont les pronoms relatifs.

b) Celles qui complètent un verbe : ce sont les subordonnées conjonctives. Il faut noter que les mots de subordination qui précèdent les subordonnées **conjonctives** sont les conjonctions.

7. Parmi les propositions subordonnées **conjonctives**, il faut citer deux groupes :

a) les propositions qui ont la valeur d'un complément d'objet (subordonnées **complétives**)

*Je sais **que c'est vrai**.* (subordonnée complément d'objet direct)
*Je sais **cela**.* (complément d'objet direct)

*Il attendait **qu'elle arrive**.* (subordonnée complément d'objet direct)
*Il attendait **son arrivée**.* (complément d'objet direct)

b) les propositions qui ont la valeur d'un complément circonstanciel (subordonnées **circonstancielles**)

*Il lui a téléphoné **avant qu'elle ne parte**.* (subordonnée complément circonstanciel de temps)
*Il lui a téléphoné **avant son départ**.* (complément circonstanciel de temps)

Les propositions subordonnées

Tableau 5.22

Types de propositions subordonnées

type	mot de subordination	exemple
1. relative	pronom relatif	*Je connais un restaurant* ***dont*** *le propriétaire est français.*
2. complétive	conjonction *que*, un mot interrogatif ou une préposition (devant un infinitif)	*Je sais* ***que*** *vous avez raison.* *Elle ne savait pas* ***comment*** *il avait fait cela.* *Je regrette* ***de*** *le dire.*
3. circonstancielle		
a) temps	antériorité *avant que, en attendant que, jusqu'à ce que* (+ subjonctif)	*Téléphone-moi* ***avant que*** *je ne parte.*
	simultanéité *alors que, à mesure que, aussi longtemps que, chaque fois que, comme, en même temps que, lorsque, pendant que, quand, tant que, tandis que* (+ indicatif)	*Il rougit* ***chaque fois qu'****elle le regarde.*
	postériorité *à peine que, après que, aussitôt que, dès que, lorsque, quand, une fois que* (+ indicatif)	***Lorsqu'il*** *arrivera, nous mangerons.*
b) cause	*comme, du moment que, parce que, puisque, sous prétexte que, vu que* (+ indicatif)	*Il y est allé* ***parce qu'****il le voulait bien.*
c) but	*afin que, de crainte que, de façon que, de manière que, de peur que, de sorte que, pour que* (+ subjonctif)	*Elle l'a fait* ***afin qu'****il soit heureux.* *Ils retenaient le suspect* ***de peur qu'****il ne s'échappe.*
d) conséquence	*de façon que, de manière que, de sorte que* (+ subjonctif) *si . . . que, tant . . . que, tellement . . . que* (+ indicatif)	*Il est tombé malade* ***de sorte que*** *leur voyage a été remis.* *La chaleur était* ***si*** *accablante* ***qu'****ils ont été obligés d'annuler le match de football.*
e) concession	*bien que, malgré le fait que, quelque . . . que, quoique, si . . . que, tant que, sans que, soit . . . que . . . soit . . . que* (+ subjonctif)	***Bien que*** *le soleil fût couché, des baigneurs s'attardaient sur la plage.* ***Quelque*** *violente* ***qu'****ait été la tempête, on espérait le retour au port des bateaux de pêche.*
f) comparaison	*ainsi que, aussi . . . que, autre . . . que, autant . . . que, autrement . . . que, comme, d'autant plus que, de même que, tel que, le/la même . . . que, moins . . . que, plus . . . que* (+ indicatif)	***De même qu'****il prend soin de ses affaires, il devrait faire attention à celles des autres.* *Je ne leur écris pas,* ***d'autant plus qu'****ils ne nous écrivent jamais non plus.*
g) condition	*à condition que, à supposer que, pourvu que* (+ subjonctif)	*Je te prête ma voiture,* ***à condition que*** *tu ne l'abîmes pas.*

Attention! Il est essentiel de vérifier le bon usage des conjonctions dans un dictionnaire.

Mise en pratique 19 (phrases complexes)

En vous inspirant du tableau ci-dessus, composez des phrases complexes avec les conjonctions suivantes.

1. de même que
2. malgré le fait que
3. chaque fois que
4. quoique
5. à condition que

Synthèse

Exercice 1 En ce qui me concerne (infinitif présent)

oral ou écrit

Faites l'exercice suivant selon le modèle. Donnez votre propre opinion.

Modèle : aimer/nager
→ *J'aime nager.*
ou → *Je n'aime pas nager.*

1. souhaiter/se marier dès que possible
2. arriver/comprendre parfaitement bien le français
3. hésiter/faire des achats dans ce magasin
4. travailler/obtenir de bonnes notes
5. oser/poser des questions
6. essayer/plaire à tout le monde
7. songer/partir en Europe
8. s'appliquer/maîtriser la grammaire française

Exercice 2 C'est bien ou c'est dommage (infinitif présent)

oral ou écrit

Faites l'exercice suivant selon le modèle. Indiquez si c'est bien ou si c'est dommage.

Modèle : Tu travailles. Tu obtiens de bons résultats. (pour)
→ *Tu travailles pour obtenir de bons résultats. C'est bien.*

1. Il fait les exercices. Il ne réfléchit pas. (sans)
2. Ils sortent le soir. Ils n'étudient pas. (au lieu de)
3. Elle fait des économies. Elle fait un voyage. (afin de)
4. Il utilise son dictionnaire. Il corrige ses fautes. (de façon à)
5. Tu réfléchis beaucoup. Tu prends une décision. (avant de)

Exercice 3 Et après! (infinitif passé)

oral ou écrit

Faites l'exercice suivant selon le modèle.

Modèle : Il a mangé et il est sorti.
→ *Après avoir mangé, il est sorti.*

1. Elle a visité l'Italie et elle est allée en France.
2. Je consulterai mes parents et je prendrai ma décision.
3. Elle a fait sa toilette et elle s'est habillée.
4. Ils se sont excusés et ils sont partis.
5. Nous avons regardé le bulletin d'informations et nous nous sommes couchés.
6. Il s'est disputé avec eux et il ne les a pas revus.
7. Vous préparerez le compte rendu et vous le lui soumettrez.
8. Elles sont allées au cinéma et elles sont rentrées chez elles.
9. Vous avez consulté un dictionnaire et vous avez traduit cette phrase.
10. On mangera de la langouste et on prendra un dessert.

Exercice 4 Préposition ou pas? (préposition + infinitif)

oral ou écrit

Remplacez les mots en italique par les termes indiqués en mettant, s'il y a lieu, la préposition qui convient.

Modèle : Je *veux* aller à Montréal. (ai l'intention)
→ *J'ai l'intention d'aller à Montréal.*

1. Il *désire* y aller.
   a) voudrait
   b) est décidé
   c) se prépare
   d) espère
   e) me conseille
   f) s'agit
   g) tient
   h) pensait

2. Elle *devait* m'en parler.
   a) espérait
   b) lui a interdit
   c) évite
   d) a failli
   e) déteste
   f) souhaiterait
   g) a choisi
   h) l'a encouragé(e)

3. On *le blâme d'*être comme ça.
   a) l'encourage
   b) lui interdit
   c) le soupçonne
   d) lui reprochera
   e) lui pardonne
   f) lui conseille
   g) lui conseille
   h) l'a persuadé

4. Je *vais* faire cela.

a) aurais pu
b) le laisse
c) ne compte pas
d) apprendrai
e) me force
f) entends
g) m'efforcerai
h) ai décidé

EXERCICE 5 Objections (subjonctif présent)

oral ou écrit

Il y a des objections à ce que différentes personnes veulent faire.

Modèle : Je veux prendre la voiture. (mon père)
→ *Mon père ne veut pas que je prenne la voiture.*

1. Nous voulons faire de la moto. (nos parents)
2. Je veux m'asseoir sur son beau divan neuf. (ma tante)
3. Elle veut prendre des vacances sans lui. (son mari)
4. Nous voulons emprunter sa tondeuse à gazon. (le voisin)
5. Je veux vivre à l'étranger. (mes parents)
6. Nous voulons nous acheter un chien. (mon père)
7. Mon frère veut boire du vin. (ma mère)
8. Robert veut payer l'addition. (je)

EXERCICE 6 Beaucoup de choses à faire (subjonctif présent)

oral ou écrit

Cette discussion de famille porte sur ce qu'il y a à faire cette semaine. En suivant le modèle, formez des phrases avec les groupes de mots ci-dessous.

Modèle : il faut/je/aller chez le coiffeur
→ *Il faut que j'aille chez le coiffeur.*

1. il est temps/Paul/prendre rendez-vous chez le dentiste
2. je veux/tu/venir avec moi au supermarché aujourd'hui
3. il vaut mieux/nous/partir assez tôt demain pour aller en ville
4. je ne crois pas/Jeannette/pouvoir nous accompagner
5. il faut absolument/nous/acheter un cadeau d'anniversaire pour Marc
6. Papa tient à ce que/nous/laver la voiture samedi
7. il serait bon/on/faire la vaisselle pour Maman ce soir
8. Maman préfère/tu/mettre de l'ordre dans ta chambre
9. il est nécessaire/tu/écrire à ta tante
10. j'ai peur/nous/ne pas avoir le temps de tout faire

EXERCICE 7 L'avenir (subjonctif présent)

oral ou écrit

Faites l'exercice suivant selon le modèle. Vous parlez de votre avenir.

Modèle : finir ses études (important/peu important)
→ *Il est important que je finisse mes études.*
ou → *Il est peu important que je finisse mes études.*

1. suivre des cours d'informatique (utile/inutile)
2. savoir conduire une voiture (utile/peu utile)
3. faire la grasse matinée le week-end (rare/pas rare)
4. avoir plus de temps à ma disposition (nécessaire/pas nécessaire)
5. mettre de l'argent de côté (indispensable/inutile)

EXERCICE 8 Vrai ou douteux? (subjonctif ou indicatif)

oral ou écrit

Chaque énoncé provoque une réaction de votre part. Formulez votre réponse en utilisant soit *il est vrai que,* soit *je ne crois pas que* dans votre phrase.

Modèle : Tout le monde peut devenir bilingue.
→ *Il est vrai que tout le monde peut devenir bilingue.*
ou → *Je ne crois pas que tout le monde puisse devenir bilingue.*

1. Les parents comprennent toujours leurs enfants.
2. On parle français au Québec et on est fier de garder sa langue.
3. Les chats sont plus intelligents que les chiens.
4. La terre est ronde.
5. Les journaux disent toujours la vérité.
6. Parler une langue étrangère est utile.
7. Un diplôme universitaire est essentiel dans la vie.
8. On peut vivre sans problèmes.
9. Les professeurs sont toujours justes.
10. On parle allemand en Autriche.

EXERCICE 9 À mon avis . . . (subjonctif ou indicatif)

oral ou écrit

Exprimez votre opinion sur les sujets suivants en utilisant les expressions ci-dessous.

J'approuve que
Je pense que
Il est inadmissible que
Je ne pense pas que
Il est temps que
Je trouve que
Il faut absolument que
Je suis certain(e) que

Modèle : Il y a assez d'emplois pour les jeunes.
→ *Je trouve qu'il y a assez d'emplois pour les jeunes.*
ou → *Je ne pense pas qu'il y ait assez d'emplois pour les jeunes.*

1. Les émissions à la télévision sont toujours de très bonne qualité.
2. Les frais d'assurance automobile sont trop élevés.

3. Les femmes reçoivent les mêmes salaires que les hommes.
4. On fait assez d'efforts dans le domaine du désarmement.
5. Les hommes et les femmes politiques sont toujours honnêtes.

EXERCICE 10 Entre amis (subjonctif présent/passé)

oral ou écrit

Vous parlez avec un(e) camarade qui vous raconte ce qui se passe dans sa vie. Réagissez à ce qu'il/elle dit en utilisant l'une des expressions ci-dessous.

Je suis content(e) que	*Je regrette que*
Il est dommage que	*Je suis surpris(e) que*
Je suis déçu(e) que	*Je suis fâché(e) que*

Modèle : Je ne peux pas venir à cette soirée.
→ *Il est dommage que tu ne puisses pas venir à cette soirée.*

1. Je n'ai pas encore fait mes devoirs de français.
2. Mes parents m'emmènent en vacances en Italie.
3. Je suis souvent malade.
4. J'ai oublié de rapporter tes livres.
5. J'ai reçu une mauvaise note en mathématiques.
6. Je ne sais pas quels cours choisir l'an prochain.
7. Je n'ai pas encore acheté les billets pour le concert.
8. Je ne me sens pas bien ces temps-ci.
9. Nous allons au cinéma ce soir.
10. Je n'ai pas fait ce que tu m'as demandé.

EXERCICE 11 Avis contraire (subjonctif présent/passé)

oral ou écrit

Donnez une opinion contraire.

Modèle : Je pense que c'est vrai.
→ *Moi, je ne pense pas que ce soit vrai.*

1. Je suis certain(e) qu'elle viendra.
2. Je pense que Paul est paresseux.
3. Je trouve qu'ils sont mesquins.
4. Je crois que son patron a trop d'influence.
5. Je suis certain(e) qu'il a eu un empêchement.
6. Je pense que le premier ministre a oublié les promesses de sa campagne électorale.
7. Je suis sûr(e) qu'il peut mener à bien ce projet.
8. Je pense qu'ils ont dit la vérité.
9. Je suis certain(e) qu'elle s'est trompée.
10. Je trouve qu'il a beaucoup maigri.

Exercice 12 Et moi donc! (subjonctif → infinitif)

oral ou écrit

Faites l'exercice suivant selon le modèle.

Modèle : Nous tenons à ce qu'elle vienne.
→ *Et moi, je tiens à venir aussi.*

1. Nous nous attendons à ce qu'elle le rencontre.
2. Nous avons peur qu'elle échoue.
3. Nous doutons qu'elle ait le temps d'y aller.
4. Nous voulons qu'elle participe.
5. Nous désirons qu'elle lui parle.
6. Nous préférons qu'elle en prenne la responsabilité.

Exercice 13 Quel mode? (subjonctif/infinitif/indicatif)

oral ou écrit

Substituez au verbe de la proposition principale les verbes indiqués.

Modèle : Je ne pense pas qu'on soit d'accord. (Il est bon de . . .)
→ *Il est bon d'être d'accord.*

1. Je crois que tu es d'accord.
   - **a)** Je suis surpris(e) que . . .
   - **b)** Elle est sûre que . . .
   - **c)** Il paraît que . . .
   - **d)** Il est important de . . .
2. Il espère que vous ferez la paix.
   - **a)** Ils désirent que . . .
   - **b)** Je veux que . . .
   - **c)** Il est temps de . . .
   - **d)** Il serait bon de . . .
3. Il faut que les femmes soient aussi bien payées que les hommes.
   - **a)** Il est désirable que . . .
   - **b)** Je souhaite que . . .
   - **c)** Il n'est pas vrai que . . .
   - **d)** J'espère que . . .
4. Je ne pense pas que vous ayez compris.
   - **a)** Je pense que . . .
   - **b)** Il est clair que . . .
   - **c)** Elle a dit que . . .
   - **d)** Il est surprenant que . . .
5. J'ai dit qu'il a gagné.
   - **a)** J'espère que . . .
   - **b)** Je ne suis pas certain(e) que . . .
   - **c)** Il est peu probable que . . .
   - **d)** J'ai déclaré que . . .

EXERCICE 14 Mode d'emploi (subjonctif/infinitif/indicatif)

écrit

Faites des phrases avec les éléments suivants. Déterminez si vous devez utiliser le subjonctif, l'infinitif ou l'indicatif dans la subordonnée.

Modèle : Elle tient/vous partez avec elle.
→ *Elle tient à ce que vous partiez avec elle.*
ou Elle veut/elle part avec toi.
→ *Elle veut partir avec toi.*
ou Elle croit/tu pars sans elle.
→ *Elle croit que tu pars sans elle.*

1. Je me réjouis/je pars en vacances.
2. Attends/nous te téléphonons.
3. Nous aimons mieux/vous le lui dites vous-même.
4. Il est probable/il fait beau demain.
5. Il se peut/on va en Europe cet été.
6. Crois-tu/ils déjeunent avant de venir?
7. Il nie/il a triché.
8. Il est peu probable/nous sortons ce soir.
9. Il me semble/il a grossi.
10. Elle affirme/elle s'est trompée.

EXERCICE 15 Combine (phrases complexes)

écrit

Combinez les phrases suivantes en utilisant le mot entre parenthèses pour introduire la subordonnée.

Modèle : Change-toi/tu pars (avant)
→ *Change-toi avant de partir.*
ou Elle s'est changée/vous arrivez (avant)
→ *Elle s'est changée avant que vous n'arriviez.*
ou Elle s'est changée/ton arrivée (avant)
→ *Elle s'est changée avant ton arrivée.*

1. Il s'est acheté une voiture/elle le sait (sans)
2. Il est prêt à faire ce travail/c'est bien payé (pourvu)
3. Je lui ai téléphoné/ton départ (après)
4. Je t'aiderai à déménager/ce n'est pas pendant la semaine (à condition)
5. Elle a pu sortir/elle le réveille (sans)

Exercice 16 Moulin à phrases (divers éléments)

écrit

Selon le cas, complétez la phrase ou incorporez l'élément donné dans une phrase de votre choix.

1. Il faut absolument que je . . .
2. . . . jusqu'à ce que . . .
3. Il est inconcevable que tu . . .
4. . . . à moins que . . .
5. Il vaut mieux que . . .
6. C'est le meilleur compliment que vous . . .
7. Je suis désolé(e) de . . .
8. Nous cherchons un associé qui . . .
9. Si tu . . . et que tu . . .
10. Vivent . . .

Exercice 17 Rédaction (divers éléments)

écrit

Sujet Choisissez deux des quatre sujets ci-dessous et, pour chacun, rédigez un paragraphe en tenant compte des indications données.

1. Décrivez trois choses que vous devez faire avant de partir de chez vous le matin. (Utilisez *il faut que/il est nécessaire que/je dois.*)
2. Pensez à votre meilleur(e) ami(e) et décrivez trois choses qu'il/elle fait qui vous plaisent particulièrement. (Utilisez *je suis content(e) que/je suis ravi(e) que/j'aime les occasions où il/elle.*)
3. Pensez à votre avenir et décrivez deux choses qui auront définitivement lieu et deux choses qui pourront avoir lieu. (Utilisez *il est probable que/il se peut que.*)
4. Vous planifiez un séjour linguistique. Où voulez-vous aller? Quand? Pour combien de temps? Quels sont vos objectifs? Avec qui partez-vous? (Utilisez *je voudrais/il serait bon/il serait avantageux de/je pourrais/il faudrait/on devrait,* etc.)

Consignes Ne dépassez pas les 50 mots par paragraphe.

Chapitre 6

Lecture

Article tiré du journal *Le Monde*

Le siècle du cinéma d'Édouard Zarifian

Article tiré du journal *L'Express*

Les Invasions barbares : La réalité des relations humaines de Matthieu Wibault

Vocabulaire

Le cinéma

Grammaire

Les pronoms personnels

Expression écrite

Le résumé

Les techniques de résumé

Lecture et Vocabulaire

Dossier 1 *Le siècle du cinéma*

Introduction à la lecture

C'est le 28 décembre 1895, à Paris, que *les frères Lumière* ont fait leur première séance cinématographique publique. Au début du XXe siècle, ce sont en grande partie les Français, suivis des Américains, qui étaient les plus grands exportateurs de cette nouvelle invention. Il va sans dire que la France a une place importante dans l'histoire du cinéma. Aujourd'hui, ce pays tient à préserver la richesse culturelle que représente son cinéma contemporain et lutte donc contre l'invasion des exportations hollywoodiennes. On peut parler de quatre périodes distinctes de l'histoire du cinéma français : **a)** la période du *cinéma muet* de 1907 à 1930; **b)** la période classique de 1930 à 1958; **c)** *la Nouvelle Vague* de 1959 à 1968; et **d)** la période qui a suivi *mai 68*.

les frères Lumière : Auguste (biologiste) et Louis (chimiste); ils ont inventé le cinématographe, appareil permettant à la fois la prise de vues et la projection de films

le cinéma muet—silent movies

la Nouvelle Vague : terme utilisé pour décrire une nouvelle génération (fin des années 50 et années 60) de cinéastes français désirant travailler en dehors des codes et renouveler le cinéma (narration, tournage)

mai 68 : période de crise économique, sociale et culturelle de la Ve République française

Activités de pré-lecture

1. Pourquoi, selon vous, la lecture d'un roman est-elle différente du visionnement d'un film?
2. Nommez quelques changements dans le cinéma et dans les films à travers les années, depuis la fin du XIXe siècle.
3. Allez-vous souvent au cinéma? Élaborez. Préférez-vous regarder un film à la télé ou en louer un? Justifiez.
4. Quelles sortes de films préférez-vous? Pourquoi?

Lecture

Lisez le texte ci-dessous.

1. Dans le dernier paragraphe, relevez tous les pronoms personnels sujets.
2. Faites l'exercice de compréhension qui suit le texte.

Lecture

Le siècle du cinéma

1 Le cinéma est vraiment né le 28 décembre 1895 lors de la première projection publique au Grand Café à Paris. L'ère de l'image commence.

Pendant des siècles, les seules images avaient été les créations picturales de sujets essentiellement religieux, mythologiques ou allégoriques. Puis, la photographie *a bouleversé* l'œil du peintre. La technique de l'image animée s'est ensuite développée *de prouesse en prouesse* : le cinéma parlant, la couleur, la vision panoramique. Puis, d'autres formes de maîtrise de l'image ont fait leur apparition : la télévision, la vidéocassette, le CD-ROM.

Le cinéma ou *le septième art*, éminent moyen d'expression, couvre tous les genres d'intérêts et tous les types de récits. Ce moyen d'expression, créé par l'homme pour l'homme, est *polyvalent* et universel. Toutes les formes de messages peuvent être communiquées. Le cinéma est un outil à rêver, à oublier, à transmettre, à témoigner, à rappeler.

L'impact du cinéma sur les individus et sur les représentations sociales tient à sa puissance de conviction et aux phénomènes qu'il autorise. Avant le cinéma, seul le livre pouvait *agir sur* le temps et sur les distances. Mais le livre *fait appel à* l'imaginaire. Le cinéma, lui, donne à voir et *façonne* ainsi les représentations. Il abolit l'espace et les distances, rend familier le lointain, télescope *l'éloignement*. L'autre dimension de notre vie, le temps, est également manipulée et maîtrisée. On peut voyager dans le passé ou l'avenir. Mais cela n'est que *broutille*. Même les *trucages* qui mystifient notre crédulité et alimentent la propagande et la publicité ne sont rien à côté du pouvoir le plus impressionnant du cinéma : la dépersonnalisation.

Pendant une heure et demie, nous serons quelqu'un d'autre. *Cette vie par procuration s'effectue* dans le noir, l'isolement et sans autre expérience sensorielle que la vision et l'audition. La véritable abolition du temps vécu, c'est cela. Après ce contact, le retour à la réalité est parfois difficile, surtout quand l'image a remplacé l'imagination.

Comme loupe de la société mais aussi modificateur de celle-ci, le cinéma a façonné plusieurs représentations sociales en caricaturant la réalité. Par exemple, pour rester dans mon domaine de compétence, la psychologie, les troubles psychiques n'existent au cinéma que sous la forme de la folie, dangereuse ou abusivement *réprimée*, dans une perspective toujours *péjorative* qui va de *Massacre à la tronçonneuse* à *Vol au-dessus d'un nid de coucou.*

Le cinéma est par définition un plaisir solitaire. La télévision, qui a sa propre histoire, est intégrée aux lieux de vie, elle permet le changement de programmes et les émotions en commun. Dans les salles obscures, le spectateur est en situation de solitude et de passivité tout en étant totalement mobilisé par le spectacle. *Le partage*, s'il existe, ne se fait que *dans l'après-coup*. Le cinéma a tué le plaisir collectif du cirque, du théâtre en plein air, de la fête partagée. Le théâtre d'aujourd'hui imite le cinéma en plongeant *dès les trois coups* les spectateurs dans l'isolement et l'obscurité.

La civilisation de l'image *se veut* outil de communication, mais elle a aboli les valeurs traditionnelles de la transmission orale. Le «Alors, raconte quand tu étais petit . . . » ou le «Il était une fois . . . » n'existent plus. Le roman n'est connu que grâce à sa transposition ou à sa déformation cinématographique. Plus on raffine la technique de l'image et les outils de communication, plus on diminue les échanges interpersonnels. Certains vivent seuls et entourés d'images réelles ou virtuelles qui remplacent les contacts humains. Le cinéma et ses dérivés ne doivent pas devenir, au nom de la communication, des barrages aux échanges directs entre les hommes. L'écran doit servir à la projection, pas à la séparation. Souhaitons longue vie au *cinéma «d'art et d'essai»,* au «ciné-club» qui permettent le partage et restaurent la parole.

Adapté de l'article *Le siècle du cinéma* d'Édouard Zarifian, *Le Monde*, janvier 1995.

l.4 **bouleverser : provoquer une réaction violente, déranger**—to upset

l.5 **de prouesse en prouesse**—from one achievement to another

l.8 **le septième art : on dit du cinéma qu'il est le 7e art après la musique, la danse, la peinture, etc.**

l.10 **polyvalent : qui peut avoir différents usages**

l.15 **agir sur : avoir un effet sur**

l.15 **faire appel à : inviter, susciter**

l.16 **façonner : modifier, transformer**

l.17 **l'éloignement : la distance**

l.19 **broutille : chose insignifiante**

l.19 **trucages : procédés employés au cinéma pour créer l'illusion d'une réalité impossible, fantastique**—special effects

l.22 **cette vie par procuration s'effectue**—this vicarious life takes place

l.26 **comme loupe de la société**—as society's magnifying glass

l.29 **réprimé(e)**—repressed

l.30 **péjorative : négative**

l.30 ***Massacre à la tronçonneuse***—*The Texas Chainsaw Massacre*

l.30 ***Vol au-dessus d'un nid de coucou***—*One Flew over the Cuckoo's Nest*

l.34 **le partage : l'échange**

l.35 **dans l'après-coup : plus tard**—after the event

l.36 **dès les trois coups**—from the moment the play starts

l.38 **se veut (v. se vouloir)**—is meant to be

l.46 **cinéma d'art et d'essai**—avant-garde or experimental films

Compréhension globale

Répondez aux questions à choix multiples.

1. Ce texte est . . .

a) une critique du monde du cinéma.
b) une comparaison entre le roman et le cinéma.
c) un exposé de l'impact du cinéma sur la société.
d) une description de l'évolution des techniques du cinéma.

2. L'ère de l'image a commencé . . .

a) il y a plusieurs siècles.
b) avec la première projection publique.
c) avec les premières créations picturales religieuses.
d) avec l'apparition de la vidéocassette et du CD-ROM.

3. Le cinéma est différent du livre parce que le cinéma . . .

a) peut agir sur le temps et les distances.
b) est plus facile à comprendre.

c) fait appel à notre imagination.
d) peut abolir l'espace et manipuler le temps.

4. Le pouvoir le plus impressionnant du cinéma est de . . .

a) manipuler et maîtriser le temps.
b) dépersonnaliser.
c) rendre familier tout ce qui est loin de nous.
d) nous montrer des images frappantes.

5. Lorsqu'on dit que le cinéma caricature la réalité, on veut dire que . . .

a) certains aspects de notre société sont représentés de façon inégale.
b) le cinéma représente la réalité le plus fidèlement possible.
c) le cinéma ne s'intéresse pas à la réalité.
d) la réalité est très rarement présente dans les films.

Vocabulaire

Le cinéma

Art de composer et de réaliser des films. (Le Petit Robert)

- un film muet/parlant—*a silent movie/a talking movie (talkie)*
- un film en noir et blanc/en couleurs—*a black and white movie/colour movie*
- un film en version originale (v.o.)—*original version*; un film sous-titré—*a subtitled movie*; un film doublé—*a dubbed movie*
- un long/court métrage—*a feature film/a short film*
- le grand écran *(screen)* : le cinéma/le petit écran : la télévision
- un film policier, un film de fiction, un film de science-fiction
- un film d'épouvante—*a horror film*
- un film historique, épique, un documentaire
- une comédie, une comédie dramatique, une comédie amoureuse
- un dessin animé—*a cartoon*

- la réalisation d'un film—*the making of a movie*
- un cinéaste—*a filmmaker*
- un distributeur, distribuer un film—*a distributor, to distribute a movie*
- un producteur, produire un film—*a producer, to produce a movie*
- un(e) réalisateur(trice), un metteur en scène—*a director*
- réaliser un film, mettre en scène un film—*to direct a movie*
- un(e) scénariste—*a scriptwriter*; un scénario—*a script*
- une scène—*a scene*
- l'intrigue du film—*the story, the plot*
- un(e) cadreur(euse), un caméraman—*a cameraman*
- les décors—*settings*
- les effets spéciaux, les trucages—*special effects*

- le tournage d'un film—*the shooting, filming of a movie*

- tourner un film (dans un pays)—*to shoot, make a film*
- un(e) acteur(trice), un(e) interprète—*an actor, actress*
- un(e) figurant(e)—*an extra*
- un(e) cascadeur(euse)—*a stuntman/woman*; une cascade—*a stunt*
- jouer le rôle de, tenir le rôle de—*to play or have the role of*
- un grand/petit rôle—*a major/minor role*
- une bonne/mauvaise interprétation—*a good/bad performance*

- l'exploitation d'un film—*the release of a movie*
- censurer—*to censor*; couper—*to cut*
- sortir sur les écrans—*to come out in the movie theatres*
- la première—*the opening night*
- une salle de cinéma—*a movie theatre, a cinema*
- un ciné-club—*a film society or club*
- une cinémathèque—*a film library or a film theatre*
- un cinéphile : quelqu'un qui aime le cinéma—*a film buff, movie buff*
- une séance—*a screening*; un billet—*a ticket*

- la critique d'un film—*film review*
- un succès/un échec—*a hit/failure*; un four ou un navet (fam.)—*a flop*
- faire un tabac : avoir un succès énorme
- faire salle comble—*a sold-out theatre*; rapporter gros au box-office—*to be a box-office hit*
- louer un film, un acteur ou faire l'éloge d'un film, d'une actrice—*to say good things about a movie or an actor*
- dire du mal d'un film, d'une interprétation—*to say bad things about a movie or someone's performance*

- les grands festivals de cinéma—*major film festivals*
- le Festival de Cannes : le plus grand festival du film se tient à Cannes au mois de mai
- le Festival de Venise : un festival international très réputé, il a lieu à la fin du mois d'août
- le Festival international du film de Toronto : de plus en plus important, ce festival a lieu en septembre

Exploitation lexicale

1. Qui fait quoi dans le cinéma? Lisez les définitions ci-dessous et indiquez le nom de la personne qui est responsable de la tâche indiquée.

a) Je remplace l'acteur dans les scènes dangereuses.
b) J'écris le scénario du film.
c) Je mets en scène le film et choisis les acteurs.
d) Je ne joue pas un rôle principal, mais je suis dans le film.
e) C'est moi qui m'occupe du financement du film.
f) Moi, j'adore le cinéma. J'y vais deux fois par semaine.
g) C'est moi la grande vedette : j'ai gagné un prix d'interprétation.

2. Êtes-vous cinéphile? Testez vos connaissances en reliant les noms ou les titres de la colonne A aux explications de la colonne B.

Colonne A		Colonne B
1. *Titanic*	____	a) acteur français qui a joué dans le film *Green Card*
2. Walt Disney	____	b) grand succès, en Amérique, du cinéaste italien Roberto Begnini
3. *Les Invasions barbares*	____	c) cinéaste torontois, a réalisé *The Sweet Hereafter*
4. Humphrey Bogart	____	d) grand succès du réalisateur canadien James Cameron
5. Atom Egoyan	____	e) film du cinéaste français Éric Rohmer *(Contes d'hiver)*
6. *La vita e bella*	____	f) cet acteur américain a joué le rôle de *Rick* dans *Casablanca*
7. Sir Anthony Hopkins	____	g) film culte des années 1970 avec Susan Sarandon
8. *Contes d'automne*	____	h) acteur anglais qui joue souvent dans des films américains
9. Gérard Depardieu	____	i) film du cinéaste québécois Denys Arcand
10. *The Rocky Horror Picture Show*	____	j) réalisateur américain de dessins animés

3. Décrivez un film que vous avez vu récemment. Notez le réalisateur, l'année, le type de film et les acteurs principaux. Résumez l'histoire du film et parlez de sa réception par le public.

Compréhension détaillée

1. L'auteur dit que la photographie a «bouleversé l'œil du peintre». Qu'est-ce qu'il veut dire exactement?
2. On dit que le cinéma est «un outil à rêver, à oublier, à transmettre, [. . .] à rappeler». Citez un film qui, pour vous, a rempli chacune des fonctions mentionnées par l'auteur.
   - **a)** Un film qui vous a fait rêver
   - **b)** Un film qui vous a fait oublier
   - **c)** Un film qui vous a transmis quelque chose (de nouveau)
   - **d)** Un film qui vous a rappelé quelque chose (d'important, de touchant, de triste, d'heureux . . .)
3. L'auteur suggère que le livre «fait appel à l'imaginaire», tandis que le cinéma «donne à voir et façonne ainsi les représentations». Expliquez ce que cela veut dire. Vous pouvez illustrer vos propos à l'aide d'exemples de films que vous avez vus.
4. Expliquez, en utilisant vos propres mots, la «dépersonnalisation».
5. L'auteur donne un exemple intéressant du cinéma qui façonne certaines représentations sociales en caricaturant la réalité. Il explique que la folie est représentée de façon négative avec des films comme *Massacre à la tronçonneuse*. Pouvez-vous citer d'autres domaines où la réalité est caricaturée au cinéma?

Réflexion et discussion

1. Êtes-vous d'accord avec l'auteur qui dit que le cinéma (l'image) a tué le plaisir collectif et diminué le contact humain et le partage?
2. Est-ce que vous ressentez ce phénomène de dépersonnalisation quand vous allez au cinéma?
3. Comment le cinéma peut-il, selon vous, «permettre le partage» et «restaurer la parole»?

DOSSIER 2 *Les Invasions barbares*

Introduction à la lecture

L'année 2003 a été une année spectaculaire pour le cinéma québécois. Denys Arcand a reçu le prix du meilleur scénario pour *Les Invasions barbares* au Festival de Cannes et un Oscar pour le meilleur film étranger. Marie-Josée Croze a gagné le prix de la meilleure interprétation féminine (pour son rôle dans *Les Invasions barbares*) à Cannes. D'autres films tels que *La Grande séduction*, *Séraphin : Un homme et son péché* et *Gaz Bar Blues* ont devancé plusieurs films américains au box-office québécois. On dit que le Québec est un des rares endroits où le cinéma américain n'occupe pas 90 % ou plus du marché.[1] Les Québécois sont fiers de leur cinéma qui a maintenant une réputation mondiale solide. Dans l'article de ce dossier, vous allez lire une critique du film *Les Invasions barbares*.

[1] Selon le critique Marcel Jean, cité dans *L'actualité* de janvier 2004.

Lecture

Lisez le texte ci-dessous.

1. Dans les trois derniers parapraphes, relevez tous les pronoms personnels (sujet, objet direct, objet indirect, etc.).
2. Répondez aux questions qui suivent le texte.

Lecture

Les Invasions barbares : La réalité des relations humaines

1 Après un succès *retentissant* au Québec et Outre-Atlantique, *Les Invasions barbares* ont débarqué cette semaine sur les écrans ontariens. Le réalisateur Denys Arcand nous a accordé une entrevue à l'occasion de son passage à Toronto. Le film, qui a raté de peu la Palme d'Or au Festival de Cannes, met en scène les protagonistes du *Déclin de l'empire*
5 *américain*. Que sont-ils devenus à l'heure des *Invasions barbares*? Dix-sept ans plus tard, le déclin de l'empire américain continue, peut-on lire sur l'affiche du dernier film de Denys Arcand, le second volet de ce que l'on souhaiterait être *un triptyque*.

L'accueil réservé au film depuis le Festival de Cannes a dépassé toutes les attentes, même si Denys Arcand avait plus ou moins pronostiqué ce succès. «L'accueil à Cannes est
10 une chose très significative. Après le festival, les exploitants de salles ont demandé au distributeur un grand nombre de copies du film. Eux qui connaissent extrêmement bien

leur public étaient confiants quant au succès des *Invasions barbares*, donc on se doutait que ça marcherait plutôt bien.»

Les prévisions étaient bonnes. Près d'un million et demi de spectateurs se sont précipités, en France, dans les salles de cinéma, et le moins qu'on puisse dire est que le film n'a laissé personne indifférent. La critique *va bon train*, souvent élogieuse à l'égard du réalisateur, bien que certains aient pu stigmatiser un scénario pas très recherché.

Il est vrai que l'histoire est théâtralement assez simple, mais on peut reconnaître à Arcand le mérite de s'être approché si près de la réalité des relations humaines. C'est d'ailleurs peut-être ici la clef du succès de son film.

L'histoire

Les jours de Rémy, la cinquantaine, sont comptés. Cet universitaire *gauchiste*, *invétéré coureur de jupons*, est atteint d'un cancer en phase terminale. Son ex-femme rappelle d'urgence leur fils Sébastien, *agent de change* à Londres, champion du libéralisme et qui n'entretient plus depuis longtemps de relations avec son père.

Mais Sébastien accepte de revenir. Il *remue ciel et terre*, joue de ses relations, bouscule le système de toutes les manières possibles pour adoucir les épreuves qui attendent Rémy. Il finit ainsi par ramener *au chevet* de son père la joyeuse bande qui a marqué son passé : parents, amis et anciennes *maîtresses*, en somme, les protagonistes du *Déclin de l'empire américain*. Tout ce petit monde se retrouve, dix-sept ans plus tard.

Arcand dresse ainsi un portrait de cette génération de baby-boomers qui vont de désillusions en désillusions. Ceux qui, avec Rémy, ont partagé tant de théories : le marxisme, le structuralisme, le situationnisme. Rien que des trucs en «isme». Mais les utopies sont mortes. Et ses vieux copains sont venus l'aider à mourir.

«Je m'identifie en général à toute cette bande de *soixante-huitards*, pas à Rémy en particulier», reconnaît Arcand. «La différence fondamentale entre moi et Rémy, c'est que lui n'a finalement rien fait dans sa vie, c'est pourquoi il meurt si triste et désespéré. Tout ce qu'il a fait c'est d'avoir des aventures, et puis boire du bon vin, être avec ses amis et c'est tout; il n'a jamais rien fait . . . alors qu'en fait, j'ai passé ma vie à faire du cinéma. J'étais tout le temps occupé à travailler sans arrêt à faire des films, donc ma vie a été très différente de la sienne.»

Encensé par la critique au dernier Festival de Cannes, le film de Denys Arcand aborde bien d'autres sujets, au premier rang desquels la mort. Mais aussi les relations intergénérationnelles et plus particulièrement père-fils. C'est l'humoriste Stéphane Rousseau qui a décroché le rôle du fils puritain et libéral. Marie-Josée Croze, qui a obtenu le prix d'interprétation féminine à Cannes, représente elle aussi cette nouvelle génération d'acteurs dans *Les Invasions barbares*. Elle y incarne une jeune droguée, *paumée*, qui va aider Rémy à mourir sans trop de souffrance dans son sinistre hôpital de Montréal...

Car le système de santé canadien est présenté sous un bien sombre jour. Arcand avoue lui-même avoir peur des hôpitaux au Québec, «probablement parce que j'ai accompagné mon grand-père, mon père et ma mère qui sont tous morts du cancer. Ce fut des morts longues, pénibles, des nuits entières passées à l'hôpital. J'étais sûr qu'à un moment donné, ce serait le sujet d'un de mes films. Selon moi, le système de santé pan-canadien, pas spécifiquement québécois, est un très mauvais système qu'il faudrait désespérément améliorer».

Un film tout drôle, très triste

Finalement, la force d'Arcand tient au fait d'alterner, de manière assez déconcertante, les scènes comiques et émouvantes. «C'est mon tempérament, c'est moi», explique-t-il. «Je voulais juste faire un bon film. Ce n'est pas nécessaire que ce soit spécifiquement drôle ou triste, enfin moi je ne pense pas à ça. Je sais que lorsque je fais un film, il y a toujours des éléments qui sont drôles et d'autres qui sont tristes. Je suis comme ça dans la vie, je suis quelqu'un qui adore rire mais qui est aussi des fois sérieux : le film est comme moi.» 60

Un film tout drôle donc, mais qui à n'en pas douter vous procurera une émotion intense. Denys Arcand nous la transmet par l'entremise de cette bande de soixante-huitards qui *se perdent en palabres*, se remémorent les moments qui ont marqué leur jeunesse, devant la mort imminente d'un des leurs. Il se dégage ainsi, autour de ce groupe d'amis réunis une ultime fois au chevet de Rémy, une chaleur humaine qui finit par gagner le spectateur. 65

Article de Matthieu Wibault, tiré du journal *L'Express* de Toronto, semaine du 25 novembre au 1er décembre 2003, page couverture et page 2.

l.1	**retentissant : énorme**
l.1	***Les Invasions barbares*** **: titre du film**
l.4–5	***Le Déclin de l'empire américain*** **: film réalisé par Denys Arcand en 1986, les personnages principaux de ce film se retrouvent, 17 ans plus tard, dans *Les Invasions barbares***
l.7	**un triptyque : une œuvre présentée en trois parties**
l.16	**aller bon train : aller vite, rapidement**
l.22	**gauchiste : qui a des idées politiques de gauche**—leftist
l.23	**un coureur de jupons invétéré : un homme qui cherche toujours à avoir des aventures amoureuses**—a woman chaser, a womanizer, a philanderer
l.24	**un agent de change : un opérateur financier, un broker**—a stockbroker
l.26	**remuer ciel et terre : faire tout son possible**
l.28	**au chevet (de) : près du lit (de)**
l.29	**maîtresses : amantes**—mistresses
l.35	**soixante-huitards : personnes qui ont conservé l'esprit des événements de Mai 68 (événements politiques qui ont eu lieu partout en France : grèves, manifestations d'étudiants et d'ouvriers contre le gouvernement de droite de l'époque)**
l.42	**encensé : honoré**
l.47	**paumée : perdue**
l.64	**se perdre en palabres : passer ou perdre son temps à discuter**

Compréhension globale

Encerclez la réponse qui convient le mieux.

1. Le film *Les Invasions barbares* . . .

a) est un drame historique français.
b) a eu un très grand succès au Québec et en France.
c) est le premier film du réalisateur Denys Arcand.
d) a gagné la Palme d'Or au Festival de Cannes.

2. Un des sujets principaux de ce film est . . .

a) la dépression.
b) la politique.
c) les relations amoureuses.
d) la mort.

3. L'intrigue du film . . .

a) n'a pas beaucoup d'intérêt pour la nouvelle génération d'acteurs.
b) est plutôt complexe et parfois difficile à comprendre.
c) tourne autour de la vie d'une jeune droguée.
d) n'est pas compliquée même si elle aborde les relations humaines.

4. Le personnage principal, Rémy, est un homme qui . . .

a) a beaucoup fait dans sa vie.
b) aime beaucoup les femmes.
c) critique le système de santé canadien.
d) va mourir heureux et calme.

5. Denys Arcand, le réalisateur du film . . .

a) s'identifie avec le personnage principal de Rémy.
b) aime surtout faire des films comiques.
c) dit que les éléments tristes et drôles du film lui ressemblent.
d) n'avait pas envie de faire un film triste, car ses parents sont morts du cancer.

Approfondissement lexical

La polysémie

- Vous avez sans doute remarqué l'usage fréquent du mot **coup** dans le premier texte que vous avez lu dans ce chapitre (dès les trois **coups**, dans l'après-**coup**).
- En effet, le mot **coup** est ce qu'on appelle un mot **polysémique** (plusieurs sèmes = plusieurs sens), ce qui le rend parfois difficile à traduire en anglais. Si vous devez chercher le mot **coup** dans un dictionnaire bilingue, il faut faire attention de bien lire toutes les définitions proposées par votre dictionnaire.

- Notez, dans le tableau ci-dessous, les différents sens du mot **coup** et les expressions formées avec ce nom :

1.	donner un **coup** de poing	=	action de frapper quelqu'un
2.	échanger des **coups**	=	se battre
3.	un **coup** d'épée *(sword)*	=	geste par lequel on tente de blesser son adversaire
4.	un **coup** de fusil *(gun)*	=	décharge d'une arme à feu
5.	tenir le **coup**	=	résister à la fatigue
6.	**coup** de frein	=	*to brake*
7.	un **coup** de soleil	=	*a sunburn*
8.	un **coup** adroit	=	bien joué (dans le sport)
9.	tenter le **coup**	=	risquer quelque chose
10.	du premier **coup**	=	*on the first try*

Maintenant, à l'aide d'un dictionnaire bilingue, traduisez les expressions ou les mots soulignés en anglais.

1. Le petit garçon a donné un coup de pied à son frère.
2. Buvons un coup ensemble!
3. Tout à coup, il s'est arrêté.
4. Marie a eu le coup de foudre pour Chris.
5. Elle lui a donné un coup de main.
6. Faire d'une pierre deux coups. (expression idiomatique)
7. Les deux hommes ont échangé des coups!
8. Ils étaient tous dans le coup et maintenant ils sont en prison.
9. Le chat lui a donné un coup de griffe.
10. Donne-moi un coup de fil ce soir.

Compréhension détaillée

Répondez aux questions suivantes.

1. Que dit-on au sujet de la critique de ce film?
2. Décrivez le personnage de Rémy.
3. À part la mort, quels sont les autres sujets importants abordés dans ce film?
4. Comment le réalisateur décrit-il son œuvre?

Sites Web : activités complémentaires

Si le cinéma francophone vous intéresse, voici quelques sites à consulter :

- http://www.cinefil.com
- http://www.premiere.fr

Grammaire et Expression écrite

Grammaire

Les pronoms personnels

Un pronom remplace un élément de la phrase. Ce pronom (tout comme l'élément remplacé) a une fonction grammaticale dans la phrase. Il est donc essentiel de connaître la fonction grammaticale du mot remplacé par le pronom.

Pierre *aime* ***Monique****.*
(*Pierre* = sujet du verbe *aimer*)
(*Monique* = complément d'objet direct du verbe *aimer*)

Il l'*aime.*
(*Il* remplace *Pierre* = sujet du verbe *aimer*)
(*l'* remplace *Monique* = complément d'objet direct du verbe *aimer*)

Analyse grammaticale des pronoms personnels

Tableau 6.1

Analyse grammaticale

PHRASE MODÈLE A : ***Paul*** *a demandé* ***la permission à ses parents****.*
→ ***Il la leur*** *a demandée.*

élément	**fonction**	**question de vérification**	**pronom qui remplace le nom**
Paul	sujet du verbe *demander*	**Qui** a demandé la permission?	Il
la permission	COD (complément d'objet direct) du verbe *demander*	Il a demandé **quoi**?	la
à ses parents	COI (complément d'objet indirect) du verbe *demander*	Il a demandé la permission **à qui**?	leur

PHRASE MODÈLE B : **Renée** *est allée* ***au cinéma avec Paul et Robert****.*
→ ***Elle y*** *est allée* ***avec eux****.*

élément	**fonction**	**question de vérification**	**pronom qui remplace le nom**
Renée	sujet du verbe *aller*	**Qui** est allé au cinéma?	Elle
au cinéma	complément circonstanciel de lieu du verbe *aller*	Elle est allée **où**?	y
avec Paul et Robert	complément circonstanciel d'accompagnement du verbe *aller*	Elle y est allée **avec qui**?	eux

PHRASE MODÈLE C : *La vedette,* ***elle****, ne sait pas encore que c'est* ***lui*** *le réalisateur.*

élément	**fonction**	**explication**
elle	en apposition au nom *vedette*	sert à la mise en relief du sujet *vedette*
lui	attribut du pronom *c'*	qualifie le pronom *c'*

Mise en pratique 1 (fonctions grammaticales)

Indiquez la fonction grammaticale des mots soulignés.

1. Ce voyage m'a beaucoup plu.
2. L'agent de bord, lui, est très sympa; il sourit toujours.
3. Elle n'est jamais allée en Italie avec eux.
4. Il lui a offert un billet d'avion pour son anniversaire.

Formes des pronoms personnels

Tableau 6.2

Pronoms personnels

		conjoint				disjoint
		sujet	**réfléchi**	**complément d'objet**		**complément d'objet indirect; complément circonstanciel; attribut ou mot mis en apposition**
nombre/ personne			**direct ou indirect**	**direct**	**indirect**	
singulier	1	je (j')	me (m')	me (m') moi*	me (m') moi*	moi
	2	tu	te (t') toi*	te (t')	te (t')	toi
	3	il elle on	se (s')	le (l') la (l')	lui	lui elle soi
pluriel	1	nous	nous	nous	nous	nous
	2	vous	vous	vous	vous	vous
	3	ils elles	se (s')	les	leur	eux elles

Attention! *formes utilisées seulement à l'impératif affirmatif

*Calme-**toi**!* (réfléchi)

*Aide-**moi** avec ce devoir.* (COD)

*Donne-**moi** un coup de main, s'il te plaît.* (COI)

Éléments remplacés par les pronoms personnels

1. Un pronom personnel peut remplacer un nom, un autre pronom, un adjectif, une proposition, un autre élément de phrase ou même toute une phrase.

   ***Paul** est arrivé vers huit heures et **il** s'est tout de suite mis au travail.*
   (*il* remplace le nom propre *Paul*)

   — *Es-tu **prête à partir**?*
   — *Non, je ne **le** suis pas.*
   (*le* remplace les mots *prête à partir*)

   ***Le film dont tu parlais,** je ne **l'**ai pas vu.*
   (*l'* remplace les mots *le film dont tu parlais*)

2. Quand un pronom personnel remplace un nom ou un autre pronom, il prend le genre et le nombre du nom ou du pronom.

— ***Jacqueline*** *est fatigu**é**e?*
— *Oui,* ***elle*** *est très fatigu**é**e aujourd'hui.*

— *Va-t-il conduire* ***sa sœur*** *à l'école?*
— *Non, il ne va pas* ***la*** *conduire à l'école.*

— *As-tu compris* ***les indications****?*
— *Oui, je* ***les*** *ai compris**es**.*

— *Où est-ce que* ***vous*** *êtes all**ées** hier?*
— ***Nous*** *sommes all**ées** en ville.*

3. Quand un pronom personnel remplace un adjectif, une proposition ou un élément de phrase, il est invariable, c'est-à-dire qu'il reste au masculin singulier.

— *Sont-elles* ***fatiguées****?*
— *Je crois qu'elles* ***le*** *sont.*

4. Le pronom *il* peut être impersonnel, c'est-à-dire qu'à ce moment-là, il ne se rapporte à aucune personne et ne remplace aucun mot.

Il *fait beau aujourd'hui.*
Il *y avait beaucoup de monde à la première de ce film.*

MISE EN PRATIQUE 2 (éléments remplacés)

Identifiez l'élément qui est remplacé par le pronom en italique.

1. Ce nouveau film de science-fiction, tu *l'*as déjà vu?
2. Tu es fatigué, mais moi je ne *le* suis pas.
3. Et au cinéma Paramount, qu'est-ce qu'on *y* joue?
4. Je pense à Charles. Tu *lui* as téléphoné?
5. Paul, il faut que *tu* voies ce film.

Fonctions grammaticales des pronoms

Tableau 6.3

Fonctions grammaticales

fonction grammaticale	**exemple**	**analyse**
sujet	***Il*** *est avocat.*	**Il** = sujet du verbe ***être***
apposition	***Paul, lui,*** *ne sait pas.*	**lui** = en apposition au nom **Paul**
complément d'objet direct (COD)	*Je ne* ***les*** *ai pas vus.*	**les** = COD du verbe ***voir*** (voir quelqu'un ou quelque chose)
	Paul ***se*** *lave.*	**se** = COD du verbe ***laver*** (laver quelqu'un)
	Elle va ***en*** *acheter.*	**en** = COD du verbe ***acheter***

complément d'objet indirect (COI)	*Nous **lui** avons répondu.*	**lui** = COI du verbe ***répondre*** (répondre à quelqu'un)
	*Marie et Jacqueline **se** parlent souvent.*	**se** = COI du verbe ***parler*** (parler à quelqu'un)
complément circonstanciel	Nous sortons **avec eux**.	**avec eux** = complément circonstanciel d'accompagnement du verbe ***sortir***
attribut	C'est **moi**.	**moi** = attribut du pronom *c'*

MISE EN PRATIQUE 3 (fonctions grammaticales)

Analysez l'élément souligné et indiquez si c'est :

a) un pronom sujet
b) un complément d'objet direct
c) un complément d'objet indirect
d) un attribut
e) un mot en apposition
f) un complément circonstanciel

1. Marie-Claude n'est pas allée chez eux. ____
2. Robert ne leur a pas téléphoné. ____
3. Toi, tu ne te gênes pas! ____
4. Mon frère ne m'écoute pas. ____
5. Je pensais justement à vous. ____
6. Elles y sont allées sans lui. ____
7. Ce sont elles qui l'ont dit. ____
8. Nous y avons pensé. ____
9. Je ne les ai pas retrouvés. ____
10. Ils en ont pris deux. ____

Pronoms personnels sujets

Tableau 6.4

Formes des pronoms personnels sujets

personne	singulier	pluriel
1re	je (j')	nous
2e	tu	vous
3e	il	ils
	elle	elles
	on	

1. Le pronom *vous* représente un sujet singulier quand il correspond à la forme polie de la deuxième personne. La forme verbale utilisée avec le pronom *vous* est toujours la forme de la deuxième personne du pluriel.

   *Madame, **vous** avez oublié votre monnaie.* (*vous* singulier)
   *Alors, les enfants, **vous** êtes prêts?* (*vous* pluriel)

2. Le pronom *on* est un pronom indéfini utilisé comme sujet du verbe. Il peut prendre la place de certains pronoms personnels sujets tels *nous* ou *ils*. Le pronom *on* peut aussi désigner *quelqu'un, certains, les gens, l'être humain en général* ou même *un groupe de personnes*. La forme verbale utilisée avec le pronom *on* est toujours la forme de la troisième personne du singulier. Lorsqu'un adjectif modifie le pronom *on*, l'accord se fait avec la ou les personne(s) représentée(s).

***Sylvie et moi**, on était bien fatigu**ées**.*
(*on = Sylvie et moi* → féminin pluriel)

*Alors, mon **ami, on** est fatigué?* (*on = tu*)

Le pronom *on* est très usité dans la langue parlée.

3. Le pronom *on*, autrefois un substantif, peut garder son ancien article *l'* selon les règles de l'harmonie euphonique (après une voyelle et après *ou, où, et, si* et *que*).

*Savez-vous où **l'on** va?*

Attention! On n'utilise pas *l'on* si le mot qui suit commence par la lettre *l*.
*Je ne sais pas si **on** lave cela.*

Mise en pratique 4 (pronoms personnels sujets)

Complétez les phrases suivantes avec le mot ou l'accord approprié.

1. Connais-tu une île où _____ on peut faire de la plongée?
2. Mes camarades et moi, on était tous passionné _____ de cinéma quand on était à la fac.
3. Mesdames, vous vous êtes trompé _____.

Place des pronoms personnels sujets

Tableau 6.5

Où placer le pronom sujet

1. D'habitude, le pronom personnel sujet précède le verbe.

***Elle** gagne un bon salaire.*
*Tiens, **tu** t'es fait couper les cheveux.*

2. Le pronom sujet suit le verbe :

a) dans les phrases où l'interrogation se fait par l'inversion du sujet;

*Voudrais-**tu** y aller?*
*Y a-t-**il** pensé?*
*Paul y est-**il** allé?*

b) dans les phrases interrogatives qui commencent par un mot interrogatif;

***Où** est-**elle** allée?*
***Comment** allez-**vous**?*

c) dans une proposition incise (petite phrase qui comprend un verbe de communication suivi de son sujet et qui est placée après une citation ou entre deux citations);

*«J'en ai assez!», s'exclama-t-**elle**.*
*«C'est malheureux, dit-**il**, mais mon père ne m'a jamais compris.»*

d) après les mots *peut-être, aussi, sans doute* et *à peine . . . que,* lorsque ceux-ci sont utilisés en tête de phrase ou de proposition.

__Peut-être__ aurez-__vous__ la chance de le rencontrer. (= Vous aurez peut-être la chance . . .)
__À peine__ ma grand-mère était-__elle__ arrivée __que__ les enfants se précipitaient pour l'embrasser. (= Ma grand-mère était à peine arrivée que . . .)

Attention! *Peut-être que* et *sans doute que* n'entraînent pas l'inversion du sujet.
__Peut-être que je__ ne pourrai pas venir.

Mise en pratique 5 (place du pronom sujet)

Complétez les phrases suivantes avec la forme correcte du pronom sujet. Mettez le pronom à la bonne place et insérez le trait d'union, s'il y a lieu.

1. Quand y _____ êtes _____ allés?
2. Hélas, _____ dit _____, je me suis trompée.
3. Eux, _____ sont _____ toujours en voyage!
4. Sans doute _____ s'est _____ perdu.
5. _____ n'avions _____ pas du tout cette impression.
6. Peut-être que _____ auriez _____ accepté l'offre du producteur.

Pronoms personnels réfléchis

Tableau 6.6

Formes des pronoms personnels réfléchis

personne	singulier	pluriel
1re	me (m')	nous
2e	te (t') toi*	vous
3e	se (s')	se (s')

*forme utilisée seulement à l'impératif affirmatif
Lève-__toi__!

1. À la troisième personne, les pronoms personnels réfléchis ont les mêmes formes pour le masculin et le féminin, que ce soit au singulier ou au pluriel.

   Il __se__ lave. *Elle __se__ lave.*
   Ils __se__ préparent. *Elles __se__ préparent.*

2. À l'impératif affirmatif, on utilise la forme *toi* au lieu de *te (t')* tant qu'il n'y a pas de pronom après cette forme.

   Rase-__toi__.

   Attention! S'il y a un autre pronom qui suit (par ex. *s'__en__ aller*), on utilise la forme *t'*.

   Va-__t'__en.

MISE EN PRATIQUE 6 (formes des pronoms réfléchis)

Complétez les phrases suivantes avec la forme appropriée du pronom réfléchi.

1. Nous ______ sommes bien amusés hier soir.
2. Dépêche-______, le train part à 7 heures.
3. Bien que la critique ait chanté les louanges de ce film, moi, je ______ suis vraiment ennuyé.
4. ______ souviens-tu de ce film qu'on a vu ensemble à Montréal?

Place des pronoms réfléchis

1. Les pronoms personnels réfléchis précèdent toujours le verbe, excepté à l'impératif affirmatif. (Voir n° 3 ci-dessous.)

   *Ils ne **se** trompent jamais.*
   ***Se** lève-t-il tôt?*
   *Ne **te** perds pas.*

2. Les pronoms personnels réfléchis précèdent le verbe auxiliaire conjugué à un temps composé (passé composé, plus-que-parfait, etc.).

   *Nous **nous** sommes excusés.*

3. Les pronoms personnels réfléchis suivent le verbe à l'impératif affirmatif. Ils sont rattachés au verbe à l'aide d'un trait d'union.

   *Amusez-**vous** bien.*
   *Dépêchons-**nous**.*
   *Assieds-**toi**.*

MISE EN PRATIQUE 7 (place des pronoms réfléchis)

Mettez chaque verbe à la forme et au temps ou mode indiqués. Mettez le pronom réfléchi à la bonne place.

1. (s'excuser/passé composé) Elles ________.
2. (se sentir/présent) Comment ________, Paul?
3. (se couper/impératif) Attention, Jacques, ne ________ pas!
4. (se demander/imparfait) Je ________ pourquoi.

Pronoms personnels compléments d'objet direct ou indirect

Tableau 6.7

Pronoms personnels compléments d'objet direct

personne	singulier	pluriel
1re	me (m') moi*	nous
2e	te (t')	vous
3e	le (l') la (l')	les

*forme utilisée seulement à l'impératif affirmatif
*Attends-**moi**!*

Tableau 6.8

Pronoms personnels compléments d'objet indirect

personne	**singulier**	**pluriel**
1re	me (m') moi*	nous
2e	te (t')	vous
3e	lui	leur

*forme utilisée seulement à l'impératif affirmatif
*Téléphone-**moi**.*

1. À la troisième personne du singulier, le pronom personnel complément d'objet direct a deux formes : le masculin *le* et le féminin *la*.

    *Le dictionnaire, il te **le** donne.*
    *La calculette, il te **la** donne.*

2. Les pronoms personnels compléments d'objet direct de la troisième personne ont les mêmes formes que l'article défini (*le, la, les*).

    *A-t-il visité **le** golfe d'Ajaccio?* (*le* = article)
    *Il **le** visite demain.* (*le* = pronom)

3. Les pronoms personnels compléments d'objet indirect ont les mêmes formes au masculin et au féminin.

    *Jacqueline, je **lui** téléphone souvent.*
    *Paul, je **lui** téléphone de temps en temps.*

4. *Lui* et *leur* ne s'emploient qu'en parlant de personnes. En parlant de choses, on emploie le pronom *y*.

    Il a obéi à ses parents. → *Il **leur** a obéi.*
    Il a obéi aux ordres du capitaine.→ *Il **y** a obéi.*

5. Après un impératif affirmatif, on utilise la forme *moi* au lieu de *me*.

    objet direct → *Aide-**moi**.*
    objet indirect → *Écris-**moi**.*

6. On utilise les formes *m'* et *t'* devant les pronoms *en* et *y*.

    *Elle **m**'en a déjà parlé.*
    *Il ne **t**'en a pas donné.*
    *Quand on sera à Montréal, on **t**'y achètera le livre que tu n'arrives pas à trouver à Toronto.*

MISE EN PRATIQUE 8 (formes des pronoms personnels compléments d'objet direct ou indirect)

Remplacez les mots soulignés par des pronoms.

1. Ce metteur en scène parle lentement aux acteurs.
2. Le conducteur a refusé les voyageurs qui n'avaient pas réservé leur place.
3. Prête-moi le bleu.
4. Achète-moi deux canettes de coca.
5. Tu me donnes cette photo?

Place des pronoms personnels compléments d'objet direct ou indirect

1. Les pronoms personnels compléments d'objet précèdent le verbe conjugué au présent, au passé simple, à l'imparfait, au futur, au conditionnel et aux autres temps simples, ainsi que les expressions *voici* et *voilà*.

*Ils **le** regardent avec mépris.*
*Elle **leur** demanda de ne plus jamais revenir.*
*Jacques **lui** faisait la cour depuis longtemps.*
*Il ne **vous** dira rien.*
*Si on pouvait, on **les** emmènerait avec nous.*
*Tiens, **la** voilà.*
***Les** veux-tu?*
*Bon, je **te** laisse faire.*

2. Les pronoms personnels compléments d'objet précèdent le verbe auxiliaire à un temps composé (passé composé, plus-que-parfait, etc.).

*On **nous** a invités.*
*Je **leur** avais pourtant écrit.*
***Vous** ont-ils répondu?*

3. Les pronoms personnels compléments d'objet précèdent le verbe à l'impératif négatif.

*Ne **lui** prête jamais d'argent.*
*Ne **les** écoute pas.*
*Ne **la** laissez pas tomber.*

4. Les pronoms personnels compléments d'objet suivent le verbe à l'impératif affirmatif. Ils sont rattachés au verbe à l'aide d'un trait d'union.

*Donne-**moi** la main!*
*Téléphonons-**lui.***
*Saluez-**le** de ma part.*

5. Les pronoms personnels compléments d'objet précèdent l'infinitif si le pronom est l'objet direct ou indirect de cet infinitif.

*Il va **te** raccompagner.*
*Nous voulons **le** faire.*
*Tu vas **me** téléphoner?*

6. Chaque pronom personnel complément d'objet précède la forme verbale dont il est l'objet (sauf à l'impératif affirmatif).

*J'envoie **Jacques** chercher **le journal**.*
→ *Je **l'**envoie **le** chercher.*
(*Jacques* = complément d'objet direct du verbe *envoyer*)
(*le journal* = complément d'objet direct du verbe *chercher*)

mais *Envoyez **Jacques** chercher **le journal**.*
→ *Envoyez-**le le** chercher.*
(*Jacques* = complément d'objet direct du verbe *envoyer*)
(*le journal* = complément d'objet direct du verbe *chercher*)

7. Quand les verbes *écouter, entendre, laisser, regarder, sentir* et *voir* sont suivis d'un infinitif, le pronom personnel complément d'objet précède le premier verbe, car il en est l'objet.

   Nous écoutons ***le rossignol*** *chanter.*
   → *Nous* ***l'****écoutons chanter.*
   le rossignol = complément d'objet direct du verbe *écouter*

   Elle laisse ***son mari*** *fumer.*
   → *Elle* ***le*** *laisse fumer.*
   son mari = complément d'objet direct du verbe *laisser*

8. Quand le verbe *faire* est suivi d'un infinitif (*faire* causatif), les pronoms personnels compléments d'objet précèdent le verbe *faire*. Le participe passé du verbe *faire* (*fait*) dans sa construction causative (suivi d'un infinitif) est invariable.

   Elle a fait réciter ***les élèves****.*
   → *Elle* ***les*** *a fait réciter.*
   (*les élèves* = objet direct)

   Elle a fait réciter ***la leçon*** *aux élèves.*
   → *Elle* ***l'****a fait réciter aux élèves.*
   (*la leçon* = objet direct)

   Elle a fait réciter ***la leçon aux élèves****.*
   → *Elle* ***la leur*** *a fait réciter.*
   (*aux élèves* = object indirect)
   (*la leçon* = objet direct)

MISE EN PRATIQUE 9 (place des pronoms personnels compléments d'objet)

Remplacez les mots soulignés par des pronoms.

1. Nous n'avons pas encore reçu la facture.
2. Corrigez vos fautes.
3. Parlons au patron.
4. On regardait passer les gens.
5. Il a fait répéter la pièce aux comédiens.
6. Jacqueline va rendre visite à ses parents.
7. Avez-vous remis votre dissertation au professeur?
8. Elle embrassa le prince une dernière fois.
9. Regarde, voilà les coureurs!
10. Est-ce que tu as aimé conduire ma voiture?

Pronoms y *et* en

Les pronoms *y* et *en* sont invariables.

Tableau 6.9

Comment employer *y* et *en*

	contexte	explication
1.	*—Allons-nous* ***au cinéma****?* *—Oui, nous* ***y*** *allons.*	Le pronom *y* remplace les compléments circonstanciels de lieu, surtout les compléments précédés de la préposition *à*.
	—Les clefs sont ***dans le tiroir****?* *—Oui, elles* ***y*** *sont.*	Autres prépositions : *devant, derrière, dans, en, sur, sous, au-dessus de, au-dessous de, à côté de*
	—Il habite toujours ***rue Saint-Denis****?* *—Non, il n'****y*** *habite plus.*	

2. —*Les Dupont reviennent* ***du Mexique****?* —*Oui, ils* ***en*** *reviennent.*	Le complément circonstanciel de lieu précédé par *de, d', du, de la* ou *des* est remplacé par le pronom *en*.
3. —*A-t-il répondu* ***à la question****?* —*Oui, il* ***y*** *a répondu.* —*Joues-tu* ***au tennis****?* —*Oui, j'****y*** *joue.*	Le pronom *y* remplace un objet indirect désignant des choses.
4. —*Faisais-tu attention* ***à ce qu'il disait****?* —*Oui, j'****y*** *faisais attention.* —*Tenez-vous* ***à ce que ce soit lui qui le fasse****?* —*Oui, j'****y*** *tiens beaucoup.*	Le pronom *y* remplace une proposition complément d'objet indirect.
Attention! —*Iras-tu chez le dentiste?* —*Non,* ***je n'irai pas****.*	Pour des raisons d'euphonie, on omet le pronom *y* devant le futur et le conditionnel du verbe *aller*.
5. —*Veut-il* ***du riz****?* —*Non, il n'****en*** *veut pas.* —*Tu prends* ***de la soupe****?* —*Oui, ce soir j'****en*** *prends.* —*N'a-t-il pas mis* ***d'ail****?* —*Si, il* ***en*** *met toujours.*	Le pronom *en* remplace un complément d'objet direct précédé d'un article partitif (*du, de la, de l', de* et *d'*).

Mise en pratique 10 (pronoms *y* et *en*)

Répondez aux questions en remplaçant les mots soulignés par des pronoms, s'il y a lieu.

1. Cette actrice, vient-elle d'Hollywood? (oui)
2. Le nouveau producteur, va-t-il prendre des calmants? (non)
3. Réfléchit-elle à son nouveau projet de film? (oui)
4. Allons-nous au cinéma après le restaurant? (oui)
5. Tiens-tu absolument à ce qu'on aille voir ce film policier? (non)

Tableau 6.10

Comment employer *y* et *en* (suite)

contexte	explication
1. —*As-tu besoin* ***de ma calculette****?* —*Oui, merci, j'****en*** *ai besoin.* —*Est-ce que tu es content* ***de partir en vacances****?* —*Oui, j'****en*** *suis très content.* —*As-tu entendu parler* ***de ce qu'il a fait****?* —*Non, je n'****en*** *ai pas entendu parler.*	Le pronom *en* remplace un complément (qui ne se rapporte pas à une personne) précédé de la préposition *de*. Ce complément peut être un nom, un verbe ou une proposition.
Attention! —*Est-elle tombée amoureuse* ***d'Alain****?* —*Oui, elle est tombée amoureuse* ***de lui****.*	S'il s'agit d'une personne, on emploie en général *de* + un pronom disjoint.

2. —*A-t-il acheté* ***un ou deux billets****?*
—*Il* ***en*** *a acheté* ***un****.*
—*A-t-il* ***beaucoup d'amis****?*
—*Oui, il* ***en*** *a* ***beaucoup****.*
—*C'est vrai qu'elle n'a fait* ***aucune faute****?*
—*Oui, c'est vrai. Elle n'****en*** *a fait* ***aucune****.*

Le pronom *en* remplace un complément précédé d'un nombre (*un/une, deux, trois, quatre, etc.*), d'une expression de quantité ou d'un article indéfini. Les expressions de quantité les plus courantes sont : *beaucoup de, peu de, trop de, assez de, plusieurs, quelques-uns* et *aucun*.

3. —*Il y a* ***cinq filles*** *dans l'équipe?*
—*Oui, il y* ***en*** *a* ***cinq****.*

Lorsque le pronom *en* remplace un nom précédé d'un nombre ou d'une expression de quantité, on maintient ce nombre ou cette expression après le verbe.

4. —*Est-ce que tu veux* ***des oranges****?*
—*Non, je n'****en*** *veux pas.*

L'article indéfini *des* n'est pas répété.

5. —*Est-elle la propriétaire* ***de cette maison****?*
—*Oui, elle* ***en*** *est la propriétaire.*

Le pronom *en* remplace un complément désignant la possession. On maintient le nom représentant le possesseur après le verbe.

6. —*Revient-il* ***d'Europe****?*
—*Oui, il* ***en*** *revient.*

Le pronom *en* remplace un complément circonstantiel de lieu désignant la provenance.

7. —*Es-tu satisfait* ***de ton travail****?*
—*Oui, j'****en*** *suis satisfait.*

Le pronom *en* remplace un complément d'adjectif précédé de la préposition *de*.

8. —*As-tu acheté* ***de la crème fraîche****?*
—*Oui, j'****en*** *ai acheté aujourd'hui.*

Il n'y a jamais d'accord entre le participe passé et le pronom *en* placé avant le verbe.

Attention!
—*As-tu jeté* ***la crème qui restait****?*
—*Oui, je* ***l'****ai jet****ée*** *hier.*
(accord avec le pronom *l'*)

Le participe passé s'accorde avec les autres pronoms compléments d'objet direct placés avant le verbe (voir le chapitre 2).

9. —*Va à la poste.*
—*Non, va****s****-****y****, toi!*
—*Ouvre une fenêtre.*
—*Ouvre****s****-****en*** *plusieurs.*

La deuxième personne du singulier de l'impératif des verbes en *er* (y compris *aller*) et des verbes comme *ouvrir* prennent un *s* devant les pronoms *y* et *en*.

MISE EN PRATIQUE II (pronoms *y* et *en*)

Répondez aux questions en remplaçant les mots soulignés par des pronoms.

1. Avez-vous déjà entendu parler de ce cinéaste belge? (oui)
2. As-tu vu plusieurs de ses films? (oui)
3. Était-elle habituée à cela? (non)
4. Ont-ils pensé à ce que je leur avais dit? (oui)
5. Est-il satisfait de ce gros plan? (non)
6. Le producteur va-t-il avoir assez d'argent? (oui)
7. Est-il le propriétaire de cette maison? (oui)

Pronoms personnels disjoints

Tableau 6.11

Formes des pronoms personnels disjoints

personne	singulier	pluriel
1re	moi	nous
2e	toi	vous
3e	lui elle soi	eux elles

1. Les pronoms disjoints *moi, toi, nous* et *vous* peuvent être masculins ou féminins.

Ce paquet est pour ***vous****, Monsieur.*
Ce paquet est pour ***vous****, Madame.*

2. À la troisième personne du singulier, il y a une forme pour le masculin (*lui*) et une forme pour le féminin (*elle*).

Lui*, il ne sait rien.*
Elle*, elle ne sait rien.*

3. À la troisième personne du pluriel, il y a une forme pour le masculin (*eux*) et une forme pour le féminin (*elles*).

Ils vont au cinéma avec ***eux****.*
Ils vont au cinéma avec ***elles****.*

4. Le pronom *soi* se rapporte à un sujet indéterminé. Il est utilisé avec une expression impersonnelle (*il faut, il est préférable*, etc.) ou avec un pronom indéfini (*on, chacun*, etc.).

Il faut avoir confiance en ***soi****.*
Après le travail, on rentre chez ***soi****.*
Chacun pour ***soi****.*

Mise en pratique 12 (formes des pronoms disjoints)

Complétez chaque phrase avec la forme du pronom disjoint qui convient.

1. C'est _____ seule qui a fait les trucages pour ce film de science-fiction.
2. On a toujours besoin d'un plus petit que _____.
3. _____ , ils sont toujours au cinéma.
4. Ce cadeau est pour _____, ma chérie. Ouvre-le.
5. Susan Sarandon est la vedette du nouveau film de Tim Robbins. Il avait déjà travaillé avec _____.

Emploi des pronoms personnels disjoints

Tableau 6.12

Comment employer les pronoms personnels disjoints

contexte	explication
1. *Elle rentre chez* ***elle****.* *On ne travaille que pour* ***soi****.*	Un pronom disjoint peut être un complément circonstantiel après une préposition.
2. *—T'es-tu adressé* ***au directeur****?* *—Oui, je me suis adressé* ***à lui****.*	Un pronom disjoint peut être un complément d'objet indirect (remplaçant une/des personne(s)) après certains verbes suivis de la préposition *à*.
—Penses-tu ***à Éliane****?* *—Oui, je pense souvent* ***à elle****.*	Parmi ces verbes, il faut noter : *avoir affaire à* — *rêver à* *s'adresser à* — *être à* *être habitué à* — *se fier à* *faire attention à* — *penser à* *s'intéresser à* — *songer à* *s'habituer à* — *renoncer à* *prendre garde à* — *tenir à*
Attention! *—As-tu parlé* ***à Paul****?* *—Oui, je* ***lui*** *ai parlé*	En général, le complément d'objet indirect (également introduit par certains verbes suivis de la préposition *à*) est remplacé par un pronom complément d'objet indirect. Parmi ces verbes, il faut noter : *appartenir à* — *envoyer à* *apprendre à* — *offrir à* *conseiller à* — *permettre à* *demander à* — *promettre à* *dire à* — *proposer à* *donner à* — *reprocher à* *écrire à* — *téléphoner à*
Ce stylo est ***à moi****.*	On utilise un pronom disjoint après l'expression *être à* qui indique la possession. On pourrait dire aussi : *C'est mon stylo.* *Ce stylo m'appartient.*
3. *—On parle encore* ***de Robert****?* *—Bien sûr, on parle beaucoup* ***de lui****.* *—As-tu eu des nouvelles* ***de ta cousine****?* *—Oui, j'ai reçu deux lettres* ***d'elle.***	Un pronom disjoint peut remplacer un nom de personne bien défini et précédé de la préposition *de*.
Attention! *On parle* ***du professeur Dupuis.*** → *On parle* ***de lui****.*	On parle d'une personne bien définie.
On parle ***des professeurs****.* → *On* ***en*** *parle.* ou *On parle* ***d'eux****.*	On parle d'un groupe de personnes (sens collectif).

*On parle de sa **moustache**.* → *On **en** parle.*	On parle d'une chose.
*Pierre est le frère **d'Hélène**.* → *Pierre **en** est le frère.*	Lorsqu'il s'agit de liens de parenté, ou de relations d'amitié ou d'affaires, on peut utiliser le pronom *en*. Cette tournure est cependant assez rare; on a plutôt tendance à utiliser le possessif, c'est-à-dire : *Pierre est **son** frère.*
4. *C'est **elle** qui a gagné.* *Ce n'est pas **moi** qui ai fait cela.* *Ce sont **eux**, j'en suis sûr.*	Un pronom disjoint peut être attribut après *c'est* ou *ce sont*.
5. *—Qui est là?* *—**Moi**!* *—Qui a déchiré ce rideau?* *—Pas **nous**!*	On peut utiliser un pronom disjoint seul dans une réponse où il y a ellipse du verbe (le verbe est sous-entendu). Cet usage est limité à la langue parlée.

MISE EN PRATIQUE 13 (emploi des pronoms disjoints)

Remplacez les mots en italique par un pronom.

1. Le cinéaste n'a pas eu affaire à *cette actrice.*
2. Ils ont été invités chez *le producteur.*
3. *Paul,* c'est un vrai cinéphile.
4. On parle *des metteurs en scène des années 80.*

Tableau 6.13

Comment employer les pronoms personnels disjoints (suite)

contexte	explication
1. ***Vous seul** pouvez m'aider.* ***Lui seul** en est capable.*	Un pronom disjoint peut être sujet avec l'adjectif *seul.*
2. ***Toi** et **moi**, nous serons toujours copains.* ***Vous** et **lui**, vous vous ressemblez beaucoup.* *Nous sommes tous blonds, mes frères et **moi**.* ***Eux** et leurs enfants sont bilingues, n'est-ce pas?*	Un pronom disjoint peut être un élément de sujets multiples.

Attention!

Lorsqu'on utilise plusieurs pronoms sujets, le verbe s'accorde de la manière suivante :

pronoms des 1re, 2e et 3e personnes	= *nous*
pronoms des 2e et 3e personnes	= *vous*
pronoms de la 3e personne	= *ils* ou *elles*

Avec la négation *ni . . . ni . . .* , on utilise également des pronoms disjoints.

*Ni **toi** ni **elle** n'avez de bons résultats.*

3. *Jean-Pierre est plus patient que **lui**.*
*On a souvent besoin d'un plus petit que **soi**.*
*Il ne pense qu'à **elle**.*

Un pronom disjoint peut être complément circonstanciel de comparaison. On utilise le pronom disjoint après le *que* de *plus . . . que, moins . . . que, aussi . . . que, autant . . . que* ou dans une restriction (*ne . . . que*).

4. *Faites-le **vous-même**!*
*Tu as fait tes devoirs, **toi**?*

Un pronom disjoint peut être utilisé pour la mise en relief, avec ou sans le mot *même*.

5. ***Moi**, je n'y comprends rien.*
*Il t'aime, **toi**.*

Un pronom disjoint peut être en apposition à un pronom sujet ou à un pronom complément d'objet.

Mise en pratique 14 (emploi des pronoms disjoints)

Remplacez les mots soulignés par un pronom et mettez ce pronom à la place qui convient.

1. Ils sont allés dîner chez les Dupont.
2. Chantal pense à son fiancé.
3. La directrice est fière de son adjoint.
4. La patronne est contente de notre collègue.
5. Les copains et moi sortons ce soir.
6. Ni Paul ni Sandra n'y ont pensé.
7. Dieu seul a le droit de nous juger.
8. C'est notre député qui a proposé ce projet de loi.

Ordre des pronoms personnels

Lorsqu'il y a plus d'un pronom complément avant le verbe, l'ordre du schéma 1 (ci-dessous) s'applique.

Tableau 6.14

Schéma 1 : ordre des pronoms avant le verbe

me (m') *te (t')* *se (s')* *nous* *vous*	→	*le (l')* *la (l')* *les*	→	*lui* *leur*	→	*y*	→	*en*	+	**verbe**

1. Les pronoms *me, te, se, nous* et *vous* précèdent les pronoms *le, la* et *les,* ainsi que les pronoms *y* et *en*.

   *Il **me le** disait souvent.*
   ***Te l'**a-t-il donné?*
   *Elle ne **se l'**est pas acheté.*
   *Ne **nous le** demande pas!*
   *Jacques va **vous les** prêter.*
   *Il **nous en** ont servi.*
   *Elle **nous y** emmène.*

2. Les pronoms *le, la* et *les* précèdent les pronoms *lui* et *leur,* ainsi que le pronom *y.*

   *Je **les lui** remettrai.*
   *Tu vas **le leur** dire.*
   *Nous **les y** avons cherchés.*

3. Les pronoms *y* et *en* suivent toujours les autres pronoms compléments. L'ordre est toujours *y* avant *en.* On emploie les formes élidées *l', m', t'* et *s'* avant les pronoms *y* ou *en.*

   *Il **m'en** a donné.*
   *Elle **s'y** est rendue.*

4. Pour des raisons d'euphonie, on évite la combinaison *lui y.*

   *Je le **lui y** ai envoyé.* (maladroit)
   (dites plutôt : *Je le lui ai envoyé en France.*)

MISE EN PRATIQUE 15 (pronoms personnels avant le verbe)

Remplacez les mots soulignés par des pronoms. Mettez ces pronoms à la bonne place et dans le bon ordre. Faites l'accord du participe passé, s'il y a lieu.

1. Il a posé cette question au metteur en scène.
2. Elle t'a apporté des fraises? Comme c'est gentil!
3. Vas-tu chercher Simone à la gare?
4. Quand a-t-il montré ces lettres à l'avocat?
5. Il a projeté le film dans l'amphithéâtre.

Lorsqu'il y a plus d'un pronom complément après le verbe, l'ordre du schéma 2 (ci-dessous) s'applique.

Tableau 6.15

Schéma 2 : ordre des pronoms après le verbe (impératif affirmatif)

verbe	+	*le (l')* *la (l')* *les*	→	*moi (m')* *toi (t')* *lui* *leur* *nous* *vous*	→	*y*	→	*en*

1. À l'impératif affirmatif, les pronoms compléments d'objet direct *le, la* et *les* précèdent les pronoms compléments d'objet indirect *moi, toi, lui, leur, nous* et *vous.*

   *Dis-**le-nous**!*
   *Apporte-**les-moi**!*

2. On emploie les formes élidées *l', m'* et *t'* devant les pronoms *y* ou *en.*

   *Donne-**m'en**!*
   *Va-**t'en**!*

3. Il faut bien noter que, à l'impératif négatif, les pronoms se mettent avant le verbe (schéma 1).

   *Ne **nous le** dis pas!*
   *Ne **m'y** téléphone jamais!*
   *Ne **la lui** donne pas!*
   *Ne **t'en** fais pas!*

Mise en pratique 16 (pronoms personnels après le verbe)

Remplacez les mots soulignés par des pronoms. Mettez ces pronoms à la bonne place et dans le bon ordre. N'oubliez pas les traits d'union.

1. Raconte cette histoire à ta sœur.
2. Emmène tes parents au restaurant.
3. Attendons le metteur en scène à la réception.
4. Récite-moi ce poème.

Problèmes de traduction

Tableau 6.16

Comment traduire

1. Listen **to him**. → *Écoute-**le**.* (*le* = COD)
   I looked **for them**. → *Je **les** ai cherchés.* (*les* = COD)
   Ask **him** for it. → *Demande-le-**lui**.* (*lui* = COI)
   He values **it**. → *Il **y** tient.* (*y* = COI)

   Certains verbes anglais qui introduisent leur complément avec une préposition se traduisent par des verbes français qui prennent un complément d'objet direct. D'autres verbes anglais qui sont suivis d'un objet direct ont des équivalents français qui prennent un objet indirect.

2. Here **I** am. → ***Me** voici.*
   There **they** are. → ***Les** voilà.*
   Here are **some**. → ***En** voici.*

   Le pronom sujet dans cette construction anglaise est rendu en français par un pronom objet direct suivi de *voici* ou de *voilà*.

3. several of **them** → *plusieurs d'entre **eux***
   many of **us** → *beaucoup d'entre **nous***
   a few of **you** → *quelques-uns d'entre **vous***

   La notion exprimée par la construction anglaise qui comprend une expression de quantité + *of* + un pronom personnel est rendue en français par l'expression de quantité équivalente + *d'entre* + le pronom disjoint équivalent.

4. Do it **yourself**! → *Faites-le **vous-même**!*
   Do it by **yourself**! → *Faites-le **tout seul**.*

   Il faut distinguer les deux constructions ci-dessus en anglais et en français.

5. Ask him (for it). → *Demandez-**le**-lui.*
   She knows (it). → *Elle **le** sait.*
   I am telling you (it). → *Je vous **le** dis.*

   On fait très souvent l'ellipse du pronom en anglais. En français, il faut que la chose dont on parle soit toujours représentée par un pronom.

6. My wallet was stolen. → ***On** m'a volé mon portefeuille.*
   French is spoken here. → *Ici, **on** parle français.*

   Le passif anglais se traduit souvent par le pronom *on* et la forme active du verbe.

7. —Are the keys in the drawer? → *—Est-ce que les clefs sont dans le tiroir?*
—Yes, they are. *—Oui, elles **y** sont.*
—How many pages are there? → *—Il y a combien de pages?*
—There are twenty. *—Il y **en** a vingt.*

Lorsqu'on répond à une question en français, il est absolument nécessaire d'utiliser un pronom pour représenter les éléments mentionnés dans la question. En anglais, on omet souvent le pronom. Si l'on répond à la question du premier exemple : *Yes, they are **there***, le *there* est redondant.

8. —Why didn't they go to Mexico? → *—Pourquoi ne sont-ils pas allés au Mexique?*
—They already went **there**. *—Ils **y** étaient déjà allés.*
Sit **there**. → *Assieds-toi **là**.*
Is your boss **there**? → *Votre patron est **là**?*

L'adverbe de lieu anglais *there* peut se traduire en français par *y*, si le lieu a déjà été mentionné, et par *là*, si le lieu n'a pas encore été mentionné.

9. I'll buy it **myself**. → *Je vais l'acheter **moi-même**.*

Quand les pronoms anglais *myself, yourself*, etc., sont utilisés pour mettre le sujet en relief, le français emploie *moi-même, toi-même*, etc.

10. I'll buy **myself** a sailboat. → *Je vais **m'acheter** un voilier.*
He's making **himself** useful. → *Il **se rend** utile.*

Quand les pronoms anglais *myself, yourself*, etc., sont compléments d'objet direct ou indirect, le français utilise un verbe pronominal.

11. I'm ready. (neutral intonation) → *Je suis prêt(e).*
I'm ready! (stressed) → ***Moi**, je suis prêt(e)!*
ou
→ *Je suis prêt(e), **moi**!*
I won! (strong stress) → ***C'est moi** qui ai gagné.*

En anglais, l'intonation joue un rôle important pour marquer la mise en relief. Le français obtient ce résultat par l'entremise des pronoms disjoints ou de la construction *c'est* + pronom.

Mise en pratique 17 (traduction)

Traduisez les phrases suivantes en français.

1. The children obey him.
2. The tourist hurt himself when he fell.
3. I'll do it myself.
4. This magazine is not sold there.
5. She can't go there by herself.

Expression écrite

Le résumé

1. Selon le dictionnaire, résumer veut dire : «rendre en moins de mots». Le résumé, travail qui consiste à rapporter l'essentiel d'un texte, est donc l'abrégé, le condensé d'un livre, d'un article, d'un discours ou de tout autre document.

2. Savoir résumer un texte est en effet d'une très grande utilité, car c'est une démarche qui pourrait vous être fréquemment imposée, que ce soit dans le cadre des études ou de la vie professionnelle.
3. Pour bien réussir un résumé, il faut :
   a) comprendre et assimiler la pensée de l'auteur du texte à résumer;
   b) discerner ce qui est le plus significatif;
   c) faire un compte rendu fidèle, clair et concis;
   d) s'assurer que le résumé est un texte original et cohérent qui distille bien les idées de l'auteur sans employer ses mots.

Mise en pratique 18 (résumé)

Répondez aux questions suivantes.

1. Quels types d'ouvrages avez-vous eu à résumer dans le cadre de vos études et de votre vie professionnelle?
2. Dans quelles autres circonstances peut-on avoir besoin de préparer un résumé?

Les techniques de résumé

Tableau 6.17

Techniques de résumé

Étape 1 lecture et compréhension du texte à résumer (TR)

- Lisez deux ou trois fois le TR pour en avoir une compréhension globale (dégagez l'idée principale du texte).
- Situez le TR (Quand ce texte a-t-il été écrit? Qui en est l'auteur? Dans quel but l'auteur a-t-il écrit ce texte? Y a-t-il un contexte historique, politique?).
- Vérifiez le sens des mots que vous ne connaissez pas ou dont vous n'êtes pas tout à fait sûr.

Étape 2 planification du résumé

- Soulignez ce qui semble essentiel et repérez les idées importantes.
- Identifiez les éléments complémentaires.
- Établissez une hiérarchie des idées.
- Prévoyez le nombre de paragraphes dont vous aurez besoin (d'habitude, une idée clé par paragraphe).
- Rédigez un plan (ce que vous allez écrire dans le paragraphe d'introduction, dans les paragraphes de développement et dans le paragraphe de conclusion).

Étape 3 rédaction du résumé

- Utilisez des formules de transition pour lier et juxtaposer les paragraphes, les idées (adverbes, conjonctions, prépositions, mots-charnières, etc.).
- Assurez-vous que, dans la mesure du possible, vous avez reformulé le TR en utilisant vos propres mots.
- Assurez-vous que êtes resté fidèle au contenu du TR (on ne doit pas interpréter ou commenter le TR).
- Travaillez le style (évitez les répétitions, variez les types de phrases utilisées, etc.)

Attention!

Le résumé n'est pas :

- un texte en style télégraphique (*text in point form*).
- une sélection de phrases tirées du TR.
- un texte aussi long que le TR.
- un texte dans lequel vous insérez des opinions personnelles.

Tableau 6.18

Modèle de résumé

Résumé de la lecture du dossier 1 de ce chapitre.

Le siècle du cinéma

Le cinéma est né en 1895 lors d'une première projection publique à Paris. Jusqu'à ce moment-là, les seules images avaient été les créations picturales de sujets religieux et mythologiques. Depuis l'invention de la photographie, la technique de l'image s'est développée et d'autres formes, telles que le cinéma parlant, la télévision et le CD-ROM, se sont développées.

Entre-temps, le cinéma est devenu le septième art. Outre ses usages multiples, il est universel, et son impact sur nous et sur la société est énorme. Contrairement au livre, qui fait appel à notre imagination, le cinéma façonne les représentations. Il joue sur l'espace et le temps en les manipulant.

Cela dit, le plus grand pouvoir du cinéma est celui de la dépersonnalisation. Pendant une heure et demie, dans le noir, on devient quelqu'un d'autre. On vit cette expérience dans l'isolement et sans autre expérience que la vision et l'audition. L'image remplace l'imagination.

Par ailleurs, le cinéma, qui peut très bien être la loupe de la société, est aussi modificateur de celle-ci en caricaturant la réalité. Les troubles psychiques, par exemple, sont souvent représentés sous la forme de folie dangereuse, comme en témoigne le film *Massacre à la tronçonneuse.*

Contrairement à la télévision qui s'intègre à notre vie, le cinéma est, par définition, un plaisir solitaire. Dans les salles obscures, les spectateurs sont en situation de solitude et de passivité. Ainsi, le cinéma a tué le plaisir collectif du cirque ou de la fête.

Au fond, la civilisation de l'image, qui se veut outil de communication, a aboli les valeurs traditionnelles de la transmission orale. On ne raconte plus d'histoires et on ne connaît certains romans que par leur adaptation au cinéma. En améliorant la technique de l'image, on réduit les possibilités d'échanges entre les individus. Il ne faut pas que le cinéma nous sépare ou qu'il décourage la communication directe.

Mise en pratique 19 (résumé)

Analysez le résumé ci-dessus et indiquez s'il manque des idées importantes ou s'il y a des éléments secondaires qu'il faudrait éliminer. Dressez également la liste des formules de transition utilisées.

Synthèse

Exercice 1 Les responsabilités (pronoms disjoints)

oral ou écrit

Faites l'exercice suivant selon le modèle.

Modèle : Georges/faire la vaisselle
→ *Lui, il fait la vaisselle.*

1. Paul/passer l'aspirateur
2. nous/faire la cuisine
3. Jacqueline et Sylvie/donner à manger au chien
4. Robert et Yves/s'occuper du jardin

5. moi/arroser les plantes d'intérieur
6. Luc et Rose/faire les lits
7. Amanda/mettre la table
8. vous/ne jamais rien faire

EXERCICE 2 Autre façon (inversion du pronom sujet)

oral ou écrit

Utilisez l'inversion du verbe et du sujet pour poser les questions ci-dessous d'une autre façon.

Modèle : Qu'est-ce qu'il a fait?
→ *Qu'a-t-il fait?*

1. Est-ce qu'on part demain?
2. Il n'y est pas allé?
3. Quand est-ce que vous l'avez vu?
4. Où est-ce que tu vas?
5. Vous vous êtes trompé?
6. Est-ce qu'il y a encore des billets?
7. Pourquoi est-ce qu'ils se sont cachés?
8. Elle n'a pas reçu notre lettre?

EXERCICE 3 Vas-y! (pronoms compléments d'objet direct)

oral ou écrit

Faites l'exercice suivant selon le modèle.

Modèle : J'aime ces chaussures. (acheter)
→ *Alors, achète-les.*

1. J'aime ces fraises. (manger)
2. J'ai besoin de ton dictionnaire. (emprunter)
3. J'ai écrit plusieurs cartes postales. (mettre à la poste)
4. Je n'ai pas encore fait mes devoirs. (commencer)
5. Je ne veux pas manquer cette émission. (regarder)
6. J'ai perdu mes clés. (chercher)
7. J'adore cette chanteuse. (écouter)
8. Je veux voir Paul et Jeanne. (inviter)

EXERCICE 4 Oui, bien sûr (pronoms compléments d'objet indirect)

oral ou écrit

Faites l'exercice suivant selon le modèle.

Modèle : Tu as donné un pourboire à la serveuse?
→ *Oui, bien sûr, je lui en ai donné un.*

1. Tu as écrit à ta sœur?
2. Tu as parlé à la directrice?
3. Tu as répondu au professeur?

4. Tu as obéi à tes parents?
5. Tu as annoncé la nouvelle aux collègues?
6. Tu as demandé la permission à la propriétaire?
7. Tu as téléphoné à tes grands-parents?
8. Tu as rendu les photos à Jean-Pierre?

EXERCICE 5 Réactions (pronoms sujets et objets)

oral ou écrit

Vous êtes d'accord avec ce que dit un(e) ami(e) et vous enchaînez.

Modèle : *Paul* n'aime pas du tout *Robert.* (éviter le plus possible)
→ *C'est vrai, il l'évite le plus possible.*

1. *Charles* adore *ses chiens.* (emmener partout avec lui)
2. *Robert* est très amoureux de *Brigitte.* (apporter toujours des roses à)
3. *Sylvie* adore *les Beatles.* (écouter à longueur de journée)
4. *Mes parents* connaissent bien *mon copain.* (inviter souvent)
5. *Jacqueline* n'aime pas *son nouveau poste.* (ne pas s'habituer à)
6. *Jean* est fâché contre *son frère.* (ne plus parler à)
7. *La directrice* est contente de *ses employés.* (vouloir toujours féliciter)
8. *Nos grands-parents* viennent *nous* voir le dimanche. (rendre souvent visite à)

EXERCICE 6 Échanges (divers pronoms)

oral ou écrit

Remplacez les pronoms soulignés par des noms de votre choix.

Modèle : Elle <u>la</u> <u>lui</u> a prêtée.
→ *Elle a prêté sa voiture à son frère.*

1. J'<u>y</u> vais souvent.
2. Nous <u>l'</u>avons achetée.
3. Elle <u>leur</u> a téléphoné.
4. <u>Les</u> as-tu vendus?
5. Il faut que je me <u>les</u> fasse couper.
6. On va <u>la</u> <u>lui</u> donner.
7. Elles s'adressent à <u>lui</u>.
8. Il <u>l'</u>a faite pour <u>elle</u>.
9. Nous <u>y</u> allons avec <u>lui</u>.
10. Je vais <u>l'</u>écouter chanter.

EXERCICE 7 Questions (pronom *en*)

oral ou écrit

Répondez aux questions de votre camarade en utilisant, selon le cas, les formules *trop, beaucoup, assez, ne . . . pas assez, un peu, un tout petit peu* ou *ne . . . pas du tout.*

Modèle : Est-ce que tu fais du sport?
→ *J'en fais un peu.*

1. Est-ce que tu écris des dissertations?
2. Est-ce que tu bois du café?
3. Est-ce que tu joues du piano?
4. Est-ce que tu as du temps libre?
5. Est-ce que tu lis des magazines français?
6. Est-ce que tu loues des films vidéo?
7. Est-ce que tu parles de tes problèmes?
8. Est-ce que tu manges de la pizza?

EXERCICE 8 Le monde du cinéma (divers pronoms)

oral ou écrit

Répondez avec une phrase complète en utilisant des pronoms et l'élément entre parenthèses.

Modèle : Ce metteur en scène a réalisé combien de films? (trois)
→ *Il en a réalisé trois.*

1. Aime-t-il les trucages? (oui)
2. Va-t-elle tourner ce film à Vancouver? (oui)
3. Y a-t-il une réduction pour les étudiants au cinéma? (non)
4. Le scénariste a dû récrire cette scène combien de fois? (3 fois)
5. Est-elle cinéphile? (non)
6. A-t-il obtenu le visa de sortie? (non)
7. Où peut-on voir ce film en version originale? (au cinéma Rex)
8. A-t-on utilisé des effets spéciaux? (oui/beaucoup)
9. S'attendait-elle à ce que le metteur en scène lui donne le rôle? (oui)
10. Pensait-il que ce film sortirait sur les écrans ce mois-ci? (non)

EXERCICE 9 Les accords (pronoms/accord du participe passé)

écrit

Remplacez les mots soulignés par des pronoms et faites l'accord du participe passé, s'il y a lieu.

1. Il s'est acheté une nouvelle imprimante.
2. La réalisatrice a dit ce qu'elle pensait à ses collaborateurs.
3. C'est Jacqueline qui a donné cette horrible cravate à Paul.
4. Le gouvernement canadien ne s'est pas plié aux demandes des terroristes.
5. Le directeur a chargé ses collaborateurs de régler cette affaire au plus vite.
6. Ils sont épuisés, les pauvres!

7. À la fin du rapport, nous avons formulé une douzaine de recommandations.
8. On n'a jamais vu ces études de marché.
9. Il a fait jouer cette chanson au pianiste quatre fois.
10. Yves Saint Laurent a donné son nom à des produits de beauté.

EXERCICE 10 Traduction (divers éléments)

écrit

Traduisez les phrases suivantes en français.

1. Paul is taller than she. She knows it.
2. Buy yourself the materials and build this house yourself.
3. Neither he nor I want the responsibility for it.
4. People speak French in this region.
5. Here you are! We have been waiting for you for ten minutes.
6. All the girls came back from Cancun with a tan. Several of them had sunburns.

EXERCICE 11 Rédaction (résumé)

écrit

Sujet Faites le résumé de la lecture intitulée *Les Invasions barbares : La réalité des relations humaines* de Matthieu Wibault, pp. 196–198.

Consignes Entre 200 et 250 mots

Chapitre 7

Lecture

Nouvelle policière
Dernier Casse de Michel de Roy

Vocabulaire

Le crime

Grammaire

Les pronoms démonstratifs
Distinctions entre *c'est* et *il est*
Les pronoms possessifs
Les adjectifs interrogatifs et exclamatifs
Les pronoms interrogatifs
Les pronoms relatifs

Expression écrite

L'argumentation
Outils pour l'argumentation

Lecture et Vocabulaire

Dossier 1 *Dernier Casse*

Introduction à la lecture

Le roman policier et la nouvelle policière sont des genres très populaires en France. Tout le monde connaît l'inspecteur Maigret, personnage célèbre créé par Georges Simenon, auteur de centaines de romans policiers (*Le chien jaune*, *Maigret se fâche*, etc.).

La nouvelle policière que vous allez lire a été écrite par un enquêteur de police français, Michel de Roy. Celui-ci travaillait comme enquêteur à Nîmes depuis plus de dix ans quand il a écrit cette nouvelle. Son premier roman, *Sûreté urbaine* (1986), lui a valu le **Prix du Quai des Orfèvres**. Il a écrit d'autres romans dont *Banditisme sans frontières*.

Prix du Quai des Orfèvres : le Quai des Orfèvres est le siège de la police judiciaire française à Paris; le Prix du Quai des Orfèvres est un prix littéraire décerné au meilleur roman policier.

Activités de pré-lecture

1. Quels sont vos romans policiers préférés?
2. Y a-t-il des émissions policières que vous aimez regarder à la télévision? Quels sont vos inspecteurs de police favoris?
3. Le mot «casse» est un mot familier. Cherchez le sens de ce mot dans un dictionnaire bilingue. Que veut alors dire le titre de la nouvelle?

Lecture

Lisez le texte ci-dessous.

1. Dans la première partie (jusqu'à l'astérisque), relevez les phrases interrogatives.
2. Dans la deuxième partie (*Avançant à pas* . . .), relevez les pronoms relatifs (qui, que/qu', dont, etc.).
3. Faites les exercices de compréhension qui suivent le texte.

Lecture

Dernier Casse

1 Les flashes *crépitaient* dans la pièce. Profitant d'un intermède, l'inspecteur de police *enjamba* le corps de l'homme qui *gisait, recroquevillé sur le sol*, et s'approcha d'un fauteuil où le propriétaire des lieux était prostré.

Muni d'un calepin, le policier prenait des notes.

5 — . . . Donc en entrant chez vous ce soir, vous avez découvert ce *cambrioleur* en action et vous n'avez pas pu le maîtriser?

— Oui . . . il s'est précipité sur moi. J'ai juste eu le temps de prendre le revolver que je laisse habituellement sur la table de nuit . . . Nous nous sommes battus. Il a voulu s'emparer de mon arme. *Le coup est parti seul.*

10 — Je vois . . . Je vois, dit l'inspecteur en considérant le désordre qui régnait dans la chambre. Vous allez nous suivre au commissariat, je dois enregistrer votre déposition.

— Ce sera long?

— Je ne pense pas. Une heure . . . peut-être deux.

— Mais . . . le mort, qui va s'occuper de . . . ?

15 — Ne vous inquiétez pas, les pompes funèbres vont évacuer le cadavre.

L'homme se leva et suivit l'inspecteur.

*

Avançant à pas silencieux aux côtés de Charly, Ted serra frileusement les mains dans ses poches.

Un vent glacial *s'engouffrait* dans la ruelle sombre bordée de hauts murs. Quelques 20 étoiles brillaient, haut dans le ciel de novembre.

— C'est là, chuchota Charly en s'arrêtant devant une bâtisse lugubre.

Ted jeta machinalement un coup d'œil derrière lui, et rassuré, s'engagea à la suite de Charly dans un étroit couloir. *Il ressentit un délicieux frisson parcourir son échine*, à l'idée du nouveau cambriolage que lui et Charly allaient encore commettre.

25 Depuis des mois, tous deux «visitaient» chaque nuit des maisons momentanément inoccupées, et *faisaient main basse sur* toutes les richesses les moins encombrantes qu'ils découvraient à l'occasion de leurs intrusions nocturnes.

C'est ainsi que de nombreux bijoux, de l'argent liquide et d'autres biens facilement acquis et négociables à souhait s'entassaient dans le studio qu'ils n'occupaient ni l'un ni 30 l'autre, mais qui leur servait de *repaire*.

Dernièrement, les deux cambrioleurs avaient eu la bonne fortune de tomber sur un lot important de pierres précieuses dont la valeur marchande n'allait pas manquer de les mettre pour longtemps à l'abri du besoin. Lorsqu'il avait ouvert le coffre-fort mural, Ted avait eu le souffle coupé, découvrant dans le halo de sa lampe de poche 35 *des bijoux amoncelés qui se livraient à sa cupidité exacerbée*.

Beaucoup plus pratique, peut-être parce qu'il était plus ancien dans le «métier», Charly *avait raflé* le contenu du coffre, le déversant dans un sac de toile. Les deux compères avaient rapidement quitté les lieux.

— Y'en a pour des millions, avait sourdement murmuré Ted, les yeux rivés sur leur 40 *butin* doucement éclairé par l'ampoule nue, au-dessus de la table de bois où les pierres jetaient des milliers d'éclats.

— Ouais, tu peux le dire, pour des millions . . .

— On va pouvoir s'arrêter, avait suggéré Ted, la gorge nouée par l'émotion. Charly n'avait pas répondu tout de suite, se contentant de hocher la tête.

45 — Encore un coup ou deux comme celui-là et on laisse tout tomber, avait-il fini par reconnaître. Ted n'avait rien laissé paraître de sa surprise. Il avait gardé le silence, respectant la décision de l'autre, un chef. Après tout, Charly recensait les appartements «visitables» et lui, Ted, une fois *à pied d'œuvre*, *se bornait* à ouvrir les coffres lorsqu'il y en avait, usant d'une technique qui n'avait plus à faire ses preuves.

50 — Par là, poursuivit à voix basse Charly qui était venu repérer les lieux le jour même, il y a une cour intérieure. Ensuite, faudra *escalader*.

Quelques mètres plus loin, après avoir gravi deux marches de pierre, Ted sentit, sous ses pieds chaussés de semelles de crêpe, qu'il marchait effectivement sur de la terre.

Charly venait d'éteindre sa lampe et l'obscurité leur sembla plus dense encore.
55 Résolument, Charly se dirigea vers un angle de la cour, suivi de Ted qui marchait à tâtons, essayant de se diriger à la faible clarté de la lune.

Un vieil *escabeau*, providentiellement abandonné là, permit aux deux hommes d'accéder au faîte d'un mur. De là, Charly n'eut aucun mal à briser la vitre d'une fenêtre que les deux amis ouvrirent avec précaution, prenant garde de ne pas se blesser. Peu de temps
60 après, ils se retrouvèrent au milieu d'une pièce qui semblait être une cuisine.

Silencieux, ils attendirent. Aucun bruit ne leur parvint des autres pièces.

— C'est bon, on y va, dit à voix basse Charly. Si mes renseignements sont exacts, il doit y avoir un coffre dans une chambre.

À pas lents, les deux hommes se déplacèrent, se retrouvèrent dans un hall. Sur leur
65 droite, deux portes étaient fermées. Charly ouvrit la première. La pièce était vide, complètement vide. Il tourna délicatement la poignée de la seconde porte, poussa le battant, et alors seulement écarta ses doigts qui atténuaient la lueur de sa lampe.

Dans un coin, de l'autre côté du lit, un meuble bas supportait une pile de livres. Ted ne s'attarda pas à leur contemplation. Ses yeux allaient et venaient, cherchant où pouvait
70 être dissimulé le coffre. Il eut soudain un rire étouffé, et s'approcha d'un tableau accroché au mur. Il souleva le cadre et ne put retenir un sifflement admiratif en découvrant le coffre. (à suivre)

Tiré de *Dernier Casse* de Michel de Roy, Lacour/Colporteur, 1988, pp. 27–29.

l.1 **crépitaient (v. crépiter) : faire entendre une succession de bruits secs**—to go off (talking about camera flashes)

l.2 **enjamba (v. enjamber) : sauter**—to step over

l.2 **gisait (v. gésir) : être couché, sans mouvement**

l.2 **recroquevillé sur le sol : replié sur soi et crispé**—huddled up on the floor

l.5 **cambrioleur : voleur**—burglar

l.9 **Le coup est parti seul**—The gunshot went off on its own.

l.19 **s'engouffrait (v. s'engouffrer)**—to rush, sweep (talking about the cold wind)

l.23 **Il ressentit un délicieux frisson parcourir son échine**—He felt a delightful shiver running down his spine.

l.26 **faisaient main basse sur (v. faire) : s'emparer de**—to take

l.30 **un repaire : un endroit qui sert de refuge**—a hideout

l.35 **des bijoux amoncelés qui se livraient à sa cupidité exacerbée**—the piled-up jewellery that surrendered to his intense greediness

l.37 **avait raflé (v. rafler) : prendre et emporter promptement sans rien laisser**—to grab

l.40 **un butin : le produit d'un vol**—a loot

l.48 **à pied d'œuvre**—ready to get down to the job

l.48 **se bornait (v. se borner) : se contenter de**—to content oneself with doing

l.51 **escalader : enjamber, franchir, passer**—to climb (the wall)

l.57 **un escabeau : une petite échelle**

Compréhension globale

Dites si les affirmations suivantes sont vraies ou fausses. Corrigez les affirmations qui sont fausses.

1. On ne connaît pas l'identité exacte de l'homme qui est mort d'un coup de revolver.
2. Le propriétaire refuse de suivre l'inspecteur de police au commissariat.
3. Ted et Charly sont deux cambrioleurs qui travaillent ensemble depuis au moins dix ans.
4. Après être tombés sur un lot incroyable, les deux cambrioleurs ont décidé de s'arrêter.
5. Ted préfère s'arrêter; Charly veut faire encore un ou deux coups.

Vocabulaire

Le crime

Manquement très grave à la morale, à la loi. (Le Petit Robert)

- un crime, un(e) criminel(le), commettre un crime—*a crime, a criminal, to commit a crime*
- un vol, un(e) voleur(se), voler—*a robbery, a robber, to rob or steal*
- un voleur à la tire—*a pickpocket*
- braquer—*to hold up (a bank)*
- un cambriolage (un casse), un(e) cambrioleur(euse), cambrioler—*a burglary or break-in, a burglar, to break and enter*
- un coffre—*a safe*
- un enlèvement, un(e) ravisseur(euse), enlever—*a kidnapping, a kidnapper, to kidnap*
- une agression, un agresseur, agresser—*an attack, an attacker, to attack*
- un viol, un(e) violeur(euse), violer—*a rape, a rapist, to rape*
- un meurtre, un(e) meurtrier(ère), tuer—*a murder, a murderer, to murder*
- un assassinat, un(e) assassin(e), assassiner—*a murder, an assassin, to assassinate*

- faire main basse sur : prendre quelque chose qui ne nous appartient pas
- ouvrir un coffre-fort—*to open a safe*
- s'emparer (d'un butin)—*to take, rob (loot)*
- abattre : tuer—*to shoot down*
- descendre (fam.) : tuer—*to do someone in, bump off*
- dénoncer—*to inform against someone*

- une victime—*a victim*
- un corps—*a body*
- un cadavre—*a corpse*
- les pompes funèbres—*the funeral home*

- le commissariat de police—*the police station*
- un commissaire—*a police chief*
- un inspecteur—*an inspector, detective*
- un policier (un flic)—*a police officer (a cop)*
- retrouver un corps—*to find a body*

- arrêter une personne—*to arrest someone*
- enregistrer une déposition—*to take a deposition*
- mener une enquête—*to lead an investigation*
- résoudre un crime—*to solve a crime*
- trouver des indices, des preuves—*to find clues, evidence*
- chercher des témoins—*to look for witnesses*
- trouver le mobile du crime—*to find the motive for the crime*

- une arme (à feu)—*a weapon (firearm)*
- un revolver (de fort calibre)—*a (high caliber) revolver*
- un fusil—*a gun, rifle*
- un couteau—*a knife*

Exploitation lexicale

1. Trouvez le synonyme des mots suivants (veuillez relire le vocabulaire pour la compréhension du texte).
   a) abattre :
   b) un voleur :
   c) rafler :
   d) un meurtre :
   e) faire main basse :
   f) escalader :
2. Remplissez les blancs avec le mot qui convient.
   a) Il est plus facile de résoudre un ______________ quand on connaît le ______________.
   b) Si on veut parler à un inspecteur de police, il faut aller au ______________.
   c) Un ______________ est une personne qui entre dans les maisons illégalement et qui ______________ d'objets précieux comme des bijoux, des tableaux d'art, etc.
   d) Les deux enfants qui jouaient dans le parc ont trouvé un ______________ qui gisait par terre, derrière les buissons.
   e) Il est difficile d'arrêter un suspect si on n'a pas de ______________ concrètes.
   f) Hier après-midi, vers 15 h, deux hommes ont ______________ la Banque XYZ. Ils ont pris 300 000 dollars.
   g) On a retrouvé ______________ du crime : c'était un simple couteau de cuisine.
3. Expliquez, dans vos propres termes, chacun des mots suivants.
   des preuves—un inspecteur—le mobile d'un crime—un cadavre
4. Faites des phrases avec chacun des mots ci-dessous. Chaque phrase doit bien illustrer le sens du mot utilisé.
   un enlèvement—un voleur—agresser—dénoncer—des indices

Compréhension détaillée

1. Ted et Charly jouent chacun un rôle important dans les cambriolages. Quel est leur rôle respectif?
2. Ted et Charly ont-ils de la difficulté à entrer dans l'appartement? Justifiez votre réponse.

Réflexion et discussion

Pouvez-vous émettre des hypothèses quant à la suite de l'histoire?

1. Quel serait le contenu du coffre?
2. Comment les deux hommes vont-ils sortir de l'appartement?
3. Quel genre de problème pourrait-il leur arriver?

Dossier 2 *Dernier Casse* (suite et fin)

Lecture

Relisez les deux derniers paragraphes du dossier 1 avant de commencer à lire le texte qui suit.

Dernier Casse (suite et fin)

— Hmm . . . Tu le sens? questionna-t-il en se retournant vers Ted. L'autre s'était approché et regardait lui aussi *le monstre encastré*.

75 — Ouais, mais ça risque d'être long. Les propriétaires ne vont pas rentrer?

— Non, pas de problème, ils sont partis en congé. Nous sommes tranquilles.

Ted déposa à côté de lui, sur le sol, une trousse de cuir qu'il ouvrit délicatement. Des clés, *des tiges d'acier chromé* de toutes dimensions apparurent. D'une poche de son blouson, il sortit un stéthoscope.

80 — Rien ne vaut les bonnes vieilles méthodes, expliqua-t-il à Charly qui le regardait, immobile.

Puis il entreprit d'*ausculter la paroi luisante* où deux boutons moletés commandaient l'ouverture de la porte pour celui qui en connaissait le code.

Il plaça *les embouts* du stéthoscope à ses oreilles, colla *la ventouse* à la bonne distance

85 entre les deux boutons, et entreprit de les tourner *cran après cran*, l'un après l'autre.

Les yeux fiévreux, indifférent à tout ce qui l'entourait, un sourire *béat* sur les lèvres, il écoutait, retenant sa respiration. Seuls les déclics secs provoqués par le mouvement saccadé de ses doigts captaient son attention.

*

Lorsque Ted avait rencontré Charly, dans un bar, il ne se serait jamais douté que tous deux

90 «travailleraient» ensemble. Certes Ted avait déjà exercé ses talents à de nombreuses reprises, s'aliénant parfois la compagnie d'un, voire de plusieurs complices, mais, par précaution, il préférait agir seul.

Les deux hommes avaient lié connaissance, puis en étaient venus à discuter «affaires», s'étaient peu à peu dévoilés l'un à l'autre, et avaient fini par décider de s'associer pour le

95 vol. Le partage des rôles leur convenait parfaitement, et celui du butin ne lésait personne, tous deux trouvant leur compte. De plus, et Ted avait apprécié la sage précaution de Charly, chacun ignorait où l'autre habitait, s'assurant mutuellement de la plus grande discrétion au cas où les choses viendraient à mal tourner.

Charly avait rapidement fait figure de chef, ce qui n'était pas pour déplaire à Ted qui

100 ouvrit de plus en plus de coffres-forts, et avec de plus en plus d'aisance, tant la pratique répétée jusqu'à l'excès affine le moindre des mouvements.

*

Assis dans un fauteuil, Charly contemplait Ted qui persévérait. Celui-ci ne capitulerait pas, Charly le savait pour l'avoir souvent vu à l'œuvre. Tôt ou tard, il vaincrait, il viendrait à bout du secret codé. Alors il se retournerait haletant et, les yeux exorbités, regarderait son ami comme s'il ne le voyait pas, puis tirerait la porte vers lui, dévoilant des richesses qui leur appartiendraient dès cet instant.

105

Ted laissa pendre ses bras le long de son corps et agita ses mains dans une sorte de tremblement volontaire destiné à dégourdir ses muscles ankylosés. Les deux hommes étaient maintenant dans l'obscurité, seulement éclairés par la lueur blafarde provenant de la fenêtre.

110

Des gouttes de sueur perlaient sur le visage de Ted. La bouche sèche, il reprit son activité dans le silence impressionnant qui régnait.

Un faible déclic, un autre, encore un. Ted écouta attentivement, revint d'un cran en arrière, puis poursuivit son exploration. Il sentait la victoire proche. Un sixième sens l'avertit qu'il touchait presque au but.

115

Tout à coup, une violente lumière *lui fit cligner des yeux*. Il recula, comme poussé par une force invisible. *Claquant des dents* il se retourna, réalisant que quelqu'un venait d'éclairer la lumière de la chambre.

— Mais . . . mais . . . qu'est-ce qu'il se passe, parvint-il à articuler.

120

Charly se tenait derrière lui, souriant, la main gauche négligemment appuyée contre le mur, à côté de *l'interrupteur* qu'il venait d'actionner.

«Mais . . .» répéta Ted. Dans le même temps il remarqua l'arme que Charly tenait pointée dans sa direction, de l'autre main : un revolver de fort calibre.

— *T'es con*, éteins! on va se faire repérer . . .

125

— Ah oui? ricana Charly. Et par qui?

— Tu es armé . . . ? s'étonna Ted *à contretemps*.

Il suspendit sa phrase, semblant comprendre pourquoi Charly agissait ainsi. Ce dernier croyait qu'il avait réussi à ouvrir le coffre et voulait garder pour lui tout seul le trésor.

130

— Je l'ai pas ouvert, je l'ai pas ouvert, dit-il précipitamment, comme s'il implorait son ami de *lui laisser un sursis.*

— T'as rien compris, tu comprendras jamais rien, lâcha Charly. Je vais te descendre! Tout simplement.

— Non, fais pas ça! . . . fais pas ça! . . .

135

Tout en parlant, Ted avançait ses mains tremblantes vers Charly.

— Bouge pas! bouge surtout pas! tu es fini!

— Pour . . . pourquoi?

— Parce que t'avais raison, après le dernier coup qu'on a fait, celui des pierres précieuses, il est temps de s'arrêter, surtout si on n'a pas à partager . . .

140

— Mais on va retrouver mon corps, dit Ted, qu'est-ce que tu feras à ce moment?

Charly éclata d'un rire sinistre qui résonna longuement dans la pièce. Une lueur étrange brilla dans son regard lorsqu'il reprit son calme.

— Évidemment, qu'on va retrouver ton corps, j'y compte bien, et je vais même te *faire un aveu* : c'est moi qui vais signaler sa présence à la Police.

145

Ted voulut parler, crier, mais aucun son ne franchit ses lèvres.

«Ouais, reprit Charly, tu as bien entendu, c'est moi qui vais dire aux flics qu'il y a un cadavre ici. Mieux encore, je vais attendre qu'ils arrivent. Ouais, je vais les attendre calmement et leur dire que je t'ai descendu.»

150 Ted *déglutit avec peine*. La réalité venait enfin de lui apparaître, *fulgurante, aveuglante*.

Charly dut se rendre compte d'un changement dans la physionomie de son complice et enchaîna :

— «Eh oui! mon pauvre vieux, t'aurais pas dû m'écouter, t'aurais jamais dû venir ici, parce que maintenant je vais t'abattre . . . et me dénoncer. Mais je te rassure, la justice est
155 assez clémente pour que j'aille pas *moisir en prison*.»

— «Que veux-tu, conclut-il en appuyant sur *la détente*, est-ce que c'est de ma faute si, en rentrant chez moi, j'ai surpris un cambrioleur . . .»

Tiré de *Dernier Casse* de Michel de Roy, Lacour/Colporteur, 1988, pp. 30–32.

l.74 **le monstre encastré : on parle ici du coffre**

l.78 **des tiges d'acier chromé**—chromed steel bits

l.82 **ausculter la paroi luisante**—to sound the shining surface of the safe (with a stethoscope)

l.84 **les embouts**—the ends (of the stethoscope)

l.84 **la ventouse**—the cupping glass (of the stethoscope)

l.85 **cran après cran**—notch after notch

l.86 **béat : satisfait**

l.116 **lui fit cligner des yeux**—made his eyes blink

l.117 **claquant des dents**—chattering (teeth)

l.121 **l'interrupteur**—the light switch

l.124 **T'es con : t'es stupide**

l.126 **à contretemps**—at the wrong time, inopportunely

l.131 **lui laisser un sursis**—give him a reprieve, a chance out

l.145 **faire un aveu : confesser**

l.150 **déglutit avec peine**—swallowed with difficulty

l.150 **fulgurante, aveuglante (parlant de la réalité)**—sharp and blinding (reality)

l.155 **moisir en prison**—to rot in jail

l.156 **la détente**—the trigger

Compréhension globale

Répondez aux questions à choix multiples.

1. Ted . . .

a) a beaucoup de difficulté à ouvrir le coffre.

b) pense que cela va prendre du temps pour ouvrir le coffre.

c) ouvre le coffre.

d) ne sait pas comment ouvrir le coffre.

2. Ted et Charly . . .
   - **a)** se sont rencontrés en prison.
   - **b)** savent exactement où l'autre habite.
   - **c)** partagent toujours leur butin.
   - **d)** faisaient tous les deux figure de chef.

3. Ce dernier cambriolage se passe . . .
   - **a)** chez Charly.
   - **b)** dans un appartement de personne riche.
   - **c)** dans la maison de l'inspecteur.
   - **d)** chez Ted.

4. Charly descend Ted parce que . . .
   - **a)** Charly ne veut pas partager le contenu du coffre que Ted essaie d'ouvrir.
   - **b)** Ted lui a menti au sujet d'un cambriolage qu'ils ont fait ensemble.
   - **c)** Charly veut s'arrêter et garder pour lui seul le butin de pierres précieuses.
   - **d)** Ted n'est pas un très bon cambrioleur.

5. Après avoir tué Ted, Charly . . .
   - **a)** a rapidement quitté le lieu du crime.
   - **b)** a téléphoné à la police puis est parti.
   - **c)** a ouvert le coffre de bijoux et s'est enfui.
   - **d)** est resté là et a attendu la police.

Approfondissement lexical

Les synonymes

Souvent, on utilise des verbes comme *avoir*, *être* ou *faire* alors que d'autres verbes, plus précis et liés plus étroitement au contexte de la phrase ou du texte, conviendraient mieux.

Choisissez, parmi la liste ci-dessous, des synonymes des verbes soulignés dans le texte plus bas. N'oubliez pas de conjuguer les verbes aux temps qui conviennent.

accomplir	posséder
commettre	se gêner
construire	se trouver
mesurer	tendre

Ted ne pouvait pas se faire à l'idée que Charly allait le descendre. Les deux hommes avaient fait plusieurs crimes ensemble. Pour ce dernier cambriolage, ils venaient d'escalader un mur qui faisait cinq mètres de haut. Ce soir-là, le vent se faisait plus fort que d'habitude. Ted avait fait son travail habituel, celui d'ouvrir le coffre-fort. Pour cela, il avait tous les outils nécessaires. Malheureusement, Ted et Charly n'ont pas fait main basse sur le butin. En réalité, ils étaient chez Charly qui avait fait un piège *(trap)*.

Compréhension détaillée

1. Pourquoi Charly a-t-il choisi de cambrioler son propre domicile?
2. Quelle a été la réaction de Ted lorsque Charly a allumé les lumières?
3. Pouvez-vous expliquer les raisons pour lesquelles Charly a descendu Ted?

Réflexion et discussion

1. Est-ce que la fin de l'histoire correspond à l'une des hypothèses que vous aviez formulées après avoir lu le dossier 1?
2. Quels sont les indices, donnés par l'auteur, qui nous permettent de deviner que Charly a tué Ted? Énumérez-les.
3. Imaginez les étapes suivies par Charly après qu'il a tué Ted.

Sites Web : activités complémentaires

- Le Prix du Quai des Orfèvres

  http://www.polars.ouvaton.org/pri-quai.htm

  Apprenez qui a gagné le dernier Prix du Quai des Orfèvres. On vous parle du roman et de son auteur.

Grammaire et Expression écrite

Grammaire

Les pronoms démonstratifs

Les pronoms démonstratifs servent à désigner, sans les nommer, les êtres, les choses ou les concepts que l'on présente.

Il y avait plusieurs films québécois parmi ***ceux*** *qu'on présentait au Festival des Films du Monde à Montréal.*

Tableau 7.1

Formes des pronoms démonstratifs

A. pronoms variables

	masculin	*féminin*
singulier	celui	celle
pluriel	ceux	celles

B. pronoms invariables

ce (c') ça ceci cela

1. Les formes du pronom démonstratif variable sont souvent suivies de :
   a) la particule suffixe *-ci* ou *-là*
      J'aime cette chemise, mais ***celle-là*** *est moins chère.* (= that one)
   b) une préposition avec son complément
      Il prendra le train de six heures et Marie ***celui*** *de sept heures.* (= the 7 o'clock one)
   c) une proposition relative
      J'ai vu tous les films de Denys Arcand, même ***celui*** *qui vient de sortir.* (= the one)
2. Les pronoms variables et le pronom *ce* sont souvent utilisés avec un pronom relatif.

   De toutes les chansons que Jacques Brel a écrites, c'est ***celle qui*** *est intitulée* Ne me quitte pas *que je préfère.*
   Je ne sais pas ***ce qu'****il voulait dire.*
3. *C'* et *ça* sont constamment utilisés dans la conversation.
   C'est *vrai?* ***Ça*** *alors!* ***Ça*** *va?*

Mise en pratique 1

Pour compléter les phrases suivantes, traduisez les mots entre parenthèses.

1. (It) ______ est grave, mais (it) ______ n'est pas irréversible.
2. (It) ______ aurait pu marcher si on s'y était pris différemment.
3. Achète plutôt cette robe-ci parce que (that one) _________ ne te va pas du tout.
4. N'écoutez jamais d'autres recommandations que (those) _______ que je vous donne.
5. Je crois que c'est (the one) ______ que je voulais acheter.

Distinctions entre *c'est* et *il est*

Tableau 7.2

Emplois de *c'est* et *il est*

c'est / ce n'est pas	*il est / il n'est pas*
1. ***C'est*** *un bon cinéaste.* On utilise *c'est* lorsque le nom indiquant la profession est accompagné d'un article indéfini et d'un adjectif qualificatif.	1. ***Il est*** *cinéaste.* On utilise *il est* lorsque le nom indiquant la profession n'est pas accompagné d'un article indéfini ou d'un adjectif qualificatif.
2. ***C'est*** *sûr.* ***C'est*** *avec joie qu'on le fait.* *C'est* permet d'insister sur un fait.	2. ***Il est*** *sûr de lui.* Le pronom *il* est un pronom personnel qui se réfère à quelqu'un ou quelque chose de spécifique.
3. ***C'est*** *le 21 janvier.* ***C'est*** *aujourd'hui lundi.* On utilise *c'est* pour indiquer la date ou le jour de la semaine.	3. ***Il est*** *huit heures.* ***Il est*** *tard.* On utilise *il est* pour donner l'heure ou une indication de temps.

4. *Exprimer ses sentiments, **ce n'est pas** toujours facile.*

   Avec certaines expressions impersonnelles, *c'est* permet de résumer ce que l'on a dit.

4. ***Il n'est pas** toujours facile d'exprimer ses sentiments.*

   Avec certaines expressions impersonnelles, *il est* permet d'annoncer ce que l'on va dire.

5. ***C'est** Paul?*
   ***C'est** toi, Paul?*
   *Vouloir, **c'est** pouvoir.*

   On utilise *c'est* pour introduire un nom propre, un pronom ou un infinitif.

Mise en pratique 2 (*c'est* ou *il est*)

Complétez chaque phrase avec *c'est* ou *il est.*

1. __________ quatre heures du matin, __________ tôt.
2. Ce que tu as dit, __________ tout à fait vrai.
3. Le directeur, __________ sur le point de partir.
4. __________ difficile de se rappeler toutes les exceptions.
5. __________ vous, Madame Colin?
6. __________ kinésithérapeute, mais __________ un bon kinésithérapeute.

Les pronoms possessifs

Les pronoms possessifs servent à désigner non seulement un être, une chose ou un concept, mais aussi son «possesseur».

*Prenez votre imperméable et je prendrai **le mien**.*
(*le mien* se réfère à *l'imperméable* et au fait que c'est ***mon** imperméable*)

Tableau 7.3

Les formes des pronoms possessifs

	ce qui est possédé est au singulier		*ce qui est possédé est au pluriel*	
un possesseur	*masculin*	*féminin*	*masculin*	*féminin*
je	le mien	la mienne	les miens	les miennes
tu	le tien	la tienne	les tiens	les tiennes
il/elle	le sien	la sienne	les siens	les siennes
vous (forme polie)	le vôtre	la vôtre	les vôtres	
plus d'un possesseur				
nous	le nôtre	la nôtre	les nôtres	
vous	le vôtre	la vôtre	les vôtres	
ils/elles	le leur	la leur	les leurs	

Attention! Le premier mot du pronom possessif étant un article défini, il faut faire attention aux contractions avec les prépositions *à* et *de*.
au mien, aux siennes, du tien, des vôtres

Mise en pratique 3 (les pronoms possessifs)

Remplacez les mots en italique par un pronom possessif.

1. Ma cousine vient de rentrer de Calgary, mais *ta cousine* va y rester encore deux semaines.
2. Notre réponse à cette question est la même que *leur réponse*.
3. Mon père est agriculteur, *son père* aussi.
4. Mon frère ressemble *à ton frère*.
5. J'ai mon propre dictionnaire, je n'ai pas besoin *de votre dictionnaire*.
6. Notre chien n'est pas méchant, mais *le chien de nos voisins* est féroce.

Les adjectifs interrogatifs et exclamatifs

Remarques préliminaires

1. L'adjectif interrogatif sert à poser une question portant sur le nom auquel il se rapporte.

   Quel *poste veut-elle obtenir?*
   (l'interrogation porte sur le mot *poste*)

   Quelles *sont ses ambitions?*
   (l'interrogation porte sur le mot *ambitions*)

2. Les formes de l'adjectif interrogatif sont aussi utilisées comme **adjectifs exclamatifs**. Ceux-ci servent à exprimer l'étonnement que l'on éprouve devant l'être, l'idée ou l'objet modifié(e).

   Quelle *surprise!*

3. L'adjectif interrogatif et exclamatif s'accorde en genre et en nombre avec le nom auquel il se rapporte, même s'il est séparé du nom par le verbe *être*.

   Quelle émission *vas-tu écouter?*
   De ***quels livres*** *as-tu besoin?*
   Quels *sont les* ***avantages*** *d'un tel projet?*
   Quelle *est votre* ***opinion*** *sur le féminisme?*
   Quelle ambition!

4. Étant donné le fait qu'un nom précédé d'un adjectif interrogatif ou exclamatif peut être un complément d'objet direct (COD) précédant le verbe, il faut se rappeler que le participe passé s'accorde en genre et en nombre avec ce COD.

   Quelle chemise *s'est-il achet****ée****?*
   Quelle chance *tu as eu****e****!*

5. L'adjectif interrogatif peut s'utiliser dans une phrase au style indirect (quand on rapporte les propos de quelqu'un).

   L'inspecteur a dit qu'il ne savait pas ***quelle*** *sorte d'arme à feu l'assassin avait utilisée.*

Formes des adjectifs interrogatifs et exclamatifs

Tableau 7.4

Adjectifs interrogatifs et exclamatifs

	singulier	**pluriel**
masculin	quel	quels
féminin	quelle	quelles

Mise en pratique 4 (adjectifs interrogatifs et exclamatifs)

Complétez chaque phrase avec la traduction française du mot ou des mots entre parenthèses.

1. __________ (Which) sorte de film préfères-tu?
2. __________ (What a) voyage!
3. __________ (Which) exercices as-tu faits?
4. Les inspecteurs ne savent pas __________ (which) enquête le commissaire Maigret va mener à son retour de vacances.
5. __________ (What) indices ont-ils trouvés?
6. __________ (What) est votre nationalité?
7. __________ (What an) aventure!
8. Je ne sais pas __________ (which) autobus il faut prendre.
9. __________ (What) sont vos préférences?
10. __________ (What a) désordre!

Les pronoms interrogatifs

Remarques préliminaires

1. Le pronom interrogatif permet de questionner.

   Qui *a le droit de vote dans cette assemblée?*
   (= Quelles sont les personnes qui ont le droit de vote?)

   Il y a du camembert et du brie, ***lequel*** *veux-tu?*
   (= Quel fromage veux-tu?)

2. Il existe deux catégories de pronoms interrogatifs : les pronoms interrogatifs variables (*lequel, laquelle,* etc.) et les pronoms interrogatifs invariables (*qui, que,* etc.).

   Lequel *veux-tu?*

   Qui *a gagné?*

Pronoms interrogatifs variables

Tableau 7.5

Formes des pronoms interrogatifs variables

	singulier	**pluriel**
masculin	lequel	lesquels
féminin	laquelle	lesquelles

1. Le pronom interrogatif variable comprend la forme de l'article défini suivie de la forme de l'adjectif interrogatif.

   laquelle = *la* + *quelle*

2. Le pronom interrogatif variable prend le genre et le nombre du nom qu'il représente.

   De toutes ces chemises, ***laquelle*** *vas-tu acheter?*

   (*chemise* → féminin → *laquelle*)

3. Le pronom interrogatif variable remplace parfois un nom qui est sous-entendu.

   Lesquelles *préférez-vous, les grandes ou les petites?*

   (*lesquelles* → se rapporte à quelque chose de féminin pluriel dont on a déjà parlé ou que l'on montre du doigt)

4. Le participe passé s'accorde en genre et en nombre avec le pronom interrogatif complément d'objet direct qui le précède.

   De toutes ces chemises, ***laquelle*** *a-t-il achetée?*

MISE EN PRATIQUE 5 (pronoms interrogatifs variables)

Pour chaque réponse, composez une question en utilisant un pronom interrogatif variable et le pronom sujet entre parenthèses.

1. Elle a choisi la robe bleue. (elle)
2. Nous avons pris le train de 7 heures. (vous)
3. Je préfère les romans policiers. (tu)
4. Ils recherchent les preuves les plus convaincantes. (ils)

MISE EN PRATIQUE 6 (pronoms interrogatifs variables)

Complétez chaque phrase avec la forme correcte du pronom interrogatif variable. Faites l'accord du participe passé, s'il y a lieu.

1. Parfois, les femmes doivent choisir entre la vie professionnelle et la vie au foyer; ________ avez-vous choisi___?
2. En classe, on a vu deux documentaires sur l'environnement; _______ as-tu préféré?
3. ________ de ces deux vieilles photos veux-tu garder?
4. Pour ________ de vos deux fils essayez-vous de trouver un cadeau?
5. Parmi vos anciennes camarades d'université, ________ ont vraiment réalisé___ leurs ambitions?

Pronoms interrogatifs variables avec à *ou* de

Les pronoms interrogatifs variables utilisés avec la préposition *à* ou *de* ont une forme contractée au masculin singulier et au pluriel.

Il y a un inspecteur français et un autre anglais; ***auquel*** *voulez-vous parler?*

Il y a plusieurs dictionnaires sur l'étagère; ***desquels*** *as-tu besoin?*

Tableau 7.6

Formes des pronoms interrogatifs variables utilisés avec les prépositions *à* et *de*

		singulier	**pluriel**
masculin	(de)	duquel	desquels
	(à)	auquel	auxquels
féminin	(de)	de laquelle	desquelles
	(à)	à laquelle	auxquelles

MISE EN PRATIQUE 7 (pronoms interrogatifs variables avec *à* ou *de*)

Complétez chaque phrase avec la forme correcte du pronom interrogatif variable.

1. ________ des deux inspecteurs a-t-il téléphoné?
2. J'en ai des jaunes et des bleues; ________ avez-vous besoin?
3. Il y a deux boutiques tout près; ________ est-elle allée?
4. De ces deux clubs, ________ voudrais-tu être membre?

Pronoms interrogatifs invariables

Remarques préliminaires

1. Les formes des pronoms interrogatifs invariables ne reflètent ni le genre ni le nombre; un verbe dont le sujet est *qui, qui est-ce qui* ou *qu'est-ce qui* se met à la troisième personne du singulier.

   Qui a *gagné le match?* (un homme? une femme? une équipe?)

2. Tous les pronoms interrogatifs invariables (sauf *qu'est-ce qui*) ont une forme courte et une forme longue.

   Qu'*ont-ils décidé?*   ***Qu'est-ce qu'****ils ont décidé?*

3. La forme du pronom interrogatif invariable dépend de la fonction grammaticale du pronom.

   Qui *veut répondre?* (sujet du verbe *répondre*)

   Qu'*as-tu dit?* (complément d'objet direct du verbe *dire*)

Formes et fonctions des pronoms interrogatifs invariables

Tableau 7.7

Pronoms interrogatifs invariables

1. le pronom se rapporte à une ou plusieurs personne(s)

fonctions	**formes**	**exemples**
sujet	qui	***Qui*** *vient avec nous?*
	qui est-ce qui	***Qui est-ce qui*** *vient avec nous?*
objet direct	qui	***Qui*** *cherches-tu?*
	qui est-ce que	***Qui est-ce que*** *tu cherches?*
objet précédé d'une préposition	prép. + qui	***À qui*** *as-tu parlé?*
	prép. + qui est-ce que	***À qui est-ce que*** *tu as parlé?*

2. **le pronom se rapporte à une ou plusieurs chose(s)**

fonctions	**formes**	**exemples**
sujet	qu'est-ce qui	***Qu'est-ce qui*** *cause ce problème?*
objet direct	que (qu') qu'est-ce que	***Que*** *fais-tu?* ***Qu'est-ce que*** *tu fais?*
objet précédé d'une préposition	prép. + quoi prép. + quoi est-ce que	***À quoi*** *songes-tu?* ***À quoi est-ce que*** *tu songes?*

Attention! **a)** À part le pronom interrogatif *qui* sujet, les formes courtes entraînent toujours l'inversion du sujet.

À qui *veux-tu téléphoner?*

b) Avec les verbes impersonnels, on peut utiliser une forme courte (*que, qu'*).

Qu'est-ce qui *est arrivé?*
Qu'*est-il arrivé?*

Analyse grammaticale des pronoms interrogatifs invariables

Tableau 7.8

Analyse grammaticale

formes courtes	**formes longues**
Qui *a dit cela?* (sujet du verbe → personne)	***Qui est-ce qui*** *a dit cela?* (sujet du verbe → personne)
Pas de forme courte (sujet du verbe → chose)	***Qu'est-ce qui*** *vous empêche de le faire?* (sujet du verbe → chose)
Qui *as-tu appelé?* (objet direct du verbe → personne)	***Qui est-ce que*** *tu as appelé?* ***Qui est-ce qu'****il a appelé?* (objet direct du verbe → personne)
Que *fais-tu?* ***Qu'****aime-t-il?* (objet direct du verbe → chose)	***Qu'est-ce que*** *tu fais?* ***Qu'est-ce qu'****il aime?* (objet direct du verbe → chose)
Avec qui *y es-tu allé?* (objet précédé de la préposition *avec* → personne)	***Avec qui est-ce que*** *tu y es allé?* ***Avec qui est-ce qu'****il y est allé?* (objet précédé de la préposition *avec* → personne)
À quoi *pensais-tu?* (objet précédé de la préposition *à* → chose)	***À quoi est-ce que*** *tu pensais?* ***À quoi est-ce qu'****elle pensait?* (objet précédé de la préposition *à* → chose)

Remarques complémentaires

1. La forme courte *qui* représente toujours une personne.

   Qui *est là?* (= *Quelle personne est là?*)

2. Les formes courtes *que, qu'* et *quoi* représentent quelque chose d'autre qu'une personne.

   Que *dites-vous?* (= *Quelles paroles dites-vous?*)

3. La forme *qui* au début d'une forme longue représente toujours une/des personne(s). La forme *qui* à la fin d'une forme longue représente toujours le sujet du verbe.

   ***Qui** est-ce **qui** a commis ce crime?*
   → le premier *qui* = personne(s)
   → le deuxième *qui* = sujet du verbe

4. La forme *qu'* au début d'une forme longue représente une chose.

   ***Qu'**est-ce que vous dites?*
   ***Qu'**est-ce qui ne marche pas?*

MISE EN PRATIQUE 8 (pronoms interrogatifs invariables)

Pour chaque réponse, composez une question en utilisant un pronom interrogatif invariable et en suivant l'indication entre parenthèses. (fc = forme courte; fl = forme longue)

1. C'est l'inspecteur de police qui a téléphoné. (fc)
2. C'est le médecin qui lui a conseillé de faire ça. (fl)
3. Je me suis adressé au commissaire. (tu + fl)
4. Nous n'avons parlé qu'à des témoins. (vous + fc)
5. Je pense à mes vacances. (tu + fc)
6. Ce réfrigérateur-là ne marche plus. (fl)
7. J'y suis allé avec mes cousins. (tu + fc)
8. Je fais la vaisselle. (tu + fl)

MISE EN PRATIQUE 9 (pronoms interrogatifs invariables)

Complétez chaque phrase avec la forme correcte du pronom interrogatif invariable. (Il y a parfois plus d'une réponse possible.)

1. ________ vous avez dit?
2. Pour ________ as-tu voté?
3. À ________ veux-tu jouer?
4. ________ l'intéresse?
5. ________ veut prendre cette responsabilité?
6. ________ es-tu allé chercher?
7. À ________ doit-il téléphoner?
8. ________ aime-t-elle faire le samedi?

Emploi des adjectifs et pronoms interrogatifs

Tableau 7.9

Quand employer les adjectifs et pronoms interrogatifs

	contexte	explication
1.	***Quel** exercice voulez-vous que l'on fasse?* ***Quelle** est votre adresse?* *Pour **quelles** raisons doit-on faire cela?*	On emploie l'adjectif interrogatif pour poser une question au sujet d'une personne ou d'une chose. La question peut être une demande de choix ou d'information.
2.	*L'inspecteur ne savait pas **quelle** piste suivre.*	On emploie l'adjectif interrogatif au style indirect.

3. ***Laquelle*** *de tes robes vas-tu mettre? De tous les exercices sur le subjonctif,* ***lesquels*** *as-tu trouvés difficiles? Voici mes deux dictionnaires.* ***Duquel*** *as-tu besoin?*

   On emploie le pronom interrogatif variable pour proposer le choix d'une personne ou d'une chose parmi plusieurs du même type. Ce groupe peut être mentionné dans la proposition même, ou dans la phrase ou l'élément de phrase qui précède.

4. ***Qui*** *t'a dit cela? À* ***quoi*** *est-ce qu'il faisait allusion?*

   On emploie le pronom interrogatif invariable pour poser une question sur une personne ou une chose inconnue.

Mise en pratique 10 (adjectifs et pronoms interrogatifs)

Complétez les phrases suivantes avec l'adjectif ou le pronom interrogatif approprié. (Il y a parfois plus d'une réponse possible.)

1. De ces deux exercices, _______ veux-tu faire?
2. À _______ penses-tu?
3. _______ verbe doit-on employer?
4. _______ est ce vin?
5. Il y a deux méthodes possibles; _______ vas-tu te servir? (*se servir de*)
6. De ces trois problèmes, _______ allons-nous faire face en premier? (*faire face à*)

Les pronoms relatifs

Remarques préliminaires

1. Le pronom relatif est un pronom qui permet d'établir une relation entre un nom (ou un pronom) et une proposition subordonnée qui fournit un supplément d'information.

   C'est un ancien cambrioleur ***qui*** *a pris sa retraite.*
   (*qui a pris sa retaite* → supplément d'information sur *l'ancien cambrioleur*)

2. Le pronom relatif permet d'éviter la répétition d'un nom (l'antécédent) dans la proposition subordonnée. Cette démarche permet donc d'améliorer son style en utilisant une phrase complexe qui évite la redondance.

   Il a ***un cousin. Ce cousin*** *a disparu.*
   (redondance : *un cousin* + *ce cousin*)

   → *Il a un cousin* ***qui*** *a disparu.*

3. La forme du pronom relatif dépend de sa fonction grammaticale dans la phrase.

   Dans cette affaire, c'est le mobile du crime ***qui*** *manque.*
   Analyse : *qui* (représentant *le mobile du crime*) est le sujet du verbe *manquer*.

4. La forme du pronom relatif peut aussi être influencée par le genre et le nombre de son antécédent.

   Il y a des indices sans ***lesquels*** *on ne peut pas résoudre une enquête.*
   Analyse : *indices* (masc. plur.) → *lesquels* (masc. plur.)

5. La forme du pronom relatif peut aussi être influencée par la nature (personne ou chose) de son antécédent.

C'est une collègue à ***qui*** *je me fie.*
C'est une méthode à ***laquelle*** *je me fie.*

Analyse : *collègue* = personne → pronom relatif *qui*
méthode = chose → pronom relatif *laquelle*

6. S'il n'y a pas d'antécédent précis, on utilise le mot *ce* avant le pronom relatif.

Il ne sait pas ***ce qu'****il veut faire.*
Analyse : pas d'antécédent précis (*ce* devient l'antécédent de remplacement)

Mise en pratique II (pronoms relatifs)

Indiquez le ou les facteur(s) ayant influencé le choix de la forme du pronom relatif : **a)** la fonction grammaticale, **b)** la nature de l'antécédent (personne ou chose), **c)** le genre ou le nombre de l'antécédent et **d)** la présence ou l'absence d'un antécédent nom.

Modèle : Je ne sais pas *ce qu'*il faut faire. (→ a et d)

1. C'est un travail bien payé *qu'*il cherche.
2. Je n'ai pas compris *ce qu'*elle disait au sujet du sexisme.
3. Voilà un projet *auquel* il faudra penser.
4. C'est un commissaire pour *qui* ses inspecteurs feraient n'importe quoi.

Formes des pronoms relatifs

Tableau 7.10

Pronoms relatifs

fonction grammaticale	**remplace une personne**	**remplace une chose**
sujet	*qui*	*qui, ce qui*
objet direct	*que*	*que, ce que*
objet précédé d'une préposition autre que *de* ou *à*	préposition + *qui* *lequel* *laquelle* *lesquels* *lesquelles*	préposition + *quoi* *lequel* *laquelle* *lesquels* *lesquelles* *ce* + préposition + *quoi*
objet précédé de la préposition *à*	*à qui* *auquel* *à laquelle* *auxquels* *auxquelles*	*à quoi* *auquel* *à laquelle* *auxquels* *auxquelles* *ce à quoi*

objet précédé d'une locution prépositive en *de* (ex. *à côté de*)	*de qui* *duquel* *de laquelle* *desquels* *desquelles*	*duquel* *de laquelle* *desquels* *desquelles*
objet précédé de la préposition *de*	*dont*	*dont, de quoi, ce dont*
complément circonstanciel de lieu ou de temps		*où*

Remarques complémentaires

1. L'antécédent des pronoms relatifs *qui, que* et *dont* peut être une personne ou une chose.

   Il a ***un frère*** *qui est policier.*
   Il a acheté ***l'ordinateur*** *que je lui avais recommandé.*

2. Les pronoms relatifs variables (*lequel, duquel, auquel, laquelle, de laquelle, à laquelle, lesquels, desquels, auxquels, lesquelles, desquelles, auxquelles*) s'accordent en genre et en nombre avec leur antécédent.

   C'est ***le professeur auquel*** *tu voulais parler.*
   Voici ***l'étagère sur laquelle*** *je vais mettre ces livres.*

3. *Qu'* remplace *que* devant une voyelle ou un *h* muet, mais la forme *qui* ne change jamais.

   C'est un geste ***que*** *nous apprécions.*
   C'est un geste ***qu'****on apprécie.*

MISE EN PRATIQUE 12 (pronoms relatifs)

Choisissez la forme correcte du pronom relatif.

1. Je ne sais pas __________ (que, ce que) tu veux.
2. Ce n'est pas une maison __________ (dans qui, dans laquelle) je voudrais vivre.
3. Comprends-tu __________ (ce que, ce qu') elle dit?
4. En 1972, certains pays, __________ (dont, ce dont) le Canada et les États-Unis, ont décidé de mettre fin à leurs activités de chasse à la baleine.

Fonctions grammaticales des pronoms relatifs

Tableau 7.11

Pronoms relatifs et leur fonction grammaticale

QUI, CE QUI → pronoms relatifs sujets

a) ***qui*** avec antécédent (personne ou chose)

   J'aime les gens ***qui*** *disent ce qu'ils pensent.*

   antécédent : *les gens*
   fonction de *qui* : sujet du verbe *dire*

b) ***ce qui*** sans antécédent

   Je me demande ***ce qui*** *s'est passé.*

   fonction de *ce qui* : sujet du verbe *se passer*

QUE, CE QUE → pronoms relatifs compléments d'objet direct

a) ***que*** avec antécédent (personne ou chose)

*J'aime la robe **qu**'elle a achetée.*

antécédent : *la robe*

fonction de *que* : COD du verbe *acheter*

b) ***ce que*** avec *ce*, antécédent de remplacement

*Je ne comprends pas **ce que** vous dites.*

fonction de *ce que* : COD du verbe *dire*

DONT, CE DONT, DUQUEL/DE LAQUELLE/DESQUELS/DESQUELLES → pronoms relatifs suivant la préposition *de*

a) ***dont*** → avec antécédent (personne ou chose)

*J'ai acheté le dictionnaire **dont** j'avais besoin.*

antécédent : *le dictionnaire*

fonction de *dont* : complément de *avoir besoin de*

b) ***ce dont*** → avec *ce*, antécédent de remplacement

*Je ne sais pas **ce dont** il s'agit.*

fonction de *ce dont* : complément de *il s'agit de*

c) ***duquel, de laquelle, desquels, desquelles*** → avec antécédent (personne ou chose) et suivant une locution prépositive en *de* (par exemple *au bord de*)

*Quel est le nom du lac au bord **duquel** nous nous sommes promenés?*

antécédent : *lac*

fonction de *duquel* : complément de la locution prépositive *au bord de*

Mise en pratique 13 (pronoms relatifs)

Complétez chaque phrase avec la forme correcte du pronom relatif.

1. Il y a des cambrioleurs ______ ne sont pas toujours arrêtés.
2. C'est tout à fait ______ il me fallait.
3. L'article ______ elle a mentionné parle de l'émancipation des femmes au vingtième siècle.
4. La situation à propos ______ ils se sont disputés n'était qu'un malentendu.
5. Ce sont des indices ______ il faut tenir compte.
6. Je ne comprends pas ______ il s'agit.

Tableau 7.12

Pronoms relatifs et leur fonction grammaticale (suite)

Pronoms relatifs suivant des prépositions autres que *de*

a) préposition + ***qui/lequel*** avec antécédent (personne)

*Je ne connais pas le garçon avec **qui** elle est sortie.*
*Je ne connais pas le garçon avec **lequel** elle est sortie.*

antécédent : *le garçon*

fonction de *qui/lequel* : complément circonstanciel d'accompagnement

b) ***à + qui/auquel*** avec antécédent (personne)

*Ce n'est pas le conseiller **à qui** il faut s'adresser.*
*Ce n'est pas le conseiller **auquel** il faut s'adresser.*

antécédent : *le conseiller*
fonction de *à qui/auquel* : complément de *s'adresser à*

c) préposition + ***lequel, laquelle, lesquels, lesquelles*** avec antécédent (chose)

*C'est la raquette avec **laquelle** il a gagné le match.*

antécédent : *la raquette*
fonction de *laquelle* : complément circonstanciel de moyen

d) ***auquel*** avec antécédent (chose)

*C'est bien le problème **auquel** je pense.*

antécédent : *le problème*
fonction de *auquel* : complément de *penser à*

e) ***ce*** + préposition + ***quoi*** avec *ce*, antécédent de remplacement

*C'est exactement **ce à quoi** je pensais.*

fonction de *ce à quoi* : complément de *penser à*

Pronoms relatifs compléments circonstanciels

a) ***où*** avec antécédent de lieu

*C'est le restaurant **où** nous avons mangé.*

antécédent : *le restaurant*
fonction de *où* : complément circonstanciel de lieu du verbe *manger*

b) ***où*** avec antécédent de temps

*Je me rappelle l'époque **où** l'on se disputait tout le temps.*

antécédent : *l'époque*
fonction de *où* : complément circonstanciel de temps du verbe *se disputer*

c) ***où*** sans antécédent

*Je ne sais pas **où** il est allé.*

fonction de *où* : complément circonstanciel de lieu du verbe *aller*

MISE EN PRATIQUE 14 (pronoms relatifs)

Complétez chaque phrase avec la forme correcte du pronom relatif. Il y a parfois plus d'une réponse possible.

1. Je ne sais pas ______ le policier fait allusion.
2. Il est difficile de trouver la personne avec ______ on peut passer le reste de ses jours.
3. Je ne connais pas la personne à ______ tu parlais.
4. Voici l'outil avec ______ le cambrioleur va ouvrir le coffre-fort.
5. C'était une époque ______ on parlait peu de l'exploitation des femmes.
6. Sais-tu ______ il vient? (*venir de*)

Emploi des pronoms relatifs

Tableau 7.13

Comment employer les pronoms relatifs

contexte	explication
Le pronom relatif *qui*	
Ce sont mes parents ***qui*** *le lui diront.* *C'est un film* ***qui*** *m'a beaucoup frappé.* *C'est moi* ***qui*** *le lui dirai.*	Le pronom relatif *qui* s'emploie comme sujet du verbe d'une proposition subordonnée. L'antécédent de *qui* peut être soit une personne, soit une chose.

Attention! Le verbe de la proposition relative s'accorde avec l'antécédent du pronom relatif sujet *qui.*

C'est ***moi qui*** *vous* ***ai dit*** *cela.*
(qui = moi = je)

Le pronom relatif *ce qui*	
1. *Je ne sais pas* ***ce qui*** *l'intéresse.*	Le pronom relatif *ce qui* s'emploie comme sujet d'une proposition relative sans antécédent, nom ou pronom.
2. *Savoir se détendre, voilà* ***ce qui*** *est important.*	Le pronom relatif *ce qui* peut représenter toute une phrase, c'est-à-dire toute une idée.
3. ***Ce qui*** *l'intéresse, c'est le cinéma.*	*Ce qui* peut aussi annoncer ce que l'on va dire.

Attention! Le verbe de la proposition subordonnée qui s'accorde avec *ce qui* est toujours à la troisième personne du singulier.

Ce qui *m'****étonne****, c'est son attitude.*

Le pronom relatif *que*	
C'est Jean-Pierre ***que*** *vous voulez voir.* *C'est une émission* ***que*** *j'ai beaucoup aimée.* *C'est vous* ***que*** *j'ai vu.*	Le pronom relatif *que* s'emploie comme complément d'objet direct du verbe d'une proposition relative. Son antécédent peut être soit une personne ou une chose, soit un nom ou un pronom.

Attention! **a)** Le participe passé du verbe de la proposition relative s'accorde en genre et en nombre avec l'objet qui précède le verbe, c'est-à-dire avec le pronom relatif qui est du même genre et du même nombre que son antécédent.

Ce n'est pas ***la jupe qu'****elle a achet****ée****.*

b) Le mot *que* n'est pas toujours un pronom relatif; il est parfois une conjonction.

Il a dit une chose ***qu'****il a regrettée.*
(*qu'* = pronom relatif)
Il a dit ***qu'****il s'est excusé.*
(*qu'* = conjonction)

Le pronom relatif *ce que*	
1. *Savais-tu* ***ce que*** *je voulais?*	Le pronom relatif *ce que* s'emploie comme complément d'objet direct du verbe d'une proposition relative sans antécédent, nom ou pronom.
2. *Me reposer, voilà* ***ce que*** *je voulais.*	Le pronom relatif *ce que* peut représenter toute une phrase, c'est-à-dire toute une idée.
3. ***Ce que*** *je voulais, c'était me reposer.*	*Ce que* peut aussi annoncer ce que l'on va dire.

Mise en pratique 15 (pronoms relatifs)

Utilisez le pronom relatif qui convient.

1. L'inspecteur ______ arrive, c'est lui ______ a mené l'enquête.
2. Vous ne faites pas toujours ______ il veut, j'espère.
3. La montre ______ elle s'est achetée ne marche plus.
4. Est-ce que c'est moi ______ le commissaire veut voir?
5. Mon petit frère, ______ j'adore malgré tout, peut être une vraie terreur.
6. Après ce long hiver, ______ j'attends avec impatience, c'est un printemps ensoleillé.
7. Le hockey est un sport ______ me passionne.
8. ______ m'irrite particulièrement, ce sont les gens ______ parlent dans les bibliothèques et les cinémas.

Tableau 7.14

Comment employer les pronoms relatifs (suite)

contexte	explication
Le pronom relatif *dont*	
1. *C'est une étudiante* ***dont*** *il se souvient bien.*	Le pronom relatif *dont* incorpore la préposition *de*. Son antécédent peut être une personne ou une chose, un nom ou un pronom. *Dont* peut être le complément d'un verbe suivi de la préposition *de*.
2. *C'est le chien* ***dont*** *il a peur.*	*Dont* peut être le complément d'une expression verbale suivie de la préposition *de*.
3. *Voici un travail* ***dont*** *je suis satisfait.*	*Dont* peut être le complément d'un adjectif suivi de la préposition *de*.
4. *C'est la fille* ***dont*** *le père est député. Il ne peut pas conduire une voiture* ***dont*** *les freins ne marchent pas.*	*Dont* peut être le complément d'un nom suivi de la préposition *de* pour établir un rapport de parenté ou de possession. (*le père de la fille, les freins de la voiture*)

Attention! Parmi les termes suivis de la préposition *de*, il faut noter :

verbes	expressions verbales	adjectifs
manquer de	*avoir besoin de*	*content de*
parler de	*avoir envie de*	*fier de*
se souvenir de	*avoir peur de*	*satisfait de*

Le pronom relatif *ce dont*	
1. ***Ce dont*** *il se souvient ne nous aide guère.*	Le pronom relatif *ce dont* incorpore la préposition *de*. Il peut s'employer sans antécédent. Il peut être l'objet d'un verbe suivi de la préposition *de*.
2. *Prendre des vacances, c'est* ***ce dont*** *il a besoin.*	*Ce dont* peut représenter toute une phrase, c'est-à-dire toute une idée.
3. ***Ce dont*** *on profite vraiment, c'est d'une vie bien équilibrée.*	*Ce dont* peut aussi anticiper ce que l'on va dire.

Les pronoms relatifs *de qui* et *duquel* (*de laquelle*, etc.)

C'est la dame à côté ***de qui*** *j'étais assis.*
C'est la dame à côté ***de laquelle*** *j'étais assis.*
C'est le chapitre à la fin ***duquel*** *on aura maîtrisé les pronoms relatifs.*

Les pronoms relatifs *de qui* et *duquel* s'emploient comme complément d'une locution prépositive qui se termine par *de*. L'antécédent du pronom relatif *de qui* est toujours une personne. L'antécédent du pronom relatif *duquel* peut être une personne ou une chose.

Attention! **a)** Lorsque l'antécédent est une personne, il y a un choix à faire entre *de qui* et *duquel*. Le pronom *de qui* est préférable.

b) Parmi les locutions prépositives qui se terminent par ***de***, il faut noter :

à côté de	*à propos de*	*au moyen de*
au début de	*à proximité de*	*au milieu de*
le long de	*au bord de*	*au sujet de*
près de	*au centre de*	*à la fin de*

Le pronom relatif *ce* + préposition + *quoi*

Préposition + *quoi*

Ce contre quoi *elle se rebelle, c'est son attitude envers les femmes.*
Je me demande ***avec quoi*** *on pourrait réparer cela.*
Ce à quoi *je rêve, ce sont de longues vacances.*
Parfois, je ne sais pas du tout ***à quoi*** *il pense.*

Ce type de pronom relatif s'emploie comme complément après une préposition autre que *de*. La construction avec *ce* peut être utilisée en tête de phrase ou peut annoncer ce que l'on va dire. La construction sans le pronom *ce* suit le verbe de la proposition principale.

Le pronom relatif *où*

Je l'ai déposé à l'endroit ***où*** *il voulait aller.*
C'était l'année ***où*** *il est mort.*
Je ne sais pas ***où*** *se trouve ce restaurant.*

Le pronom relatif *où* s'emploie comme complément circonstanciel de lieu ou de temps du verbe de la proposition relative. L'antécédent du pronom relatif *où* (un lieu ou un temps) peut être explicite ou implicite.

Attention! Pour des raisons de style, le pronom *où* est préférable à une préposition de temps ou de lieu suivie d'une forme du pronom relatif variable.

le restaurant ***où*** *nous avons dîné* (*dans lequel*)
le pont ***jusqu'où*** *l'on s'est promené* (*jusqu'auquel*)
le pays ***d'où*** *il vient* (*duquel*)
le village ***par où*** *l'on est passé* (*par lequel*)
le jour ***où*** *il est né* (*durant lequel*)
l'année ***où*** *ils se sont fiancés* (*pendant laquelle*)

Mise en pratique 16 (pronoms relatifs)

Complétez chaque phrase avec le pronom relatif qui convient.

1. Voilà un effort ______ nous pouvons tous être contents.
2. Il y a des rêves ______ je ne me souviens pas.

3. C'est un tableau expressionniste au centre ______ il y a un grand cercle rouge.
4. Il y a des choses ______ on a parfois honte.
5. Elle a épousé un jeune homme ______ les parents sont français.
6. C'est vraiment ______ il avait envie.
7. Cet hôtel a une piscine au bord ______ se bronzent les vacanciers.
8. Ne pas avoir à étudier ces pronoms relatifs, voilà ______ ils rêvent.

Tableau 7.15

Pronoms relatifs *qui* et *lequel* avec une préposition autre que *de*

contexte	explication
Il connaît la fille ***avec qui*** *son frère est sorti.* *Il connaît la fille* ***avec laquelle*** *son frère est sorti.* *C'est la raison* ***pour laquelle*** *il est fâché.* *Il y a peu d'employés* ***à qui*** *l'on a donné une augmentation.* *C'est une lettre* ***à laquelle*** *il faudra répondre.*	Les pronoms relatifs *qui* et *lequel* peuvent être le complément d'une préposition autre que *de*. Dans ce cas, l'antécédent du pronom relatif *qui*, précédé d'une préposition, est toujours une ou des personne(s). L'antécédent du pronom *lequel*, précédé d'une préposition, peut être une personne ou une chose.

Attention! Lorsque l'antécédent est une personne, il y a donc un choix à faire entre *qui* et *lequel*. Le pronom *qui* est préférable.

MISE EN PRATIQUE 17 (pronoms relatifs)

Complétez chaque phrase avec le pronom relatif qui convient.

1. Le guide avec ______ nous avons fait la visite du musée parlait français.
2. Le policier se demande ______ il va mettre tout ce matériel.
3. C'est la maladie contre ______ il prend ces médicaments.
4. Je sais exactement par ______ vous êtes passé.
5. C'est un collègue avec ______ il se dispute toujours.
6. Voici les arguments sur ______ il a fondé sa décision.
7. La réunion ______ nous avons assisté n'a duré qu'une heure.
8. Cela s'est passé la semaine ______ ils sont rentrés.

Tableau 7.16

Autres emplois des pronoms relatifs

contexte	explication
1. *Elle a invité son père et sa mère,* ***laquelle*** *n'a pas pu venir.* *Il lui a écrit une lettre et une carte postale,* ***laquelle*** *elle n'a pas reçue.*	On peut employer *lequel* à la place de *qui* (sujet) ou *que* (objet direct) pour éviter la confusion entre deux personnes ou deux choses. Ces formes se rapportent au dernier élément mentionné.
2. *Les deux personnes* ***entre lesquelles*** *j'étais assise avaient l'air de ne pas écouter le conférencier.* *Les gens* ***parmi lesquels*** *nous nous trouvions ne parlaient pas anglais.*	On utilise *lesquels* ou *lesquelles* après les prépositions *entre* et *parmi*. On ne peut pas employer *qui*. Cependant, *qui* est préférable après les autres prépositions lorsque l'antécédent est une personne.

3. *Il faut manger* ***tout ce qui*** *reste.*
   Tout ce que *je demande, c'est qu'on me laisse tranquille.*
   Vous m'avez apporté ***tout ce dont*** *j'ai besoin.*

   On peut utiliser *tout* suivi de *ce qui, ce que* ou *ce dont* pour exprimer la totalité.

4. ***Celui qui*** *accumule le plus de points gagne.*
   Je préfère ***celle qu'****elle a préparée.*
   Je n'ai pas pu obtenir ***ceux que*** *tu voulais.*

   On peut utiliser le pronom démonstratif *celui, celle, ceux* ou *celles* suivi d'un pronom relatif pour identifier la personne ou la chose dont on parle.

MISE EN PRATIQUE 18 (pronoms relatifs)

Complétez les phrases suivantes avec le pronom relatif qui convient.

1. Dans tout _______ il dit, il y a toujours un grain de vérité.
2. Le commissaire voudrait parler à tous _______ n'ont pas encore fait leur déposition.
3. Elle a rencontré plusieurs amis, parmi _______ se trouvait son ancien fiancé.

Problèmes de traduction

Tableau 7.17

Comment traduire

1. Of the two films we saw last week, I prefer **the one** that we we saw first. → *Des deux films que nous avons vus la semaine dernière, je préfère* ***celui*** *que nous avons vu en premier.*

   The problem is **one** of money. → ***Il est question/Il s'agit*** *d'argent.*

   The problem they have is **one** of communication. → *Le problème qu'ils ont, c'est* ***un problème*** *de communication.*

   On traduit *the one* ou *the ones* par un pronom démonstratif (suivi d'un pronom relatif). Pour traduire **one of**, on utilise les constructions *il est question de, il s'agit de,* ou on répète le nom.

2. Of all the speeches given on that day, I prefer **Stéphanie's**. → *De tous les discours prononcés ce jour-là, je préfère* ***celui de Stéphanie.***

   I really liked **Paul's speech**. → *J'ai beaucoup apprécié* ***le discours de Paul****.*

   La construction possessive anglaise se traduit en français par le pronom démonstratif + *de* + possesseur.

   Si la construction possessive anglaise est suivie d'un nom, on traduit en français par la formule nom + *de* + possesseur.

3. This is the lady I met at the station. → *C'est la dame* ***que*** *j'ai rencontrée à la gare.*

   The friends she was travelling with stayed in England. → *Les amis avec* ***qui*** *elle voyageait sont restés en Angleterre.*

   The day he came, I wasn't here. → *Le jour* ***où*** *il est venu, je n'étais pas ici.*

   En anglais, il est souvent naturel d'omettre le pronom relatif. En français, l'emploi du pronom relatif est obligatoire lorsqu'on introduit une proposition relative.

4. The grammar book **that/which** I use . . . → *Le manuel de grammaire* ***que*** *j'utilise . . .*

   The grammar book **that/which** is there . . . → *Le manuel de grammaire* ***qui*** *est là . . .*

   En anglais, si l'antécédent est une chose, le pronom relatif, lorsqu'il est utilisé, peut être *that* ou *which*. En français, le choix du pronom relatif dépend de l'antécédent (personne ou chose) et de la fonction grammaticale du pronom relatif dans la proposition relative.

5. I don't know **when** he'll come. → *Je ne sais pas* ***quand*** *il viendra.*

   It was one of those days **when** everything went right. → *C'était un de ces jours* ***où*** *tout allait pour le mieux.*

   On traduit *when* par la conjonction *quand*, excepté lorsque ce terme est précédé par des substantifs tels que *jour, semaine, mois, année, période*, etc.; dans ce cas, on utilise *où*.

Mise en pratique 19 (traduction)

Traduisez les phrases suivantes en français.

1. I forgot the name of the young man I met last week.
2. Do you remember the year we went to Halifax?
3. I wondered when he would finally get fired.
4. Of all the wonderful dishes your mother makes, I prefer the one she made this weekend.

Expression écrite

L'argumentation

1. L'argumentation est le développement raisonné des idées. L'intention est de convaincre le lecteur avec logique, force et clarté.
2. Lorsqu'on planifie son argumentation, il faut savoir à quoi servira chaque idée. Est-ce pour formuler un avis ou pour illustrer ce que vous avez dit? Est-ce pour appuyer un argument ou pour arriver à une conclusion?
3. Il existe de nombreuses expressions et tournures qui permettent de mieux présenter ses arguments.

Outils pour l'argumentation

Tableau 7.18

Formules utilisées dans l'argumentation

A. pour donner un exemple

Considérons, par exemple, . . .
Tel est le cas, par exemple, de . . .
L'exemple de . . . confirme . . .
Ainsi . . .
Un autre exemple significatif nous est fourni par . . .
Si on prend le cas de . . .
On peut citer, à cet effet, le cas de . . .

B. pour énumérer

Tout d'abord . . . ensuite . . . en outre . . . enfin . . .
En premier lieu . . . ensuite . . . puis . . . en dernier lieu . . .
On commencera d'abord par . . . ensuite . . . puis . . .

C. pour ajouter

À ce premier argument s'ajoute . . .
Par ailleurs . . .
Si l'on ajoute enfin . . .
On sait par exemple que . . .
Plus important encore . . .
Il faut compter aussi sur . . .
Ceci dit . . ./Cela dit . . .

D. pour démentir

On ne peut pas affirmer que . . .
Il n'a jamais été question de . . .
Il est tout à fait faux de . . .
Il ne peut être question, en aucun cas, de . . .
Contrairement à ce que . . .
Il faut préciser que . . .
Il est rare que . . .

E. pour faire des concessions

Il est en effet possible que . . .
S'il est certain que . . .
Il s'agit quand même de remarquer que . . .
Tout en reconnaissant le fait que . . .
Quel que soit le bien-fondé de . . .
Il est exact que . . . mais . . .
Il arrive bien sûr que . . .

F. pour conclure

Finalement, . . .
Donc, . . .
On peut conclure que . . .
En définitive, il semble bien que . . .
En résumé, on peut considérer que . . .
En résumant, on peut dire que . . .
On voit par ce qui précède que . . .
Ainsi ce témoignage/cette enquête prouve que . . .
Ce témoignage/Cette enquête/Cette étude prouve que . . .
Si, en fin de compte, . . .
En conclusion, . . .

Tableau 7.19

Autres formules utilisées dans l'argumentation

A. pour exprimer un point de vue personnel

Selon moi, . . .
À mon avis, . . .
En ce qui me concerne, . . .
D'après moi, . . .
Je pense que, . . .
Il me semble que, . . .
Pour ma part, . . .
Personnellement, . . .

B. pour insister .

Il semble donc que . . .
Il faut souligner que . . .
On notera que . . .
Rappelons que . . .
Il est évident que . . .
Il est clair que . . .

C. pour indiquer des ressemblances

Il en va de même de . . .
On retrouve le/la même . . .
. . . de façon identique . . .
. . . également . . .
De même . . .
. . . au même titre que . . .

D. pour éviter un malentendu

Notons que . . .
Signalons que . . .
Précisons que . . .
Il faut mentionner que . . .
Il faut attirer l'attention sur le fait que . . .

E. pour exprimer un doute

Il paraît que . . .
Il est peu probable que (+ subjonctif) . . .
Il est possible que (+ subjonctif) . . .
Il se peut que (+ subjonctif) . . .
Il serait étonnant que (+ subjonctif) . . .

F. pour exprimer la certitude

Il est certain que . . .
Il est évident que . . .
Il va de soi que . . .
Il est indéniable que . . .
Il est vrai que . . .
Manifestement/Évidemment, . . .
Il est clair que . . .
On ne peut pas nier que . . .

G. pour opposer

D'une part . . . d'autre part . . .
Par ailleurs, . . .
Par contre, . . .
Cependant, . . .
Pourtant, . . .
Toutefois, . . .

H. pour expliquer

c'est-à-dire . . .
ce qui veut dire . . .
ce qui signifie . . .
ce qui explique . . .

I. pour mettre en relief

Il y a . . . qui/que . . .
C'est . . . qui . . .
C'est . . . que . . .
Ce qui . . . c'est . . .
Ce que . . . c'est . . .
D'autant plus que . . .

J. pour attirer l'attention sur un point précis

N'oublions pas que . . .
Il est intéressant de noter que . . .
Il est surprenant de noter que . . .
Il est évident que . . .
Il est clair que . . .

Mise en pratique 20 (outils pour l'argumentation)

Lisez le passage ci-dessous et identifiez les tournures qui aident à convaincre ou qui servent à passer d'une idée à une autre.

Le monde moderne fait à l'heure actuelle l'objet d'une condamnation presque unanime. Tout le monde se déclare insatisfait et critique aussi bien la pollution, l'énergie nucléaire et les produits chimiques que la vie urbaine et ses tensions. Ces accusations sont-elles vraiment justifiées?

Telle est la question à laquelle je voudrais essayer de répondre. Je me pencherai en premier lieu sur les problèmes de la pollution et notamment des insecticides comme le D.D.T. Ensuite, j'aborderai les problèmes de santé et, pour terminer, je ferai quelques remarques au sujet des loisirs et du mode de vie actuel.

Notons, tout d'abord, que les insecticides dont on dit tant de mal ont permis de lutter contre des épidémies comme le typhus qui, autrefois, faisaient des ravages. Ils ont d'autre part permis d'améliorer de façon considérable les rendements agricoles. Précisons, à ce sujet, que, dans bien des pays du tiers monde, une grande partie de la récolte est encore détruite par les insectes. C'est un fait à ne pas négliger.

Il y a lieu de remarquer, à ce propos, que l'on retrouve la même attitude au sujet de l'énergie nucléaire. Tout le monde en parle, mais personne ne dit rien des cent mille morts que provoquent en France chaque année l'alcool et le tabac.

Cela dit, examinons maintenant l'état de santé des gens d'aujourd'hui. Est-il nécessaire de rappeler que l'espérance de vie est passée de 20 ans en 1775 à 75 ans en 1994, que la mortalité infantile est pratiquement identique dans tous les quartiers de Paris, alors qu'au début du vingtième siècle, la durée de vie était de 60 ans dans les quartiers riches et de 35 ans dans les quartiers pauvres. On notera aussi que la taille moyenne des adolescents va en augmentant, ce qui est un signe objectif de bonne santé. En somme, on ne peut pas parler de détérioration de la santé par la vie moderne.

Nous pouvons passer maintenant à notre dernier point, celui du mode de vie actuel. On rend la vie citadine responsable de bien des maux et l'on vante les vertus de la vie à la campagne, au contact de la nature. Mais il faut signaler que les maladies de cœur, comme l'hypertension, sont aussi fréquentes dans les campagnes les plus éloignées que dans les villes.

En conclusion, il semble clair qu'il faille aborder ces questions avec plus de rigueur, plus d'objectivité. Le monde actuel est loin d'être parfait, c'est vrai. Cependant, ce n'est pas une raison pour dire n'importe quoi.

Adapté de *Parler et convaincre*, Librairie Hachette.

Synthèse

Exercice 1 Lequel choisir (les pronoms démonstratifs)

oral ou écrit

Faites l'exercice suivant selon le modèle.

Modèle : ce chandail
→ *Préfères-tu ce chandail ou celui qu'on voulait acheter hier?*

1. cette montre
2. ce sac à dos
3. cette blouse
4. cet agenda
5. ce foulard
6. cet étui à lunettes

EXERCICE 2 Le contraire (les pronoms possessifs)

Faites l'exercice suivant selon le modèle.

Modèle : Votre maison a un jardin. (eux ou les voisins)
→ *La leur n'en a pas.*

1. Ton sac à dos a une pochette extérieure. (moi)
2. Ma chambre a une salle de bain attenante. (mon frère)
3. Notre tondeuse à gazon a un sac de ramassage. (nos voisins)
4. Votre vélo a un phare. (votre camarade)
5. Son manteau de pluie a une doublure. (toi)
6. Ses bottes ont une fermeture Éclair. (vous)

EXERCICE 3 As-tu vu . . . ? (adjectifs interrogatifs)

oral ou écrit

Faites l'exercice suivant selon le modèle.

Modèle : imperméable
→ *As-tu vu mon imperméable?*
→ *Quel imperméable?*

1. pantoufles
2. écharpe
3. jeans
4. ceinture
5. lunettes
6. gants

EXERCICE 4 Complétons! (pronoms interrogatifs)

oral ou écrit

Complétez les phrases suivantes avec la forme correcte du pronom interrogatif. Il y a parfois plus d'une réponse possible.

1. __________ se porte volontaire?
2. __________ de ces deux chemises vas-tu mettre?
3. Avec __________ est-ce qu'on peut ouvrir cette boîte?
4. Avec __________ veux-tu danser?
5. __________ vous faites ce soir?
6. __________ c'est que ça?
7. __________ il y a?
8. __________ est devenu ce voleur?
9. __________ vous ennuie?
10. __________ a posé cette question?

EXERCICE 5 Quelle est la question? (adjectifs et pronoms interrogatifs)

oral ou écrit

Pour chaque réponse, formulez une question. Tenez compte des indications entre parenthèses.

Modèle : Ils sont tous français. (*nationalité* + adj. interro.)
→ *Quelle est leur nationalité?*

1. Il est trois heures et demie. (adj. interro.)
2. Elle préfère les hommes timides. (pronom interro.)
3. Elle a choisi d'être pompier. (*métier* + adj. interro.)
4. Je veux celui-là. (pronom variable)
5. C'est Jean-Pierre qui a dit cela. (forme longue)
6. J'ai décidé de refaire cette dissertation. (forme courte)
7. C'est Louise qui frappe à la porte. (forme courte)
8. Il y a eu un accident. (*se passer* + forme longue)

EXERCICE 6 Interrogatoire (interrogatif)

oral ou écrit

En vous inspirant de la lecture du dossier 1 de ce chapitre (*Dernier Casse*), imaginez la conversation entre l'inspecteur de police et l'homme au commissariat. Vous êtes l'inspecteur et vous posez les questions.

EXERCICE 7 Silence! (pronom relatif *qui*)

oral ou écrit

Faites l'exercice suivant selon le modèle.

Modèle : Robert/regarder la télévision
→ *Il y a Robert qui regarde la télévision.*

1. Jean-Paul/jouer du piano
2. le facteur/sonner à la porte
3. un train/passer
4. Pierre et Marc/jouer au ping-pong
5. Jacqueline/mettre les assiettes dans le lave-vaisselle
6. Maman/gronder les petits

EXERCICE 8 Les choses que j'aime (pronom relatif *que*)

oral ou écrit

Exprimez ce que vous aimez ou ce que vous désirez faire.

Modèle : un livre/je veux le lire
→ *Voici un livre que je veux lire.*

1. un film/j'aimerais le voir
2. une actrice/je la trouve sensationnelle
3. un disque/je voudrais l'écouter
4. des pantalons/je veux absolument les acheter
5. un voyage/je compte le faire
6. un écrivain/je l'admire beaucoup

EXERCICE 9 C'est un . . . (pronom relatif *dont*)

oral ou écrit

Faites l'exercice suivant selon le modèle.

Modèle : un meuble/avoir besoin
→ *C'est un meuble dont ils ont besoin.*

1. une maison/avoir envie
2. un exploit/être fiers
3. un problème/se préoccuper
4. une occasion/se souvenir
5. un événement/parler souvent
6. un appareil/se servir beaucoup

EXERCICE 10 Commentaire personnel (pronoms relatifs)

oral ou écrit

Faites un commentaire personnel sur les choses suivantes en utilisant les expressions ci-dessous.

beaucoup	peu	pas du tout
souvent	de temps en temps	rarement
parfois	toujours	ne . . . jamais

Modèle : la musique classique est une chose/s'intéresser à
→ *La musique classique est une chose à laquelle je m'intéresse beaucoup.*

1. le sexisme est une pratique/m'irriter
2. ma santé est une chose/faire attention à
3. les concerts de rock sont des spectacles/aller à

4. la politique est un sujet/s'intéresser à
5. les matchs de baseball sont des événements sportifs/assister à
6. mon avenir est un sujet/penser à
7. le chômage est une question/réfléchir à
8. trouver une solution au problème de la violence chez les jeunes est une chose/tenir à

Exercice 11 Deux phrases en une (pronoms relatifs)

écrit

Reliez les deux phrases à l'aide d'un pronom relatif.

Modèle : C'est une chanson. Je ne m'en lasserai jamais.
→ *C'est une chanson dont je ne me lasserai jamais.*

1. Le petit restaurant n'existe plus. J'ai voulu y manger.
2. Sais-tu où j'ai mis le disque? Je viens de l'acheter.
3. Voici un exercice. Il est beaucoup trop difficile.
4. Je n'ai jamais rencontré le collègue. Son père est psychiatre.
5. Le poulet n'est pas assez cuit. Tu l'as préparé.
6. C'est un travail difficile. J'en suis particulièrement fier/fière.
7. Te rappelles-tu le garage? On y a fait réparer la voiture.
8. La politique était un sujet. On en discutait souvent en famille.

Exercice 12 Le voyage (pronoms relatifs)

oral ou écrit

Répondez aux questions en remplaçant la construction avec *lequel* par la construction avec *où*.

Modèle : C'est la ville de laquelle tu es parti?
→ *Oui, c'est la ville d'où je suis parti.*

1. C'est la date à laquelle tu es parti?
2. C'est la ville jusqu'à laquelle tu es allé en autocar?
3. C'est la semaine durant laquelle il a plu tous les jours?
4. C'est le port duquel tu es parti?
5. C'est le restaurant dans lequel tu as mangé?
6. C'est la forêt par laquelle tu es passé?
7. C'est le sommet jusqu'auquel tu es monté en téléphérique?
8. C'est le jour pendant lequel tu as eu le mal de l'air?

Exercice 13 Tout un monde dans une phrase (pronoms relatifs)

écrit

Complétez les phrases suivantes en utilisant les pronoms relatifs appropriés.

1. Il est parfois difficile de convaincre un employeur que vous êtes la personne __________ il cherche.
2. Il doit y avoir un service des relations publiques auprès __________ vous pouvez faire une réclamation.

3. L'agent immobilier les conduit vers une porte __________ ouvre sur un balcon.
4. Il est de ces moments heureux, comme les soupers chez grand-mère, __________ on conserve un souvenir inoubliable.
5. Au cours de l'été __________ suivit, il écrivit trois nouvelles __________ deux furent publiées.
6. Vous constaterez tout de suite la douceur avec __________ ce savon nettoie la peau délicate de votre bébé.
7. Beaucoup de gens ont tendance à opter pour un sport __________ ne leur convient pas.
8. La sécurité __________ procure notre système anti-vol est la principale raison pour __________ tant de grandes entreprises nous choisissent.
9. __________ nous dérange le plus, c'est qu'on ne nous ait même pas prévenus.
10. On craignait à nouveau des émeutes comme __________ avaient éclaté dans les années 20 chez les mineurs.

EXERCICE 14 Moulin à phrases I (divers éléments)

écrit

Complétez les phrases interrogatives suivantes.

1. Quels . . .
2. Laquelle . . .
3. Dans quoi est-ce que . . .
4. Qu'est-ce qui . . .
5. Qui est-ce qui . . .
6. De quoi . . .
7. Pour qui . . .

EXERCICE 15 Moulin à phrases II (divers éléments)

écrit

Complétez chaque phrase de manière à bien utiliser le pronom relatif.

1. **a)** J'ai un problème qui . . .
   b) J'ai un problème que . . .
   c) J'ai un problème auquel . . .

2. **a)** Ma mère est une personne qui . . .
   b) Ma mère est une personne que . . .
   c) Ma mère est une personne pour qui . . .

3. **a)** Ce n'est pas moi qui . . .
   b) Ce n'est pas moi que . . .

4. **a)** Voici la personne qui . . .
   b) Voici la personne dont . . .
   c) Voici la personne avec qui . . .

5. **a)** Je déteste les restaurants qui . . .
   b) Je déteste les restaurants où . . .

6. **a)** C'est une idée que . . .
   b) C'est une idée au sujet de laquelle . . .

7. **a)** Je n'aurai jamais ce qui . . .
   b) Je n'aurai jamais ce dont . . .

8. **a)** Celui à qui . . .
   b) Celui pour qui . . .

EXERCICE 16 Traduction (divers éléments)

écrit

Traduisez les phrases suivantes en français.

1. She is still trying to look for the book you gave her.
2. I don't remember the year you moved here.
3. You can't give him everything he wants.
4. Of all these magazines, which one do you prefer?
5. Is there an exercise that you found particularly difficult?
6. What you are doing right now is a waste of time.
7. We talked at length about our problems, especially those that lead to fights.
8. This is a car whose performance surprised everybody.

EXERCICE 17 Rédaction (argumentation)

écrit

Sujet Pour chaque thème proposé ci-dessous, rédigez quelques arguments qui reflètent votre propre opinion et celle de personnes opposées à votre point de vue. Dans la mesure du possible, utilisez les expressions présentées dans les tableaux 7.18 et 7.19.

1. la violence à la télévision
2. la délinquance chez les mineurs (moins de 18 ans)
3. la réintégration des criminels dans la société

Consignes Ne dépassez pas les 100 mots par thème.

Chapitre 8

Lecture

Reportages dans *L'Express*

La génération kangourou d'Agnès Baumier et Marie-Laure Léotard

Éric, 25 ans : une étude de cas d'Agnès Baumier et Marie-Laure Léotard

Vocabulaire

Les changements socio-démographiques

Grammaire

Le futur simple et le futur antérieur

Le conditionnel présent et passé

Les phrases hypothétiques

Expression écrite

Le devoir d'idées

La présentation des idées

Lecture et Vocabulaire

Dossier 1 *La génération kangourou*

Introduction à la lecture

La génération kangourou, ce sont ces jeunes de 20 à 30 ans qui habitent toujours chez leurs parents. Études prolongées, relations parents-copains, précarité et chômage. Pourquoi sont-ils si nombreux à rester sous le toit familial? Le magazine *L'Express* a réalisé un reportage sur ce phénomène.

Vous allez lire deux textes qui traitent de cette nouvelle tendance de différents points de vue : le premier est un exposé classique dans lequel on décrit le phénomène avec statistiques et interviews à l'appui, et le second est une étude de cas d'un jeune homme de 25 ans.

Activités de pré-lecture

1. On parle de la génération kangourou. Expliquez l'emploi du terme «kangourou» pour décrire ces jeunes de 20 à 30 ans.
2. Est-ce que ce phénomène existe aussi en Amérique du Nord?
3. Connaissez-vous des jeunes de 20 à 30 ans qui habitent toujours chez leurs parents et qui n'ont pas vraiment l'intention de quitter la maison?
4. Pourquoi, d'après-vous, ces jeunes restent-ils à la maison?

Lecture

Lisez le texte ci-dessous.

1. Dans les deux derniers paragraphes, relevez tous les verbes utilisés et expliquez leur emploi.
2. Faites l'exercice de compréhension qui suit le texte.

Lecture

La génération kangourou

1 On trouve encore souvent sur leurs étagères *une peluche* adorée ou *une vieille maquette*. Aux murs *sont punaisés* les posters de leurs années lycées. Ils dorment dans leur lit d'enfant, mais ils n'ont plus 20 ans, parfois depuis longtemps. Génération kangourou. Au chaud chez papa-maman, à l'âge où *Rimbaud* avait achevé son œuvre. Selon une enquête de
5 l'institut Louis Harris (novembre 1997), un jeune sur deux entre 21 et 24 ans, un sur cinq entre 25 et 29 ans, reste toujours *scotché* chez ses parents.

En l'espace d'une génération, le calendrier d'entrée dans la vie adulte a été totalement bouleversé. Dans les années 60 et 70, ceux qui sont aujourd'hui parents quittaient leur famille très tôt. Chambre sous les toits et amours contestataires. Au temps de *la pilule* et
10 des minijupes, on faisait ses valises pour conquérir sa liberté. Et, très vite, on décrochait son premier job. «La contestation est le privilège d'une société qui *se porte bien*. Aujourd'hui, si on *claque la porte*, on risque de le payer toute sa vie», affirme Emmanuel,

25 ans, en *DEA* d'économie. Les «grands enfants» des *soixante-huitards* jouent donc désormais les prolongations. Ils accumulent les diplômes, collectionnent les jobs sans lendemain, les amours à l'essai, et restent sous le toit familial, si confortable quand il fait froid dehors.

«Je n'ai jamais obtenu d'emploi stable. Ce serait inconscient de partir dans cette incertitude», explique Fabien, 26 ans, qui *erre* depuis six ans dans des petits boulots. «Je ne trouve que *des jobs au noir* ou payés 50 francs de l'heure. Je n'envisage pas de m'installer dans ces conditions!», tempête Anne-Laurence, baccalauréat à 16 ans, architecte à 25, au chômage depuis huit mois. «J'attends d'avoir mis de côté *un pécule*. Je ne veux pas quitter ma famille les poches vides. Ils sont prêts à m'aider. Ils *m'hébergent* avec ma copine», se justifie Luc, 26 ans, licence d'échanges culturels européens et vendeur par intérim depuis un an.

«C'est un changement socio-démographique majeur», analyse Nicolas Herpin, sociologue à l'*INSEE*. Une nouvelle classe d'âge est née, celle des «post-adolescents». C'est ainsi que les baptise le psychanalyste Tony Anatrella. Physiquement adultes depuis longtemps, ils flirtent et *draguent* depuis leurs 14 ans. Ils ont souvent ordinateur et téléphone portable, bénéficient d'une large liberté, mais, mineurs au long cours, ils sont tenus radicalement *en marge de* l'activité économique. «Dès qu'on réussit en classe, on vous incite à faire des études longues. On n'a pas vraiment le choix», regrette Hervé, 25 ans, qui aurait préféré prendre son indépendance dès 18 ans, «un âge où l'on est tout à fait prêt à *s'assumer*», affirme-t-il.

Las! Depuis les années 70, l'âge moyen de fin d'études a progressé de cinq ans. Les parcours scolaires n'en finissent plus de zigzaguer. La plupart des parents *sont largués* dans le labyrinthe éducatif. Mais ils sont prêts à tout pour soutenir leur progéniture. Car sans diplôme—ils le savent bien—ce sera *la galère assurée*. Un quart des jeunes ouvriers sont toujours sous le toit familial dix ans après leur *CAP*. Les parents sont le dernier refuge quand on trouve toutes les portes closes.

«Si je pouvais, je partirais. Mais comment voulez-vous payer chaque mois *un loyer* quand vous n'arrivez pas à obtenir un contrat de travail ferme?», interroge Fabien, *rivé* malgré lui au pavillon familial. De fait, les emplois stables sont devenus *une denrée rare* pour les débutants. En 1991, un sur deux en décrochait un au sortir de l'école. En 1995, ils ne sont plus qu'un tiers à *se caser* aussi facilement. Et les heureux élus sont souvent payés *au lance-pierre*.

Agnès Baumier et Marie-Laure Léotard, tiré de *L'Express*, 8 janvier 1998, pp. 28–30.

l.1	**une peluche : un animal en peluche**—stuffed animal
l.1	**une vieille maquette**—an old model (from school projects)
l.2	**sont punaisés : attachés avec des punaises**—thumbtacked (to the wall)
l.4	**Rimbaud : poète français dont les plus grandes œuvres ont été écrites entre l'âge de 16 et 18 ans**
l.6	**scotché (anglicisme) : être attaché, du verbe scotcher : coller avec du ruban adhésif**
l.9	**la pilule : on parle de la pilule contraceptive**
l.11	**se porter bien : aller bien**

l.12 **claquer la porte (familier) : quitter la maison**

l.13 **DEA : Diplôme d'études approfondies (après la maîtrise)**

l.13 **les soixante-huitards : on parle des parents qui ont fait mai 68, qui sont de la génération des jeunes ayant manifesté dans les rues, etc.**

l.18 **errer : faire quelque chose sans but précis**

l.19 **des jobs au noir : travail illégal, clandestin; travailler au noir**—to work illegally

l.21 **un pécule : somme d'argent économisée peu à peu**

l.22 **m'hébergent (v. héberger) : loger**

l.26 **l'INSEE : l'Institut national de la statistique et des études économiques**

l.28 **draguent (v. draguer)**—to try and pick up (girls or boys)

l.30 **en marge de : qui ne fait pas partie de qqch**—on the fringe

l.33 **s'assumer : prendre ses responsabilités**

l.35 **sont largués (familier) : sont abandonnés, perdus**

l.37 **la galère (familier) assurée : une situation forcément difficile**

l.38 **CAP : Certificat d'aptitude professionnelle**

l.40 **un loyer : argent payé pour vivre dans un appartement, une maison**—rent

l.41 **rivé : attaché**—stuck (at home)

l.42 **une denrée rare : une chose rare**

l.44 **se caser : s'établir dans une situation, sur le marché du travail**

l.45 **au lance-pierre : insuffisamment**

Compréhension globale

Dites si les affirmations suivantes sont vraies ou fausses.

1. Le texte critique sévèrement cette nouvelle génération kangourou.
2. Aujourd'hui, il est plus difficile de quitter la famille que cela ne l'était il y a 20 ans.
3. La plupart des jeunes interrogés sont heureux de leur situation.
4. Le texte soutient que les jeunes restent à la maison parce qu'ils sont paresseux.
5. La croissance du chômage et la précarité des emplois expliquent en partie ce changement socio-démographique majeur.

Vocabulaire

Les changements socio-démographiques

- les post-adolescents, les pré-adultes : jeunes de 20 à 30 ans qui ne sont pas encore indépendants
- les mœurs : les valeurs et les coutumes d'un groupe, d'une société—*values*
- les amours à l'essai—*intimate relationships on a trial basis*

- les études à rallonge : les études prolongées
- accumuler des diplômes : en avoir beaucoup
- un labyrinthe éducatif : un système éducatif compliqué

- le cocon familial : le nid familial—*the family cocoon, nest*
- les conflits familiaux—*family conflicts*
- quitter sa famille, le domicile parental; claquer la porte (fam.)—*to leave home*
- rester sous le toit familial, s'accrocher—*to hang on*
- être scotché (fam.) : être attaché—*to be stuck to*
- s'assumer : prendre son indépendance, ses responsabilités
- conquérir sa liberté : l'acquérir en travaillant fort—*to gain or win one's freedom*
- s'installer : s'établir dans un endroit—*to settle in a place*

- assister financièrement—*to help financially*
- soutenir quelqu'un (matériellement)—*to support someone (financially)*
- se débrouiller seul—*to manage on one's own*
- autonomie financière : payer son propre loyer, par exemple
- les poches vides : sans argent—*broke*
- collectionner des jobs sans lendemain : avoir beaucoup d'emplois qui n'ont pas d'avenir—*to accumulate dead-end jobs*
- se caser (figuratif) : obtenir un emploi stable, un contrat de travail ferme—*to settle down and find a job*
- faire des petits boulots : des emplois qui ne rapportent pas beaucoup d'argent—*casual jobs*
- la précarité : fragilité ou instabilité de l'emploi—*lack of job security*
- le chômage—*unemployment*

Exploitation lexicale

1. Trouvez l'antonyme des expressions qui suivent en relisant attentivement le vocabulaire ci-dessus.

a) quitter sa famille

b) les poches pleines

c) la stabilité (de l'emploi)

d) faire des petits boulots

e) s'assumer

2. En utilisant le vocabulaire ci-dessus et le vocabulaire qui accompagne le texte, remplissez les blancs à l'aide de l'expression ou du mot qui convient.

a) Aujourd'hui, comparé à il y a 20 ans, les jeunes font plus d'études ____________.

b) Souvent, les jeunes claquent la porte à cause de ____________ ____________. Ils ne s'entendent pas avec leurs parents, alors ils partent.

c) Il est difficile d'avoir son ______________________ quand on ne fait que des petits boulots.

d) Le _____________ en France est un des problèmes auxquels les jeunes doivent faire face : sans travail ils ne peuvent pas quitter la maison facilement.

e) Les _____________ d'une société évoluent constamment : dans les années 70, les jeunes quittaient leur famille pour avoir leur liberté. Aujourd'hui, les jeunes cherchent la sécurité plus qu'autre chose.

f) Selon certains parents, les jeunes doivent prendre leurs responsabilités et _______________ au lieu de rester à la maison.

g) On dit qu'il est plus difficile de se _________________, c'est-à-dire de s'établir sur le marché du travail, aujourd'hui qu'il y a 20 ans.

3. Faites une phrase d'environ 10 mots avec chacun des groupes de mots suivants. Votre phrase doit bien illustrer le sens du mot.

les post-adolescents—se débrouiller seul—s'installer—assister financièrement—le cocon familial

4. Remplissez le tableau suivant en trouvant les mots de la même famille. Consultez un dictionnaire au besoin.

VERBE	NOM	ADJECTIF	ADVERBE
se débrouiller	débrouillardise (la)	débrouillard(e)	■
			matériellement
noircir			■
			financièrement
abandonner			■
	précarité (la)		

Compréhension détaillée

1. Quels exemples les auteurs fournissent-ils pour montrer que les jeunes n'ont pas encore vraiment grandi?

2. Qu'est-ce qui distingue la génération d'aujourd'hui de celle des soixante-huitards, c'est-à-dire la génération des parents des jeunes? Remplissez le tableau ci-dessous.

	Génération kangourou	Génération des soixante-huitards
Relation parent/enfant		
Type d'emploi		

3. Rédigez un paragraphe qui décrit les caractéristiques principales de la génération des 20 à 30 ans.

4. Quelles sont, selon l'article, les raisons principales pour lesquelles les jeunes d'aujourd'hui restent à la maison?

DOSSIER 2 *Éric, 25 ans : une étude de cas*

Lecture

Lisez le texte ci-dessous.

1. Dans le dernier paragraphe, soulignez les verbes au futur et au conditionnel.
2. Faites l'exercice de compréhension qui suit le texte.

Lecture

Éric, 25 ans : une étude de cas

1 À 25 ans, Éric vit «avec bonheur et harmonie» chez ses parents. *Concepteur média* dans une agence de publicité, il partage son temps entre son métier, sa famille et son amie, qu'il retrouve chaque week-end. *Comblé* par ce mode de vie, il n'envisage pas d'abandonner le foyer parental avant deux ans : «En général, l'enfant quitte sa famille vers 20 ans. Mes 5 parents et moi faisons un bout de chemin supplémentaire», précise-t-il.

Dans leur vaste appartement du XVe arrondissement parisien, tous trois «vivent *des moments forts*». «Nous avons des passions communes, comme le cinéma», explique Éric. «Avec mon père nous parlons beaucoup de sport et ma mère reste ma meilleure confidente.» Éric aime cette vie où, «fils unique dans *une famille pied-noir*», il est «toujours 10 très *chouchouté*». Les soucis matériels n'ont pas leur place dans son quotidien. «Je viens de commencer dans la vie active et je me fais à peine 7 000 francs par mois. Si je devais financer un appartement, il ne me resterait que les yeux pour pleurer», avoue-t-il. Éric ne se sent pas pour autant *redevable* à ses parents parce qu'ils l'hébergent, mais il «aime les inviter de temps en temps au restaurant ou au concert». Et puis cette proximité ne 15 manque pas d'intérêt dans son métier : *de son propre aveu*, elle lui permet d'observer au jour le jour *une cible publicitaire* de choix, puisque ses parents sont des seniors.

Cet attachement filial ne semble pas mettre en péril sa vie amoureuse. L'un et l'autre occupent une place bien distincte : «Je ne conçois pas de vivre en couple chez mes parents ni chez ceux de mon amie, ce serait *amputer sur* leur vie privée. Ça ne me plairait pas 20 davantage de passer mes vacances à la fois avec mes parents et avec mon amie», souligne Éric qui ajoute : «Je ne supporte pas les enfants qui se font offrir un appartement par leurs parents. Un appartement ça se mérite, et la liberté ça ne se donne pas, ça se gagne.» Fort de ses valeurs, Éric sait qu'il déménagera lorsqu'il fondera son propre foyer. Il reproduira alors le modèle familial qu'il a connu.

Agnès Baumier et Marie-Laure Léotard, tiré de *L'Express*, 8 janvier 1998, p. 31.

l.1 concepteur média : personne chargée de trouver des idées nouvelles (publicité)

l.3 comblé : très satisfait

l.7 des moments forts : des moments intenses et heureux

l.9 une famille pied-noir : une famille de Français d'Algérie

l.10 chouchouté : gâté, dorloté—spoiled

l.13 redevable : qui bénéficie d'un avantage grâce à une personne—indebted to someone

l.15 de son propre aveu—of his own admission, according to him

l.16 **une cible publicitaire**—a marketing target group—**on parle des personnes âgées comme étant un groupe de personnes visées** (targeted) **par la publicité**

l.19 **amputer sur : empiéter sur**—cut into (their private life)

Compréhension globale

Dites si les affirmations suivantes sont vraies ou fausses.

1. Le cas d'Éric est représentatif des situations présentées dans le premier texte «Génération kangourou».
2. Éric est content et satisfait de sa vie familiale.
3. Éric a l'intention de vivre en couple chez ses parents avec son amie.
4. Éric déménagera quand il sera prêt à se marier et à avoir des enfants.
5. Éric croit que les parents devraient tout faire pour que leurs enfants habitent dans leur appartement à eux.

Approfondissement lexical

Les mots familiers

- Vous avez sans doute remarqué la présence de mots familiers dans les listes de vocabulaire de ce chapitre. Les mots familiers peuvent s'employer dans des textes journalistiques pour accrocher le lecteur. Dans les deux textes sur la génération kangourou, la présence de mots familiers s'explique peut-être par les personnes décrites—les jeunes—qui utilisent ce vocabulaire.
- Un mot **familier** est un mot qu'on emploie tout naturellement dans la conversation courante, mais qu'on évite dans certaines situations (avec des supérieurs ou dans des relations officielles, par exemple).
- Il faut faire attention lorsqu'on cherche la définition d'un mot familier dans le dictionnaire, car, souvent, le mot a un premier sens concret qui est difficile à déchiffrer pour un lecteur anglophone.
- Par exemple, si vous lisez attentivement l'entrée du verbe **larguer** ci-dessous, vous remarquerez que c'est son troisième sens, familier et figuratif (contraire de concret), qui convient au texte.

LARGUER [larɡe] v. tr. <1>—1678; de *largue* **1.** Lâcher ou détacher (un cordage). *Larguer les amarres, les ris. Larguer un voile.* → **déferler**. **2.** Lâcher, laisser tomber d'un avion. *Larguer des parachutistes, des bombes; des insecticides, de l'eau.* **3.** FIG. et FAM. Se débarrasser de (qqch., qqn). *Larguer ses collaborateurs.* → **renvoyer.** *Elle a largué son fiancé.* → **abandonner;** 2. **droper, plaquer** (cf. Laisser tomber*). *Se faire larguer en douceur.* **4. SPORT** Distancer. *Larguer ses adversaires* → 1. **lâcher, semer.**—FIG. PASSIF *Être largué* : ne pas parvenir à suivre, ne plus comprendre. *Dès le troisième cours, j'ai été largué.*

Définition tirée du *Petit Robert*, 1995, p. 1261.

1. Le premier sens du mot **larguer** est «lâcher ou détacher une corde», et on utilise le verbe pour parler des bateaux (larguer les amarres, larguer une voile).
2. Le deuxième sens, «lâcher ou laisser tomber», s'emploie dans le contexte de l'aviation.

3. Le troisième sens, «se débarrasser de, abandonner» ou «laisser tomber», correspond à celui voulu par les auteures lorsqu'elles parlent des parents qu'on a laissé tomber ou abandonnés dans un système éducatif compliqué.
4. Le quatrième et dernier sens implique les sports. Ici, **larguer** veut dire «distancer».

- Dans certains cas, vous allez trouver deux entrées séparées pour un même mot, comme dans l'exemple ci-dessous (**chouette**).

1. **CHOUETTE** [ʃwɛt] n. f.—1175; dimin. de l'a. fr. *choue,* lat. pop. °*cawa*, frq. °*kawa* **1.** Oiseau rapace nocturne *(strigiformes)* ne portant pas d'aigrettes sur la tête (à la difference des hiboux). *Chouette blanche.* → **harfang.** *Chouette chevêche.* → **chevêche.** *Chouette des bois.* → **hulotte.** *Chouette des clochers.* → **effraie.**—*Gros yeux ronds de la chouette. Cri de la chouette* (→ **chuinter, huer, hululer**). **2.** FIG. *Une vieille chouette* : vieille femme laide, acariâtre.

2. **CHOUETTE** [ʃwɛt] adj.—1830 ; emploi fig. de 1. *chouette;* cf. it. *civetta* «chouette» et «femme coquette» ◆ FAM. **1.** Beau, joli. *Une chouette voiture. Un pantalon très chouette.* **2.** (PERSONNES) Sympathique. *C'est un chouette type. Elles ont été chouettes. Il a été très chouette avec moi.* ◇ (CHOSES). Agréable. *Une chouette balade. Ce serait chouette de partir ensemble. C'est chouette!* c'est digne d'admiration. → 2. **super, sympa;** VIEILLI **bath.**—Interj. *Chouette!* pour marquer l'enthousiasme, la satisfaction. → **chic.** *Ah, chouette alors!* ◆ CONTR. Moche.

Définition tirée du *Petit Robert,* 1995, p. 372.

1. Dans la première entrée, on donne le premier sens du mot, qui est un nom féminin. Une **chouette** est un oiseau nocturne *(owl).*
2. Dans la seconde entrée, on parle de l'adjectif **chouette**, qui veut dire «beau» ou «sympa», selon le contexte.

- Dans les phrases qui suivent, remplacez les mots ou expressions en caractères gras par des termes synonymes non familiers. Vous aurez besoin d'un dictionnaire unilingue pour faire cet exercice.

1. Pierre **a la trouille** (il n'a pas étudié hier soir et il a un examen ce matin à 9 h).
2. Nous avons encore eu **un pépin** avec notre voiture.
3. Une mère parle à son enfant : «Si t'es pas au **pieu** dans 10 minutes, y aura pas de **télé** demain!»
4. Louise et Marie n'ont plus de **fric**. Elles ne pourront pas aller au **cinoche** ce soir.
5. Ils adorent **se balader** dans la ville le soir.
6. Ces nouvelles maisons qu'ils ont construites, je les trouve **moches**.
7. Ils **se sont bidonnés** hier soir chez Luc.

Compréhension détaillée

1. Dans le deuxième texte, on parle d'Éric, un jeune de 25 ans. Pourquoi Éric est-il toujours chez ses parents?
2. Décrivez la relation qu'Éric entretient avec ses parents.

Réflexion et discussion

1. Pensez-vous que la situation d'Éric soit typique? Expliquez.
2. Croyez-vous que vous allez vivre chez vos parents jusqu'à l'âge de 30 ans? Expliquez.
3. Quels sont les problèmes qui peuvent survenir, d'après vous, si on reste sous le toit familial trop longtemps?
4. Pensez-vous que les parents sont contents d'avoir leurs enfants à la maison si longtemps? Élaborez.

Grammaire et Expression écrite

Grammaire

Le futur simple et le futur antérieur

Formation du futur simple des verbes réguliers

Tableau 8.1

Comment former le futur simple des verbes réguliers

	travailler	*réussir*	*vendre*
je	travailler**ai**	réussir**ai**	vendr**ai**
tu	travailler**as**	réussir**as**	vendr**as**
il/elle	travailler**a**	réussir**a**	vendr**a**
nous	travailler**ons**	réussir**ons**	vendr**ons**
vous	travailler**ez**	réussir**ez**	vendr**ez**
ils/elles	travailler**ont**	réussir**ont**	vendr**ont**

Formation 1 → radical des verbes en *er, ir* = infinitif; radical des verbes en *re* = infinitif moins *e*
2 → radical + *ai, as, a, ons, ez, ont*

Attention! **a)** Certains verbes ont un *r* précédant la terminaison de l'infinitif. Le futur simple de ces verbes a donc des formes se terminant par deux syllabes consécutives commençant par un *r*.

préparer → *je prépar**er**ai*
périr → *je pér**ir**ai*

b) Certaines particularités orthographiques du présent des verbes en *er* se retrouvent au futur simple.

	infinitif	présent		futur simple
	appeler	*j'appe**ll**e*	→	*j'appe**ll**erai*
	jeter	*je je**tt**e*	→	*je je**tt**erai*
	acheter	*j'ach**è**te*	→	*j'ach**è**terai*
	essayer	*j'essa**i**e*	→	*j'essa**i**erai*
	tutoyer	*je tuto**i**e*	→	*je tuto**i**erai*
	essuyer	*j'essu**i**e*	→	*j'essu**i**erai*
mais	*répéter*	*je rép**è**te*	→	*je rép**é**terai*

MISE EN PRATIQUE 1 (futur simple des verbes réguliers)

Mettez chaque verbe entre parenthèses au futur simple et à la personne indiquée.

1. elle (s'ennuyer)
2. ils (obéir)
3. tu (répondre)
4. nous (se débrouiller)
5. je (rejeter)
6. vous (quitter)

Formation du futur simple des verbes irréguliers

On forme le futur simple de certains verbes irréguliers en utilisant un radical fondé sur l'infinitif. D'autres verbes ont un radical particulier.

radical fondé sur l'infinitif *croire* → ***croir*** → *je croirai*

radical particulier *aller* → ***ir*** → *j'irai*

Tableau 8.2

Futur simple des verbes irréguliers dont le radical est fondé sur l'infinitif

infinitif	futur	infinitif	futur
battre	je battrai	offrir	j'offrirai
boire	je boirai	ouvrir	j'ouvrirai
conduire	je conduirai	peindre	je peindrai
connaître	je connaîtrai	plaire	je plairai
craindre	je craindrai	prendre	je prendrai
croire	je croirai	résoudre	je résoudrai
dire	je dirai	rire	je rirai
écrire	j'écrirai	souffrir	je souffrirai
fuir	je fuirai	suffire	je suffirai
lire	je lirai	suivre	je suivrai
mettre	je mettrai	vivre	je vivrai

MISE EN PRATIQUE 2 (futur simple des verbes irréguliers)

Mettez chaque verbe entre parenthèses au futur simple et à la personne indiquée.

1. nous (croire)
2. tu (vivre)
3. elle (dire)
4. je (apprendre)
5. ils (offrir)
6. vous (mettre)

Tableau 8.3

Futur simple des verbes irréguliers qui ont un radical particulier

infinitif	futur	infinitif	futur
acquérir	j'acquerrai	devoir	je devrai
aller	j'irai	envoyer	j'enverrai
s'asseoir	je m'assiérai	être	je serai
	ou	faire	je ferai
	je m'assoirai	falloir (v. impers.)	il faudra
avoir	j'aurai	mourir	je mourrai
courir	je courrai	pleuvoir (v. impers.)	il pleuvra

infinitif	futur	infinitif	futur
pouvoir	je pourrai	valoir	je vaudrai
recevoir	je recevrai	venir	je viendrai
savoir	je saurai	voir	je verrai
tenir	je tiendrai	vouloir	je voudrai

MISE EN PRATIQUE 3 (futur simple des verbes irréguliers)

Mettez chaque verbe entre parenthèses au futur simple et à la personne indiquée.

1. nous (recevoir)
2. ils (vouloir)
3. je (envoyer)
4. vous (venir)
5. elle (vouloir)
6. tu (savoir)
7. elles (acquérir)
8. il (pleuvoir)
9. nous (courir)
10. vous (faire)
11. tu (soutenir)
12. je (aller)

Emploi du futur simple

Tableau 8.4

Quand employer le futur simple

contexte	explication
	On emploie le futur simple :
1. *Paul* ***ira*** *chercher son frère à la gare.* *Je ne* ***prendrai*** *plus pour de l'amour ce qui n'en est pas.* *Je sais qu'il* ***sera*** *fâché.*	pour exprimer catégoriquement une action ou un état à venir;
2. *Pendant que tu* ***feras*** *les courses, j'****irai*** *me faire couper les cheveux.* *Il* ***sera*** *fatigué quand il* ***arrivera****.*	dans les propositions subordonnées commençant par les conjonctions *aussitôt que, dès que, lorsque, pendant que, quand* et *tant que* lorsqu'il s'agit d'un contexte logiquement futur;

Attention! Le verbe de la proposition principale peut être au futur simple, au futur proche (langue orale familière) ou à l'impératif.

Tant qu'il mangera entre les repas, il ne ***va*** *pas* ***maigrir****.*

Dites*-le-lui quand vous le verrez.*

contexte	explication
3. *S'il fait beau, on* ***ira*** *se baigner.* *Je le* ***ferai*** *si tu veux.*	dans un contexte futur, quand une proposition principale est rattachée à une subordonnée où la condition (précédée de la conjonction *si*) est exprimée au présent;
4. *Je me demande si je* ***serai*** *capable de me débrouiller.* *On ne sait pas quand elle* ***arrivera****.*	dans la subordonnée d'une interrogation indirecte (c'est-à-dire une question posée indirectement). Au discours direct, le premier exemple donnerait : *Je me demande : «Est-ce que je serai capable de le faire?»*

Attention! Le futur simple n'est jamais utilisé dans une proposition subordonnée commençant par un *si* hypothétique; il est utilisé dans la proposition principale qui exprime le résultat ou la conséquence.

On ***ira*** *au cinéma samedi si tu es d'accord.*

On ne peut utiliser le futur simple qu'après un *si* signifiant *whether*.

Je ne sais pas s'il ***s'installera*** *ici.*

5. *Vous me **ferez** dix copies de ce rapport, s'il vous plaît.*
*Je vous **demanderai** de bien vouloir signer ici.*

pour remplacer l'impératif lorsqu'on veut atténuer l'impact d'un ordre ou exprimer une nuance de politesse.

Attention! On peut aussi exprimer une action future avec :

a) le verbe *aller* + un infinitif (cette construction exprime le futur proche);

*Ils **vont** s'y **rendre** en voiture.*

b) le présent (souvent accompagné d'expressions telles que *tout de suite, bientôt, sous peu, dans quelques minutes/instants, demain)*;

*Il y **va dans quelques minutes**.*
*On **part demain**.*

c) le verbe *devoir* + un infinitif.

*Elle **doit** s'en **occuper**.*

MISE EN PRATIQUE 4 (emploi du futur simple)

En utilisant le tableau ci-dessus, expliquez l'emploi des verbes en italique.

1. Nous te *téléphonerons* dès que nous *arriverons*.
2. S'ils n'acceptent pas cette carte de crédit, je *paierai* comptant.
3. Quitter la maison de ses parents, elle ne sait pas si ce *sera* possible.
4. Il n'y *aura* pas d'exceptions.
5. Vous *enverrez* ces lettres par courrier express.

Remarques complémentaires

1. Les quatre formules de l'interrogation s'appliquent également au futur simple.

__Est-ce que__ tu lui téléphoneras?
*Lui **téléphoneras-tu**?*
Tu lui téléphoneras? (intonation montante)
*Tu lui téléphoneras, **n'est-ce pas**?*

Attention! N'oubliez pas le *t* euphonique à la troisième personne du singulier.

*Le fera-**t**-il?*

2. On peut commencer les phrases hypothétiques soit par la proposition subordonnée (introduite par *si*) soit par la proposition principale.

__Si j'ai raison__, tu me paieras un café.
*Tu me paieras un café **si j'ai raison**.*

Attention! N'oubliez pas la virgule si vous commencez par la subordonnée.

*S'il fait beau**,** on ira faire une promenade.*

MISE EN PRATIQUE 5 (interrogatif/futur simple)

Reformulez chaque question en faisant l'inversion du sujet.

1. Est-ce que tu m'appelleras dimanche?
2. Est-ce que Jean aura assez d'argent?
3. Ils feront le nécessaire?
4. Vous serez des nôtres?
5. Est-ce qu'il arrivera à se caser?

MISE EN PRATIQUE 6 (ordre des propositions)

Reformulez chaque phrase en inversant l'ordre des propositions.

1. Si c'est ce que tu veux, je ne m'y opposerai pas.
2. Lorsque Marie-Josée se décidera, il faudra tout de suite réserver des places.

Formation du futur antérieur

Tableau 8.5

Comment former le futur antérieur

finir (auxiliaire *avoir*)		**arriver** (auxiliaire *être*)	
j'aurai fini	nous aurons fini	je serai arrivé(e)	nous serons arrivé(e)s
tu auras fini	vous aurez fini	tu seras arrivé(e)	vous serez arrivé(e)(s)
il aura fini	ils auront fini	il sera arrivé	ils seront arrivés
elle aura fini	elles auront fini	elle sera arrivée	elles seront arrivées

Formation → auxiliaire au futur simple + participe passé

Attention! L'accord du participe passé au futur antérieur suit la même règle qu'aux autres temps composés.
*Elle sera arrivé**e**.*

MISE EN PRATIQUE 7 (formes du futur antérieur)

Mettez chaque verbe au futur antérieur. Faites l'accord du participe passé, s'il y a lieu.

1. Ils arriveront.
2. Jeannette s'excusera.
3. La vendrez-vous?
4. Elle les invitera.
5. Je ne le ferai pas.
6. Te présenteras-tu?

Emploi du futur antérieur

Tableau 8.6

Quand employer le futur antérieur

	contexte	explication
		On emploie le futur antérieur :
1.	*Quand vous **aurez terminé** cet exercice, nous le corrigerons.* *Il te pardonnera dès que tu lui **auras expliqué** la situation.* *Après que nous **aurons mangé**, moi, j'irai me promener.*	dans les propositions subordonnées commençant par les conjonctions *à peine . . . que, après que, aussitôt que, dès que, lorsque, quand, tant que* et *une fois que* pour exprimer une action que l'on prévoit achevée avant l'action de la proposition principale qui est au futur simple;

Attention! Il faut noter les trois cas suivants :

a) quand deux actions sont simultanées ou presque simultanées, on utilise le futur simple dans les deux propositions;

*Quand je **quitterai** le bureau, je te **téléphonerai**.*

b) quand une première action est clairement achevée avant une deuxième action, on utilise le futur antérieur dans la subordonnée;

*Quand j'**aurai quitté** le bureau, je te téléphonerai.*

c) quand on utilise la conjonction *à peine . . . que,* on doit faire l'inversion du sujet.

*À peine **aura-t-il reçu** son diplôme qu'il partira en voyage.*

2. *L'année prochaine, ils* ***auront vécu*** *dix ans dans cette maison.* *D'ici là, le gouvernement* ***aura proposé*** *de nouvelles mesures contre la pollution.*	pour décrire une action que l'on prévoit achevée à un certain moment de l'avenir;
3. *Il* ***aura manqué*** *son train.* *Elle se* ***sera trompée****.*	pour exprimer la probabilité ou la supposition que quelque chose est arrivé;
4. *Demandez-lui si ses parents* ***seront rentrés*** *lundi.* *Je ne sais pas quand j'****aurai fini****.*	dans la subordonnée de l'interrogation indirecte pour exprimer une action qui aura été accomplie dans l'avenir, quand le verbe de la principale est au présent ou à l'impératif.

Attention! On n'utilise pas le futur antérieur dans la proposition subordonnée (qui commence par *si*) d'une phrase hypothétique où le contexte est le futur. Pour marquer l'antériorité dans ce cas-là, on utilise le passé composé.

*Si tu n'****as*** *pas* ***compris****, je t'****expliquerai****.*

MISE EN PRATIQUE 8 (emploi du futur antérieur)

Transformez chaque phrase pour montrer que l'une des actions est nettement antérieure à l'autre.

1. Quand Paul quittera sa famille, ses parents pourront partir en voyage.
2. Tant qu'ils ne feront pas leur travail comme il faut, ils n'auront pas d'augmentation.
3. Lorsqu'il finira, prévenez-le.
4. Dès qu'ils le verront, ils riront.
5. Aussitôt qu'il lui parlera, il se sentira mieux.
6. Quand on gagnera tout cet argent, on fera un beau voyage.

Problèmes de traduction

Tableau 8.7

Comment traduire

1. She'**ll do** it. → *Elle le* ***fera****.*
I **shall** never **come** back. → *Je ne* ***reviendrai*** *jamais.*

La notion exprimée en anglais par l'auxiliaire *shall* ou *will* suivi d'un verbe est généralement rendue par le futur simple en français.

2. I **am** not **going to eat** that. → *Je ne* ***vais*** *pas* ***manger*** *cela.*
Are you **going** to give us a hand? → ***Vas****-tu nous* ***donner*** *un coup de main?*

On exprime la notion du futur proche (*to be going to*) en utilisant la construction *aller* + infinitif.

3. He **will be** rich someday. → *Un jour, il* ***sera*** *riche.*
He **is going to be** rich someday. → *Un jour, il* ***sera*** *riche.*
They **will answer** shortly. → *Ils* ***vont répondre*** *sous peu.*
They **are going to answer** shortly. → *Ils* ***vont répondre*** *sous peu.*

En anglais, les constructions *will* + infinitif et *to be going to* sont souvent interchangeables. En français, la construction *aller* + infinitif est surtout utilisée pour le futur proche (mais pas nécessairement). Le futur simple du français indique en général un futur plus éloigné dans le temps ou une action future définitive (*will* ou *shall* en anglais).

4. **Will** you **come** with me? → ***Voulez**-vous **venir** avec moi?*
   The car **won't start** in cold weather. → *La voiture **ne démarre pas** quand il fait froid.*
   He **will** often **drink** wine with his meals. → *Il **boit** souvent du vin avec les repas.*

   Le verbe anglais *will* suivi d'un autre verbe peut indiquer la volonté ou l'habitude. Dans ce cas-là, le français utilise le présent de l'indicatif de *vouloir* suivi de l'infinitif du verbe en question (volonté) ou le présent de l'indicatif du verbe en question (habitude).

5. I'**ll tell** him when he **arrives**. → *Je le lui **dirai** quand il **arrivera**.*
   He **will go** to see her as soon as he **finishes** his work. → *Il **ira** la voir dès qu'il **aura fini** son travail.*

   Dans la subordonnée qui suit les conjonctions *when (quand/lorsque), as soon as (aussitôt que/dès que), after (après que), while (pendant que)* et *as long as (tant que)*, le verbe anglais peut être au présent. En français, le futur simple ou le futur antérieur (selon le cas) est obligatoire.

6. **If he agrees**, we'll buy it. → ***S'il accepte**, on l'achètera.*
   I wonder **whether he'll agree**. → *Je me demande **s'il sera d'accord**.*

   La conjonction française *si* peut être l'équivalent de la conjonction conditionnelle *if* ou l'équivalent du *whether* de l'interrogation indirecte.

Mise en pratique 9 (traduction)

Traduisez les phrases suivantes en français.

1. One day, there is going to be a revolution in that country.
2. He wonders whether she'll come.
3. If you persist, you'll get results.
4. Her parents wonder whether she'll be able to manage on her own.

Le conditionnel présent et passé

Formation du conditionnel présent

Tableau 8.8

Comment former le conditionnel présent

	donner (donner-)	**finir (finir-)**	**aller (ir-)**
je	donner**ais**	finir**ais**	ir**ais**
tu	donner**ais**	finir**ais**	ir**ais**
il/elle	donner**ait**	finir**ait**	ir**ait**
nous	donner**ions**	finir**ions**	ir**ions**
vous	donner**iez**	finir**iez**	ir**iez**
ils/elles	donner**aient**	finir**aient**	ir**aient**

Formation → radical du futur simple + terminaisons de l'imparfait → *ais, ais, ait, ions, iez, aient*

Attention! Les particularités des verbes en *er* à changements orthographiques (voir tableau 8.1) sont les mêmes au futur simple et au conditionnel présent.

*j'ach**è**terais*

MISE EN PRATIQUE 10 (formes du conditionnel présent)

Mettez chaque verbe au conditionnel présent et à la personne indiquée.

1. tu (préparer)
2. nous (permettre)
3. je (choisir)
4. ils (s'asseoir)
5. elle (rendre)
6. vous (acquérir)
7. tu (croire)
8. je (confondre)
9. il (voir)
10. vous (devoir)
11. il (falloir)
12. vous (réussir)
13. elle (avoir)
14. je (prendre)
15. nous (tenir)

Emploi du conditionnel présent

Tableau 8.9

Quand employer le conditionnel présent

contexte	explication
	On emploie le conditionnel présent :
1. *Elle **voudrait** vous voir dès que possible.* *Ce **serait** une occasion inespérée.*	pour exprimer la possibilité et l'éventualité (il traduit l'anglais *would*);

Attention! Il faut noter que :

a) La conjonction *au cas où,* qui introduit une éventualité, est toujours suivie du conditionnel;

Au cas où tu voudrais venir, dis-le-moi. (***Au cas où*** *tu* ***voudrais*** *venir, dis-le-moi.*)

b) Le verbe *pouvoir* au conditionnel présent avant un infinitif exprime la possibilité (traduit l'anglais *could*);

*Elle **pourrait** le faire.*

c) Le verbe *devoir* au conditionnel présent avant un infinitif exprime la nécessité ou l'obligation (traduit l'anglais *should*).

*Tu **devrais** y réfléchir.*

contexte	explication
2. *Il **demanderait** une augmentation s'il n'**avait** pas peur de la directrice.* *S'il **faisait** beau, on **irait** se baigner.*	pour exprimer une conclusion possible dans une proposition principale rattachée à une subordonnée où la condition (précédée de la conjonction *si*) est exprimée à l'imparfait;
3. ***Pourrais**-tu me donner un coup de main?* ***Auriez**-vous la gentillesse de m'envoyer une copie de votre rapport?* *Tu **devrais** te mettre au régime.*	pour demander quelque chose d'une façon plus polie ou pour atténuer l'impact de ce que vous avez à dire;
4. *On nous a dit qu'il **arriverait** demain.* *Je pensais que ce **serait** moins cher que cela.* *Il ne m'a pas dit s'il **viendrait** ce soir-là.*	dans une proposition complétive qui commence par *si* ou *que* pour exprimer un futur dans un contexte passé, c'est-à-dire une action qui était à venir au moment où l'on parle;
5. *Nous **aimerions** passer nos vacances au bord de la mer.* *Paul et Jeannette **auraient** l'intention de se marier.*	pour exprimer un souhait ou pour annoncer des faits non confirmés.

Mise en pratique 11 (emploi du conditionnel présent)

En utilisant le tableau ci-dessus, expliquez l'emploi des verbes en italique.

1. Si j'avais le temps, je t'y *emmènerais* avec moi.
2. Tu lui avais pourtant dit que ça ne *marcherait* pas.
3. D'après ce que Paul m'a dit, le professeur *serait* malade.
4. Je *voudrais* deux billets pour le concert de ce soir.
5. Il *aimerait* l'épouser le plus tôt possible.
6. On *pourrait* se retrouver en face du cinéma.

Formation du conditionnel passé

Tableau 8.10

Comment former le conditionnel passé

découvrir			**se rendre**		
j'	aurais	découvert	je me	serais	rendu(e)
tu	aurais	découvert	tu te	serais	rendu(e)
il	aurait	découvert	il se	serait	rendu
elle	aurait	découvert	elle se	serait	rendue
nous	aurions	découvert	nous nous	serions	rendu(e)s
vous	auriez	découvert	vous vous	seriez	rendu(e)(s)
ils	auraient	découvert	ils se	seraient	rendus
elles	auraient	découvert	elles se	seraient	rendues

Formation → auxiliaire au conditionnel présent + participe passé

Attention! L'accord du participe passé au conditionnel passé suit la même règle qu'aux autres temps composés.

*elles seraient allé**es***

Mise en pratique 12 (formes du conditionnel passé)

Mettez chaque verbe au conditionnel passé.

1. Paul et Jacques y consentiraient.
2. Nous ne perdrions pas.
3. La soupçonnerais-tu?
4. Ne s'étonnerait-elle pas de cela?
5. Elle ne s'y habituerait jamais.
6. Le leur diriez-vous?

Emploi du conditionnel passé

Tableau 8.11

Quand employer le conditionnel passé

contexte	**explication**
	On emploie le conditionnel passé :
1. *Moi, je n'**aurais** pas **eu** peur.* *Nous **aurions été** prêts à l'accueillir.*	pour exprimer une éventualité qui n'a pas eu lieu;

Attention! Il faut noter que :

a) Le conditionnel passé est utilisé avec la conjonction *au cas où.*

*Voici une copie supplémentaire **au cas où** vous n'**auriez** pas **reçu** la vôtre.*

b) Le verbe *pouvoir* au conditionnel passé avant un infinitif exprime quelque chose de possible qui n'a pas eu lieu.

*Il **aurait pu** me le dire. (mais il ne me l'a pas dit)*

c) Le verbe *devoir* au conditionnel passé avant un infinitif exprime quelque chose de nécessaire ou d'obligatoire qui n'a pas eu lieu.

*J'**aurais dû** y penser. (mais je n'y ai pas pensé)*

2. *S'il avait fait beau dimanche, on **aurait passé** la journée à la piscine.* *Elle l'**aurait fait** si tu le lui avais demandé.*
pour exprimer une conclusion dans une proposition principale rattachée à une subordonnée dans laquelle la condition (précédée de la conjonction *si*) est exprimée au plus-que-parfait;

3. *Il n'a pas dit qu'il y **serait allé**.* *On se demandait s'il **aurait pu** le faire.* *On nous avait dit que ce **serait dactylographié**.*
dans une proposition complétive qui commence par *si* ou *que* pour exprimer un futur antérieur dans un contexte passé;

Attention! Comparez les différents temps du futur et du conditionnel.

temps	exemple
futur simple	*Je le **finirai** demain.*
futur proche	*Je **vais** le **finir** tout de suite.*
conditionnel présent	*Je le **finirais** si j'avais le temps.*
futur antérieur	*Je l'**aurai fini** dans une semaine.*
conditionnel passé	*Je l'**aurais fini** si j'avais eu le temps.*

4. *Une tornade **aurait** complètement **détruit** plusieurs villages.*
pour exprimer un fait douteux ou quelque chose dont on n'est pas encore sûr (dans les bulletins d'information ou dans les journaux, par exemple).

MISE EN PRATIQUE 13 (emploi du conditionnel passé)

En utilisant le tableau ci-dessus, expliquez l'emploi des verbes en italique.

1. Ils se *seraient fait* un plaisir de vous inviter.
2. L'hélicoptère de secours n'*aurait retrouvé* aucun survivant.
3. Si tu m'avais invité, je *serais venu*.
4. Elle nous a dit que vous *auriez eu* des difficultés.

Problèmes de traduction

Tableau 8.12

Comment traduire

1. On Saturdays we **would go** to the market. (we used to) → *Le samedi, nous **allions** au marché.*

L'auxiliaire anglais *would* suivi d'un verbe s'utilise parfois pour exprimer l'habitude dans le passé; c'est l'équivalent de la construction *used to*. En français, on emploie l'imparfait.

2. I had bought some oysters, but she **wouldn't** eat any. (she didn't want to) → *J'avais apporté des huîtres, mais elle **n'a pas voulu** en manger.*

L'auxiliaire anglais *would* suivi d'un autre verbe s'utilise parfois pour exprimer la volonté. En français, on emploie le verbe *vouloir* suivi d'un infinitif.

3. I **couldn't** do it. → *Je **n'ai pas pu** le faire.*
(I wasn't able to) ou *Je **ne pouvais pas** le faire.*
They **couldn't** explain this. → *Ils **n'ont pas pu** expliquer cela.*
(They weren't able to) ou *Ils **ne pouvaient pas** expliquer cela.*

Le verbe anglais *could* suivi d'un autre verbe peut s'utiliser pour exprimer une action ou un état dans le passé. En français, on emploie le passé composé ou l'imparfait du verbe *pouvoir* suivi d'un infinitif.

4. **Could** you tell us where the convention centre is? → ***Pourriez**-vous nous indiquer où se trouve le Palais des congrès?*

Lorsque le verbe anglais *could* introduit une requête, on utilise le conditionnel du verbe *pouvoir* en français.

5. He **could have** done it. → *Il **aurait pu** le faire.*

La construction anglaise *could have* suivie d'un participe passé est équivalente au conditionnel passé du verbe *pouvoir* suivi d'un infinitif.

6. We **wish** we **could** help you, but it's not possible. → *On **voudrait pouvoir** vous aider, mais ce n'est pas possible.*
I **wish** you **could** go there. → *J'**aimerais** bien que vous **puissiez** y aller.*

Le verbe anglais *to wish* se traduit en français par *vouloir* ou *aimer* au conditionnel. Le verbe anglais *could* se traduit par le verbe *pouvoir* soit à l'infinitif, si le sujet de la subordonnée est le même que le sujet de la principale, soit au subjonctif si les deux sujets sont différents.

7. He **shouldn't** work so hard. → *Il **ne devrait pas** travailler si dur.*
You **ought to have** been there. → *Vous **auriez dû** être là.*

Les constructions anglaises *should* et *ought to* se traduisent en français par le conditionnel présent du verbe *devoir*. Les constructions *should have* et *ought to have* suivies d'un participe passé se traduisent par le conditionnel passé du verbe *devoir* suivi d'un infinitif.

Mise en pratique 14 (traduction)

Traduisez les phrases suivantes en français.

1. She shouldn't leave her parents' home even if she is mad at them.
2. We wish they had come with us.
3. I couldn't remember.
4. We told him to be careful, but he wouldn't listen.

Les phrases hypothétiques

1. Une phrase hypothétique est une phrase dans laquelle on énonce une possibilité ou une éventualité (proposition principale) qui dépend d'une condition ou d'une hypothèse (proposition subordonnée précédée de *si*).

   J'aurais acheté une jeep si j'avais eu assez d'argent.

   possibilité (proposition principale) = *j'aurais acheté une jeep*
   condition (proposition subordonnée) = *si j'avais eu assez d'argent*

2. Le Tableau 8.13 montre la concordance des temps dans les deux propositions des phrases hypothétiques.

Tableau 8.13

Concordance des temps dans les phrases hypothétiques

temps dans la proposition avec *si*	temps dans la proposition principale	exemples et traductions
présent	présent	*Si tu **veux**, on **peut** partir.* If you want, we can leave.
	futur	*Si on **part** tôt, on **arrivera** à l'heure.* If we leave early, we'll get there on time.
	futur antérieur (emploi moins fréquent)	*Si tu **continues** à ce rythme-là, tu **auras fini** cette semaine.* If you carry on at this pace, you will be finished this week.
	impératif présent	*Si tu **as** le temps, **téléphone**-moi!* If you have time, call me!
imparfait	conditionnel présent	*Si c'**était** possible, je vous le **dirais**.* If it were possible, I would tell you.
	conditionnel passé	*S'il n'**était** pas menteur, je l'**aurais cru**.* If he weren't a liar, I would have believed him.
plus-que-parfait	conditionnel passé	*S'il **avait fait** beau, on **aurait pu** aller se promener.* If the weather had been nice, we could have gone for a walk.
	conditionnel présent (emploi moins fréquent)	*Si tu t'**étais excusé**, il ne **serait** plus fâché contre toi.* If you had apologized, he wouldn't be angry with you anymore.
passé composé	présent	*S'il **est arrivé** à l'heure, il **doit** être content.* If he arrived on time, he must be happy.
	impératif présent	*Si vous **avez fini**, **partez**!* If you are finished, go!
	futur	*Si on m'**a** vraiment **accordé** une augmentation, je **pourrai** partir en vacances.* If I really got a raise, I'll be able to go on a vacation.
	futur antérieur	*S'ils **sont restés** tard à la soirée, ils **auront** probablement **couché** chez Pierre.* If they stayed late at the party, they probably slept at Pierre's place.
	imparfait	*Si elle **a fait** cela, c'**était** pour ton bien.* If she did that, it was for your own good.
	passé composé	*S'il **est parti** à l'heure, il **a dû** arriver à l'heure.* If he left on time, he must have arrived on time.

Attention! a) Il faut se rappeler que la phrase hypothétique peut commencer par la proposition principale ou par la proposition subordonnée. Si l'on commence par la phrase subordonnée avec *si*, il faut insérer une virgule entre la subordonnée et la principale.

Je viendrai s'il fait beau.
S'il fait beau, je viendrai.

b) Il s'agit surtout de retenir les séquences suivantes :

subordonnée		**principale**
si + présent	→	présent, futur ou impératif
si + imparfait	→	conditionnel présent
si + plus-que-parfait	→	conditionnel passé

Mise en pratique 15 (phrases hypothétiques)

Mettez chaque verbe entre parenthèses au temps approprié.

1. Si tu me (téléphoner) ____________ avant onze heures, on s'arrangera pour déjeuner ensemble.
2. Si je (ne pas être) ____________ malade, j'aurais pu finir ma dissertation à temps.
3. Les choses (aller) ____________ beaucoup mieux entre nous si on se disputait moins.
4. S'il ____________ (arriver) à l'heure à la gare, il aura pu prendre son train.
5. Arrête de le voir s'il ____________ (t'embêter).

Expression écrite

Le devoir d'idées

1. Comme son nom l'indique, **le devoir d'idées** est une composition écrite dans laquelle on développe les idées qui répondent au problème posé par le sujet du devoir. Il s'agit donc d'un texte qui reflète les prises de position du rédacteur. Et prendre position veut dire développer **l'argumentation** qui sera en mesure d'appuyer les idées que l'on avance.
2. **L'argumentation** est le développement raisonné d'une ou de plusieurs idées organisées dans l'intention de convaincre le lecteur. En ce cas, il ne s'agit ni d'écrire pour raconter une histoire (le récit), ni de décrire quelqu'un ou quelque chose (le portrait, la description), mais il s'agit d'exprimer un point de vue ou une idée. Ce point de vue ou cette idée implique une prise de position qu'il faut pouvoir justifier, le but étant bien sûr de convaincre avec logique, force et clarté. À cet effet, on peut citer Rivarol, qui a dit : «Ce qui n'est pas clair n'est pas français.»
3. L'idée de base que l'on veut présenter s'appelle **la thèse**. Pour défendre cette thèse, on apporte des arguments (preuves, raisonnements) eux-mêmes soutenus par des exemples. Il s'agit également de prévoir le point du vue opposé, **l'antithèse**, afin d'écarter les arguments éventuels de l'adversaire. La conclusion ou **synthèse** dresse le bilan des différents points du devoir d'idées.

Tableau 8.14

Parties d'un devoir d'idées

1. **L'introduction** est une préface où l'on expose la thèse qui va être développée. C'est dans cette partie du devoir que l'on pose le problème et que l'on marque ses limites.
2. **Le développement** est la partie du devoir où l'on présente les arguments. C'est donc la section la plus importante du texte puisque c'est là que se déroule la discussion et que l'on met en évidence la progression de la pensée. Au cours du développement, les formules de transition ont un rôle indispensable, car elles permettent :

a) de passer efficacement d'un argument à un autre;

b) de relier, de coordonner et de juxtaposer les idées;

c) d'annoncer ou de mettre certains autres éléments en relief (explications, exemples, etc,).

La disposition du texte en paragraphes permet également de grouper les arguments et de bien agencer le cours de la pensée. En général, chaque paragraphe correspond à une idée.

3. **La conclusion** est le paragraphe qui résume les arguments qui ont le plus d'impact. C'est le lieu où l'on fait le point sur toute la réflexion qui s'est déroulée au cours du devoir.

La présentation des idées

Outre les formules présentées dans le chapitre précédent, le tableau suivant dresse une liste de tournures souvent utilisées dans la présentation des idées.

Tableau 8.15

Formules de présentation des idées et mots-charnières

1. **Formules de présentation des idées**

À mon avis, . . .
Il est évident que . . .
Il est généralement accepté que . . .
Il est question depuis un certain temps de . . .
On commencera d'abord par examiner . . .
On parle beaucoup en ce moment de . . .
On vient d'apprendre que . . .
Au cours des vingt dernières années, . . .
Il ne se passe pas de jour sans que . . .
À la suite d'une enquête menée par . . .
Récemment on entend beaucoup parler de . . .
D'année en année, . . .
Selon les sondages les plus récents, . . .

2. **Mots-charnières**

a) chronologie
d'abord, tout d'abord, en premier lieu, à première vue, jusqu'à présent, premièrement
ensuite, puis, de plus, par ailleurs, en outre, outre + nom, de nouveau

b) opposition
mais, en revanche, pourtant, cependant, contrairement à, d'autre part, par contre, par ailleurs

c) opinion
selon moi, à mon avis, en ce qui me concerne, pour ma part, quant à moi

d) cause et conséquence
à cause de, pour cette raison, compte tenu de, en fait, donc, par conséquent, à cet effet

e) explication
autrement dit, en ce sens, c'est-à-dire, sur ce point, en d'autres termes, à titre d'information

f) conclusion
ainsi, enfin, finalement, en somme, dans le fond, en dernier lieu, pour conclure, tout compte fait

Tableau 8.16

Exemples de présentation d'idées

Les paragraphes ci-dessous présentent la même argumentation de trois façons différentes.

Exemple 1
Au cours des vingt dernières années, on a vu s'accroître le nombre d'industries coupables de déverser leurs déchets toxiques directement dans nos lacs et nos rivières. Les mesures de contrôle imposées par le gouvernement jusqu'à ce jour s'avèrent tout à fait insuffisantes. Il est donc clair que des lois beaucoup plus strictes s'imposent si les autorités désirent véritablement résoudre ce problème.

Exemple 2
Il ne se passe guère de semaine sans de nouvelles révélations portant sur le nombre croissant d'industries coupables de déverser leurs déchets toxiques dans les lacs et les rivières de la région. Des mesures de contrôle beaucoup plus strictes s'imposeraient si le gouvernement voulait vraiment faire face à ses responsabilités.

Exemple 3
À la suite d'un sondage mené par le groupe *Enquête Pollution*, on apprend que de nombreuses industries se permettraient encore de déverser leurs déchets toxiques dans nos lacs et nos rivières; et ceci, malgré toutes les mesures de contrôle de la pollution de l'eau imposées par le ministère de l'Environnement.

MISE EN PRATIQUE 16 (présentation des idées)

Après avoir relu les paragraphes ci-dessus, répondez aux questions suivantes.

1. Quels sont les formules de présentation des idées et les mots-charnières utilisés?
2. Selon vous, quel paragraphe présente la meilleure argumentation? Pourquoi?

SYNTHÈSE

EXERCICE I On part en voyage (futur simple)

oral ou écrit

Vous organisez un petit voyage au Québec avec un(e) camarade. À tour de rôle, posez les questions (sujet *nous*) et donnez les réponses.

Modèle : temps du départ (quand/partir/vendredi soir/samedi matin)
→ *Quand partirons-nous : vendredi soir ou samedi matin?*
→ *Nous partirons vendredi soir.*
ou → *Nous partirons samedi matin.*

1. destination (où/aller/Québec/Montréal)
2. moyens de transport (comment/voyager/train/autocar)
3. type d'hébergement (où/descendre/hôtel/auberge de jeunesse)
4. quantité d'argent (combien/argent/prendre/100 $/150 $)
5. tour de ville (comment/visiter la ville/à pied/en bus)
6. choses à voir (qu'est-ce que/visiter/musée d'art/vieille ville)
7. sorties le soir (où/aller le soir/concert/cinéma)
8. bagages (combien/valises/emporter/une/deux)

Exercice 2 Conséquences (futur simple)

oral ou écrit

Selon les circonstances indiquées, exprimez tout ce qui arrivera.

Modèle : Je n'ai pas eu de difficultés à l'examen. (avoir une bonne note, être reçu)
→ *J'aurai une bonne note et je serai reçu.*

1. Hélène vient de finir ses études. (ne pas avoir de difficultés à trouver un poste, faire une carrière brillante)
2. Jean-Paul peut finalement quitter le cocon familial. (réussir à se caser, se trouver un appartement, avoir plus de responsabilités)
3. Tu viens de gagner beaucoup d'argent. (en donner une partie aux œuvres de charité, investir le reste)
4. Arthur vient d'avoir un accident. (aller à l'hôpital, ne plus pouvoir conduire sa voiture, ne plus jamais danser comme auparavant)
5. Paul et Jacqueline voulaient aller à la plage ce week-end, mais on a annoncé du mauvais temps. (ne pas se baigner, ne pas faire de planche à voile)
6. Je viens d'obtenir un nouveau poste. (avoir moins de temps libre, gagner plus d'argent, ne plus dépendre de mes parents)

Exercice 3 En l'an 2010 (futur antérieur)

oral ou écrit

Dites si, oui ou non, vous aurez fait ces choses en l'an 2010.

Modèle : (finir mes études)
→ *En l'an 2010, j'aurai fini mes études.*
ou → *En l'an 2010, je n'aurai pas encore fini mes études.*

1. quitter le domicile de mes parents
2. décrocher mon premier poste
3. m'installer à mon compte
4. me marier
5. avoir des enfants
6. acheter une maison
7. fêter mon vingt-cinquième anniversaire
8. faire le voyage de mes rêves

Exercice 4 Dans une vingtaine d'années (futur antérieur)

oral ou écrit

D'après vous, que nous réserve l'avenir? Faites l'exercice suivant selon le modèle.

Modèle : on/arriver à supprimer les sources de pollution
→ *Dans une vingtaine d'années, on sera arrivé à supprimer les sources de pollution.*
ou → *Dans une vingtaine d'années, on ne sera pas encore arrivé à supprimer les sources de pollution.*

1. les médecins et les chercheurs/découvrir un traitement efficace contre le cancer
2. les voyages organisés dans l'espace/remplacer les croisières en bateau

3. on/perfectionner des voitures non polluantes
4. le taux de divorce/diminuer
5. beaucoup de jeunes/avoir probablement changé de carrière
6. on/installer des colonies sur d'autres planètes
7. notre professeur/prendre sa retraite
8. le prix de l'eau/dépasser celui de l'essence

EXERCICE 5 Chaque chose en son temps (futur simple et futur antérieur)

oral ou écrit

Faites l'exercice suivant selon le modèle.

Modèle : Nous (manger) quand Paul (rentrer).

→ *Nous mangerons quand Paul sera rentré.*

1. Je lui (téléphoner) dès que ce monsieur (sortir) de la cabine téléphonique.
2. Vous (pouvoir) y entrer quand ils (ouvrir) la porte.
3. Tu le (revoir) après qu'il (revenir) de vacances.
4. Elle (se sentir) mieux lorsqu'elle (se reposer).
5. Nous (se mettre) à table aussitôt que le rôti (cuire).
6. Paul (être) content quand il (s'arrêter) de fumer.
7. Ils (ne pas améliorer) leur santé tant qu'ils (ne pas faire) attention à leur régime.
8. Je (faire) un voyage en Europe dès que je (finir) mes études.

EXERCICE 6 Le choix (conditionnel présent)

oral ou écrit

Imaginez que vous et votre partenaire ayez le choix entre les deux possibilités qui sont fournies. À tour de rôle, posez les questions et donnez les réponses.

Modèle : aller en France ou aller au Portugal

→ *Tu veux aller en France ou au Portugal?*

→ *Si j'avais le choix, j'irais en France.*

ou → *Si j'avais le choix, j'irais au Portugal.*

1. suivre un cours de russe ou un cours de japonais
2. voir un film policier ou un film d'épouvante
3. posséder une maison ou posséder un condominium
4. devenir riche ou être heureux(se)
5. travailler seul(e) ou travailler en équipe

6. prendre des vacances à la montagne ou à la mer
7. faire des études de droit ou faire des études de médecine
8. aller au théâtre ou aller au cinéma
9. acheter une jeep ou acheter une camionnette
10. se marier ou rester célibataire
11. pratiquer un sport d'équipe ou un sport individuel
12. partir en voyage ou rester chez soi

EXERCICE 7 Effectivement (conditionnel présent)

oral ou écrit

On croit souvent que les choses vont se passer différemment. Faites l'exercice suivant selon le modèle.

Modèle : Je pense que tu le feras.
→ *Effectivement, je pensais que tu le ferais.*

1. Je dis que vous devrez faire attention.
2. Il croit que ce sera facile.
3. Elle affirme qu'il nous rendra visite.
4. Vous pensez qu'ils rentreront tôt.
5. Nous sommes certains que le professeur nous le permettra.
6. On dit qu'il fera beau.
7. Mon père pense qu'on se lèvera tôt.
8. Tu crois que le film durera deux heures.

EXERCICE 8 Dans le meilleur des mondes (conditionnel passé)

oral ou écrit

Faites l'exercice suivant selon le modèle.

Modèle : on/ne pas avoir de difficultés à trouver un poste
→ *Si tout était allé comme prévu, on n'aurait pas eu de difficultés à trouver un poste.*

1. je/prendre des vacances cette année
2. tu/pouvoir t'acheter n'importe quoi
3. mes parents/ne pas avoir à s'occuper de lui
4. ce jeune homme/trouver un meilleur emploi
5. nous/organiser des soirées tous les jours
6. on/pouvoir stationner n'importe où

EXERCICE 9 Avec des si . . . (phrases hypothétiques)

oral ou écrit

Faites l'exercice suivant selon le modèle.

Modèle : On ______ (être) plus prudent. On aurait évité cet accident.
→ *Si l'on avait été plus prudent, on aurait évité cet accident.*

1. Elle _______ (être) financièrement autonome. Elle quitterait le cocon familial.
2. J'avais su cela. Je _______ (ne pas venir).
3. Tu ne te lèves pas tout de suite. Tu _______ (manquer) ton train.
4. Ma tante _______ (se soigner). Elle n'aurait pas eu besoin d'aller à l'hôpital.
5. Vous m'aviez écouté. Cela _______ (ne pas arriver).
6. Nous _______ (étudier) un peu plus. Nous obtiendrions de meilleures notes.
7. Tu _______ (ne pas savoir) où ça se trouve. Renseigne-toi.
8. Ton copain _______ (suivre) tes indications. Il ne se perdra pas.
9. Nous n'étions pas si pressés. Nous _______ (pouvoir) aller les voir.
10. Il avait fini ses études. Il _______ (ne pas collectionner) tous ces petits boulots sans lendemain.

EXERCICE 10 Traduction partielle (phrases hypothétiques)

écrit

Traduisez les mots entre parenthèses en français.

1. Si tu ___________ (were) riche, tu ___________(would have spent) tout l'été au bord de la mer.
2. Vous ___________ (could have seen her) si vous ___________(had booked an appointment*).
3. Nous ___________ (would have) de meilleures places si tu ___________ (had bought) les billets plus tôt.
4. Si nous ___________ (had not waited) jusqu'à 21 heures, nous ___________ (would already be) chez nous.
5. S'il ___________ (had not been) si brimé, il ___________ (would have conquered) sa liberté plus tôt.
6. Nous ___________(would have called them back**) s'ils ___________ (had left) leur numéro de téléphone sur le répondeur.
7. S'il ___________ (was not) si paresseux, il ___________ (could have avoided) d'être renvoyé.
8. Si tu le ___________ (can), ___________ (phone me).

***to book an appointment = prendre rendez-vous**
****to call back = rappeler**

EXERCICE 11 Moulin à phrases (divers éléments)

écrit

Complétez chaque phrase d'une manière humoristique (si possible).

1. Aussitôt que la mariée arrivera . . .
2. S'ils arrivent à se débrouiller seuls, . . .
3. Lorsqu'elle sera indépendante . . .
4. Dans quelques instants . . .
5. S'il n'y a pas de réponse, . . .
6. Je t'accompagnerai si . . .
7. Tant que tu n'auras pas claqué la porte . . .
8. À peine aura-t-il décroché son premier job que . . .
9. Je me demande si . . .

EXERCICE 12 Petits paragraphes (divers éléments)

écrit

Écrivez quelques phrases pour développer les notions suivantes.

1. À l'âge de quarante ans, je serai . . .
2. Si tout à coup j'avais beaucoup d'argent, je . . .
3. Si j'avais su plus tôt ce que je sais maintenant, je . . .
4. Si j'avais à changer quelque chose dans ma vie, je . . .

EXERCICE 13 Traduction (divers éléments)

écrit

Traduisez les phrases suivantes en français.

1. We'll never come back here.
2. Some day she will laugh at all of this. (*rire de*)
3. Robert will be back as soon as he feels better.
4. I wonder whether this will indeed happen.
5. We will never give up.
6. They have probably not received it.
7. He ought to have told her.
8. If I want to continue my studies, my parents will support me financially.

EXERCICE 14 Rédaction (devoir d'idées)

écrit

Sujet Choisissez comme sujet un problème de société qui vous tient à cœur.
Trouvez un titre qui cerne bien le problème choisi.
Composez un plan dans lequel vous annoncez l'argumentation que vous allez développer.
Rédigez votre devoir d'idées et assurez-vous que :

a) vous avez vérifié la logique de vos arguments;
b) vous avez utilisé les mots-charnières indispensables à la cohésion et la cohérence de votre texte;
c) vous avez bien corrigé votre copie.

Consignes Entre 350 et 400 mots

Chapitre 9

Lecture

Essai

Du Nord vers le Sud . . . la rencontre abîmée d'Ezzedine Mestiri

Résumé d'une interview télévisée

L'influence du tourisme sur les baleines de Tadoussac, propos de Robert Michaud

Vocabulaire

Le voyage

Le tourisme

Grammaire

La négation

Les verbes pronominaux

Les expressions impersonnelles

Les adjectifs et pronoms indéfinis

Expression écrite

La ponctuation

Les majuscules

IX

Lecture et Vocabulaire

Dossier 1 *Du Nord vers le Sud . . . la rencontre abîmée*

Introduction à la lecture

Le tourisme, tel que nous le connaissons aujourd'hui, est né au XXe siècle. Les avances technologiques de ce siècle (avions, trains à grande vitesse) ont permis à l'homme de se déplacer plus facilement et plus rapidement qu'avant. Le tourisme est généralement perçu comme une bonne chose. Il peut, d'une part, stimuler l'économie d'un pays, et d'autre part, il peut nous instruire en nous donnant l'occasion de visiter des pays, de rencontrer des peuples différents et d'enrichir nos contacts avec le monde et la nature. Cela dit, nous ne réfléchissons peut-être pas assez aux problèmes que le tourisme de masse peut engendrer. En abordant un siècle nouveau, il y a certainement quelques questions à se poser sur les échecs (*failures*) du siècle dernier. Dans le premier texte de ce chapitre, nous abordons la question du tourisme dans les pays pauvres. Le journaliste tunisien Ezzedine Mestiri (auteur du *Guide du Maghreb à Paris*) parle des effets du tourisme sur les pays en voie de développement.

Activités de pré-lecture

1. Quels sont, d'après vous, les problèmes que le tourisme de masse peut créer? Dressez une liste de ces problèmes.
2. En groupes de deux ou trois, comparez vos listes et classez les problèmes cités en créant des catégories ou des domaines. L'environnement, par exemple, pourrait être un domaine où un certain nombre de problèmes ont été identifiés.
3. Analysez le titre du premier texte : «Du Nord vers le Sud . . . la rencontre abîmée». Que représente le Nord? Et le Sud? Que veut dire le mot «abîmée»?
4. D'après le titre, pouvez-vous imaginer le point de vue de l'auteur?

Lecture

Lisez le texte ci-dessous.

1. Dans les trois premiers paragraphes, soulignez les phrases à la forme négative.
2. Faites l'exercice de compréhension qui suit le texte.

Du Nord vers le Sud . . . la rencontre abîmée

Lecture

Comment les pays pauvres deviennent des paradis artificiels pour des millions de vacanciers occidentaux

1 *L'élan* du tourisme mondial est né dans les années 60. *Le tiers-monde* pauvre a pensé qu'il y avait une occasion à saisir : vendre ses paysages, ses climats ensoleillés, ses plages de sable

fin, ses cultures exotiques. Il voulait recueillir des *devises* pour stimuler sa machine économique. Mais, comme l'écrivait le sociologue Morris Fox, «Le tourisme est comme le feu. *Il peut faire bouillir votre marmite ou incendier vos maisons.*» Ce propos souligne bien le dilemme. Personne ne peut dire aujourd'hui que la marmite bout bien, comme il serait exagéré d'affirmer que la maison est en feu.

Gros avions à réaction, vacances programmées, étirées, agences de voyages à tous les coins de rue, jamais le monde même lointain, n'a été aussi accessible. Jamais on n'a autant voyagé, mais jamais aussi les égoïsmes nationaux, les malentendus et les hostilités entre les peuples différents n'ont été aussi présents et aussi cruciaux. Au début des années 70, le slogan «le tourisme facteur de paix et d'échanges, . . . moyen de compréhension entre les peuples» était repris en chœur par tous, de l'UNESCO à la Conférence des Nations unies pour le commerce et le développement, en passant par la Banque mondiale.

Malheureusement, la rencontre fut manquée, abîmée. 80 % des touristes dans le monde sont originaires des pays industrialisés. C'est un «échange» à sens unique, et le touriste, malgré lui, est loin d'être un personnage innocent. Le voyage ne peut être isolé d'un certain contexte et de son environnement humain et social. Nous ne sommes plus au temps des explorateurs, missionnaires, pèlerins et autres poètes. Le voyage est devenu un produit, une affaire de marchands. Chaque année, plus de soixante millions d'Occidentaux prennent des vacances dans un pays en voie de développement. Visiter le tiers monde, certes. Mais quel tiers monde?

Rien dans les dépliants et les catalogues des organisateurs et promoteurs de ce tourisme multinational ne permet de soupçonner *l'effroyable misère sévissant* dans ces terres paradisiaques, ni la pauvreté absolue des hommes tenus à l'écart des grands circuits touristiques. Tout au long des pages, c'est l'exotisme caricatural et *racoleur* qui *s'étale* : couples bronzés allongés sur des plages désertes, blondes voluptueuses vous invitant à l'aventure au bord de la piscine d'*un hôtel quatre étoiles*, formules-clichés pour vendre des terres de rêve, *figeant* des populations typiques, folkloriques et serviles.

Ce tourisme de masse est-il au moins créateur d'emplois? On constate que cette industrie n'occupe régulièrement que 5 % de la main-d'œuvre, 10 à 15 % en pleine saison, main d'œuvre essentiellement semi-qualifiée et saisonnière. Il faut dire aussi que ce secteur, s'il rapporte des devises à un pays, entraîne d'énormes frais d'infrastructure pour l'État (*aménagement des sites*, services privilégiés, . . .). Enfin, ce tourisme est générateur d'inflation. Il provoque des hausses de prix spectaculaires, dans des pays où souvent n'existent pas d'instruments sérieux et fiables pour mesurer cette inflation et évaluer ses conséquences sur le niveau de vie de la population.

Il est temps de réfléchir sur la forme et la pratique de ce tourisme. Quel tourisme? Frantz Fanon avait prédit : «Les pays sous-développés deviendront *les bordels* des pays industrialisés.» Ce tourisme, s'il n'engendre pas la pollution, la prostitution, la petite délinquance, comme on l'affirme parfois abusivement, les influence. Les entreprises touristiques transnationales imposent leur clientèle et leurs produits. Ces «touroperators» organisent les circuits, les séjours, les croisières . . . Ils lancent les nouvelles destinations, créent les formules de vacances. On estime actuellement en France à plus de 2 000 les produits touristiques vendus *comme des boîtes de conserve*. Les pays d'accueil *se plient* d'autant plus aux exigences des fabricants de voyage qu'elles leur permettent de donner *une image tronquée* des terribles réalités et tristes quotidiennetés qu'endurent leurs peuples. Il revient à ces pays la mission de diversifier, inventer, devenir les véritables maîtres

de l'exploration et de la découverte de leur terre par les autres. Peut-être alors le
50 malentendu entre le visiteur et son hôte pourra-t-il *s'amenuiser* et faire place à une rencontre véritable, où le touriste sera vu comme un invité et non comme un modèle à imiter ou *un nanti à plumer devant lequel on se courbe* parce qu'on le méprise.

Ezzedine Mestiri, tiré du journal *Le Monde.*

l.1 **l'élan : mouvement par lequel on s'élance**—the start or impetus

l.1 **le tiers-monde : les pays en voie de développement**—third-world countries

l.3 **devises : moyens de paiement dans une monnaie étrangère**—currency

l.5 **Il peut faire bouillir votre marmite ou incendier vos maisons**—It can make the kitchen pot boil or set your house on fire (= it can be good or bad)

l.24 **l'effroyable misère sévissant**—the horrible misery that is rampant

l.26 **racoleur : qui fait de la propagande sans scrupules**—propagandist, enticing

l.26 **s'étale (v. s'étaler) : s'étendre, prendre de la place**—to sprawl, show off

l.28 **un hôtel quatre étoiles : un hôtel de luxe**

l.29 **figeant (v. figer) : créer des images, des stéréotypes qui ne changeront pas facilement**

l.34 **aménagement des sites**—planning and construction of tourist sites

l.39 **les bordels**—the brothels

l.45 **comme des boîtes de conserve**—like canned food

l.45 **se plient (v. se plier) : céder**—to give in to

l.47 **une image tronquée : une image altérée, mutilée**—an incomplete picture

l.50 **s'amenuiser : diminuer**

l.52 **un nanti à plumer devant lequel on se courbe**—a rich person to steal from and to whom one bows

Compréhension globale

Répondez aux questions à choix multiples.

1. L'auteur trouve que le tourisme dans les pays pauvres . . .

- **a)** a été une grande réussite.
- **b)** a enrichi ces pays.
- **c)** a surtout nui à ces pays.
- **d)** a engendré la prostitution.

2. Dans les années 70, le tourisme était perçu comme un . . .

- **a)** moyen d'encourager l'échange entre différents pays.
- **b)** moyen d'éduquer les peuples du tiers monde.
- **c)** problème réel, car les gens ne voyageaient plus.
- **d)** produit, une affaire de marchands pour consommateurs.

3. En lisant les dépliants et les catalogues de voyage sur les pays du Sud . . .

- **a)** on a une bonne idée des conditions de vie de ces pays.
- **b)** on apprend que les pays du tiers monde sont pauvres.
- **c)** on a une image caricaturale de ces pays et de leurs habitants.
- **d)** on apprend beaucoup sur l'histoire et l'économie de ces pays.

4. Laquelle des quatre phrases suivantes au sujet du tourisme et de la création d'emplois est correcte?

- **a)** Le tourisme ne crée pas d'emplois, c'est un mythe.
- **b)** Le tourisme n'occupe qu'un faible pourcentage de la main-d'œuvre.
- **c)** Il y a du travail 12 mois par année pour la majorité de la population.
- **d)** L'industrie du tourisme occupe régulièrement la moitié de la main-d'œuvre.

5. Selon l'auteur, les pays d'accueil . . .

- **a)** devraient mieux contrôler l'exploration de leur terre par les touristes.
- **b)** doivent abandonner l'idée d'attirer des touristes.
- **c)** organisent les séjours et les circuits touristiques.
- **d)** veulent imiter les pays industrialisés.

Vocabulaire

Le voyage

Déplacement d'une personne qui se rend en un lieu assez éloigné. (Le Petit Robert)

- voyager—*to travel*
- faire un voyage, partir en voyage/revenir de voyage—*to take a trip/to return from a trip*
- un long, grand voyage : un voyage qui dure longtemps
- un voyage d'agrément, un voyage touristique—*a pleasure trip, a tourist trip*
- un voyage organisé—*a package tour or holiday*
- un voyage d'affaires—*a business trip*
- un voyage d'étude, d'exploration, d'information—*a study or an exchange trip*
- une croisière, un voyage en mer—*a cruise, an ocean trip*

- les transports, les moyens de transport—*transportation*
- aller, marcher à pied—*to go by foot*
- en voiture, en train, en bateau, en avion—*by car, by train, by boat, by plane*
- une location de voiture, louer une voiture—*a car rental, to rent a car*
- un chemin de fer, une gare—*a train station*
- une gare routière, une gare maritime—*a bus station, a harbour station*
- un traversier, une traversée, un bateau-mouche—*a ferry, a crossing, a river boat (for sightseeing)*
- un vol (nolisé, direct, sans escale)—*a flight (chartered, direct, nonstop)*
- une escale, faire escale—*a stop (over), to stop, to call*

- l'hébergement—*accommodation, lodging*
- un hôtel (différentes catégories : deux, trois étoiles)—*a hotel (two star, three star)*

- un hôtel-restaurant, une pension (où l'on peut manger)—*a hotel with half or full board*
- chambre et petit déjeuner—*bed and breakfast*
- une chambre d'hôte—*a bed and breakfast*
- une auberge—*an inn*
- un gîte rural : un hôtel de campagne simple et sans luxe—*an inn*
- un camping—*a campground*

Le tourisme

Le fait de voyager, de parcourir pour son plaisir un lieu autre que celui où l'on vit habituellement. (Le Petit Robert)

- les pays du tiers-monde/les pays industrialisés—*third-world/industrialized countries*
- les pays en voie de développement/les pays développés—*developing/developed countries*
- les pays pauvres/riches—*poor/rich countries*
- la pauvreté, la misère/la richesse, le luxe—*poverty, misery/wealth, luxury*

- le tourisme mondial, de masse—*world, mass tourism*
- les paysages exotiques, des terres paradisiaques—*exotic landscapes, heavenly lands*
- les climats ensoleillés : les climats chauds, tropicaux/froids, tempérés—*warm or tropical climates/cold or temperate climates*
- les plages de sable fin—*white sand beaches*
- une agence de voyages, un fabricant de voyages—*a travel agency*
- une entreprise touristique—*a tourist business*
- des vacances programmées : des séjours et circuits organisés
- des vacances à la carte : où le touriste choisit son propre programme
- un pays d'accueil : qui reçoit des touristes—*host country*
- un hôte/un visiteur : personne qui accueille/personne qui visite
- une rencontre, un échange—*a meeting, an exchange*

- un touriste : personne qui fait du tourisme
- un explorateur : personne qui explore un endroit peu accessible ou peu connu
- un missionnaire : personne qui voyage dans le but de chercher à convertir à une religion
- un pèlerin : personne qui fait un pèlerinage—*a pilgrim, a person on a pilgrimage*

- l'inflation : hausse généralisée et continue des prix
- la pollution : action de polluer, salir en rendant dangereux
- la petite délinquance (vols, cambriolages)—*delinquency (petty theft, break-ins)*
- l'industrie, l'économie d'un pays—*a country's industry, economy*
- rapporter des devises : procurer de l'argent (aux pays du Sud)
- la création d'emplois—*job creation*
- une main-d'œuvre régulière/saisonnière—*a regular/seasonal labour force*
- une main-d'œuvre semi-qualifiée/qualifiée—*semi-skilled/skilled labour force*

Exploitation lexicale

1. Pour chaque élément de la colonne A, trouvez l'élément correspondant de la colonne B.

Colonne A		Colonne B
1. Jacques Cartier	____	a) un pays industrialisé
2. *Nouvelles Frontières*	____	b) aménagement des sites
3. le Canada	____	c) rapporter des devises
4. construction d'un nouvel hôtel à Cancun	____	d) main-d'œuvre semi-qualifiée
5. des cambriolages	____	e) un explorateur
6. travail de serveuse	____	f) des climats chauds
7. le tourisme de masse	____	g) un pays pauvre
8. les pays tropicaux	____	h) une agence de tourisme
9. Haïti	____	i) la petite délinquance

2. Remplissez les blancs avec le mot ou l'expression qui convient.

   a) Un pays en ______________________ est un pays qui est en train de s'industrialiser.

   b) Souvent, les touristes ne se rendent pas compte de ______________________ dans laquelle vivent les habitants du pays qu'ils visitent.

   c) Beaucoup de touristes aiment les vacances ______________________, car ils n'ont rien à préparer.

   d) ______________________ est un problème sérieux dans les pays du tiers monde, car la promotion du tourisme a des conséquences sur le niveau de vie de la population.

   e) Dans les années 60, plusieurs pays du tiers monde se sont tournés vers l'industrie du tourisme dans le but de recueillir ______________________.

   f) Pour connaître l'horaire des trains, il faut se renseigner directement à la __________.

   g) Les ________________ en Alaska sont devenues très populaires.

   h) Elle n'aime pas les ________________ : elle préfère voyager seule.

   i) J'ai pris un vol direct pour aller à Tokyo. Son vol a fait ______________ à Vancouver.

3. Trouvez les mots de la même famille.

NOM	VERBE	ADVERBE	ADJECTIF
explorateur (trice)		■	
			pauvre
	polluer	■	
richesse (la)			
misère (la)	■		

4. Composez des phrases avec chacun des mots suivants.

   un hôte—les climats ensoleillés—la création d'emplois—polluer

Compréhension détaillée 1

1. Expliquez la comparaison suivante : «Le tourisme est comme le feu. Il peut faire bouillir votre marmite ou incendier vos maisons.»
2. Pourquoi, selon l'auteur, la rencontre entre pays industrialisés et pays du tiers monde n'a-t-elle pas réussi?
3. Quel reproche peut-on faire aux dépliants et aux catalogues de voyage?
4. Quel pourcentage de la main-d'œuvre d'un pays en voie de développement travaille régulièrement dans l'industrie du tourisme?
5. Le tourisme apporte des devises étrangères à un pays, mais il entraîne aussi deux problèmes importants. Quels sont-ils? Expliquez.
6. On dit qu'il y a malentendu entre le visiteur et son hôte. Pourquoi?

Compréhension détaillée 2

1. Comptez le nombre de paragraphes dans l'article.
2. Résumez, en une ou deux phrases, l'idée principale de chaque paragraphe.
3. Maintenant, préparez une fiche de lecture pour l'article.

Réflexion et discussion

1. Avez-vous déjà visité un pays en voie de développement? Quelle a été votre expérience?
2. Dans le dernier paragraphe, l'auteur suggère que le tourisme influence la pollution, la prostitution et la petite délinquance. Comment le tourisme engendre-t-il cela? Donnez des exemples concrets pour les trois problèmes cités.
3. Comment définiriez-vous le touriste par rapport au voyageur ou à l'explorateur (qui n'existe plus vraiment aujourd'hui)? Est-ce qu'on peut voyager sans être touriste?
4. Faites une petite enquête sur un pays pauvre qui est devenu une grande destination touristique. Analysez les dépliants de voyage. Est-ce que les idées présentées par l'auteur dans le quatrième paragraphe de l'article correspondent à la réalité?

Dossier 2 *L'influence du tourisme sur les baleines de Tadoussac*

Introduction à la lecture

La très belle région de Tadoussac, située sur la rive nord du Saint-Laurent, à 600 kilomètres de Montréal, reçoit chaque année une population variée de *baleines* sur ses côtes. Résultat : des centaines de milliers de touristes visitent la région chaque année pour admirer ces magnifiques créatures de la mer. Mais à quel prix? Dans les dix dernières années, l'observation des baleines est devenue un des plus grands attraits touristiques de la province du Québec. L'article qui suit est un résumé d'une interview télévisée avec Robert Michaud, un océanologue québécois, co-fondateur du Groupe de recherche et d'éducation sur le milieu marin, qui poursuit un programme de recherche à long terme sur l'écologie comportementale des bélugas du Saint-Laurent.

une baleine : un mammifère marin—a whale

Activités de pré-lecture

1. Avez-vous déjà fait une excursion en mer pour observer les baleines? Avez-vous aimé votre voyage?
2. Quels sont les autres endroits au Canada ou aux États-Unis où l'on peut observer les baleines?
3. Quels types de baleines connaissez-vous?
   - **a)** rorqual à bosse *(humpback whale)*
   - **b)** rorqual commun *(fin whale)*
   - **c)** rorqual bleu *(blue whale)*
   - **d)** petit rorqual *(minke whale)*
   - **e)** béluga
4. Quelles sont les conséquences possibles, d'après vous, d'une trop grande activité touristique autour des baleines?

Lecture

Lisez le texte ci-dessous.

1. Soulignez les expressions impersonnelles utilisées dans le texte.
2. Répondez aux questions de compréhension qui suivent le texte.

Lecture

L'influence du tourisme sur les baleines de Tadoussac

1 Les touristes qui viennent visiter la région de Tadoussac sont témoins d'un très beau spectacle lorsque, pour la première fois, ils aperçoivent un groupe de baleines dans *les eaux du Saguenay*. Mais cette expérience inoubliable a-t-elle un prix?

De plus en plus, des chercheurs s'inquiètent de la croissance du tourisme autour des
5 baleines. On observe que le nombre de compagnies qui organisent les excursions en bateaux augmente chaque année, et que toutes sortes de bateaux sont utilisés : gros bateaux, *hors-bord*, *pneumatiques* et même hydravions.

Selon Robert Michaud, océanologue, au mois de juillet 1996, il était fréquent de voir des concentrations de plus de trente bateaux autour d'un même groupe de baleines, dans
10 un rayon d'un kilomètre. Problème? *Gestion de la circulation* des bateaux. La même année, des chercheurs ont remarqué qu'il y avait moins de nourriture pour les baleines; elle était rare et concentrée.

Il est vrai qu'aucune étude n'a prouvé que les bateaux *font fuir* les baleines. Les craintes des chercheurs sont plus subtiles. «Il faut comprendre que les baleines viennent ici pour
15 manger», dit Robert Michaud. «Ce sont des animaux, comme les rorquals communs, qui doivent manger au-delà d'une tonne de nourriture par jour et, pour y parvenir, ils travaillent très fort. Si la présence des bateaux dans la région fait en sorte qu'un animal peut passer un peu moins de temps à chercher ou à exploiter une concentration de nourriture, peut-être qu'on a un effet sur son *bilan énergétique*, peut-être qu'on a un
20 véritable effet sur ses chances de survie.»

Faut-il abandonner ce genre de tourisme? Michaud croit que non. Si on veut vraiment connaître l'impact du tourisme, il faut tout étudier : les baleines, leur nourriture et leurs mouvements à la surface et sous l'eau. Selon l'océanologue, observer les baleines est une activité fabuleuse. Il suffit d'avoir des règlements, des lignes de conduite peut-être un peu plus sévères que ce qui existe actuellement. Il y aura également des choix à faire : gérer le trafic ou favoriser les gros bateaux.

25

Adapté des fiches d'activités de prolongement de la série Visions d'Amérique—Coscient, TV5 la télévision internationale, animée par Janine Messadié, novembre 1996.

l.3 **les eaux du Saguenay**—the waters of the Saguenay river

l.7 **hors-bord, pneumatiques**—outboard motor boats, inflatable boats

l.10 **gestion de la circulation**—traffic control

l.13 **font fuir : chasser**—to chase away

Compréhension globale

Dites si les affirmations suivantes sont vraies ou fausses.

1. Les chercheurs ont peur que les bateaux ne chassent les baleines.
2. Le tourisme dans la région de Tadoussac est en croissance.
3. Les baleines viennent principalement dans les eaux du Saguenay pour se reposer.
4. Robert Michaud aimerait qu'il y ait moins de touristes à venir observer les baleines.
5. On ne sait pas exactement quel est l'impact du tourisme sur les baleines, mais les chercheurs craignent que le tourisme n'affecte la santé de ces mammifères marins.

Approfondissement lexical

Les radicaux

- Le radical fait partie de la racine (*root*) d'un mot. Si vous lisez l'entrée du radical **fabul-** ci-dessous, vous verrez que plusieurs mots de la même famille sont formés avec ce radical : **fabul**ateur(trice), **fabul**ation, **fabul**eux(euse), **fabul**eusement et **fabul**iste. Le radical **fabul-** signifie «fable».

FABUL- Élément qui signifie «fable». ▼ FABULATEUR, TRICE [fabylatœʀ, tʀis] *adj.* • **1°** Relatif à la fabulation (2°). V. **Myth(o)-**. *La fonction fabulatrice.* • **2°** Qui a l'habitude de la fabulation (1°). V. **Mythomane.** -Subst. *Les enfants sont souvent des fabulateurs.*▼ FABULATION [fabylɑsjɔ̃] *n.f.* • **1°** Production imaginaire de l'esprit, mal adaptée aux circonstances extérieures. V. **Affabulation, mythomanie.** *Les enfants aiment la fabulation.* • **2°** *Littér.* Activité de l'imagination. *La fabulation de l'écrivain.* ▼ FABULEUX, EUSE [fabylø, øz] *adj.* • **1°** *Littér.* Qui appartient à la fable, au merveilleux antique. V. **Imaginaire, légendaire, mythique, mythologique.** || Contr. **Historique.** || *La licorne, animal fabuleux.* • **2°** Invraisemblable quoique réel. V. **Extraordinaire, fantastique, incroyable, merveilleux, prodigieux.** || Contr. **Commun, ordinaire.** || *Une vie aux aventures fabuleuses. C'est fabuleux! – (Intensif)* Énorme. *Prix fabuleux.* ▼ FABULEUSEMENT [fabyløzmɑ̃] *adv.* • D'une manière fabuleuse (2°), inimaginable. *Il est fabuleusement riche.* ▼ FABULISTE [fabylist] *n. m.* • Auteur qui compose des fables. *Un fabuliste renommé.* ▽ V. aussi AFFABULATION.

Entrée tirée du *Robert Méthodique*, p. 553.

1. Relisez l'entrée et choisissez, parmi les mots formés à partir du radical **fabul-**, celui qui complète chaque phrase.

   a) Jean de La Fontaine est un _______________ célèbre : c'est lui qui a composé la fable *La Cigale et la Fourmi.*

   b) Cet homme est _______________ riche.

   c) Hercule est un héros _______________ de la mythologie grecque.

   d) On dit que la _______________ est normale chez les jeunes enfants.

2. Étudiez les éléments suivants. Que signifient-ils? Donnez un ou deux dérivés pour chacun. Vous aurez besoin d'un dictionnaire pour faire cet exercice. Suivez l'exemple donné.

   a) *–phile* du grec, élément qui signifie «ami» (qui aime)
   cinéphile : qui aime le cinéma
   anglophile : qui aime les Anglais

   b) *–phobe*

   c) *–phage*

   d) *combus-*

   e) *océano-*

   f) *spec-*

Compréhension détaillée

1. Quel est le principal danger, pour les baleines, de la croissance du tourisme d'observation?
2. Quels sont les trois moyens proposés pour étudier l'impact du tourisme sur les baleines de Tadoussac?
3. Que suggère Robert Michaud comme moyen de prévention?

Réflexion et discussion

1. Pourquoi devrait-on continuer à permettre le tourisme d'observation des baleines, d'après vous?
2. Existe-t-il d'autres animaux qui sont affectés par la croissance du tourisme? Expliquez.
3. Choisissez un animal (peut-être en voie de disparition) dont la survie est menacée par le tourisme. Faites une recherche sur le problème (type d'activité touristique, nombre de touristes) et l'impact possible (ou réel) sur l'animal en question. Quelles solutions proposeriez-vous pour résoudre le problème?

Sites Web : activités complémentaires

- Vous voulez faire de l'écotourisme au Québec. Renseignez-vous sur les itinéraires en visitant les deux sites ci-dessous.

  http://www.circuitsaint-laurent.com
  http://www.blancsablon.com/accueil-001.html

- Indiquez le site que vous avez préféré. Justifiez votre choix.

GRAMMAIRE ET EXPRESSION ÉCRITE

GRAMMAIRE

La négation

Remarques préliminaires

1. La négation en français comprend généralement plusieurs mots.

*Certaines baleines **ne** sont **plus** sur la liste des espèces en voie d'extinction.*
*Ils **n'**ont **pas encore** retrouvé leur chat.*

2. La négation présente le contraire de l'affirmation.

Ce n'est pas un dauphin. ↔ *C'est un dauphin.*
(négation) (affirmation)

Adverbes négatifs

Tableau 9.1

Formes et emplois des adverbes négatifs

adverbe	**négation**	**affirmation**
ne . . . pas	*Je **n'**y suis **pas** allé(e).*	*J'y suis allé(e).*
ne . . . point (littéraire)	*Il **ne** fut **point** surpris.*	*Il fut surpris.*
ne . . . plus	*Ils **ne** sortent **plus** ensemble.*	*Ils sortent **encore** ensemble.*
ne . . . pas encore	*Nous **n'**avons **pas encore** eu de ses nouvelles.*	*Nous avons **déjà** eu de ses nouvelles.*
ne . . . nulle part	*Je **n'**ai vu sa photo **nulle part**.*	*J'ai vu sa photo **quelque part**.*
ne . . . pas toujours	*Tu **n'**as **pas toujours** raison.*	*Tu as **toujours** raison.*
ne . . . pas souvent	*On **n'**y va **pas souvent**.*	*On y va **souvent**.*
ne . . . jamais	***Ne** passez **jamais** par ce chemin.*	*Passez **toujours** par ce chemin.* (ou *une fois, parfois, quelquefois, de temps en temps, des fois*)
ne . . . guère	*Il **ne** travaille **guère**.*	*Il travaille **beaucoup**.*
ne . . . pas beaucoup	*Elle **ne** parle **pas beaucoup.***	*Elle parle **beaucoup**.*
non (langue parlée)	*Je crois que **non**.*	*Je crois que **oui**.*
ne . . . pas non plus	*Elle **n'**y croit **pas non plus**.*	*Elle y croit **aussi**.*
ne . . . pas du tout (qualifie un adjectif)	*Elle **n'**est **pas du tout** contente.*	*Elle est **très** contente.*
ne . . . aucunement	*Cela **ne** m'a **aucunement** surpris(e).*	*Cela m'a **beaucoup** surpris(e).*
ne . . . nullement (qualifie un verbe)	*Cela **ne** me gêne **nullement**.*	*Cela me gêne **beaucoup**.*
ne . . . toujours pas (= ne pas encore)	*Il **ne** m'a **toujours pas** téléphoné.*	*Il m'a **déjà** téléphoné.*

Attention! L'expression *ne . . . que* n'a pas de signification négative. Elle est l'équivalent de l'adverbe *seulement*.

*Il **n'**y a **que** deux plages de sable fin.*
*Il y a **seulement** deux plages de sable fin.*

MISE EN PRATIQUE 1 (adverbes négatifs)

Mettez les phrases ci-dessous à la forme négative. (Il y a parfois plus d'une réponse possible.)

1. Cet institut océanographique est très connu.
2. Ces deux chercheurs se parlent souvent.
3. Ils ont voté oui.
4. Leur dernier voyage les a beaucoup éprouvés.
5. Ce cirque exploite les animaux.
6. Tu travailles encore?
7. J'ai vu ce chat quelque part.
8. Elles ont déjà reçu cette brochure anti-pollution.

Adjectifs à sens négatif

Tableau 9.2

Formes et emplois des adjectifs à sens négatif

adjectif	négation	affirmation
aucun(e) . . . ne	***Aucun*** *médecin* ***ne*** *dirait cela.*	***Tous*** *les médecins diraient cela.*
ne . . . aucun(e)	*Tu* ***n'****as fait* ***aucune*** *faute.*	*Tu as fait* ***plusieurs*** *fautes.*
pas tous . . . (langue parlée)	***Pas tous*** *les chercheurs sont d'accord là-dessus.*	***Certains*** *chercheurs sont d'accord là-dessus.*
nul(le) . . . ne	***Nul*** *étudiant* ***ne*** *sera exempté.*	***Chaque*** *étudiant sera exempté.*
ne . . . nul(le)	*Je* ***n'****en ai* ***nul*** *besoin.*	*J'en ai* ***fort*** *besoin.*
pas un(e) . . . ne	***Pas un*** *député* ***n'****a voté oui.*	***Absolument tous*** *les députés ont voté oui.*
ne . . . pas un(e)	*Il* ***n'****avait* ***pas un*** *seul ami.*	*Il avait* ***vraiment beaucoup*** *d'amis.*

MISE EN PRATIQUE 2 (adjectifs à sens négatif)

Mettez les phrases ci-dessous à la forme négative en remplaçant les mots en italique par un adjectif à sens négatif.

1. *Certaines* lois contre la pollution des eaux ont contraint les industries à ne plus déverser leurs déchets toxiques dans nos lacs et rivières.
2. *Absolument tous* les membres du club sont venus à la fête annuelle.
3. *Tous* les membres présents ont pu voter.
4. Il s'est adressé à *plusieurs* agences de voyage.
5. *Chaque* espèce est menacée dans cette région.

Pronoms à sens négatif

Tableau 9.3

Formes, fonctions et emplois des pronoms à sens négatif

pronom	fonction	négation	affirmation
aucun(e) ne	sujet	***Aucune ne*** *l'intéresse.*	***Chacune*** *l'intéresse.*
ne . . . aucun(e)	COD	*Je* ***n'****en ai acheté* ***aucun****.*	*J'en ai acheté* ***plusieurs****.*
nul ne . . . (littéraire)	sujet	***Nul n'****est mieux informé que lui.*	***Tout le monde*** *est mieux informé que lui.*
personne ne . . .	sujet	***Personne ne*** *me l'a dit.*	***Tout le monde*** *me l'a dit.*
ne . . . personne	COD	*Je* ***n'****y ai vu* ***personne****.*	*J'y ai vu* ***tout le monde****.*
	COI	*Elle* ***n'****a parlé à* ***personne****.*	*Elle a parlé à* ***tout le monde****.*
rien ne . . .	sujet	***Rien ne*** *semble le contrarier.*	***Tout*** *semble le contrarier.*
ne . . . rien	COD	*Elle* ***ne*** *m'a absolument* ***rien*** *dit à ce sujet.*	*Elle m'a absolument* ***tout*** *dit à ce sujet.*
	COI	*Il* ***ne*** *pense à* ***rien****.*	*Il pense à* ***quelque chose****.*
ne . . . pas grand-chose	COD	*Je* ***n'****ai* ***pas grand-chose*** *à vous dire.*	*J'ai* ***vraiment beaucoup*** *à vous dire.*
ni l'un ni l'autre ne	sujet	***Ni l'un ni l'autre n'****est venu.*	*Ils sont venus* ***l'un et l'autre****.*

MISE EN PRATIQUE 3 (pronoms à sens négatif)

Mettez les phrases ci-dessous à la forme négative en remplaçant les mots en italique par un pronom à sens négatif.

1. *Tous les pays d'accueil* ont connu la même expérience.
2. *Tout* le contrarie.
3. Elle a *vraiment beaucoup* à faire.
4. *Tout le monde* a pu voir les grands rorquals.

Conjonctions négatives

Tableau 9.4

Formes et emplois des conjonctions négatives

conjonction	élément qui suit	contexte
ni . . . ni . . . ne . . .	noms ou pronoms (sujet)	***Ni*** *son père* ***ni*** *sa mère* ***ne*** *lui ont donné la permission.* ***Ni*** *vous* ***ni*** *lui* ***ne*** *pourrez le faire.*
ne . . . ni . . . ni . . .	noms ou pronoms (objet)	*Je* ***ne*** *prends* ***ni*** *sucre* ***ni*** *lait.* *Elle* ***n'****aime* ***ni*** *toi* ***ni*** *moi.*
ne . . . pas . . . ni . . .	noms ou pronoms (objet)	*Je* ***ne*** *trouve* ***pas*** *mes lunettes* ***ni*** *mes clefs.*

ne . . . pas/plus de . . . ni de . . .	noms (objet)	*On **n'**a **plus de** poivre **ni de** sel.*
ne . . . ni . . . ni . . .	prépositions	*Ils **ne** sont **ni** dans le salon **ni** dans la cuisine.*
ne . . . ni . . . ni . . .	participes passés	*Je **n'**ai **ni** bu **ni** mangé.*
ne . . . ni . . . ni . . .	infinitifs	*Elle **ne** veut **ni** manger **ni** boire.*
ne . . . pas que . . . ni que . . .	propositions subordonnées	*Je **ne** crois **pas qu'**il reçoive une augmentation **ni qu'**il soit promu.*
ne . . . ni que ni que . . .	propositions subordonnées	*Elle **ne** veut **ni qu'**on lui écrive **ni qu'**on lui téléphone.*
ni . . . ne . . . ni ne . . . (littéraire)	propositions principales	***Ni** l'ignorance **n'**est défaut d'esprit **ni** le savoir **n'**est preuve de génie.*
ne . . . ni ne	verbes conjugués	*Il **n'**avance **ni ne** recule.*

Mise en pratique 4 (conjonctions négatives)

Mettez les phrases suivantes à la forme négative.

1. Les pays en voie de développement et les pays pauvres acceptent d'être exploités par les pays riches.
2. Elle préfère les petits pois et les choux.
3. Je tiens à ce qu'il me téléphone et à ce qu'il s'excuse.
4. Je prends du sucre et du lait dans mon thé.
5. Sur cette plage, on peut se baigner et amener son chien.

Remarques complémentaires

1. Avec un infinitif, les parties de l'adverbe négatif ne sont pas séparées.

   *Le guide est désolé de **ne pas** pouvoir répondre à cette question.*

   Attention! Avec les verbes *avoir* et *être* (utilisés seuls ou comme auxiliaires), il y a parfois deux possibilités :

   *Le guide a honte de **n'**avoir **pas** répondu.*
   *Le guide a honte de **ne pas** avoir répondu.*

2. La forme *ne* précède toujours les pronoms compléments.

   *Elle **ne le lui** a pas dit.*

3. Si l'on souhaite utiliser un langage plus soutenu, on peut omettre le *pas* après les verbes *cesser, oser, pouvoir* et *savoir.*

   *Il **n'**osait dire quoi que ce soit.*

4. Dans la langue parlée courante, on a tendance à omettre le *ne*.

   *Je peux **pas**.*

Les verbes pronominaux

Remarques préliminaires

1. On utilise le pronom personnel réfléchi *se (s')* avec l'infinitif d'un verbe pronominal employé seul, c'est-à-dire sans verbe conjugué qui le précède.

   Se *promener à la campagne, c'est bon pour la santé.*

2. Quand l'infinitif d'un verbe pronominal suit un verbe conjugué, le pronom réfléchi s'accorde toujours avec le sujet du verbe de la phrase.

   Je *veux aller* ***me*** *promener.*

3. Certains verbes ont une forme pronominale et une forme non pronominale.

   forme pronominale → ***Je me lave*** *les mains.*

   forme non pronominale → ***Elle lave*** *les mains de son fils.*

MISE EN PRATIQUE 5 (verbes pronominaux)

Mettez le verbe entre parenthèses au temps et au mode indiqués.

1. Ils ________________ (se rencontrer/passé composé) à une soirée organisée par des amis à lui.
2. Elle ________________ (s'absenter/plus-que-parfait) ce jour-là.
3. Je ________________ (s'en souvenir/conditionnel passé).
4. Elle ________________ (ne pas assez se méfier/imparfait) des promesses qu'il lui faisait.
5. ________________ (se faire/tu/passé composé/interrogatif) couper les cheveux?
6. Si elle ________________ (ne pas se tromper/plus-que-parfait), elle serait arrivée à l'heure.

MISE EN PRATIQUE 6 (verbes pronominaux)

Mettez le verbe entre parenthèses à la forme, au temps et au mode qui conviennent.

1. Il vaut mieux que nous ___________ (se rendre) à Tadoussac si nous voulons vraiment voir les baleines.
2. Dès qu'on a vérifié, on s'est rendu compte qu'on ___________ (se tromper).
3. Il nous salua, puis ___________ (s'en aller).
4. C'est bizarre comme elles ___________ (se ressembler).
5. Ils sont arrivés en retard parce qu'ils ___________ (se perdre).
6. Il faut que tu ___________ (s'arrêter) de fumer.

Classification des verbes pronominaux

Tableau 9.5

Catégories des verbes pronominaux

Il y a trois catégories de verbes pronominaux :

1. les verbes pronominaux **réfléchis**

   Il ***ne s'est pas rasé*** *ce matin.*

   (Le sujet du verbe agit sur lui-même.)

2. les verbes pronominaux **réciproques**
   *Ils **se sont dit** bonjour.*
   (Le sujet du verbe représente deux personnes qui agissent l'une sur l'autre.)
3. les verbes pronominaux **à sens idiomatique**
   a) Certains verbes actifs ont **un sens différent** à la forme pronominale.
      plaindre = *to pity*
      se plaindre = *to complain*
      *Ils **se plaignent** de tout.*
      (They complain about everything.)
   b) Certains verbes actifs ont **une valeur passive** à la forme pronominale.
      traduire = *to translate*
      se traduire = *to be translated* (valeur passive)
      *Cela ne **se traduit** pas.*
      (It can't be translated.)
   c) Certains verbes sont **essentiellement pronominaux**, c'est-à-dire qu'ils n'ont pas de forme non pronominale.
      ***Méfiez-vous** de lui.*
      (Le verbe *se méfier* ne s'utilise qu'à la forme pronominale. Il n'y a pas de verbe *méfier.*)

Tableau 9.6

Principaux verbes pronominaux à sens idiomatique

A. sens différent

verbes pronominaux	verbes non pronominaux
1. *s'agir de* (to be about)	*agir* (to act)
2. *s'en aller* (to leave)	*aller* (to go)
3. *s'apercevoir de* (to realize)	*apercevoir* (to notice)
4. *s'attendre à* (to expect)	*attendre* (to wait)
5. *se demander* (to wonder)	*demander* (to ask)
6. *se douter de* (to suspect)	*douter* (to doubt)
7. *s'ennuyer* (to be bored)	*ennuyer* (to annoy)
8. *s'entendre* (to get along)	*entendre* (to hear)
9. *se mettre à* (to begin)	*mettre* (to put)
10. *se passer de* (to do without)	*passer* (to pass)
11. *se plaindre de* (to complain about)	*plaindre* (to pity)
12. *se plaire à* (to like, to enjoy)	*plaire* (to please)
13. *se promener* (to take a walk)	*promener* (to walk, e.g. a pet)
14. *se rappeler* (to remember)	*rappeler* (to call back)
15. *se rendre* (to go, to surrender)	*rendre* (to give back)
16. *se sentir* (to feel, e.g. well)	*sentir* (to smell)
17. *se servir de* (to use)	*servir* (to serve)
18. *se tromper* (to make a mistake)	*tromper* (to deceive)

B. valeur passive

verbes pronominaux	contexte
1. *s'appeler* (to be called)	*Elle **s'appelle** Jacqueline.*
2. *se boire* (to be drunk)	*Cette boisson **se boit** fraîche.*

3. *se comprendre* (to be understood) — *Ce concept* ***se comprend*** *difficilement.*
4. *se conjuguer* (to be conjugated) — *Ces verbes* ***se conjuguent*** *avec l'auxiliaire être.*
5. *se dire* (to be said) — *Cela ne* ***se dit*** *pas.*
6. *s'employer* (to be used) — *Ce mot ne* ***s'emploie*** *qu'au pluriel.*
7. *se manger* (to be eaten) — *Ce plat* ***se mange*** *froid.*
8. *se traduire* (to be translated) — *Comment* ***se traduit*** *ce mot?*
9. *se trouver* (to be situated) — *Où* ***se trouve*** *ce monument?*
10. *se vendre* (to be sold) — *Cette voiture* ***se vend*** *au Canada.*

Attention! Notez les deux expressions suivantes **:**

Ça ***se voit****.* (It's obvious.)
Cela ne ***se fait*** *pas.* (You can't do that./It's not good manners.)

C. verbes essentiellement pronominaux (toujours à la forme pronominale)

1. *s'absenter* (to be absent)
2. *s'abstenir* (to abstain)
3. *s'accroupir* (to crouch)
4. *s'avérer* (to turn out to be)
5. *se désister* (to withdraw)
6. *s'écrier* (to cry out)
7. *s'écrouler* (to crumble)
8. *s'efforcer de* (to try)
9. *s'enfuir* (to escape)
10. *s'envoler* (to take flight)
11. *s'évanouir* (to faint)
12. *s'exclamer* (to exclaim)
13. *se fier à* (to trust)
14. *se méfier de* (to distrust)
15. *se moquer de* (to make fun of)
16. *se repentir* (to repent)
17. *se réfugier* (to seek refuge)
18. *se soucier de* (to worry about)
19. *se souvenir de* (to remember)
20. *se suicider* (to commit suicide)

Mise en pratique 7 (classification des verbes pronominaux)

Analysez le verbe pronominal et indiquez à quelle catégorie il appartient : **a)** réfléchi, **b)** réciproque, **c)** sens différent : pronominal/non pronominal, **d)** valeur passive ou **e)** essentiellement pronominal.

1. Elle se moque du tourisme de masse.
2. Comment s'appelle-t-elle?
3. Je crois que tu t'es trompé.
4. Ne vous forcez pas!
5. Cela s'est avéré être la bonne formule.
6. Elle s'habille toujours en noir.
7. Il s'est évanoui quand il l'a revue.
8. Ils s'entendent vraiment très bien.

Remarques complémentaires

1. Pour insister sur la réciprocité, on utilise une des variantes de la formule *l'un l'autre* en faisant les accords et en ajoutant, au besoin, la préposition appropriée.

   Ils se sont approchés ***les uns des autres****.*

2. Certains verbes pronominaux au pluriel peuvent avoir un sens réfléchi ou un sens réciproque.

Ils ***se regardent****.* (dans un miroir)
Ils ***se regardent****.* (l'un l'autre)

3. Il faut noter la différence entre :

a) une forme pronominale (qui indique une action)

Il ***se fatigue****.* (action de *se fatiguer*)
Il ***s'assied****.* (action de *s'asseoir*)

b) la forme adjectivale ou participiale du même verbe, utilisée avec *être* (ce qui représente un fait accompli)

Il ***est fatigué****.* (fait d'*être fatigué*)
Il ***est assis****.* (fait d'*être assis*)

Autres expressions de ce type :

s'allonger et *être allongé* — *se coucher* et *être couché*
se lever et *être levé* — *se presser* et *être pressé*

4. Il faut distinguer entre *s'en faire,* qui veut dire *s'inquiéter de,* et *s'y faire,* qui veut dire *s'habituer à.*

Ne vous en faites pas *: on a assez d'argent.*
Quel style bizarre! ***Je ne m'y ferai jamais****.*

5. *S'agir de* est toujours impersonnel (le sujet *il* est le seul sujet possible). Suivie d'un infinitif, cette construction veut dire *il faut* ou *il convient de*. Suivi d'un nom ou d'un pronom, *il s'agit de* veut dire *il est question de.*

Il s'agit de *faire attention.*
Dans ce livre, ***il s'agit des*** *problèmes auxquels font face les jeunes mariés.*

MISE EN PRATIQUE 8 (verbes pronominaux)

Complétez chaque phrase en traduisant l'expression en italique.

1. Il __________ (is still in bed); il __________ (is going to get up) dans quelques minutes.
2. Ils se sont assis l'un en face de ____________ (the other).
3. ____________ (Don't worry), Paul, on s'en sortira.
4. Dans cet article, ____________ (is about) l'impact du tourisme.

Problèmes de traduction

Tableau 9.7

Comment traduire

1. We had a lot of fun. → *On* ***s'****est bien amusés.*
Hurry up! → *Dépêche-****toi****!*
He hurt himself. → *Il* ***s'****est blessé.*
They look alike. → *Ils* ***se*** *ressemblent.*

La forme pronominale s'emploie beaucoup plus fréquemment en français qu'en anglais.

2. How is this word translated? → *Comment **se traduit** ce mot?*

La forme passive anglaise se traduit souvent en français par un verbe pronominal.

3. He gets tired easily. → *Il **se fatigue** facilement.*
We really got angry. → *On **s'est vraiment fâchés**.*

La construction *to get + adjective/past participle*, très usitée en anglais, est souvent exprimée en français par un verbe pronominal.

4. She is washing her hands. → *Elle se lave **les** mains.*
She is washing her tiny little hands. → *Elle se lave **ses** toutes petites mains.*

On utilise l'article défini en français lorsque le sujet d'un verbe pronominal agit sur une partie du corps (à moins que la partie du corps ne soit qualifiée). L'anglais utilise toujours le possessif.

5. Hide (yourself)! → *Cache-**toi**!*
He tires (himself) easily. → *Il **se** fatigue facilement.*

En anglais, le pronom réfléchi est souvent sous-entendu avec certains verbes. En français, le pronom personnel réfléchi est toujours exprimé.

6. Look, the baby is standing up. → *Regarde, le bébé **se met debout**.*
Look, the baby is standing up all by himself. → *Regarde, le bébé **se met debout tout seul**.*

Pour traduire *all by himself, herself*, etc., on utilise la formule française *tout seul, toute seule*, etc.

MISE EN PRATIQUE 9 (traduction)

Traduisez les phrases suivantes en français.

1. Don't make fun of me.
2. She is brushing her hair.
3. This child already gets dressed all by himself.
4. This verb is only conjugated in the third person singular.
5. Don't get too close to the whales.

Les expressions impersonnelles

Remarques préliminaires

1. Les verbes impersonnels sont toujours à la troisième personne du singulier. Leur sujet est toujours le pronom neutre et indéterminé *il*.

   ***Il pleut** depuis deux jours.*
   ***Il s'agira de** lui en parler.*

2. Aux temps composés, le participe passé d'un verbe impersonnel est invariable.

   *Les choses qu'il a **fallu** faire ne nous plaisaient pas.*

3. Avec certains verbes, le pronom *il* peut être personnel ou impersonnel.

   ***Il** paraît toujours s'ennuyer, Paul.* (He seems . . .)
   (pronom personnel = Paul)

   ***Il** paraît que vous vous êtes ennuyé.* (It seems that . . .)
   (pronom impersonnel)

Emploi des expressions impersonnelles

Tableau 9.8

Quand employer les expressions impersonnelles

	contexte	explication
		Les expressions impersonnelles s'emploient dans les circonstances suivantes :
1.	***Il a plu*** *toute la journée.* *Hier soir,* ***il a neigé****.* *Comme* ***il fait beau*** *aujourd'hui!*	pour indiquer le temps qu'il fait et les conditions atmosphériques; Autres expressions qui indiquent les conditions atmosphériques : *il pleut* *il neige* *il grêle* (it is hailing) *il tonne* (it is thundering) *il fait du vent* — *il fait mauvais* *il fait soleil (fam.)* — *il fait beau* *il fait doux* — *il fait bon* *il fait humide* — *il fait sec* *il fait nuit* — *il fait sombre* *il fait un temps superbe* *il fait un temps de chien* *il fait un froid de canard* *il y a de l'orage* *il y a du brouillard*
2.	***Il est*** *trois heures et quart.* ***Il est*** *minuit passé.*	pour indiquer l'heure;
3.	***Il y a*** *des jours où l'on ferait mieux de ne pas se lever.* ***Il y a*** *deux exercices à faire.*	pour mettre l'accent sur ce que l'on va dire;
4.	***Il se passe*** *des choses très bizarres depuis qu'il est là.*	pour présenter une action dont l'agent n'est pas exprimé;
5.	***Il est important de*** *bien faire son travail.* ***Il est clair que*** *vous avez raison.* ***Il est triste qu'****elle ait mal pris ma remarque.*	pour qualifier ce que l'on va dire.

Attention! **a)** La plupart des expressions impersonnelles suivies de l'indicatif ou du subjonctif ont été présentées dans le chapitre 5.

b) Certains verbes ont une forme personnelle et une forme impersonnelle dont le sens est différent.

Il arrive demain.
(He arrives tomorrow.)
Il ne lui arrive pas souvent de mentir.
(It is not often that he lies.)

Mise en pratique 10 (expressions impersonnelles)

Complétez chaque phrase en choisissant l'expression impersonnelle qui convient.

il s'agit de	il est bon de	il faisait	il manque
il faut	il est évident	il y a	il convient de

1. Sur les routes, _____________ des gens qui ne savent pas conduire.
2. _____________ absolument que tu lises ce livre.
3. _____________ trois étudiants dans la classe aujourd'hui.
4. Quand on est rentré, _____________ nuit.
5. D'habitude, _____________ dire ce que l'on pense, mais parfois _____________ se taire.
6. Dans cet exercice, _____________ remplir les blancs.
7. _____________ qu'il n'a pas lu le livre.

Les adjectifs et pronoms indéfinis

Formes des adjectifs et pronoms indéfinis

Tableau 9.9

Adjectifs et pronoms indéfinis

	adjectifs	pronoms
1.	***Aucune** preuve **n'**existe.* *Elle **n'a aucune** preuve.* **aucun(e)** + nom + **ne** **ne** + **aucun(e)** + nom → *no, not any*	***Aucun** de ses enfants **ne** lui ressemble.* *Il **ne** ressemble à **aucun** de ses enfants.* **aucun(e)** + ne **ne** + **aucun(e)** → *not any, none*
2.	*Elle a un **autre** billet.* **autre(s)** + nom → *other*	*J'en ai **d'autres**.* *Faites **autre chose**.* *Respectez le bien d'**autrui**.* **l'autre** → *the other* **les autres** → *the others* **un autre** → *another* **d'autres** → *others* **autre chose** → *something else* **autrui** → *someone else, others*
3.	***Certaines** personnes ne l'aiment pas.* **certain(e)s** + nom → *certain, some*	*Lis ces récits, **certains** sont amusants.* **certain(e)s** → *some*
4.	***Chaque** chose en son temps.* **chaque** + nom → *each*	*Elle donna 5$ à **chacun**.* **chacun(e)** → *each*
5.	*Il a dit cela pour **différentes** raisons.* **différent(e)s** + nom → *several*	
6.	***Diverses** personnes m'en ont parlé.* **divers(es)** + nom → *several*	

7. *On y est allé à **maintes** reprises.*
maint(e) + nom
maint(e)s + nom
→ *a great many, a good many, many a*

8. *C'est la **même** chose.*
même(s) + nom → *same*

*J'ai acheté **les mêmes**.*
le/la même, les mêmes → *the same*

9. *Entrez dans **n'importe quelle** boutique.*
n'importe quel(le) + nom
n'importe quel(le)s + nom
→ *any, just any*

*Choisissez **n'importe lequel**.*
n'importe lequel/laquelle
n'importe lesquel(le)s
→ *(just) any, (just) any one, (just) any ones*
*Ce n'est pas **n'importe qui**.*
n'importe qui → *(just) anyone*
*Il dit **n'importe quoi**.*
n'importe quoi → *(just) anything*

10. *Elle **n'**avait **nulle** envie de sortir.*
ne + nul(le) + nom → *no*

***Nul n'**est prophète dans son pays.*
nul(le) + ne → *no one*

11.

***On** va au cinéma?*
on → *one, we, they, people*, etc.

Mise en pratique II (adjectifs et pronoms indéfinis)

Remplacez le mot ou l'expression en italique par l'élément entre parenthèses. Faites les changements nécessaires.

1. Je me suis adressé à cette agence de voyages *plusieurs* fois. (maint)
2. Cette entreprise n'a *pas de* scrupules. (aucun)
3. Beaucoup de gens préfèrent les vacances programmées pour *des tas de* raisons. (différent)
4. *De nombreux* explorateurs sont passés par là. (divers)
5. Il veut aller passer deux semaines dans *un* pays ensoleillé. (n'importe quel)

Tableau 9.10

Adjectifs et pronoms indéfinis (suite)

adjectifs (ou articles)

1. ***Pas une** seule personne **ne** s'est inscrite.*
*Je **n'**ai **pas un** sou.*
pas un(e) + nom + **ne**
ne + **pas un(e)** + nom
→ *not one*

2. (pas d'adjectif)

pronoms

1. ***Pas un ne** réussira.*
*Il **n'**en reste **pas un**.*
pas un(e) ne
ne + **pas un(e)**
→ *not one*

2. *Prêtez-moi **un de** vos livres.*
***L'une d'**entre elles a gagné.*
un(e) + *de/des* → one of
l'un(e) + *de/des* (en tête de phrase) → one of

3. (pas d'adjectif)

*Elle **n'**a vu **personne**.*
***Personne n'**a téléphoné.*

ne + **personne** → *not anyone, no one*
personne + **ne** → *no one*

4. *J'ai gagné **plus d'un** match.*

plus d'un(e) + nom
→ *more than one*

5. *Ils ont **plusieurs** chats.*

plusieurs + nom → *several*

***Plusieurs** d'entre elles sont très affectueuses.*

plusieurs → *several*

6. ***Quelle que** soit votre décision, écrivez-nous.*

quel(le) que + subjonctif
quel(le)s que + subjonctif
→ *whoever, whatever, whichever*

7. *Sous un prétexte **quelconque**, il a refusé de nous voir.*

nom + **quelconque** → *some, any*

***Quiconque** a tué sera jugé.*

quiconque → *anyone, anyone who, whoever*

8. *J'ai **quelques** remarques à faire.*

quelque(s) + nom
→ *some, a few*

*C'est **quelqu'un** de très patient.*
*Parmi ces réponses, il y en a **quelques-unes** qui ne sont pas correctes.*

quelqu'un → *someone*
quelques-un(e)s → *a few*

*As-tu compris **quelque chose**?*

quelque chose → *something*

9. (pas d'adjectif)

***Qui que ce soit qui** vienne, il est le bienvenu.*

qui que ce soit qui (sujet)
→ *whoever*

***Qui que ce soit que** tu épouses, nous lui ferons un bon accueil.*

qui que ce soit que (COD)
→ *whomever*

***Qui que** vous soyez, vous ne me faites pas peur.*

qui que → *whoever, whomever*

*Il ne parlera pas à **qui que ce soit**.*

(préposition) + **qui que ce soit** → *anyone*

***Quoi qu'**il fasse, ses parents le soutiennent.*

quoi que → *whatever*

*Je n'arrive plus à faire **quoi que ce soit**.*

quoi que ce soit → *anything*
quoi que ce soit qui → *whatever* (sujet)
quoi que ce soit que → *whatever* (COD)

10.	(pas d'adjectif)	*Il n'a **rien** dit.* ***Rien** n'est arrivé.* **ne + rien** → *anything, nothing* **rien + ne** → *nothing*
11.	*Une **telle** réponse est inexcusable.* **tel(le), tel(le)s** → *such*	*Si **tel ou tel** vous dit cela, ne le croyez pas.* **tel ou tel** → *anybody*
12.	***Tout** le monde était là.* **tout(e), tous/toutes** + nom → *any, every, all*	***Tout** va bien.* **tout(e), tous, toutes** → *everything, all, all of it, all of them*
13.	(pas d'adjectif)	***L'un et l'autre** aiment aller à la piscine.* *Il faut s'aimer **les uns les autres**.* **l'un, l'une** → *the one* **l'un et l'autre** → *both* **l'un . . . l'autre** → *the one . . . the other* **les un(e)s . . . les autres** → *some . . . the others*

Mise en pratique 12 (adjectifs et pronoms indéfinis)

Remplacez le mot ou l'expression en italique par l'élément entre parenthèses. Faites les changements nécessaires.

1. *Quelques* missionnaires ont survécu. (pas un)
2. *Peu importe* la situation à laquelle il faudra faire face, on saura comment s'y prendre. (quel que soit)
3. Cet agent de voyages a obtenu de mauvais résultats, pour une raison [*quelle qu'elle soit*].* (quelconque)
4. *Personne* n'a pu résoudre ce problème. (nul)

*pour une raison *quelle qu'elle soit* ne se dit pas, mais la réponse que vous devez fournir est une phrase correcte.

Emploi des adjectifs et pronoms indéfinis

Tableau 9.11

Comment employer les adjectifs et pronoms indéfinis

mot indéfini	remarques	exemples
1. aucun	**a)** Au sens négatif, il faut utiliser le *ne*.	***Aucun** étudiant **n'**est venu.* *Je **n'**ai acheté **aucun** disque.* *On **n'**a reçu **aucune** nouvelle.*
	b) Au sens affirmatif, *aucun* veut dire *quelque* ou *quelqu'un*	*Trouves-tu **aucune** raison pour ne pas l'inviter?* *Elle l'apprécie plus qu'**aucun** autre.*
2. autre	**a)** L'adjectif précède le nom.	*Je vais écouter un **autre** disque.*
	b) Le pronom est précédé d'un article.	*Des élastiques? En voilà **d'autres.***

3. autrui	Ce pronom a le sens de *les autres.*	*Il ne faut pas désirer les biens d'**autrui.***
4. certain	**a)** L'adjectif précède le nom. **b)** Le pronom est toujours au pluriel et a le sens de *quelques-uns.*	*Il y a **certaines** choses qui me dérangent.* ***Certains** disent que c'est vrai.*
5. chaque	Cet adjectif est toujours au singulier.	***Chaque** chose en son temps.*
6. chacun	Ce pronom n'a pas de forme plurielle.	***Chacun** sait à quoi s'en tenir.* ***Chacune** des jeunes filles portait un chapeau.*
7. différents	Signifie *plusieurs.* Ne pas confondre avec *différent* qui suit le nom et qui signifie *pas pareil.*	***Différentes** personnes me l'ont dit.*
8. divers	Signifie *plusieurs.* Ne pas confondre avec *divers* qui suit le nom et qui signifie *différent, varié.*	*On nous a donné **diverses** explications.*
9. maint	Cet adjectif signifie *un nombre considérable mais indéterminé.*	*On s'est parlé à **maintes** reprises.*
10. même	**a)** Quand cet adjectif précède le nom, il veut dire *same.* **b)** Quand il suit le nom, il sert à souligner, à mettre en relief. Il veut dire *personified.*	*Ils aiment **les mêmes** choses.* *Paul, c'est la bonté **même!***
11. n'importe + **quel** **lequel** **qui** **quoi**	L'adjectif et les pronoms signifient un choix libre.	*Achète-moi **n'importe quel** journal.* *—Lequel de ces bonbons veux-tu?* ***—N'importe lequel.*** ***N'importe qui** peut faire cela.* *Ne dis pas **n'importe quoi**.*

Mise en pratique 13 (emploi des pronoms et adjectifs indéfinis)

Traduisez les phrases suivantes en français.

1. Choose any one of these cards.
2. Each time she sees me she smiles.
3. Certain things are better left unsaid.
4. She has other friends, doesn't she?
5. There are mistakes in each one of these compositions.
6. It was done for various reasons.
7. I don't want to see just any film.
8. I would like the same thing, please.

Tableau 9.12

Comment employer les adjectifs et pronoms indéfinis (suite)

mot indéfini	remarques	exemples
1. nul	**a)** *Nul* équivaut à *aucun.*	***Nul** effort **ne** doit être épargné.*
	b) *Nul* est plutôt littéraire.	*Elle **n'**a **nulle** raison de se plaindre.*
	c) *Nul* peut signifier *inexistant.*	*Les risques sont **nuls**.*
	d) *Nul* peut s'utiliser à l'occasion sans le mot *ne.*	*Il faut répondre à toutes ces lettres sans **nulle** exception.*

2.	**on**	Ce pronom peut signifier : **a)** *les gens, quelqu'un, un groupe, les êtres humains* ou *certains* **b)** *nous* ou *je* **c)** *vous* ou *tu*	***On*** *dit qu'il s'est suicidé.* *Au Québec,* ***on*** *parle français.* *Si* ***on*** *allait au cinéma?* (= *nous*) *—Ça va?* *—Eh bien,* ***on*** *se porte à merveille!* (= *je*) *Alors,* ***on*** *ne s'en fait pas!* (= *vous* ou *tu*)
3.	**pas un**	**a)** Cette construction exige le mot *ne* devant le verbe. **b)** *Pas un* est souvent suivi de l'adjectif *seul.*	***Pas un seul*** *employé* ***n'****a osé se plaindre.*
4.	**personne**	Ce pronom exige le mot *ne* devant le verbe.	***Personne n'****a téléphoné.*
5.	**plus d'un**	L'adjectif et le pronom sont toujours au singulier.	***Plus d'un*** *auteur y a fait allusion.* *Il en a mangé* ***plus d'un****.*
6.	**plusieurs**	L'adjectif et le pronom indiquent un nombre indéterminé et s'appliquent aux deux genres.	*Cela s'est produit* ***plusieurs*** *fois.* ***Plusieurs*** *d'entre elles sont venues.*
7.	**quel que**	Cet adjectif est suivi du subjonctif.	***Quelle que*** *soit sa décision, elle n'aura que peu d'influence.*
8.	**quelconque**	**a)** Cet adjectif veut dire *de n'importe quel genre, de n'importe quelle espèce.* **b)** *Quelconque* peut aussi signifier *banal, médiocre.*	*Sous un prétexte* ***quelconque****, la réunion n'a pas eu lieu.* *C'est un travail* ***quelconque****.*
9.	**quiconque**	**a)** Ce pronom veut dire *n'importe qui.* **b)** *Quiconque* est assez rare.	***Quiconque*** *a tué par l'épée périra par l'épée.*

Mise en pratique 14 (emploi des pronoms et adjectifs indéfinis)

Traduisez les phrases suivantes en français.

1. No expense will be spared.
2. I don't have a single one.
3. Whatever the price, I want to buy one.
4. She wrote several drafts of the document.
5. No one is interested in it.
6. It's a mediocre little restaurant.
7. Whoever says that will regret it.

Tableau 9.13

Comment employer les adjectifs et pronoms indéfinis (suite)

mot indéfini	remarques	exemples
1. quelque	Quand cet adjectif est au pluriel, il indique un nombre restreint.	*J'ai* ***quelques*** *remarques à faire.*
	Au singulier, il peut signifier *un, un certain* ou *n'importe quel.*	*Il est allé voir* ***quelque*** *copain.*
2. quelqu'un **quelques-uns**	Au singulier, ce pronom se rapporte à une personne. Au pluriel, il peut se rapporter à des personnes ou à des choses. Lorsque ce pronom est qualifié, il est suivi de la préposition *de.*	***Quelqu'un*** *a téléphoné.* *Prends-en* ***quelques-uns.*** *C'est* ***quelqu'un de*** *charmant.* *Il doit y en avoir encore* ***quelques-uns de*** *frais.*
3. quelque chose	Lorsque ce pronom est qualifié, il est suivi de la préposition *de.*	*Je voudrais manger* ***quelque chose de*** *chaud.*
4. qui que ce soit **qui que ce soit qui** **qui que ce soit que** **quoi que ce soit** **quoi que ce soit qui** **quoi que ce soit que**	Ces pronoms ont plus de force que *n'importe qui/quoi.* Le verbe qui les suit est au subjonctif.	*Demande-le à* ***qui que ce soit.*** ***Qui que ce soit qui*** *me le dise, ça ne me dérange pas.* ***Qui que ce soit que*** *tu invites, ça ne fait rien.* *Si l'on dit* ***quoi que ce soit,*** *on se fait gronder.* ***Quoi que ce soit qui*** *vous dérange, dites-le nous.* ***Quoi que ce soit que*** *tu aies fait, on te pardonne.*
5. rien	Ce pronom exige le mot *ne* devant le verbe. Lorsque *rien* est qualifié, il est suivi de la préposition *de.*	***Rien ne*** *lui fait peur.* *Ils* ***n'****ont presque* ***rien*** *dit.* *Il* ***n'****y avait* ***rien d'****intéressant à la télévision.*
6. tel	L'adjectif peut signifier :	
	a) la ressemblance;	***Tel*** *père,* ***tel*** *fils.*
	b) l'intensité;	*J'avais de* ***telles*** *douleurs!*
	c) *voilà* (valeur démonstrative).	***Telle*** *est ma décision!*
	Tel quel veut dire *sans arrangements, sans modifications.*	*Laissez tout cela* ***tel quel.***
	Le pronom *tel* ne s'emploie qu'au singulier et signifie *celui qui* ou *quelqu'un qui.*	***Tel*** *qui rit vendredi, dimanche pleurera.*
7. tout	Au singulier, l'adjectif peut signifier :	
	a) *complet, entier* (la totalité d'une unité);	***Toute*** *la salle a éclaté de rire.*

	b) *chaque.*	***Tout** homme a ses problèmes.*
	Au pluriel, il signifie la totalité d'un groupe.	***Tous** mes cousins étaient là.*
	À un temps composé, le pronom est placé entre l'auxiliaire et le participe passé.	*Ils ont **tous** réussi.* *Elles sont **toutes** parties.*
8. l'un . . . l'autre **l'un (et) l'autre** **les uns . . . les autres** **les uns (et) les autres**	Le pronom peut indiquer : **a)** l'opposition; **b)** tous les deux; **c)** tous; **d)** la réciprocité.	***L'un** a dit oui, **l'autre** a dit non.* ***L'un et l'autre** sont venus.* *On invite **les uns** mais pas **les autres.*** ***Les uns et les autres** se sont bien amusés.* *Ils s'admirent **les uns les autres.***

Mise en pratique 15 (emploi des pronoms et adjectifs indéfinis)

Traduisez les phrases suivantes en français.

1. Such reasons do not suffice.
2. I saw nothing out of the ordinary.
3. There is someone who wants to see you.
4. Whatever she wants, she gets.
5. I don't know the whole story.
6. Whoever wants this job can have it.
7. Here are a few suggestions.

Expression écrite

La ponctuation

La ponctuation est un ensemble de signes (point, virgule, etc.) qui servent à séparer soit des phrases soit les éléments d'une phrase afin de clarifier le sens d'un texte. Le fait d'ajouter un signe de ponctuation peut même modifier complètement le sens d'une phrase.

Robert, dit Paul, n'est jamais en retard.
(Paul dit que . . .)

Robert dit : «Paul n'est jamais en retard.»
(Robert dit que . . .)

Tableau 9.14

Signes de ponctuation

signe — **usage**

1. le point

a) marque la fin d'une phrase, d'un énoncé et le passage d'une idée à une autre
Quatre heures. C'est l'heure du thé.

b) signale une abréviation
qqch. (quelque chose) *app.* (appartement)
O.N.U. (Organisation des Nations Unies)
M. Marjollet (Monsieur Marjollet)

Attention! Dans les abréviations, on ne met un point que si l'on n'utilise pas la dernière lettre du mot.
abr. (abréviation) *pt* (point)

2. la virgule

a) sépare les termes d'une énumération

Le matin, il avait l'habitude de prendre un jus d'orange, des œufs, des toasts et du café.

b) marque la fin d'un complément ou d'une proposition circonstancielle qui commence une phrase

Au large, vers le Nord, on apercevait souvent de grands rorquals.
Lorsque tu auras fini, tu me téléphoneras.
Si le tourisme est créateur d'emplois, il est aussi générateur d'inflation.

c) joue le rôle de parenthèses pour délimiter les éléments intercalés (apposition, mot mis en apostrophe, proposition incise, etc.)

M. Leblanc, le gérant du magasin, n'a pas pu nous renseigner. (apposition)
Ceci, mon cher, va vous faire du tort. (mot mis en apostrophe)
Je n'ai jamais proposé cela, dit-il, c'est vous qui en avez eu l'idée. (proposition incise)

d) suit les sujets doubles

Toi et moi, nous prendrons le train.

e) précède des éléments segmentés pour la mise en relief

Je sais à quoi m'en tenir, moi.

f) peut séparer deux propositions juxtaposées ou coordonnées

C'est mon avis, mais fais ce que tu veux.

3. le point-virgule

a) marque une pause plus importante que la virgule

L'avion perdait de l'altitude; dans quelques minutes, l'atterrissage aurait lieu.

b) sépare, à l'intérieur d'une même phrase, des éléments de phrase au sens complet.

Quand un diplomate dit «oui», cela signifie «peut-être»; quand il dit «peut-être», cela veut dire «non»; et quand il dit «non», ce n'est pas un diplomate.

4. le deux-points

a) annonce une énumération ou une citation; généralement précédé d'un espace

Il a dit : «Laissez-moi tranquille!»

b) peut annoncer une explication, un exemple, une cause, une conséquence ou une analyse

Il venait ici plusieurs fois par semaine : le lundi, le mercredi et le vendredi.

c) peut remplacer une conjonction

Ne soyez pas si nerveux : vous n'avez aucune raison de l'être.

5. le point d'interrogation

marque la fin d'une phrase interrogative directe

À quoi cela sert-il?

6. le point d'exclamation

marque la fin d'une phrase exclamative directe

Ah, ce qu'il m'énerve, celui-là!

7. les guillemets

encadrent les citations, les mots que l'on veut mettre en valeur et les titres de livres ou de journaux

Elle a dit : «J'en ai marre!»
Il y avait un très bon article sur les espèces en voie de disparition dans «Le Monde» de lundi dernier.

8. les points de suspension	**a)**	indiquent une phrase inachevée ou une longue pause; ils remplacent une partie de l'énoncé ou interrompent l'énoncé *Je ne sais plus que faire, je . . .* *Il ne savait trop que dire . . . la vérité peut-être?*
	b)	peuvent remplacer la partie d'un nom ou d'un énoncé que l'on ne veut pas citer; dans ce dernier cas, ils sont généralement entre crochets *Il rencontra le marquis de S . . .* *Il appela une dernière fois «au secours», puis [. . .]*
9. les parenthèses		encadrent une explication, une indication ou un supplément d'information *L'O.N.U. (Organisation des Nations Unies) a son siège à New York.*
10. le tiret		indique un changement d'interlocuteur dans un dialogue *—Vous êtes libre demain?* *—Oui, dans la matinée si cela vous convient.*

Les majuscules

Tableau 9.15

Emploi des majuscules

emplois	exemples
1. au début d'une phrase	*La victoire demeura longtemps indécise.*
2. à l'initiale des noms propres (noms de personnes, de lieux, de peuples, etc.)	*Jean Moulin* *le Canada* *le Louvre* *la tour Eiffel* *les Québécois* (mais : *un artiste québécois*)
3. à l'initiale d'un nom commun employé comme nom propre	*la Reine* (mais : *la reine Elizabeth II*) *la statue de la Liberté*
4. à l'initiale des noms géographiques	*le Pacifique* *l'océan Atlantique* (mais : *la côte atlantique de la France*) *le pôle Nord*
5. à l'initiale du nom de Dieu ou d'un dieu païen	*Dieu, le Créateur* *la parole d'Allah* *Neptune*
6. dans une abréviation	*REER* *l'O.N.U.*
7. à l'initiale d'un nom de véhicule	*le Concorde* *le Titanic*
8. dans un titre, à l'initiale du premier nom et d'un adjectif qui précède celui-là (l'article défini ne prend la majuscule que s'il fait partie du titre)	*Les Misérables* *Le Devoir* *La Divine Comédie* (mais : *La Voix royale*) *Le Bon Usage* *la Joconde*

9. à l'initiale d'une grande époque historique, d'une fête religieuse ou nationale	*la Révolution* *la Toussaint* *le Nouvel An*
10. à l'initiale des points cardinaux utilisés séparément	*le Nord* (mais : *au nord d'Edmonton*)
11. dans le nom d'une institution, à l'initiale du premier nom	*l'Assemblée nationale* *l'Office de la langue française*
12. dans un titre honorifique, à l'initiale de chaque mot important	*Monsieur le Maire* *Madame la Présidente*

Mise en pratique 16 (ponctuation et majuscules)

Corrigez le paragraphe ci-dessous en y ajoutant la ponctuation et les majuscules nécessaires.

les phares du cap bon désir et de pointe noire situés dans les limites du parc marin de saguenay sont des endroits exceptionnels pour observer les baleines le cap bon désir avance légèrement dans l'estuaire à quelques dizaines de mètres au large les eaux plongent à plus de cent mètres de petits rorquals et des phoques y sont fréquemment observés de même que d'autres espèces béluga rorqual commun et rorqual bleu

Synthèse

Exercice 1 À la forme négative I (négation)

oral ou écrit

Mettez les phrases à la forme négative.

1. Nous avions un itinéraire.
2. Avais-tu peur des baleines?
3. La contamination des rivières a beaucoup augmenté.
4. Elle avait encore des vacances à prendre.
5. Nous allons toujours en Floride.
6. On va trouver un guide quelque part.
7. On voulait faire des excursions.
8. Il y avait aussi des bélugas.
9. Quelqu'un a vu des requins.
10. On a aperçu quelque chose à l'horizon.
11. Nous avons vu des rorquals bleus et des bélugas.
12. Lui et elle sont montés sur le bateau d'excursion.

EXERCICE 2 À la forme négative II (négation)

oral ou écrit

Mettez l'infinitif en italique à la forme négative.

1. On préfère *aller* en croisière.
2. Il vaut mieux *retarder* votre voyage.
3. *Pouvoir* voir les baleines nous décevrait.
4. Il pense *avoir pu* la convaincre.

EXERCICE 3 On répond non (négation)

oral ou écrit

Répondez aux questions négativement en utilisant l'expression entre parenthèses et, s'il y a lieu, un pronom pour remplacer le mot en italique.

Modèle : Trouves-tu *le guide sympathique*? (ne . . . guère)
→ *Non, je ne le trouve guère sympathique.*

1. Aimes-tu encore *les voyages organisés*? (ne . . . plus)
2. As-tu déjà vu *des baleines* ici? (ne . . . pas encore)
3. A-t-elle parfois tort? (ne . . . jamais)
4. Et vous, en avez-vous acheté? (ne . . . pas non plus)
5. Quelqu'un a téléphoné? (personne ne . . .)
6. Quelque chose te dérange? (rien ne . . .)
7. Y a-t-il toujours *des touristes* dans cette région? (ne . . . jamais)
8. As-tu encore soif? (ne . . . plus)
9. Ont-ils engendré beaucoup *de pollution*? (ne . . . guère)
10. Vont-ils toujours prendre *leurs vacances* dans des pays ensoleillés? (ne . . . pas toujours)
11. Ont-ils visité tous les musées? (ne . . . aucun . . .)
12. Avait-il beaucoup à vous raconter? (ne . . . pas grand-chose)

EXERCICE 4 Moulin à phrases (négation)

écrit

Composez des phrases dans lesquelles vous utilisez les formules de négation suivantes.

1. ne . . . ni . . . ni
2. ne . . . pas encore
3. ni . . . ni . . . ne
4. Aucun + (nom) ne . . .
5. ne . . . nullement
6. ne . . . pas du tout
7. Personne ne . . .
8. ne . . . rien
9. ne . . . ni . . . ni . . . (+ infinitifs)
10. ne . . . pas un(e) seul(e)

Exercice 5 Un peu étourdie! (verbes pronominaux)

oral ou écrit

Racontez la matinée d'une jeune fille très occupée.

Modèle : se réveiller à six heures
→ *Elle s'est réveillée à six heures.*

1. se lever un quart d'heure après
2. s'habiller tout de suite
3. se maquiller et se préparer un petit déjeuner
4. n'en manger que la moitié
5. mettre son manteau et sortir en courant
6. s'installer dans sa voiture et se rendre en ville
7. s'arrêter pour acheter un café
8. prendre l'ascenseur et arriver à son bureau
9. remarquer quelque chose de bizarre
10. se rendre compte que c'était samedi

Exercice 6 Écoute-moi bien! (verbes pronominaux)

oral ou écrit

Vous avez la responsabilité d'un petit garçon ou d'une petite fille; dites-lui ce qu'il faut faire ou ce qu'il ne faut pas faire.

Modèle : s'asseoir
→ *Assieds-toi!*
ne pas se faire mal
→ *Ne te fais pas mal!*

1. s'habiller
2. ne pas s'endormir
3. se laver les mains
4. ne pas s'énerver
5. se brosser les cheveux
6. ne pas se déshabiller
7. se taire
8. ne pas se mettre à pleurer
9. s'arrêter de crier
10. ne pas se moquer de moi

Exercice 7 Tout un monde dans une phrase (verbes pronominaux)

oral ou écrit

Complétez chaque phrase en choisissant l'un des verbes pronominaux de la liste ci-dessous. Mettez ce verbe à la forme, au temps et au mode appropriés.

s'installer	s'en apercevoir	se mettre	se souvenir
se rapprocher	s'agir	se tromper	s'énerver
s'entendre	s'en débarrasser	se servir de	s'en excuser

1. Le premier ministre a admis qu'il ________________ , puis il ________________; les journalistes n'en ont pas cru leurs oreilles.
2. Est-ce que tu ________________ de cette merveilleuse journée que nous avons passée à Banff?
3. On accumule des tas de choses, et il est parfois difficile de ________________.
4. ________________ -vous les uns des autres afin que vous soyez tous sur la photo.

5. Ils _______________ dans cette ville il y a maintenant cinq ans.
6. Quand tu en auras besoin, _______________ mon dictionnaire.
7. Il n'y a pas eu de tremblement de terre, sinon je _______________.
8. Il _______________ d'une expédition qui étudiera le comportement des baleines.
9. Lorsque j'étais jeune, mon père ne _______________ jamais en colère. Maintenant, il _______________ tout le temps.
10. Ses parents _______________ mieux depuis qu'il a quitté la maison.

EXERCICE 8 Tout à fait impersonnel (expressions impersonnelles)

oral ou écrit

Refaites la phrase en employant l'expression impersonnelle entre parenthèses.

Modèle : Une chose merveilleuse est arrivée. (Il est arrivé . . .)
→ *Il est arrivé une chose merveilleuse.*
J'ai de la difficulté à comprendre certaines notions de grammaire. (Il est difficile de . . .)
→ *Il est difficile de comprendre certaines notions de grammaire.*

1. Quelque chose de bizarre est arrivé. (Il est arrivé . . .)
2. Ils ont encore deux jours avant l'examen. (Il reste encore . . .)
3. C'est une histoire d'amour. (Il s'agit de . . .)
4. Tu dois absolument lui téléphoner. (Il faut . . .)
5. Je regrette de ne pas avoir voyagé. (Il est dommage de . . .)
6. Le professeur dit aux étudiants de réviser tous les chapitres. (Il est temps de . . .)
7. Nous avons encore deux jours avant le test. (Il reste encore . . .)
8. Vous n'avez qu'à le lui dire. (Il suffit de . . .)
9. Nous devons suivre le guide. (Il est indispensable de . . .)
10. Je trouve bizarre qu'il ne vous l'ait pas dit. (Il est bizarre . . .)

EXERCICE 9 Disputes (adjectifs et pronoms indéfinis)

oral ou écrit

Vous n'êtes pas d'accord avec votre camarade, quelle que soit sa remarque. Réagissez aux phrases exclamatives suivantes en utilisant les mots entre parenthèses.

Modèle : Tu aimes n'importe quelle musique! (n'importe laquelle)
→ *Non, je n'aime pas n'importe laquelle!*
Tu ne fais rien? (quelque chose)
→ *Si, je fais quelque chose!*

1. Tu n'apprécies personne! (certaines personnes)
2. Tu veux jouer aux cartes! (autre chose)

3. Tu n'y es pas allé souvent! (maintes fois)
4. Tu t'es acheté le même jeans! (le même)
5. Tu dis n'importe quoi! (n'importe quoi)
6. Tu ne parles pas à qui que ce soit! (n'importe qui)
7. Quelqu'un t'a insulté(e)! (personne)
8. Tu n'as pas lu les autres articles! (les autres)
9. Tu vas toujours quelque part! (nulle part)
10. Il faut faire confiance aux autres! (autrui)
11. Il n'y a aucune possibilité! (quelques-unes)
12. Tu les admires l'un et l'autre! (ni l'un ni l'autre)

EXERCICE 10 Votre opinion (adjectifs et pronoms indéfinis)

écrit

Exprimez une opinion en utilisant les éléments indiqués.

Modèle : Aucun autre cours
→ *Aucun autre cours n'exige le travail que je fais pour mon cours de français.*

1. dans n'importe quel
2. Quiconque pense
3. plus d'une fois
4. Il n'y a rien qui
5. l'un et l'autre
6. Personne ne m'a
7. avec qui que ce soit
8. une telle intelligence
9. Quels que soient leurs
10. a donné plusieurs
11. Quoi que tu en dises
12. Pas un de ses amis
13. Chacun est allé
14. raison quelconque

EXERCICE 11 Traduction (divers éléments)

écrit

Traduisez les phrases suivantes en français.

1. Ask anybody! It's the best beach on the island.
2. He gets mad (*se fâcher*) easily, but we understand each other.
3. Lie down on the couch and relax.
4. He distrusts everybody.
5. It's clear that you are all bored (*s'ennuyer*).
6. Any one of these will be suitable for me.
7. Several of them apologized.
8. Whatever you say will not make any difference.

EXERCICE 12 Rédaction (ponctuation et majuscules)

écrit

Corrigez le texte suivant en y ajoutant la ponctuation et les majuscules nécessaires.

depuis le matin le vent de l'ouest ride la surface de la mer le silence à perte de vue est brisé par des souffles qui se dessinent contre l'horizon ces souffles promettent que la journée sera bonne le navire maintient son cap et l'équipage s'agite sur le pont le temps est suspendu les yeux sont tournés au loin vers la ligne qui sépare le ciel et la mer c'est tout près devant la proue qu'un premier souffle surprend sa puissance contraste avec le mouvement souple de l'animal dès sa deuxième inspiration il arque le dos et s'élance sous la surface la baleine disparue laisse derrière elle un miroir l'attente commence

Chapitre 10

Lecture

Extraits de roman

La Civilisation, ma Mère! . . . de Driss Chraibi

Vocabulaire

La communication

La correspondance

Grammaire

La voix passive

Le participe présent

Le discours indirect

Expression écrite

Le dialogue incorporé au récit

Les notes de lecture ou d'écoute

Lecture et Vocabulaire

Dossier 1 *La Civilisation, ma Mère! . . .*

Introduction à la lecture

«Deux fils racontent leur mère, à laquelle ils vouent un merveilleux amour. Menue, fragile, gardienne des traditions, elle est saisie dans des gestes ancestraux, et vit à un rythme lent, fœtal. Radio, cinéma, fer à repasser, téléphone deviennent des objets magiques, prétextes d'un haut comique. Durant les années de guerre, la mère s'intéresse au conflit, adhère aux mouvements de libération des femmes et, globalement, de son peuple et du tiers monde. Elle sait conduire, s'habille à l'européenne, réussit tous ses examens. Elle est toujours semblable : simple et pure, drôle, et toujours tendre.»

Telle est l'histoire racontée par Driss Chraibi, romancier marocain d'expression française. Né en 1926 à Al-Jadida, au Maroc, Chraibi nous présente un ouvrage optimiste où «l'on voit un fils libérer sa mère colonisée par la tradition». L'extrait que vous allez lire est tiré de la première partie du livre intitulée «Être». Le plus jeune des deux garçons raconte comment sa mère s'est adaptée à l'invention du téléphone.

Activités de pré-lecture

1. Savez-vous où se situe le Maroc?

2. Préparez une fiche culturelle sur ce pays. Dans cette fiche se trouveront les informations suivantes :

- **a)** situation géographique, superficie
- **b)** population
- **c)** capitale, principales villes
- **d)** langue(s) parlée(s) et religion(s)
- **e)** événements historiques importants
- **f)** musique, peinture, etc.

Lecture

Lisez le texte ci-dessous.

1. Notez les parties de l'histoire où il y a un dialogue. Comment les dialogues sont-ils présentés?

2. Faites l'exercice de compréhension qui suit le texte.

Lecture

La Civilisation, ma Mère!...

1 En 1940, quand on nous installa le téléphone, j'ai tenté de parler à ma mère de Graham Bell et *des faisceaux hertziens*. Elle avait sa logique, à elle—diluante comme le rire peut diluer l'angoisse.

— Comment? Je suis plus âgée que toi. C'est moi qui t'ai enfanté, et non le contraire,

5 il me semble. Un fil, c'est un fil. Et un arbre égale un autre arbre, il n'y a pas de

différences entre eux. Tu ne vas pas me dire que ce fil s'appelle Monsieur Kteu, que cet autre s'appelle Fer à Repasser, et celui-là Monsieur Bell? Simplement parce qu'ils sont de couleurs différentes? À ce compte-là, il y aurait trois génies dans la maison? Et plusieurs espèces humaines sur terre? C'est ça qu'on t'apprend à l'école?

Je me contentai donc de lui expliquer le mode d'emploi. Et la laissai au seuil de l'expression et de la communication humaines. Elle dit : «Allons-y», souleva *le cornet acoustique*, le porta à l'oreille, tourna *la manivelle* du téléphone de toutes ses forces. Il y eut *un chuintement*, puis le bruit d'une demi-douzaine de sardines rissolant dans une poêle. Une voix de fer-blanc parvint jusqu'à moi, après avoir fait sursauter ma mère :

— Allô, ici le Central. Quel numéro désirez-vous?

— Le salut de Dieu soit avec toi, mon fils, dit maman. C'est la voix de la poste?

— Oui, c'est le Central.

— C'est la poste?

— C'est ça. C'est le Central. J'écoute.

— Je voudrais la poste.

— C'est la même chose.

— Ah!

— Quel numéro voulez-vous?

— Fès.

— *Ne quittez pas.*

Elle ne quitta pas, me rassurant d'un large sourire :

— C'est loin, Fès. À dix jours de cheval au moins. Mais le génie galope comme le vent, tu vas voir. Les distances ne lui font pas peur . . . Trois minutes et il y sera . . . Qu'est-ce que je te disais? Allô! Je suis à Fès?

— Cabine de Fès. J'écoute.

— Allô, Meryem? Tu as changé de voix . . .

— Qui demandez-vous? J'écoute.

— Moi aussi.

— Comment?

— J'écoute, moi aussi. C'est toi, Meryem?

— Vous avez demandé Fès?

— Oui.

— Quel numéro?

— Écoute, ma fille, je vais t'expliquer, ouvre bien tes oreilles et je prierai pour toi. Ma cousine s'appelle Meryem. Elle a les yeux verts comme l'herbe du *pâturage*, la peau blanche comme du lait . . .

— Allô! Allô! . . . Écoutez-moi . . .

— Écoute-moi d'abord, toi. Tu vois le tombeau de *Driss 1er* près de l'université? Eh bien, tu descends la première rue à ta droite, tu traverses le quartier des Ciseleurs et tu arrives devant *un portail à double battant*. C'est là, tu ne peux pas te tromper, ma fille.

— Allô! Allô!

— À cette heure-ci, elle doit faire des petits pains à l'anis. Sûrement. Crie fort pour l'appeler, elle est dure d'oreille, et dis-lui de venir vite, que sa cousine l'attend à l'autre bout du monde . . . Merci, ma fille, je t'embrasse, je bavarderai avec toi un autre jour, mais tu comprends? Il y a 15 ans que Meryem et moi nous sommes séparées . . .

Et elle obtint sa cousine un quart d'heure plus tard, lui parla comme seule ma mère pouvait le faire, sans aucune notion de temps, évoquant des souvenirs, éclatant de rire,

demandant des détails et des descriptions très précises—et comment allait le chat de son enfance qui avait des taches rousses et ne mangeait que des légumes? . . . Oh! Le pauvre
55 Belzébuth! Dieu ait son âme! Je suis sûre qu'il est en train de miauler avec les anges du Paradis . . . Comment dis-tu? Six enfants? Aha! Trois garçons et trois filles? Je ne le savais pas, Meryem . . . Parfaitement! Les miens apprennent des langues barbares . . . Ils ont une bouche française, un nez grec et des yeux anglais . . . C'est à peine si je les reconnais, moi leur mère . . . Dis-moi, cousine, tu te rappelles cette légende de Salomon . . . Tu sais bien :
60 le génie qui parlait avec la voix du tonnerre? . . .

Elle téléphona jusqu'à la nuit tombante. De temps à autre, régulièrement comme un refrain aigu, s'élevait la voix de la téléphoniste :

— Vous avez terminé?

La voix de ma mère la couvrait aussitôt :

65 — Comment? Non, je n'ai pas terminé. Tu m'interromps tout le temps. Et puis, je vais te dire, ma fille : ce n'est pas bien d'écouter notre conversation. Ta mère ne t'a pas appris les bonnes manières?

— Mais, madame, vous avez la ligne depuis plus de deux heures. Quarante deux unités déjà. Ça va vous coûter une fortune.

70 — Quoi? Quoi? Parce qu'il faut te payer pour que je parle? En quel siècle vivons-nous? Qu'est-ce que je t'ai demandé après tout? D'aller chercher ma cousine, tout simplement. Et tu me demandes une fortune pour ça? Tu entends, Meryem?

Mon père paya la communication. Il régla sans y faire allusion toutes celles que maman obtint par la suite. Chaque fois que je revenais du lycée, je la trouvai au salon,
75 calme et souriante, dialoguant à toute vitesse et toute joie avec l'une de ses innombrables correspondantes. Des gens qu'elle n'avait jamais vus, à qui elle avait téléphoné n'importe où dans le pays, le plus naturellement du monde, et qui étaient devenus ses amis.

Toutes les opératrices la connaissaient à présent et elle les connaissait aussi, les appelait par leur prénom, s'informait de leur santé, de leurs peines et de leurs espoirs. Elle était
80 capable de m'enseigner la géographie humaine bien mieux que ne l'avaient jamais fait mes livres ou mes professeurs. Sans quitter sa maison, elle avait établi un réseau inextricable de liens, qui *s'enchevêtraient* de jour en jour, mais où elle évoluait comme un poisson dans l'eau. La rupture de sa solitude, d'autres solitudes vieilles depuis des siècles. Les relations humaines avant la lettre. Et un journalisme oral et vivant. Très efficace.

Tiré de *La Civilisation, ma Mère!* . . . de Driss Chraibi, Éditions Denoël, 1972, pp. 53–58.

l.2 **des faisceaux hertziens**—electromagnetic waves

l.12 **le cornet acoustique**—ear trumpet (for the phone)

l.12 **la manivelle**—crank (for the phone)

l.13 **un chuintement**—a gentle hiss

l.25 **Ne quittez pas**—Please hold the line.

l.40 **pâturage**—pasture

l.43 **Driss 1er : roi marocain**

l.45 **un portail à double battant**—a double gate

l.82 **s'enchevêtraient**—were linked in a disorganized manner

Compréhension globale

Dites si les affirmations suivantes sont vraies ou fausses.

1. La mère s'intéresse au fonctionnement du téléphone (comment il a été construit).
2. Elle pense que le téléphone est un génie.
3. Une fois la communication établie avec Fès, elle croit que c'est sa cousine au bout de la ligne.
4. La mère et sa cousine se sont vues plusieurs fois au cours des quinze dernières années.
5. La conversation entre les deux femmes dure longtemps.
6. L'opératrice reste tout à fait calme et n'interrompt pas la conversation.

Vocabulaire

La communication

Le fait de communiquer, d'établir une relation avec quelqu'un ou quelque chose. (Le Petit Robert)

- une conversation (téléphonique)—*a (telephone) conversation*
- faire un appel (local, interurbain, outre-mer), appeler—*to make a call (local, long distance, overseas), to call*
- téléphoner à quelqu'un—*to call someone up*
- joindre quelqu'un par téléphone—*to reach someone by phone*
- retourner un appel—*to return a call*

____

- le récepteur, le combiné (décrocher/raccrocher)—*the receiver (to pick up or to lift/to put down)*
- le cadran, les touches—*the dial, the telephone buttons*
- un téléphone à touches—*a touchtone phone*
- un téléphone cellulaire—*a cell phone*
- un répondeur : machine qui permet de prendre des messages quand on est absent ou incapable de répondre au téléphone—*an answering machine*
- une boîte vocale—*voice mail*
- un afficheur : instrument qui affiche le numéro de la personne qui vous appelle—*call display*
- une carte d'appel—*a calling card*
- une cabine téléphonique—*a telephone booth*
- une sonnerie, le téléphone sonne—*a ring, the phone is ringing*

____

- faire, composer (un numéro)—*to dial (a number)*
- composer le 123-4567—*to dial 123-4567*
- faire un faux ou mauvais numéro—*to dial a wrong number*
- un numéro d'urgence—*an emergency number*
- un indicatif—*a dial code*
- la tonalité—*the dial tone*
- le bip ou le signal sonore—*the beep*

____

- répondre au téléphone—*to answer the phone, to take a call*
- rester à l'écoute, ne pas quitter—*to hold the line*
- la ligne est occupée—*the line is busy*
- laisser un message—*to leave a message*
- un appel en attente—*call waiting*
- un(e) téléphoniste—*a telephone operator*

La correspondance

Relation par écrit entre deux personnes; échange de lettres. (Le Petit Robert)

- un(e) correspondant(e) : personne avec qui on entretient des relations épistolaires—*correspondent or penpal*
- correspondre : avoir des relations par lettres avec quelqu'un—*to exchange letters*

- un bureau de poste—*a post office*
- service des postes—*postal service*
- envoyer une lettre par la poste—*to send a letter by mail*
- poster une lettre—*to post a letter*
- un timbre(-poste)—*a stamp*

- écrire une lettre—*to write a letter*
- écrire et envoyer un courriel (courrier électronique)—*to write and send an email*
- écrire et envoyer un télégramme—*to write and send a telegram*
- envoyer une télécopie, télécopier, un télécopieur—*to send a fax, to fax, a fax machine*

Exploitation lexicale

1. Vous allez habiter dans une ville francophone pendant quelque temps et vous voulez enregistrer un message en français sur votre nouveau répondeur.

   a) Traduisez le message suivant en français en utilisant le vocabulaire présenté ci-dessus :
   "You have ***dialed 123-4567****. We cannot* ***take your call*** *at this time. Please* ***leave*** *your name and phone number after* ***the beep*** *and we will* ***return your call*** *as soon as we can."*

   b) Maintenant, composez un message de votre choix.

2. Expliquez la différence entre les paires de mots ci-dessous.

   a) un appel—il appelle
   b) décrocher—raccrocher
   c) un répondeur—un afficheur
   d) envoyer un courriel—télécopier

3. Composez une phrase d'environ 10 mots avec chacune des expressions ci-dessous. Chaque phrase doit bien illustrer le sens de l'expression.

   une cabine téléphonique—un numéro d'urgence—une carte d'appel—
   envoyer une lettre par la poste—une ligne occupée

Compréhension détaillée

1. Comment la mère réagit-elle lorsque son fils essaie de lui expliquer l'invention de M. Bell?
2. Quels sont les éléments comiques de cette histoire?
3. Comment la mère a-t-elle réussi à joindre sa cousine qui habite à Fès?
4. Qu'apprend-on sur le caractère de cette femme?
5. Comment le téléphone a-t-il changé sa vie?

DOSSIER 2 *La Civilisation, ma Mère! . . .*

Introduction à la lecture

Le prochain texte que vous allez lire est également tiré de la première partie du livre de Driss Chraibi. Dans cet extrait, les deux frères sortent leur mère. C'est la toute première fois qu'elle sort de la maison depuis qu'elle s'est mariée.

Activités de pré-lecture

1. Comprenez-vous pourquoi la mère n'est jamais sortie?
2. D'après vous, pourquoi ses deux fils veulent-ils la sortir?
3. Selon vous, quelle va être la réaction de la mère à la proposition de ses deux fils?

Lecture

Lisez le texte ci-dessous.

1. Relevez les participes présents.
2. Répondez aux questions de compréhension qui suivent le texte.

Lecture

La Civilisation, ma Mère! . . .

1 — Mais que va dire votre père? . . . Non, non, non, je ne peux pas . . . Pour l'amour de Dieu . . . Je vous en prie, mes enfants . . . Je n'aime pas le drame, il m'est étranger . . . Retournons vite à la maison . . . Vous savez bien que je ne suis jamais sortie . . .

— Eh bien, dit Najib en éclatant de rire, ça va changer. Tourne le dos à cette vieille 5 maison et à ce passé croulant! Marche, marche donc! Regarde autour de toi, ouvre les yeux que Dieu t'a donnés le jour de ta naissance. Ce monde est à toi aussi. Il fait beau, n'est-ce pas?

— Hmmm!

Pendue à notre bras, à la façon dont elle marche et qui se communique à nos corps, résonances, *elle n'est plus qu'ouïe et vue* qui la dépassent, sensibilité qui la soulève. Les 10 couleurs sont trop vives pour elle et l'ont comme *astigmatisée* dès le coin de la rue, mais elle continue de marcher, mécanique et frémissante, tête haute et dos droit, posant un pied devant l'autre, faisant face non à des humains et à leur ville tentaculaire, mais à une bande de lions surgis dans la réalité de son rêve. Et elle n'avait pas peur, allait au-delà de la bataille. L'air de la liberté *tintant sur un plateau de cuivre*, ce qui a jadis été, a pu être son 15 moi, sont choses à percevoir doucement, timidement, sans hâte ni intensité.

Sycomores, palmiers, cèdres, pins, eucalyptus, ma mère est allée de l'un à l'autre, a embrassé tous les arbres, à pleine bouche, *les a étreints*, leur a parlé. Et ils lui ont répondu, ont ri et pleuré avec elle—j'en jure par cet orchestre d'oiseaux qui chantaient *le brasillement du couchant dans les cimes*, entre ciel et terre, dans le concert des senteurs de thym, de terre
20 et d'*euphorbe*. Tant de verdure! Tant de verdure d'un seul coup! Et toute cette liberté!

Ce fut là qu'elle s'assit, sur le gazon, les pieds dans l'eau. Et elle mangea de l'herbe, toute une poignée qu'elle arracha et mâcha, brin après brin, racines et humus compris. Et elle avait le regard étendu droit et loin devant elle, au-delà des massifs, des arbres et de l'horizon, derrière cet autre horizon qui s'était appelé son enfance. D'où elle avait émergé
25 adulte à l'âge des jeux et des poupées. Poupée, *on l'avait étranglée par la loi et dans le devoir.* Et l'homme très intelligent qui l'avait épousée en pleine puberté, l'homme très efficace qui était capable de transformer un terrain vague en devises fortes et une civilisation pétrifiée en *pétrole jaillissant*, l'homme *conservé dans la saumure de son époque*, dans la morale et dans l'honneur, n'avait fait qu'appliquer la loi. Religieusement. L'avait enfermée dans sa maison
30 depuis le jour des noces et jusqu'à cet après-midi où nous l'en avions fait sortir. Jamais elle n'avait franchi le seuil de la maison. Jamais elle n'en avait eu l'idée.

Les oiseaux se sont tus, les arbres ont frissonné dans une longue étreinte. Najib et moi avons ramassé nos cartes. Nous sommes allés chercher ma mère, nous l'avons aidée à se relever. Mais, avant de le faire, elle a bu un peu d'eau du ruisseau, dans le creux de sa main.
35 Najib lui a remis un soulier, moi l'autre. Comme nous quittions le parc, les réverbères se sont allumés soudain le long de l'avenue, entre ciel et terre. Nous avons remarqué alors sur la robe de ma mère une tache verte, imprimée par l'herbe où elle s'était assise.

C'était son premier secret. Elle le plia avec sa robe en la rangeant dans son coffre à linge . . .

Tiré de *La Civilisation, ma Mère!* . . . de Driss Chraibi, Éditions Denoël, 1972, pp. 66–71.

- l.9 **elle n'est plus qu'ouïe et vue**—she is all eyes and ears
- l.10 **astigmatisé(e)**—astigmatized (blurred her vision)
- l.14 **tintant sur un plateau de cuivre**—jingling on a copper platter (her freedom)
- l.17 **les a étreints**—embraced them (the trees)
- l.18 **le brasillement du couchant dans les cimes**—the glimmer of the setting sun in the treetops
- l.20 **euphorbe**—perennial plant (euphorbia, spurge)
- l.25 **on l'avait étranglée par la loi et dans le devoir**—she had been strangled by the law and within her duties
- l.28 **pétrole jaillissant**—gushing petroleum
- l.28 **conservé dans la saumure de son époque**—preserved in the brine of his era

Compréhension globale

Dites si les affirmations suivantes sont vraies ou fausses.

1. Une fois dans le parc, la mère n'a plus peur.
2. La mère n'est jamais sortie de chez elle à cause d'une maladie.
3. Elle se sent libre, entourée de toute cette nature.
4. La mère et ses deux fils sont allés au parc tôt le matin.
5. Les deux fils veulent que leur mère sorte de la maison.

Approfondissement lexical

Les homonymes

- Les **homonymes** sont des mots qui ont la même prononciation mais des sens différents (ex. *vert*, *vers*). On appelle deux mots qui ont la même orthographe des **homographes** (*reporter* n.m. /rəpɔrtɛr/ et *reporter* v. /rəpɔrte/). S'ils n'ont pas la même prononciation, ils ne sont pas des homonymes.
- Les **homonymes à graphies différentes** sont généralement ceux qui posent le plus de problèmes pour les apprenants du français en tant que seconde langue. Si les homonymes appartiennent à la même catégorie grammaticale (ex. *ces* et *ses* = deux déterminants pluriel), cela devient encore plus facile de les confondre en les entendant dans une phrase.

1. Complétez le texte en choisissant, parmi les trois homonymes ci-dessous, celui qui convient à chaque phrase. Si vous ne connaissez pas le sens de ces homonymes, servez-vous d'un dictionnaire.

   homonymes : *cent—sans—sang*

   Louise est venue ________ son chat. Celui-ci l'avait mordue et le ________ coulait de la morsure. Louise se faisait du mauvais ________ à propos de son chat. «Mon chat aime mordre, a-t-elle dit, il a ça dans le ________. Vais-je devoir m'en séparer? Je ne peux pas vivre ________ mon chat. Je l'ai acheté ________ francs, il y a deux ans, en mille neuf ________ quatre-vingt-douze.»

2. Pour chaque prononciation, trouvez trois mots dont l'orthographe est différente : /ɛr/, /tɛr/, /mɛr/ et /pɛr/.

- Les **homonymes homographes** sont intéressants à étudier, car ce sont des mots qui se prononcent et s'écrivent de la même façon, mais qui ont des sens complètement différents. Notez que ces mots n'ont pas nécessairement le même genre grammatical.

3. Indiquez le sens des paires d'homonymes suivants en les traduisant en anglais :

   a) Ce restaurant sert des **moules** délicieuses.
   J'ai besoin de deux nouveaux **moules** à gâteaux.

   b) La **voile** du bateau d'Iseult était blanche.
   Il y a des Marocaines qui portent encore le **voile**.

   c) Si on veut acheter des timbres, on va à la **poste**.
   L'entreprise ne crée pas un seul **poste** cette année.

   d) Nous avons fait un **tour** dans la ville de Fès.
   La **tour** Eiffel fut construite il y a plus de cent ans.

Exercices adaptés du *Livret pédagogique du Robert Méthodique*, 1984.

Compréhension détaillée

1. Décrivez l'attitude de la mère lorsque ses deux fils s'apprêtent à la sortir pour la première fois.
2. Comment réagit-elle à sa visite dans le parc? Qu'est-ce qu'elle fait?
3. Quel est son premier secret?

Réflexion et discussion

1. On dit que la mère n'avait jamais pensé à sortir de la maison. Pouvez-vous imaginer pourquoi?
2. Pensez-vous que cette sortie soit sa première et sa dernière? Ressortira-t-elle? Expliquez votre réponse.
3. En quoi les deux fils sont-ils différents de leur père?

Sites Web : activités complémentaires

- Consultez les sites ci-dessous pour compléter votre fiche culturelle sur le Maroc :

  http://www.mincom.gov.ma

  http://www.ambafrance-ma.org

Grammaire et Expression écrite

Grammaire

La voix passive

Remarques préliminaires

1. Une phrase est à la voix passive quand le sujet du verbe ne fait pas l'action mais la subit (en fait l'expérience). À la voix active, le sujet fait l'action.

   voix passive → ***La souris*** *a été attrapée par le chat.*
   (Le sujet ne fait pas l'action mais la subit.)

   voix active → ***Le chat*** *a attrapé la souris.*
   (Le sujet fait l'action du verbe.)

2. On nomme le sujet d'un verbe à la voix passive le sujet grammatical, tandis que le sujet d'un verbe à la voix active est le sujet réel.

   Ève *a été photographiée.* (*Ève* = sujet grammatical)
   (Ce n'est pas Ève qui a pris la photo.)

   Paul *a photographié Ève.* (*Paul* = sujet réel et sujet grammatical)
   (C'est Paul qui a pris la photo.)

3. À la voix passive, la fonction grammaticale de la personne ou de la chose qui fait l'action s'appelle le complément d'agent. Celui-ci est précédé d'une préposition (*par* ou *de*) et il suit le verbe. Ce verbe s'accorde avec le sujet grammatical de la phrase bien que celui-ci ne fasse pas l'action.

   Les souris *ont été attrapé**es par le chat**.*
   (*par le chat* = complément d'agent)
   (l'auxiliaire et le participe passé s'accordent avec le sujet *les souris*)

4. En général, le complément d'agent est précédé de la préposition *par*. Quand le verbe exprime un état, l'agent peut être précédé de la préposition *de*.

    Elle est aimée ***de*** *tous.*

    Parmi les verbes qui expriment un état, il faut noter *aimer, admirer, adorer* et *détester.*

5. Un verbe à la voix passive peut se passer de complément d'agent lorsque celui-ci n'est pas essentiel à la compréhension de la phrase.

    Cela n'a pas été mentionné.

6. Quand on passe de la voix active à la voix passive, il y a plusieurs changements à considérer :

    a) l'objet direct devient le sujet;
    b) l'auxiliaire utilisé est le verbe *être*;
    c) le sujet devient le complément d'agent.

7. Seuls les verbes transitifs directs (verbes qui peuvent avoir un complément d'objet direct à la voix active) peuvent se mettre à la voix passive.

    Le directeur ***a envoyé*** *un courriel.*
    (*le directeur* = sujet; *un courriel* = COD)

    Un courriel ***a été envoyé*** *par le directeur.*
    (*un courriel* = sujet; *le directeur* = complément d'agent)

8. Les verbes transitifs exclusivement indirects (par ex. *parler*) et les verbes intransitifs (par ex. *aller*) ne peuvent pas se mettre à la voix passive.

    Attention! Il existe toutefois une exception, le verbe transitif indirect *pardonner à.*
    Pardonnez et vous ***serez pardonné****.*

9. Si le sujet d'un verbe à la voix active est le pronom *on*, ce verbe, transformé à la voix passive, n'aura pas de complément d'agent. La voix active est donc préférable.

    On a prévu ce problème. (*on* = sujet)
    Ce problème a été prévu. (*ce problème* = sujet)

10. Le verbe *être* peut être suivi d'un adjectif verbal pour la description à la voix active ou il peut être l'auxiliaire d'un verbe à la voix passive pour exprimer l'action du verbe.

    La salle de bains est ***nettoyée****.* (= *propre*)
    (adjectif → description)

    La salle de bains est ***nettoyée*** *par mon frère.* (= *il nettoie*)
    (verbe à la voix passive → action)

MISE EN PRATIQUE 1 (voix passive)

Mettez les phrases suivantes à la voix passive.

1. Mon père a enregistré mon émission favorite.
2. Un assassin a tué le président Lincoln.
3. La concierge balaie le hall d'entrée.
4. La plupart des étudiants aiment ce professeur.
5. Le conseiller scolaire a encouragé cette étudiante.

Formation de la voix passive

1. La voix passive est une forme verbale composée de l'auxiliaire *être* conjugué au temps désiré et suivi du participe passé du verbe.

   *Cette lettre **a été postée** le 10 octobre.*
   (*a été* = aux. *être* au passé composé + p.p. du verbe *poster*)
   (Cette phrase est au passé composé de la voix passive.)

2. Un temps ayant un seul élément à la voix active en a deux à la voix passive.

   j'attendais (voix active)
   j'étais attendu (voix passive)

3. Un temps ayant deux éléments à la voix active en a trois à la voix passive.

   j'ai attendu (voix active)
   j'ai été attendu (voix passive)

4. Aux temps composés de la voix passive (trois éléments), le premier participe (*été*) est invariable, mais le second s'accorde en genre et en nombre avec le sujet du verbe.

   *Elle a **été** encouragé**e** par tout le monde.*
   (*été* → ne s'accorde pas; *encouragée* → s'accorde)

Tableau 10.1

Conjugaison de la voix passive

verbe modèle : surprendre

	présent		**passé composé**	
	voix active	**voix passive**	**voix active**	**voix passive**
je/j'	surprends	suis surpris(e)	ai surpris	ai été surpris(e)
tu	surprends	es surpris(e)	as surpris	as été surpris(e)
il/elle	surprend	est surpris(e)	a surpris	a été surpris(e)
nous	surprenons	sommes surpris(es)	avons surpris	avons été surpris(es)
vous	surprenez	êtes surpris(e)(s)	avez surpris	avez été surpris(e)(s)
ils/elles	surprennent	sont surpris(es)	ont surpris	ont été surpris(es)

Tableau 10.2

Temps verbaux à la voix passive

verbe modèle : surprendre

mode/temps	**voix active**	**voix passive**
infinitif		
présent	surprendre	être surpris(e)(s)
passé	avoir surpris	avoir été surpris(e)(s)
indicatif		
présent	je surprends	je suis surpris(e)
passé composé	j'ai surpris	j'ai été surpris(e)
passé simple	je surpris	je fus surpris(e)
imparfait	je surprenais	j'étais surpris(e)
plus-que-parfait	j'avais surpris	j'avais été surpris(e)
futur	je surprendrai	je serai surpris(e)
futur antérieur	j'aurai surpris	j'aurai été surpris(e)

conditionnel

présent	je surprendrais	je serais surpris(e)
passé	j'aurais surpris	j'aurais été surpris(e)
subjonctif		
présent	que je surprenne	que je sois surpris(e)
passé	que j'aie surpris	que j'aie été surpris(e)
participe		
présent	surprenant	étant surprise(e)(s)
passé	surpris(e)(s)	été surpris(e)(s)

MISE EN PRATIQUE 2 (voix passive)

Mettez le verbe entre parenthèses à la voix passive et au temps et au mode qui conviennent.

1. Pour ne pas (dominer) par les autres, il faut savoir se défendre.
2. Hier, le postier (mordre) par notre chien.
3. Si ce mot (expliquer), j'aurais pu comprendre la phrase.
4. Dans le passé, la plupart des femmes (obliger) de rester à la maison.
5. Cette maison (construire/passé simple) au XIXe siècle.
6. Il viendra quand sa voiture (réparer).
7. Il faut que ce travail (terminer) demain.
8. Si tu ne peux pas m'accompagner, je (forcer) d'y aller tout seul.

Emploi de la voix passive

Tableau 10.3

Quand employer la voix passive

	contexte	explication
1.	*L'Académie française* ***a été fondée*** *en 1634.* *La Pologne* ***a été envahie*** *par l'Allemagne en 1939.*	La voix passive peut être utilisée pour la description.

Attention! La voix active est souvent préférée.
Richelieu ***a fondé*** *l'Académie française en 1634.*

	contexte	explication
2.	***Mon frère*** *a été mordu par le chien des voisins.* ***Le chien des voisins*** *a mordu mon frère.*	À la voix passive, on met l'accent sur le sujet qui subit l'action plutôt que sur le complément d'agent. À la voix active, on insiste sur le sujet qui fait l'action. Si l'on veut mettre l'accent sur la personne qui fait l'action, une phrase à la voix active est préférable.

Remarques complémentaires

1. Rappelons que seuls les verbes transitifs directs (qui prennent un COD) peuvent se mettre à la voix passive.

   La secrétaire ***a envoyé*** *le télégramme.* (verbe transitif direct)
   → *Le télégramme* ***a été envoyé*** *par la secrétaire.* (voix passive)

2. Rappelons aussi que les verbes pronominaux, les verbes transitifs indirects (qui ne prennent qu'un COI) et les verbes intransitifs ne peuvent pas se mettre à la voix passive. Ainsi, les trois phrases ci-dessous ne peuvent pas se mettre à la voix passive.

   *Ils **se sont lavé** les mains.* (verbe pronominal)
   *Elle **a téléphoné** à Paul.* (verbe transitif indirect)
   *Elle **est sortie** ce soir.* (verbe intransitif)

3. Un pronom personnel sujet ne peut pas devenir complément d'agent.

   J'ai retrouvé mon parapluie.
   (Cette phrase ne peut pas se mettre à la voix passive à cause du pronom personnel sujet *j'*.)

Mise en pratique 3 (voix passive)

Si la phrase est à la voix passive, mettez le verbe à la voix active. Si la phrase est à la voix active, mettez le verbe à la voix passive. Dans certains cas, vous ne pourrez pas effectuer de transformation. Expliquez pourquoi.

1. Elle a été trompée pas son mari.
2. On a refusé sa demande.
3. Ils sont montés au premier étage.
4. Le petit garçon a été retrouvé par la police.
5. La directrice a accepté cette recommandation.
6. Ils ont parlé à tous leurs correspondants.

Remplacement de la voix passive

On a tendance à éviter la voix passive lorsqu'une autre tournure est possible.

Tableau 10.4

Comment remplacer le passif

Quand le verbe est transitif direct, il y a trois façons d'éviter la voix passive.

1. On peut utiliser le sujet *on* et la voix active s'il n'y a pas de complément d'agent à la voix passive.
   *Le français **est parlé** ici.*
   → *Ici, **on parle** français.*
2. On peut utiliser un verbe pronominal à sens passif si celui-ci est disponible.
   *Ce mot **n'est plus utilisé**.*
   → *Ce mot **ne s'utilise plus**.*
3. On peut simplement utiliser la voix active si le complément d'agent est exprimé et si l'on veut mettre l'accent sur le sujet du verbe à la voix active.
   *Tous les biscuits **ont été mangés** par **les enfants**.*
   → ***Les enfants ont mangé** tous les biscuits.*

Mise en pratique 4 (voix passive)

Transformez chaque phrase en remplaçant la voix passive.

1. Au Japon, le poisson est mangé cru.
2. Les jupes sont portées longues cette année.
3. Tout le surplus de la récolte de blé a été donné aux pays où sévit la famine.
4. Les œufs sont vendus à la douzaine.
5. Les cerises sont cueillies au mois de juillet.
6. En Angleterre, les voitures sont conduites à gauche.
7. La voiture de mes parents a été achetée par les voisins.
8. Cette lettre a été envoyée trop tard.

Problèmes de traduction

Tableau 10.5

Comment traduire

1. This **is** not **done**. → *Cela ne **se fait** pas.*
   This **is eaten** raw. → *Cela **se mange** cru.*

   On utilise souvent un verbe pronominal en français, alors qu'en anglais la construction passive s'impose.

2. French **is spoken** here. → *Ici, **on parle** français.*
   His bicycle **was stolen**. → ***On a volé** sa bicyclette.*

   Quand il n'y a pas de complément d'agent, on traduit souvent le passif anglais en utilisant la voix active en français. Le sujet du verbe est alors le pronom indéfini *on*.

3. His house **is surrounded** by gardens. → *Sa maison **est entourée** de jardins.*

   Parfois, la voix passive est appropriée en français, surtout lorsque le participe passé a une valeur adjectivale.

MISE EN PRATIQUE 5 (traduction)

Traduisez les phrases suivantes en français.

1. The garden is covered with leaves.
2. Grapes are harvested in the fall.
3. This expression is often used in French.

Le participe présent

Formation du participe présent

1. Pour obtenir le radical du participe présent, on enlève la terminaison *ons* des verbes conjugués à la première personne du pluriel (forme *nous*) du présent de l'indicatif. À ce radical, on ajoute la terminaison *ant* du participe présent.

   *nous travaill**ons** → travaill → travaill**ant***

2. Trois verbes ont un participe présent irrégulier.

   avoir → ***ayant***
   être → ***étant***
   savoir → ***sachant***

Tableau 10.6

Comment former le participe présent

verbe	présent de l'indicatif (nous)	radical	participe présent
acheter	achetons	achet-	achetant
manger	mangeons	mange-	mangeant
placer	plaçons	plaç-	plaçant
finir	finissons	finiss-	finissant
sentir	sentons	sent-	sentant
recevoir	recevons	recev-	recevant
vendre	vendons	vend-	vendant

MISE EN PRATIQUE 6 (formation du participe présent)

Formez le participe présent des verbes suivants.

1. permettre
2. nager
3. espérer
4. vaincre
5. dire
6. parvenir
7. comprendre
8. réussir
9. s'asseoir
10. conduire
11. commencer
12. envoyer

Participe présent à la voix passive

1. En français, il existe plusieurs types de participes présents.

   faisant (doing) → participe présent (voix active)
   étant fait (being done) → participe présent (voix passive)
   ayant fait (having done) → participe présent composé (voix active)
   ayant été fait (having been done) → participe présent composé (voix passive)

2. Le participe présent d'un verbe transitif direct à la voix passive est formé du participe présent du verbe *être* suivi du participe passé du verbe utilisé.

   étant acheté(e)(s) (voix passive) *ayant acheté* (voix active)

3. Il faut se rappeler que les verbes pronominaux et les verbes intransitifs ne peuvent pas se mettre à la voix passive (voir tableau 10.7).

Tableau 10.7

Participe présent (voix active et passive)

verbe	**voix active**	**voix passive**
acheter	*achetant*	*étant acheté(e)(s)*
entrer	*entrant*	(pas de forme à la voix passive)*
se lever	*se levant*	(pas de forme à la voix passive)*

***Rappel : Les verbes pronominaux et les verbes intransitifs ne peuvent pas se mettre à la voix passive.**

MISE EN PRATIQUE 7 (participe présent à la voix passive)

Si cela est possible, donnez le participe présent (voix passive) des verbes suivants.

1. transporter
2. cacher
3. prendre
4. monter les valises
5. se promener
6. suivre

Participe présent composé

Le participe présent composé est formé du participe présent de l'auxiliaire (*avoir* ou *être*) suivi du participe passé du verbe en question.

Tableau 10.8

Participe présent composé

infinitif	**auxiliaire**	**participe présent composé**
réussir	avoir	ayant réussi
venir	être	étant venu(e)(s)
s'habiller	être	s'étant habillé(e)(s)
avoir	avoir	ayant eu
être	avoir	ayant été

MISE EN PRATIQUE 8 (participe présent composé)

Donnez le participe présent composé des verbes suivants.

1. punir
2. vendre
3. chuchoter
4. se tromper
5. naître
6. faire

Participe présent composé à la voix passive

1. Le participe présent composé passif est formé du participe présent composé de l'auxiliaire *être* suivi du participe passé du verbe utilisé.

infinitif passif	participe présent composé passif
être acheté(e)(s)	*ayant été acheté(e)(s)*
être vendu(e)(s)	*ayant été vendu(e)(s)*

2. Il faut distinguer le participe présent composé des verbes conjugués avec *être* du participe présent passif.

participe présent composé → *étant allé(e)(s)*
participe présent passif → *étant vendu(e)(s)*

*Leurs parents **étant allés** chez les voisins, les enfants étaient tout seuls.*
(participe présent composé)

*Ces oranges **étant vendues** à la douzaine, on ne peut pas en acheter seulement une.*
(participe présent passif)

Tableau 10.9

Participe présent composé (voix active et passive)

verbe	**voix active**	**voix passive**
acheter	ayant acheté	ayant été acheté(e)(s)
entrer	étant entré(e)(s)	(pas de forme à la voix passive*)
se lever	s'étant levé(e)(s)	(pas de forme à la voix passive*)

*** Rappel : Les verbes pronominaux et les verbes intransitifs ne peuvent pas se mettre à la voix passive.**

MISE EN PRATIQUE 9 (participe présent composé à la voix passive)

Si cela est possible, donnez le participe présent composé (voix passive) des verbes suivants.

1. traverser
2. allonger
3. attendre
4. devenir

Remarques complémentaires

1. L'élément négatif ou restrictif *ne* précède le participe présent, et les autres éléments négatifs ou restrictifs le suivent.

   Ne *parlant* ***pas*** *espagnol, nous avons eu des difficultés à nous faire comprendre lors de notre séjour au Mexique.*

   N'*ayant* ***pas*** *reçu de pourboire, la serveuse ne leur a pas dit au revoir.*

   Ne *s'étant levée* ***qu'****à neuf heures, elle a manqué l'autobus.*

   Attention!

   a) Le deuxième élément de la négation *ne . . . personne* suit le participe passé.
   N'*ayant trouvé* ***personne*** *qui puisse nous aider, nous sommes repartis.*

   b) L'élément *ne* suit la préposition *en*.
   Il essaie de suivre un régime en ***ne*** *mangeant* ***que*** *des légumes et des fruits.*

2. Les pronoms compléments précèdent le participe présent.

   Tu obtiendras ce que tu voudras en ***le lui*** *demandant gentiment.*

Emploi du participe présent

Tableau 10.10

Quand employer le participe présent

contexte	explication
1. *Elle l'a croisé* ***en partant****.* (= quand elle partait) *On arrivera à l'heure* ***en se dépêchant****.* (= si l'on se dépêche) *Il marche* ***en traînant*** *la jambe.* (= Quand il marche, il traîne la jambe.) *Il se tromperait* ***en croyant*** *cela.* (= s'il croyait cela) *Elle ne rédige ses compositions qu'****en préparant*** *un plan et un brouillon.* (= Elle ne rédige pas ses compositions sans préparer de plan et de brouillon.)	Le participe présent sert souvent à exprimer un complément circonstanciel de temps, de moyen, de manière, de condition ou de concession. Cette forme du participe présent, toujours précédée de la préposition *en*, s'appelle **le gérondif**. Le gérondif est invariable.
2. ***Tout en mangeant****, il a pu expliquer sa stratégie.* (= pendant qu'il mangeait)	Le gérondif, précédé de l'adverbe *tout*, marque la simultanéité de deux actions.
3. *Nous cherchons une réceptionniste* ***sachant*** *utiliser le télécopieur.* (= qui sache utiliser) ***Voulant*** *y arriver le plus vite possible, il a pris l'avion.* (= parce qu'il le voulait) ***Le regardant*** *bien dans les yeux, je lui ai dit ses quatre vérités.* (= tout en le regardant)	Le participe présent peut s'utiliser soit pour exprimer une raison ou une cause soit pour exprimer une action simultanée.

4. *Il suit un cours pour* ***débutants****.* *C'est elle la* ***gagnante****.*	Certains participes présents peuvent être utilisés comme noms. Dans ce cas, ils prennent un genre et un nombre.
5. *Cette conférence était très* ***ennuyante****.*	Certains participes présents peuvent être utilisés comme adjectifs. Dans ce cas, ils s'accordent en genre et en nombre avec le nom ou le pronom qu'ils qualifient.

Note sur l'orthographe

Certains noms et certains adjectifs verbaux n'ont pas la même orthographe que le participe présent correspondant.

C'est en ***convainquant*** *son patron qu'il a pu sauver le projet qu'on allait annuler.*

Il a utilisé des arguments très ***convaincants****.*

Tableau 10.11

Orthographe du participe présent, de l'adjectif verbal et du nom

participe présent	adjectif verbal	nom
adhér**ant**		adhér**ent**
afflu**ant**		afflu**ent**
communi**quant**	communi**cant**	
convain**quant**	convain**cant**	
différ**ant**	différ**ent**	
diverg**eant**	diverg**ent**	
équival**ant**	équival**ent**	équival**ent**
excéd**ant**	excéd**ent**	excéd**ent**
fabri**quant**		fabri**cant**
fati**guant**	fati**gant**	
influ**ant**	influ**ent**	
intri**guant**	intri**gant**	intri**gant**
négli**geant**	négli**gent**	
précéd**ant**	précéd**ent**	précéd**ent**
provo**quant**	provo**cant**	
résid**ant**		résid**ent**
somnol**ant**	somnol**ent**	
suffo**quant**	suffo**cant**	
vaqu**ant**	va**cant**	

MISE EN PRATIQUE 10 (emploi du participe présent)

Complétez les phrases suivantes avec le participe présent, l'adjectif verbal ou le nom correspondant au verbe entre parenthèses. Employez la préposition *en* pour le gérondif s'il le faut.

1. C'est le roman de Driss Chraibi que je trouve le plus (intéresser).
2. Il y avait relativement peu de (participer).

3. (voir) cela, j'ai décidé d'intervenir.
4. Il a payé l'addition (quitter) le restaurant.
5. C'est (lire) beaucoup qu'on acquiert un sens du style.
6. J'ai dit bonjour à tout le monde (arriver).
7. Ces exercices sont nécessaires mais (fatiguer).
8. Elle est (charmer); elle répond toujours (sourire).

Problèmes de traduction

Tableau 10.12

Comment traduire

1. She watched the children **dancing**. → *Elle a regardé les enfants **danser**.*
   I hear them **singing**. → *Je les entends **chanter**.*

   Cette construction anglaise se traduit en français par l'infinitif présent.

2. **Knowing** this will help you. → ***Savoir** cela va vous aider.*
   Thank you for **waiting**. → *Je vous remercie d'**avoir patienté**.*
   Instead of **complaining**, you should do something. → *Au lieu de **rouspéter**, vous devriez faire quelque chose.*

   Le participe présent anglais peut fonctionner comme nom. En français, on emploie souvent un infinitif.

3. She appreciates **your trying**. → *Elle apprécie **vos efforts**.*

   Le participe présent anglais doit parfois être traduit par un substantif en français.

4. This blouse is worn with a **matching** skirt. → *Cette blouse se porte avec une jupe **assortie**.*

   La forme adjectivale du participe présent d'un verbe anglais se traduit souvent par la forme adjectivale du participe passé français.

5. I am **coming**! → ***J'arrive**!*
   He is **going** to help us. → *Il **va** nous aider.*
   They are in the process of **moving**. → *Ils sont en train de **déménager**.*
   I was **going** to do it. → *J'**allais** le faire.*

   Certaines constructions en *ing* en anglais se traduisent en français par des temps ou des constructions où le participe présent ne figure pas.

6. You'll get better marks **by** spending more time studying. → *Tu obtiendras de meilleures notes **en** passant plus de temps à étudier.*

   La préposition anglaise *by* + participe présent se traduit par la préposition *en* + participe présent en français.

MISE EN PRATIQUE II (traduction)

Traduisez les phrases suivantes en français.

1. They are going to accompany us.
2. We have some staffing problems.
3. He has a large following.
4. Thank you for faxing this file so promptly.

Le discours indirect

Le discours direct permet de citer textuellement un énoncé parlé à l'aide de guillemets. Le style indirect relate l'énoncé à l'aide d'une proposition subordonnée. Un verbe de parole (appelé aussi verbe de déclaration) introduit les énoncés dans les deux cas.

discours direct	*Elle a dit : «Je t'emmène!»*
discours indirect	*Elle a dit qu'elle m'emmenait.*

Le passage du discours direct au discours indirect occasionne de nombreux changements. Les sept modèles qui suivent illustrent ces modifications.

Passage du discours direct au discours indirect

Modèle 1

discours direct
*Hélène dit : «**Je suis** fatiguée.»*

On cite directement les paroles d'une personne en utilisant des guillemets.

discours indirect
*Hélène dit qu'**elle est** fatiguée.*

On cite indirectement les paroles d'une personne en utilisant une proposition subordonnée.

Analyse des changements :

1. le deux-points et les guillemets disparaissent;
2. on ajoute la conjonction *que* après le verbe *dire*;
3. le pronom *je* est remplacé par le pronom *elle*;
4. la citation *«Je suis fatiguée»* devient la proposition subordonnée *qu'elle est fatiguée.*

Attention! Il y a d'autres verbes de déclaration tels qu'*ajouter, déclarer, expliquer, remarquer, répéter, répondre* et *rétorquer.*

Modèle 2

discours direct
*Jean demande : «**Est-ce que je** suis en retard?»*

discours indirect
*Jean demande **s'il** est en retard.*

Analyse des changements :

1. le deux-points et les guillemets disparaissent;
2. on ajoute la conjonction *si* après le verbe *demander*;
3. le pronom *je* est remplacé par le pronom *il*;
4. la citation *«Est-ce que je suis en retard?»* devient la proposition subordonnée *s'il est en retard*;
5. le point d'interrogation devient un point.

MISE EN PRATIQUE 12 (du discours direct au discours indirect)

Mettez chaque phrase au discours indirect.

1. Il répond : «Je suis tout à fait d'accord.»
2. Le professeur demande : «Est-ce qu'il est déjà l'heure?»
3. Elle demande : «Est-ce que j'ai le temps de le faire?»

Modèle 3

discours direct	**discours indirect**
*Paul a dit : «Je me **plais** beaucoup à Montréal.»*	*Paul a dit qu'il se **plaisait** beaucoup à Montréal.*

Analyse des changements :

1. le deux-points et les guillemets disparaissent;
2. on ajoute *que* après le verbe de déclaration *dire*;
3. le pronom *je* est remplacé par le pronom *il*;
4. changement de temps : le verbe qui est au présent dans la citation se met à l'imparfait dans la proposition subordonnée;
5. la citation *«Je me plais beaucoup à Montréal»* devient la proposition subordonnée *qu'il se plaisait beaucoup à Montréal.*

Tableau 10.13

Changements de temps après un verbe de déclaration au passé

verbe de déclaration	**discours direct**		**discours indirect**
il a dit/il disait/il avait dit	je comprends (présent)	→	il comprenait (imparfait)
il a dit/il disait/il avait dit	j'ai compris (passé composé)	→	il avait compris (plus-que-parfait)
il a dit/il disait/il avait dit	je comprendrai (futur simple)	→	il comprendrait (conditionnel présent)
il a dit/il disait/il avait dit	j'aurai compris (futur antérieur)	→	il aurait compris (conditionnel passé)

Attention!

1. S'il y a plusieurs verbes dans la citation, il faut traiter chaque verbe selon son temps d'origine.
   *Il a dit : «Je me **demande** si je **pourrai** le faire.»*
   *Il a dit qu'il se **demandait** s'il **pourrait** le faire.*
2. Certains temps et certains modes ne changent pas. Il s'agit de l'imparfait, du plus-que-parfait, du conditionnel présent ou passé et du subjonctif présent ou passé.
   *Elle a dit : «Je **m'étais trompée.**»*
   *Elle a dit qu'elle **s'était trompée.***

   *Nous avons demandé : «Pense-t-il que ce **soit** possible?»*
   *Nous avons demandé s'il pensait que ce **soit** possible.*
3. Il faut se rappeler que le verbe de la subordonnée ne change pas si le temps du verbe de la proposition principale est au présent.
   *Elle dit : «Je **suis** fatiguée.»*
   *Elle dit qu'elle **est** fatiguée.*

MISE EN PRATIQUE 13 (du discours direct au discours indirect)

Mettez chaque phrase au discours indirect.

1. Il a dit : «Quand j'aurai reçu le paquet, je téléphonerai.»
2. Elle a répondu : «Si j'avais su cela, je ne serais pas venue.»
3. Il a ajouté : «J'ai eu tort et je m'excuse.»

Modèle 4

discours direct	discours indirect
*Il m'a demandé : «**Qu'est-ce que** tu fais?»*	*Il m'a demandé **ce que** je faisais.*

Analyse des changements :

1. le deux-points et les guillemets disparaissent;
2. le pronom interrogatif *qu'est-ce que* devient *ce que*;
3. le pronom *tu* est remplacé par le pronom *je*;
4. le temps du verbe *faire* passe du présent à l'imparfait;
5. le point d'interrogation devient un point.

Tableau 10.14

Phrases interrogatives au discours indirect

est-ce que* → *si

discours direct *Il me demande : «**Est-ce que** Paul travaille?»*
discours indirect *Il me demande **si** Paul travaille.*

qu'est-ce que ou ***que* → *ce que***

discours direct *Je lui ai demandé : «**Que** font-elles?»*
discours indirect *Je lui ai demandé **ce qu**'elles faisaient.*

qu'est-ce qui* → *ce qui

discours direct *Nous leur demandons : «**Qu'est-ce qui** fait ce bruit?»*
discours indirect *Nous leur demandons **ce qui** fait ce bruit.*

Attention!

1. Les inversions disparaissent au discours indirect.
   *Je vous ai demandé : «Que **dites-vous**?»*
   *Je vous ai demandé ce que **vous disiez**.*
2. Les autres mots interrogatifs ne changent pas.
   *Tu nous as demandé : «**Combien** êtes-vous pour dîner?»*
   *Tu nous as demandé **combien** nous étions pour dîner.*
3. Compte tenu des changements présentés ci-dessus, les éléments *est-ce qui* ou *est-ce que* des autres formes longues du pronom interrogatif sont éliminés au discours indirect.
   *Il demande : «**Qui est-ce qui** a téléphoné?»*
   *Il demande **qui** a téléphoné.*

   *Elle lui a demandé : «**Qui est-ce que** tu invites?»*
   *Elle lui a demandé **qui** il invitait.*

MISE EN PRATIQUE 14 (du discours direct au discours indirect)

Mettez chaque phrase au discours indirect.

1. La directrice a demandé : «Qui est-ce qui était chargé de ce dossier?»
2. J'ai demandé : «Qu'est-ce que tu voulais?»
3. Il s'est demandé : «Pourquoi y avait-il si peu de monde?»
4. Elle a demandé : «Est-ce que vous venez?»

Modèle 5

discours direct	**discours indirect**
*Je lui ai demandé : «Où vas-tu **demain**?»*	*Je lui ai demandé où il allait **le lendemain**.*

Analyse des changements :

1. le deux-points et les guillemets disparaissent;
2. l'inversion disparaît;
3. le pronom *tu* est remplacé par le pronom *il*;
4. le temps du verbe *aller* passe du présent à l'imparfait;
5. l'adverbe *demain* est remplacé par *le lendemain*.

Tableau 10.15

Changements d'expressions de temps

discours direct		**discours indirect**
aujourd'hui	→	ce jour-là
demain	→	le lendemain
demain matin	→	le lendemain matin
après-demain	→	le surlendemain
hier	→	la veille
avant hier	→	l'avant-veille
ce matin, ce soir	→	ce matin-là, ce soir-là
cet après-midi	→	cet après-midi-là
cette nuit	→	cette nuit-là
cette semaine, ce mois	→	cette semaine-là, ce mois-là
cette année	→	cette année-là
la semaine prochaine	→	la semaine suivante
la semaine dernière	→	la semaine précédente
en ce moment	→	à ce moment-là, alors
maintenant	→	à ce moment-là, alors

Attention! Ces expressions de temps ne changent pas si le verbe de la propostition principale est au présent ou au futur.

discours direct *Il dit : «J'y vais **demain**.»*
discours indirect *Il dit qu'il y va **demain**.*

MISE EN PRATIQUE 15 (du discours direct au discours indirect)

Mettez chaque phrase au discours indirect.

1. Il a ajouté : «Je les verrai après-demain.»
2. Elle s'est exclamée : «La semaine prochaine, ce sera trop tard!»
3. Il a dit : «Je ne suis pas libre aujourd'hui.»

Modèle 6

discours direct	**discours indirect**
*Il leur dit : «**Faites** attention aux accords.»*	*Il leur dit **de faire** attention aux accords.*

Analyse des changements :

1. le deux-points et les guillemets disparaissent;
2. la préposition *de* précède la proposition subordonnée;
3. l'infinitif remplace l'impératif.

Attention! L'impératif au discours direct est toujours remplacé par l'infinitif au discours indirect, même si le verbe d'introduction est au présent.

*Il lui dit : «**Arrête-toi!**»*
*Il lui dit de **s'arrêter**.*

Modèle 7

discours direct	**discours indirect**
*J'ai dit à Robert : «**Ton** père **t'**a téléphoné.»*	*J'ai dit à Robert que **son** père **lui** avait téléphoné.*

Analyse des changements :

1. le deux-points et les guillemets disparaissent;
2. l'adjectif possessif *ton* devient *son*, le pronom *t'* devient *lui*;
3. le temps du verbe *téléphoner* passe du passé composé au plus-que-parfait.

Attention! Les pronoms personnels et les adjectifs changent en fonction du sens de la phrase. (comme en anglais)

*Je lui ai demandé : «Est-ce-que **tes** parents **t'**accompagnent?»*
*Je lui ai demandé si **ses** parents **l'**accompagnaient.*

Mise en pratique 16 (du discours direct au discours indirect)

Mettez chaque phrase au discours indirect.

1. Elle m'a demandé : «Tes parents vont-ils parler aux miens?»
2. Il a dit : «Ne vous donnez pas autant de peine.»
3. J'ai remarqué : «Je ne vais pas pouvoir vous inviter chez moi.»

Tableau 10.16

Récapitulation : passage du discours direct au discours indirect

discours direct	**discours indirect**
1. Il y a deux points après la proposition principale.	• Les deux points disparaissent.
2. La citation directe est entre guillemets.	• Les guillemets disparaissent.
3. La citation directe est un énoncé affirmatif ou négatif.	• La citation indirecte est une proposition subordonnée qui commence par *que*.

4. La citation directe est une question.	• La subordonnée commence par un mot d'interrogation indirecte.
est-ce que →	*si*
qu'est-ce que →	*ce que*
que →	*ce que*
qu'est-ce qui →	*ce qui*
	• Les éléments *est-ce que* ou *est-ce qui* des formes longues de pronoms autres que *qu'est-ce que* et *qu'est-ce qui* disparaissent.
	• Les autres mots interrogatifs ne changent pas.
	• Les inversions disparaissent.
5. La citation directe est un ordre.	• La citation indirecte est une proposition infinitive introduite par *de*.
6. Le verbe de la proposition principale est au présent ou au futur.	• Le temps du verbe de la citation directe est maintenu dans la subordonnée.
7. Le verbe de la proposition principale est au passé et le verbe de la citation est au :	• Le temps du verbe de la citation directe change dans la subordonnée.
présent →	imparfait
passé composé →	plus-que-parfait
futur simple →	conditionnel présent
futur antérieur →	conditionnel passé
	• Il n'y a pas de changement aux autres temps et modes.
8. Les expressions de temps se rapportent au temps du verbe de la citation directe.	• Quand le verbe de la proposition principale est au passé, les expressions de temps dans la proposition subordonnée changent selon le sens.
9. Les possessifs et les pronoms personnels dépendent de la personne qui parle.	• Les possessifs et les pronoms personnels changent en fonction du sens de la phrase (comme en anglais).

MISE EN PRATIQUE 17 (du discours direct au discours indirect)

Mettez chaque phrase au discours indirect.

1. Elle a dit : «J'enverrai une télécopie demain.»
2. Ils ont dit : «Il faisait très beau durant notre voyage.»
3. Le directeur a remarqué : «Le travail que vous avez fait cette année est excellent.»
4. J'ai demandé : «Qu'est-ce qui s'est passé aujourd'hui?»
5. Elle s'est demandé : «Est-ce qu'ils m'ont vue?»
6. La directrice a dit : «Écrivez cette lettre avant la semaine prochaine.»
7. Il leur a demandé : «Combien d'appels interurbains avez-vous passés?»
8. Nous nous demandions : «Qu'est-ce qu'ils ont fait avant-hier?»

Expression écrite

Le dialogue incorporé au récit

1. Au fil d'un récit ou d'un texte dialogué (scénario, pièce de théâtre, etc.), il est souvent nécessaire de mettre en scène des personnages et de les faire parler. Pour bien réussir ces dialogues, il est utile de se poser les questions suivantes :

a) Est-ce vraiment ce que dirait le personnage dans la réalité?

b) Est-ce le langage d'une personne de son âge (jeune de 16 ans, parent, vieillard, enfant)?

c) Est-ce que le langage reflète le tempérament de la personne (nerveux, snob, avenant, impatient)?

d) Est-ce que le langage reflète les émotions et les sentiments de la personne (déçu, amoureux, fâché)?

e) Est-ce que le langage reflète le niveau de langue approprié à la situation étant donné les circonstances et le milieu (langue soignée, langue courante, langue familière, argot, jargon, régionalismes)?

2. Pour la mise en scène, il s'agit également d'ajouter au dialogue certains éléments dramatiques parmi lesquels il faut mentionner :

a) des précisions quant aux attitudes, aux mimiques et aux gestes des personnages

Il lui répondit ***sèchement*** *que . . .*
Elle répliqua ***victorieusement*** *que . . .*
La directrice, ***souriant****, lui mentionna que . . .*
Tout en ponctuant *son discours de vigoureux coups de poing sur la table, Charles . . .*

b) des précisions quant à la voix et à l'intonation des personnages

Le directeur, ***changeant brusquement de ton*** *. . .*
C'est d'une voix macabre qu*'il annonça . . .*

3. Pour ce qui est de la présentation du matériel dialogué, il est important de choisir le style le plus approprié au texte que l'on rédige (style direct ou indirect). Si l'on choisit de citer textuellement les paroles du personnage (style direct), il faut respecter certaines règles de ponctuation.

a) On utilise des guillemets pour encadrer les paroles qui sont prononcées.

Il lui dit, voulant la rassurer : «Ne vous inquiétez pas, vous verrez, tout ira bien.»

b) Quand on change d'interlocuteur, sans fermer ni ouvrir les guillemets, on précède d'un tiret l'énoncé que l'on commence.

—Monsieur, c'est un monsieur anglais qui dit qu'il connaît Monsieur.

—Comment s'appelle-t-il?

—Le Dr. O'Grady.

—O'Grady! S'il vous entendait! . . . Il n'est pas anglais; il est irlandais. Faites-le entrer tout de suite . . .

Tiré de *Nouveaux discours du Docteur O'Grady* d'André Maurois.

c) On peut utiliser des incises (c'est-à-dire de petites phrases entre virgules comprenant un verbe de communication suivi de son sujet) pour indiquer qui parle et la façon dont on parle.

—Le moment approche, ***dit-il****, doutant après avoir eu tant d'espérance.*

Mise en pratique 18 (dialogue)

En vous inspirant de la lecture du dossier 1 de ce chapitre, imaginez une conversation entre un jeune garçon et sa mère après l'achat d'un four à micro-ondes. Situez cet échange dans le Maroc des années 90.

Les notes de lecture ou d'écoute

1. On est souvent appelé à prendre des notes. En effet, qu'il s'agisse de la lecture d'un texte à étudier, d'une conférence ou d'une réunion, il est souvent nécessaire de noter l'essentiel de ce qu'on a lu ou écouté afin de pouvoir, plus tard, disposer des renseignements auxquels on aura peut-être besoin de se référer. C'est le cas, par exemple, lorsqu'il s'agit de réviser en vue d'un examen ou de rédiger le compte rendu d'un livre.
2. En principe, les notes se prennent en style télégraphique, c'est-à-dire en utilisant des mots et des segments de phrases qui reflètent l'essentiel de ce qui a été dit ou lu.
3. D'habitude, l'auteur d'un texte aura organisé sa pensée, et le schéma de son exposé devrait être évident. Pour bien déceler cette organisation et les points de repère, il faudra prêter attention aux éléments présentés dans le tableau ci-dessous.

Tableau 10.17

Éléments à repérer dans un texte

Il faut déceler :

a) les principaux points (le thème, l'objectif de l'exposé, les idées directrices, les exemples importants, les arguments clés, les conclusions, etc.);

b) les formules de transition qui indiquent le passage d'une idée à une autre ou le rapport entre deux idées;

c) les éléments qui ne sont pas clairs, les mots et les expressions que vous ne comprenez pas.

Attention! Ce matériel brut, composé de notes prises rapidement au fil de la lecture ou de l'écoute, peut être retravaillé afin de réaliser une version cohérente qui sera plus facile à consulter.

Document de lecture

Le traité de Washington

Depuis le XVIIe siècle, la pêche est une industrie fort importante en Nouvelle-Angleterre, et les colonies américaines ont coutume de pêcher dans le golfe du Saint-Laurent et sur les bancs de Terre-Neuve. En 1854, le traité de Réciprocité accorde effectivement aux États-Unis le droit de pêcher dans les eaux territoriales canadiennes. Mais la fin du traité, en mars 1866, supprime ce droit.

En fait, les Américains continuent de pêcher comme auparavant, et plusieurs de leurs bateaux sont alors saisis et confisqués. II s'ensuit une agitation qui alarme les deux gouvernements. Le problème concerne le Canada et les États-Unis, mais des pourparlers s'engagent directement entre Londres et Washington.

En 1870, une commission mixte est chargée de définir les droits de chacun. Le comte de Grey dirige la délégation britannique et Hamilton Fish est le principal représentant américain. John A. Macdonald est le seul Canadien à faire partie de la délégation britannique. Il ne se sent pas pleinement admis au sein du groupe et son statut est équivoque. Les négociations sont longues et difficiles car, très souvent, l'Angleterre donne l'impression de jouer le jeu des États-Unis. La métropole désire renforcer ses relations diplomatiques et économiques avec les Américains, relations mises à l'épreuve durant la guerre civile. Pour atteindre cet objectif, elle est prête à sacrifier les intérêts du Canada.

Le 5 mars 1871, les États-Unis proposent d'acheter le droit de pêche à perpétuité pour un million de dollars. Grey accepte, mais Macdonald proteste. Le 9 mars, le représentant canadien repousse une nouvelle offre américaine sur l'achat du droit de pêche pour quelques années [. . .] mais il est contraint d'accepter les conditions américaines et, le 8 mai, le traité est signé. Les Américains pourront désormais naviguer librement sur le fleuve Saint-Laurent et les Grands Lacs, alors que les Canadiens pourront faire de même sur trois rivières d'Alaska. [. . .] On octroie également aux Américains le droit de pêcher dans les eaux territoriales canadiennes pendant 10 ans, moyennant une somme qui sera fixée plus tard à 500 000 dollars. Le traité est ratifié en 1873.

Cette première expérience, où l'Angleterre et le Canada tentaient de définir leur rôle respectif en matière diplomatique, est nettement défavorable pour le Canada. Même si le premier ministre canadien prend place parmi les membres de la délégation anglaise, il signe le traité à titre de représentant anglais. Cependant, sa présence au sein de la délégation officielle marque une étape dans l'évolution du statut international du Canada. L'attitude de l'Angleterre, lors des négociations, provoque un profond ressentiment chez les Canadiens et une vive opposition au traité.

Tiré de *Canada-Québec : synthèse historique* de J. Lacoursière, J. Provencher et D. Vaugeois, Éditions du renouveau pédagogique.

Modèle de notes

Le traité de Washington (droits de pêche É.U. au Canada)

1. *historique*

— *depuis XVIIe s. Américains pêchent St-Laurent + Terre-Neuve*

— *1854 à 1866 traité de Réciprocité → droit de pêche É.U. eaux territoriales Canada*

— *Américains pêchent sans droits → bateaux confisqués → agitation*

2. *négociations*

— *pourparlers Londres-Washington*

— *1870 commission mixte : Grey (Ang.) + Fish (É.U.) → droits de chaque pays*

— *Macdonald = seul Canadien → statut équivoque*

— *relations Ang./É.U. plus importantes qu'intérêts du Canada*

— *1871 É.U. proposent achat droit pêche perpétuité → 1 million $*

— *Grey accepte; Macdonald proteste*

— *nouvelle offre É.U. → achat sur quelques années*

— *Macdonald repousse mais doit céder*

3. *termes du traité (ratifié 1873)*

— Américains → St-Laurent + Grands Lacs

— Canadiens → 3 rivières Alaska

— Américains droit de pêche Canada 10 ans → 500 000 $

4. *conclusions*

— 1re définition rôle Ang./Canada

— défavorable Canada

— présence Macdonald délégation ang. marque évolution statut du Can.

— attitude angl. provoque opposition can. au traité

MISE EN PRATIQUE 19 (notes de lecture)

Analysez les notes de lecture ci-dessus et indiquez s'il manque des éléments importants.

SYNTHÈSE

EXERCICE 1 Vrai ou pas (voix passive)

oral ou écrit

En utilisant les éléments donnés, construisez des phrases à la voix passive. Indiquez votre opinion en utilisant la forme affirmative ou négative.

Modèle : les mauvais employés/toujours renvoyer/leur patron
→ *Les mauvais employés sont toujours renvoyés par leur patron.*
ou → *Les mauvais employés ne sont pas toujours renvoyés par leur patron.*

1. les criminels/toujours arrêter/la police
2. les étudiants/toujours encourager/leurs professeurs
3. les parents/admirer/leurs enfants
4. les animaux domestiques/toujours bien soigner/leurs propriétaires
5. les vedettes/toujours apprécier/leur public
6. la police/toujours critiquer/dans les médias
7. les grandes vedettes/toujours harceler/les reporters photographes
8. le courrier/toujours distribuer/cinq jours sur sept

EXERCICE 2 Ensembles (voix passive)

écrit

Faites l'exercice suivant selon le modèle.

Modèle : ce monument/trouver (présent)/près du lac (verbe pronominal)
→ *Ce monument se trouve près du lac.*
ce type de guide/déjà publier (passé composé) (on)
→ *On a déjà publié ce type de guide.*
ses commentaires/mal interpréter (passé composé) (passif)
→ *Ses commentaires ont été mal interprétés.*

1. des escargots/manger beaucoup (présent)/en France (on)
2. le pain/acheter (présent)/chez le boulanger (verbe pronominal)
3. les étudiants/prévenir (passé composé)/hier (passif)
4. les boissons à base de soja/boire de plus en plus (présent) (verbe pronominal)
5. ce trésor/ne jamais découvrir (plus-que-parfait) (passif)
6. le dossier complet/vous envoyer (futur simple)/demain (on)

EXERCICE 3 Évitons le passif! (voix passive)

écrit

Récrivez les phrases suivantes en remplaçant le passif.

1. La vitesse maximale n'est pas toujours respectée par les automobilistes.
2. Elle est parfois gênée par le comportement de son ami.
3. Ce professeur est aimé de tous les étudiants.
4. Nos devoirs sont faits à la maison.
5. Tu es connu de tout le monde.
6. Le français est parlé au Québec.
7. Le mot «adresse» est écrit avec un seul «d» en français.

EXERCICE 4 Récriture (participe présent)

écrit

Récrivez les phrases en utilisant le participe présent.

Modèle : La personne qui a le renseignement n'est pas là.
→ *La personne ayant le renseignement n'est pas là.*

1. Les étudiants qui ont été malades ont pu faire leurs devoirs à la maison.
2. La voiture qui se trouve devant la maison n'a pas de permis de stationnement.
3. La dame qui a perdu ses clés est allée au bureau des objets trouvés.

4. Pendant l'été qui a précédé son départ en France, il a suivi des cours intensifs de français.
5. Les personnes qui publient des livres s'appellent des éditeurs.
6. Les employés qui dérangent sans cesse le patron vont être rappelés à l'ordre.

Exercice 5 Routine quotidienne (gérondif)

oral ou écrit

Faites l'exercice suivant selon le modèle.

Modèle : écouter la radio/étudier
→ *J'écoute la radio en étudiant.*

1. chanter/prendre sa douche
2. écouter la radio/s'habiller
3. parler à ses parents/préparer le petit déjeuner
4. lire le journal/manger
5. planifier sa journée/attendre l'autobus
6. consulter ses notes/se rendre à l'université
7. réviser le dernier chapitre/attendre le professeur
8. prendre des notes/écouter le professeur

Exercice 6 C'est en forgeant . . . (gérondif)

oral ou écrit

Faites l'exercice suivant selon le modèle.

Modèle : Il est devenu riche. Il a fait des économies.
→ *Il est devenu riche en faisant des économies.*

1. Tu obtiendras de bonnes notes. Tu étudieras.
2. Je ne grossis pas. Je fais attention à ce que je mange.
3. Elle se soigne. Elle prend des vitamines.
4. Jacques améliorera son français. Il fera un séjour linguistique au Québec.
5. On se renseigne. On pose des questions.
6. Vous pourrez prendre rendez-vous. Vous lui téléphonerez.
7. Ils font attention à leur santé. Ils ne fument pas.
8. Il a trouvé l'adresse. Il a consulté un plan de la ville.

Exercice 7 En effet (participe présent/adjectif verbal)

oral ou écrit

Faites l'exercice suivant selon le modèle.

Modèle : Cette histoire l'a beaucoup troublé(e).
→ *En effet, c'est une histoire troublante.*

1. Ce travail l'a beaucoup fatigué(e).
2. Cette nouvelle l'a beaucoup étonné(e).
3. Ce film l'a beaucoup passionné(e).
4. Cette personne l'a beaucoup charmé(e).
5. Cet ouvrage l'a beaucoup intéressé(e).
6. Cette histoire l'a beaucoup intrigué(e).
7. Ce pays l'a beaucoup fasciné(e).
8. Cette remarque l'a beaucoup irrité(e).
9. Ce monsieur l'a beaucoup amusé(e).
10. Cet événement l'a beaucoup inquiété(e).

Exercice 8 Lequel choisir? (participe présent/gérondif/adjectif verbal)

écrit

Mettez le verbe entre parenthèses à la forme appropriée (participe présent, participe présent composé, adjectif verbal ou gérondif).

1. ________ (laisser) un message, nous avons pu les avertir que nous avions dû partir.
2. C'est sous une pluie ________ (battre) que nous avons fait cette randonnée.
3. La pluie ________ (ne pas s'arrêter) de tomber, nous étions trempés (*soaked*) quand nous sommes arrivés.
4. Leurs enfants sont très ________ (obéir).
5. ________ (négliger) de réserver des places bien à l'avance, ils n'ont pas pu voir le spectacle du *Cirque du soleil.*
6. Vous aurez une réponse définitive ________ (s'adresser) directement à elle.

Exercice 9 Autrement dit (discours indirect)

écrit

Mettez chaque phrase au discours indirect.

Modèle : Elle a dit : «Apportez-moi une tasse de café.»
→ *Elle a dit de lui apporter une tasse de café.*

1. Je lui ai dit : «Sois prudent!»
2. Il nous a demandé : «Est-ce que vous allez partir demain?»

3. Elle m'a dit : «Je n'ai pas eu le temps de le faire.»
4. Nous lui avons répondu : «Nous n'aurons pas l'occassion d'y passer avant la semaine prochaine.»
5. Je lui dis toujours : «Ne t'en fais pas.»
6. Il demande : «Qui est-ce qui est chargé de ce dossier?»
7. Ils ont déclaré : «Nous n'y pouvons rien puisque nous n'y étions pas.»
8. Il a dit : «Il faut que cela change.»

EXERCICE 10 Citons directement (discours direct)

écrit

Mettez chaque phrase au discours direct.

Modèle : Ils leur ont dit de ne pas les attendre.
→ *Ils leur ont dit : «Ne nous attendez pas.»*

1. Je lui ai dit qu'elle n'était pas à plaindre.
2. Il nous a dit sèchement de nous débrouiller tout seuls.
3. Elle demande si c'est vrai.
4. Ils nous ont demandé ce qui s'était passé.
5. Nous avons demandé pourquoi la porte était ouverte.
6. Elle m'a dit que je ne pourrais pas le rejoindre.
7. Je lui répète constamment de ne pas compter sur elle.
8. Il m'a dit que, le mois suivant, il ne serait pas disponible.

EXERCICE 11 Moulin à phrases (divers éléments)

écrit

Complétez les phrases suivantes.

1. Tout en écoutant . . .
2. Ma mère a dit : «. . .
3. Ma mère a dit que . . .
4. Je me demande si . . .
5. Il a demandé : «. . .
6. N'ayant pas répondu . . .
7. Étant obligé de . . .
8. Ils ont été surpris . . .

Exercice 12 Traduction (divers éléments)

écrit

Traduisez les phrases suivantes en français.

1. His wallet was never returned.
2. Her trip was cancelled at the last minute.
3. Having sent the letter by special delivery (*par courrier express*), he was surprised when the customer said that she hadn't received it.
4. After telling me that, he asked me to help him out.
5. She said: "Don't send any fax because I don't have a fax machine."
6. He said: "I remember telling you this yesterday."
7. You can get the same results by using a different method.
8. Her leaving at this time is most inconvenient.

Exercice 13 Rédaction (notes de lecture)

écrit

Préparez des notes de lecture sur le texte du dossier 1 de ce chapitre.

APPENDICES

APPENDICE A | La conjugaison des verbes

Les conjugaisons régulières

infinitifs et participes		indicatif				conditionnel	impératif	subjonctif
VERBES EN **er**		*présent*	*imparfait*	*passé simple*	*futur*	*présent*	*présent*	*présent*
parler	je	parle	parlais	parlai	parlerai	parlerais		que je parle
avoir parlé	tu	parles	parlais	parlas	parleras	parlerais	parle	que tu parles
parlant	il/elle	parle	parlait	parla	parlera	parlerait		qu'il/elle parle
parlé	nous	parlons	parlions	parlâmes	parlerons	parlerions	parlons	que nous parlions
ayant parlé	vous	parlez	parliez	parlâtes	parlerez	parleriez	parlez	que vous parliez
	ils/elles	parlent	parlaient	parlèrent	parleront	parleraient		qu'ils/elles parlent
		passé composé	*plus-que-parfait*	*passé antérieur**	*futur antérieur*	*passé*	*passé*	*passé*
	j'	ai parlé	avais parlé	eus parlé	aurai parlé	aurais parlé		que j'aie parlé
	tu	as parlé	avais parlé	eus parlé	auras parlé	aurais parlé	aie parlé	que tu aies parlé
	il/elle	a parlé	avait parlé	eut parlé	aura parlé	aurait parlé		qu'il/elle ait parlé
	nous	avons parlé	avions parlé	eûmes parlé	aurons parlé	aurions parlé	ayons parlé	que nous ayons parlé
	vous	avez parlé	aviez parlé	eûtes parlé	aurez parlé	auriez parlé	ayez parlé	que vous ayez parlé
	ils/elles	ont parlé	avaient parlé	eurent parlé	auront parlé	auraient parlé		qu'ils/elles aient parlé
VERBES EN **ir**		*présent*	*imparfait*	*passé simple*	*futur*	*présent*	*présent*	*présent*
réussir	je	réussis	réussissais	réussis	réussirai	réussirais		que je réussisse
avoir réussi	tu	réussis	réussissais	réussis	réussiras	réussirais	réussis	que tu réussisses
réussissant	il/elle	réussit	réussissait	réussit	réussira	réussirait		qu'il/elle réussisse
réussi	nous	réussissons	réussissions	réussîmes	réussirons	réussirions	réussissons	que nous réussissions
ayant réussi	vous	réussissez	réussissiez	réussîtes	réussirez	réussiriez	réussissez	que vous réussissiez
	ils/elles	réussissent	réussissaient	réussirent	réussiront	réussiraient		qu'ils/elles réussissent
		passé composé	*plus-que-parfait*	*passé antérieur**	*futur antérieur*	*passé*	*passé*	*passé*
	j'	ai réussi	avais réussi	eus réussi	aurai réussi	aurais réussi		que j'aie réussi
	tu	as réussi	avais réussi	eus réussi	auras réussi	aurais réussi	aie réussi	que tu aies réussi
	il/elle	a réussi	avait réussi	eut réussi	aura réussi	aurait réussi		qu'il/elle ait réussi
	nous	avons réussi	avions réussi	eûmes réussi	aurons réussi	aurions réussi	ayons réussi	que nous ayons réussi
	vous	avez réussi	aviez réussi	eûtes réussi	aurez réussi	auriez réussi	ayez réussi	que vous ayez réussi
	ils/elles	ont réussi	avaient réussi	eurent réussi	auront réussi	auraient réussi		qu'ils/elles aient réussi

*Temps littéraire : voir l'appendice K.

infinitifs et participes		indicatif				conditionnel	impératif	subjonctif
VERBES EN **re**		*présent*	*imparfait*	*passé simple*	*futur*	*présent*	*présent*	*présent*
vendre	je	vends	vendais	vendis	vendrai	vendrais		que je vende
avoir vendu	tu	vends	vendais	vendis	vendras	vendrais	vends	que tu vendes
vendant	il/elle	vend	vendait	vendit	vendra	vendrait		qu'il/elle vende
vendu	nous	vendons	vendions	vendîmes	vendrons	vendrions	vendons	que nous vendions
ayant vendu	vous	vendez	vendiez	vendîtes	vendrez	vendriez	vendez	que vous vendiez
	ils/elles	vendent	vendaient	vendirent	vendront	vendraient		qu'ils/elles vendent
		passé composé	*plus-que-parfait*	*passé antérieur**	*futur antérieur*	*passé*	*passé*	*passé*
	j'	ai vendu	avais vendu	eus vendu	aurai vendu	aurais vendu		que j'aie vendu
	tu	as vendu	avais vendu	eus vendu	auras vendu	aurais vendu	aie vendu	que tu aies vendu
	il/elle	a vendu	avait vendu	eut vendu	aura vendu	aurait vendu		qu'il/elle ait vendu
	nous	avons vendu	avions vendu	eûmes vendu	aurons vendu	aurions vendu	ayons vendu	que nous ayons vendu
	vous	avez vendu	aviez vendu	eûtes vendu	aurez vendu	auriez vendu	ayez vendu	que vous ayez vendu
	ils/elles	ont vendu	avaient vendu	eurent vendu	auront vendu	auraient vendu		qu'ils/elles aient vendu
VERBES PRONOMINAUX		*présent*	*imparfait*	*passé simple*	*futur*	*présent*	*présent*	*présent*
se laver	je me	lave	lavais	lavai	laverai	laverais		que je me lave
s'être lavé(e)(s)	tu te	laves	lavais	lavas	laveras	laverais	lave-toi	que tu te laves
se lavant	il/elle se	lave	lavait	lava	lavera	laverait		qu'il/elle se lave
lavé(e)(s)	nous nous	lavons	lavions	lavâmes	laverons	laverions	lavons-nous	que nous nous lavions
s'étant lavé(e)(s)	vous vous	lavez	laviez	lavâtes	laverez	laveriez	lavez-vous	que vous vous laviez
	ils/elles se	lavent	lavaient	lavèrent	laveront	laveraient		qu'ils/elles se lavent
		passé composé	*plus-que-parfait*	*passé antérieur**	*futur antérieur*	*passé*	*passé†*	*passé*
	je me (m')	suis lavé(e)	étais lavé(e)	fus lavé(e)	serai lavé(e)	serais lavé(e)		que je me sois lavé(e)
	tu te (t')	es lavé(e)	étais lavé(e)	fus lavé(e)	seras lavé(e)	serais lavé(e)		que tu te sois lavé(e)
	il/elle se (s')	est lavé/lavée	était lavé/lavée	fut lavé/lavée	sera lavé/lavée	serait lavé/lavée		qu'il/elle se soit lavé/lavée
	nous nous	sommes lavé(e)s	étions lavé(e)s	fûmes lavé(e)s	serons lavé(e)s	serions lavé(e)s		que nous nous soyons lavé(e)s
	vous vous	êtes lavé(e)(s)	étiez lavé(e)(s)	fûtes lavé(e)(s)	serez lavé(e)(s)	seriez lavé(e)(s)		que vous vous soyez lavé(e)(s)
	ils/elles se (s')	sont lavés/lavées	étaient lavés/lavées	furent lavés/lavées	seront lavés/lavées	seraient lavés/lavées		qu'ils/elles se soient lavés/lavées

*Temps littéraire : voir l'appendice K.
†L'impératif passé des verbes pronominaux est inusité.

La conjugaison des auxiliaires avoir *et* être

infinitifs et participes		indicatif				conditionnel	impératif	subjonctif
		présent	*imparfait*	*passé simple*	*futur*	*présent*	*présent*	*présent*
avoir	j'	ai	avais	eus	aurai	aurais		que j'aie
avoir eu	tu	as	avais	eus	auras	aurais	aie	que tu aies
ayant	il/elle	a	avait	eut	aura	aurait		qu'il/elle ait
eu	nous	avons	avions	eûmes	aurons	aurions	ayons	que nous ayons
ayant eu	vous	avez	aviez	eûtes	aurez	auriez	ayez	que vous ayez
	ils/elles	ont	avaient	eurent	auront	auraient		qu'ils/elles aient
		passé composé	*plus-que-parfait*	*passé antérieur**	*futur antérieur*	*passé*	*passé*	*passé*
	j'	ai eu	avais eu	eus eu	aurai eu	aurais eu		que j'aie eu
	tu	as eu	avais eu	eus eu	auras eu	aurais eu	aie eu	que tu aies eu
	il/elle	a eu	avait eu	eut eu	aura eu	aurait eu		qu'il/elle ait eu
	nous	avons eu	avions eu	eûmes eu	aurons eu	aurions eu	ayons eu	que nous ayons eu
	vous	avez eu	aviez eu	eûtes eu	aurez eu	auriez eu	ayez eu	que vous ayez eu
	ils/elles	ont eu	avaient eu	eurent eu	auront eu	auraient eu		qu'ils/elles aient eu
		présent	*imparfait*	*passé simple*	*futur*	*présent*	*présent*	*présent*
être	je/j'	suis	étais	fus	serai	serais		que je sois
avoir été	tu	es	étais	fus	seras	serais	sois	que tu sois
étant	il/elle	est	était	fut	sera	serait		qu'il/elle soit
été	nous	sommes	étions	fûmes	serons	serions	soyons	que nous soyons
ayant été	vous	êtes	étiez	fûtes	serez	seriez	soyez	que vous soyez
	ils/elles	sont	étaient	furent	seront	seraient		qu'ils/elles soient
		passé composé	*plus-que-parfait*	*passé antérieur**	*futur antérieur*	*passé*	*passé*	*passé*
	j'	ai été	avais été	eus été	aurai été	aurais été		que j'aie été
	tu	as été	avais été	eus été	auras été	aurais été	aie été	que tu aies été
	il/elle	a été	avait été	eut été	aura été	aurait été		qu'il/elle ait été
	nous	avons été	avions été	eûmes été	aurons été	aurions été	ayons été	que nous ayons été
	vous	avez été	aviez été	eûtes été	aurez été	auriez été	ayez été	que vous ayez été
	ils/elles	ont été	avaient été	eurent été	auront été	auraient été		qu'ils/elles aient été

*Temps littéraire : voir l'appendice K.

La conjugaison passive

infinitifs et participes		indicatif			
		présent	*imparfait*	*passé simple*	*futur*
être aimé(e)(s)	je/j'	suis aimé(e)	étais aimé(e)	fus aimé(e)	serai aimé(e)
avoir été aimé(e)(s)	tu	es aimé(e)	étais aimé(e)	fus aimé(e)	seras aimé(e)
étant aimé(e)(s)	il/elle	est aimé/aimée	était aimé/aimée	fut aimé/aimée	sera aimé/aimée
été aimé(e)(s)	nous	sommes aimé(e)s	étions aimé(e)s	fûmes aimé(e)s	serons aimé(e)s
ayant été aimé(e)(s)	vous	êtes aimé(e)(s)	étiez aimé(e)(s)	fûtes aimé(e)(s)	serez aimé(e)(s)
	ils/elles	sont aimés/aimées	étaient aimés/aimées	furent aimés/aimées	seront aimés/aimées
		passé composé	*plus-que-parfait*	*passé antérieur**	*futur antérieur*
	j'	ai été aimé(e)	avais été aimé(e)	eus été aimé(e)	aurai été aimé(e)
	tu	as été aimé(e)	avais été aimé(e)	eus été aimé(e)	auras été aimé(e)
	il/elle	a été aimé/aimée	avait été aimé/aimée	eut été aimé/aimée	aura été aimé/aimée
	nous	avons été aimé(e)s	avions été aimé(e)s	eûmes été aimé(e)s	aurons été aimé(e)s
	vous	avez été aimé(e)(s)	aviez été aimé(e)(s)	eûtes été aimé(e)(s)	aurez été aimé(e)(s)
	ils/elles	ont été aimés/aimées	avaient été aimés/aimées	eurent été aimés/aimées	auront été aimés/aimées

	conditionnel		subjonctif	
	présent	*passé*	*présent*	*passé*
je/j'	serais aimé(e)	aurais été aimé(e)	que je sois aimé(e)	que j'aie été aimé(e)
tu	serais aimé(e)	aurais été aimé(e)	que tu sois aimé(e)	que tu aies été aimé(e)
il/elle	serait aimé/aimée	aurait été aimé/aimée	qu'il/elle soit aimé/aimée	qu'il/elle ait été aimé/aimée
nous	serions aimé(e)s	aurions été aimé(e)s	que nous soyons aimé(e)s	que nous ayons été aimé(e)s
vous	seriez aimé(e)(s)	auriez été aimé(e)(s)	que vous soyez aimé(e)(s)	que vous ayez été aimé(e)(s)
ils/elles	seraient aimés/aimées	auraient été aimés/aimées	qu'ils/elles soient aimés/aimées	qu'ils/elles aient été aimés/aimées

impératif	
présent	*passé*
sois aimé(e)	aie été aimé(e)
soyons aimé(e)s	ayons été aimé(e)s
soyez aimé(e)(s)	ayez été aimé(e)(s)

*Temps littéraire : voir l'appendice K.

Les conjugaisons irrégulières

infinitifs et participes		indicatif					conditionnel	impératif	subjonctif
		présent	*imparfait*	*passé simple*	*passé composé*	*futur*	*présent*	*présent*	*présent*
1. acquérir	j'	acquiers	acquérais	acquis	ai acquis	acquerrai	acquerrais		acquière
avoir acquis	tu	acquiers	acquérais	acquis	as acquis	acquerras	acquerrais	acquiers	acquières
acquérant	il/elle	acquiert	acquérait	acquit	a acquis	acquerra	acquerrait		acquière
acquis	nous	acquérons	acquérions	acquîmes	avons acquis	acquerrons	acquerrions	acquérons	acquérions
ayant acquis	vous	acquérez	acquériez	acquîtes	avez acquis	acquerrez	acquerriez	acquérez	acquériez
	ils/elles	acquièrent	acquéraient	acquirent	ont acquis	acquerront	acquerraient		acquièrent
2. aller	je/j'	vais	allais	allai	suis allé(e)	irai	irais		aille
être allé(e)(s)	tu	vas	allais	allas	es allé(e)	iras	irais	va	ailles
allant	il/elle	va	allait	alla	est allé/allée	ira	irait		aille
allé(e)(s)	nous	allons	allions	allâmes	sommes allé(e)s	irons	irions	allons	allions
étant allé(e)(s)	vous	allez	alliez	allâtes	êtes allé(e)(s)	irez	iriez	allez	alliez
	ils/elles	vont	allaient	allèrent	sont allés/allées	iront	iraient		aillent
3. s'asseoir*	je m'/me	assieds	asseyais	assis	suis assis(e)	assiérai	assiérais		asseye
s'être assis(e)(s)	tu t'	assieds	asseyais	assis	es assis(e)	assiéras	assiérais	assieds-toi	asseyes
s'asseyant	il/elle s'	assied	asseyait	assit	est assis/assise	assiéra	assiérait		asseye
assis(e)(s)	nous nous	asseyons	asseyions	assîmes	sommes assis(e)s	assiérons	assiérions	asseyons-nous	asseyions
s'étant assis(e)(s)	vous vous	asseyez	asseyiez	assîtes	êtes assis(e)(s)	assiérez	assiériez	asseyez-vous	asseyiez
	ils/elles s'/se	asseyent	asseyaient	assirent	sont assis/assises	assiéront	assiéraient		asseyent
	je m'	assois	assoyais			assoirai	assoirais		assoie
s'assoyant	tu t'	assois	assoyais			assoiras	assoirais	assois-toi	assoies
	il/elle s'	assoit	assoyait			assoira	assoirait		assoie
	nous nous	assoyons	assoyions			assoirons	assoirions	assoyons-nous	assoyions
	vous vous	assoyez	assoyiez			assoirez	assoiriez	assoyez-vous	assoyiez
	ils/elles s'	assoient	assoyaient			assoiront	assoiraient		assoient
4. avoir	j'	ai	avais	eus	ai eu	aurai	aurais		aie
avoir eu	tu	as	avais	eus	as eu	auras	aurais	aie	aies
ayant	il/elle	a	avait	eut	a eu	aura	aurait		ait
eu	nous	avons	avions	eûmes	avons eu	aurons	aurions	ayons	ayons
ayant eu	vous	avez	aviez	eûtes	avez eu	aurez	auriez	ayez	ayez
	ils/elles	ont	avaient	eurent	ont eu	auront	auraient		aient

*Les formes en *ie* et en *ey* sont préférables aux formes en *oi*.

infinitifs et participes		indicatif					conditionnel	impératif	subjonctif
		présent	*imparfait*	*passé simple*	*passé composé*	*futur*	*présent*	*présent*	*présent*
5. **battre**	je/j'	bats	battais	battis	ai battu	battrai	battrais		batte
avoir battu	tu	bats	battais	battis	as battu	battras	battrais	bats	battes
battant	il/elle	bat	battait	battit	a battu	battra	battrait		batte
battu	nous	battons	battions	battîmes	avons battu	battrons	battrions	battons	battions
ayant battu	vous	battez	battiez	battîtes	avez battu	battrez	battriez	battez	battiez
	ils/elles	battent	battaient	battirent	ont battu	battront	battraient		battent
6. **boire**	je/j'	bois	buvais	bus	ai bu	boirai	boirais		boive
avoir bu	tu	bois	buvais	bus	as bu	boiras	boirais	bois	boives
buvant	il/elle	boit	buvait	but	a bu	boira	boirait		boive
bu	nous	buvons	buvions	bûmes	avons bu	boirons	boirions	buvons	buvions
ayant bu	vous	buvez	buviez	bûtes	avez bu	boirez	boiriez	buvez	buviez
	ils/elles	boivent	buvaient	burent	ont bu	boiront	boiraient		boivent
7. **conclure**	je/j'	conclus	concluais	conclus	ai conclu	conclurai	conclurais		conclue
avoir conclu	tu	conclus	concluais	conclus	as conclu	concluras	conclurais	conclus	conclues
concluant	il/elle	conclut	concluait	conclut	a conclu	conclura	conclurait		conclue
conclu	nous	concluons	concluions	conclûmes	avons conclu	conclurons	conclurions	concluons	concluions
ayant conclu	vous	concluez	concluiez	conclûtes	avez conclu	conclurez	concluriez	concluez	concluiez
	ils/elles	concluent	concluaient	conclurent	ont conclu	concluront	concluraient		concluent
8. **conduire**	je/j'	conduis	conduisais	conduisis	ai conduit	conduirai	conduirais		conduise
avoir conduit	tu	conduis	conduisais	conduisis	as conduit	conduiras	conduirais	conduis	conduises
conduisant	il/elle	conduit	conduisait	conduisit	a conduit	conduira	conduirait		conduise
conduit	nous	conduisons	conduisions	conduisîmes	avons conduit	conduirons	conduirions	conduisons	conduisions
ayant conduit	vous	conduisez	conduisiez	conduisîtes	avez conduit	conduirez	conduiriez	conduisez	conduisiez
	ils/elles	conduisent	conduisaient	conduisirent	ont conduit	conduiront	conduiraient		conduisent
9. **connaître**	je/j'	connais	connaissais	connus	ai connu	connaîtrai	connaîtrais		connaisse
avoir connu	tu	connais	connaissais	connus	as connu	connaîtras	connaîtrais	connais	connaisses
connaissant	il/elle	connaît	connaissait	connut	a connu	connaîtra	connaîtrait		connaisse
connu	nous	connaissons	connaissions	connûmes	avons connu	connaîtrons	connaîtrions	connaissons	connaissions
ayant connu	vous	connaissez	connaissiez	connûtes	avez connu	connaîtrez	connaîtriez	connaissez	connaissiez
	ils/elles	connaissent	connaissaient	connurent	ont connu	connaîtront	connaîtraient		connaissent

infinitifs et participes		indicatif					conditionnel	impératif	subjonctif
		présent	*imparfait*	*passé simple*	*passé composé*	*futur*	*présent*	*présent*	*présent*
10. courir	je/j'	cours	courais	courus	ai couru	courrai	courrais		coure
avoir couru	tu	cours	courais	courus	as couru	courras	courrais	cours	coures
courant	il/elle	court	courait	courut	a couru	courra	courrait		coure
couru	nous	courons	courions	courûmes	avons couru	courrons	courrions	courons	courions
ayant couru	vous	courez	couriez	courûtes	avez couru	courrez	courriez	courez	couriez
	ils/elles	courent	couraient	coururent	ont couru	courront	courraient		courent
11. craindre	je/j'	crains	craignais	craignis	ai craint	craindrai	craindrais		craigne
avoir craint	tu	crains	craignais	craignis	as craint	craindras	craindrais	crains	craignes
craignant	il/elle	craint	craignait	craignit	a craint	craindra	craindrait		craigne
craint	nous	craignons	craignions	craignîmes	avons craint	craindrons	craindrions	craignons	craignions
ayant craint	vous	craignez	craigniez	craignîtes	avez craint	craindrez	craindriez	craignez	craigniez
	ils/elles	craignent	craignaient	craignirent	ont craint	craindront	craindraient		craignent
12. croire	je/j'	crois	croyais	crus	ai cru	croirai	croirais		croie
avoir cru	tu	crois	croyais	crus	as cru	croiras	croirais	crois	croies
croyant	il/elle	croit	croyait	crut	a cru	croira	croirait		croie
cru	nous	croyons	croyions	crûmes	avons cru	croirons	croirions	croyons	croyions
ayant cru	vous	croyez	croyiez	crûtes	avez cru	croirez	croiriez	croyez	croyiez
	ils/elles	croient	croyaient	crurent	ont cru	croiront	croiraient		croient
13. cueillir	je/j'	cueille	cueillais	cueillis	ai cueilli	cueillerai	cueillerais		cueille
avoir cueilli	tu	cueilles	cueillais	cueillis	as cueilli	cueilleras	cueillerais	cueille	cueilles
cueillant	il/elle	cueille	cueillait	cueillit	a cueilli	cueillera	cueillerait		cueille
cueilli	nous	cueillons	cueillions	cueillîmes	avons cueilli	cueillerons	cueillerions	cueillons	cueillions
ayant cueilli	vous	cueillez	cueilliez	cueillîtes	avez cueilli	cueillerez	cueilleriez	cueillez	cueilliez
	ils/elles	cueillent	cueillaient	cueillirent	ont cueilli	cueilleront	cueilleraient		cueillent
14. cuire. Comme *conduire.*									
15. devoir	je/j'	dois	devais	dus	ai dû	devrai	devrais		doive
avoir dû	tu	dois	devais	dus	as dû	devras	devrais	dois*	doives
devant	il/elle	doit	devait	dut	a dû	devra	devrait		doive
dû, due, dus,	nous	devons	devions	dûmes	avons dû	devrons	devrions	devons*	devions
dues	vous	devez	deviez	dûtes	avez dû	devrez	devriez	devez*	deviez
ayant dû	ils/elles	doivent	devaient	durent	ont dû	devront	devraient		doivent

*L'impératif est peu usité.

infinitifs et participes		indicatif					conditionnel	impératif	subjonctif
		présent	*imparfait*	*passé simple*	*passé composé*	*futur*	*présent*	*présent*	*présent*
16. dire	je/j'	dis	disais	dis	ai dit	dirai	dirais		dise
avoir dit	tu	dis	disais	dis	as dit	diras	dirais	dis	dises
disant	il/elle	dit	disait	dit	a dit	dira	dirait		dise
dit	nous	disons	disions	dîmes	avons dit	dirons	dirions	disons	disions
ayant dit	vous	dites*	disiez	dîtes	avez dit	direz	diriez	dites*	disiez
	ils/elles	disent	disaient	dirent	ont dit	diront	diraient		disent
17. dormir	je/j'	dors	dormais	dormis	ai dormi	dormirai	dormirais		dorme
avoir dormi	tu	dors	dormais	dormis	as dormi	dormiras	dormirais	dors	dormes
dormant	il/elle	dort	dormait	dormit	a dormi	dormira	dormirait		dorme
dormi	nous	dormons	dormions	dormîmes	avons dormi	dormirons	dormirions	dormons	dormions
ayant dormi	vous	dormez	dormiez	dormîtes	avez dormi	dormirez	dormiriez	dormez	dormiez
	ils/elles	dorment	dormaient	dormirent	ont dormi	dormiront	dormiraient		dorment
18. écrire	j'	écris	écrivais	écrivis	ai écrit	écrirai	écrirais		écrive
avoir écrit	tu	écris	écrivais	écrivis	as écrit	écriras	écrirais	écris	écrives
écrivant	il/elle	écrit	écrivait	écrivit	a écrit	écrira	écrirait		écrive
écrit	nous	écrivons	écrivions	écrivîmes	avons écrit	écrirons	écririons	écrivons	écrivions
ayant écrit	vous	écrivez	écriviez	écrivîtes	avez écrit	écrirez	écririez	écrivez	écriviez
	ils/elles	écrivent	écrivaient	écrivirent	ont écrit	écriront	écriraient		écrivent
19. envoyer	j'	envoie	envoyais	envoyai	ai envoyé	enverrai	enverrais		envoie
avoir envoyé	tu	envoies	envoyais	envoyas	as envoyé	enverras	enverrais	envoie	envoies
envoyant	il/elle	envoie	envoyait	envoya	a envoyé	enverra	enverrait		envoie
envoyé	nous	envoyons	envoyions	envoyâmes	avons envoyé	enverrons	enverrions	envoyons	envoyions
ayant envoyé	vous	envoyez	envoyiez	envoyâtes	avez envoyé	enverrez	enverriez	envoyez	envoyiez
	ils/elles	envoient	envoyaient	envoyèrent	ont envoyé	enverront	enverraient		envoient

*Mais *interdisez*, *prédisez*, etc.

infinitifs et participes		indicatif					conditionnel	impératif	subjonctif
		présent	*imparfait*	*passé simple*	*passé composé*	*futur*	*présent*	*présent*	*présent*
20. faire	je/j'	fais	faisais	fis	ai fait	ferai	ferais		fasse
avoir fait	tu	fais	faisais	fis	as fait	feras	ferais	fais	fasses
faisant	il/elle	fait	faisait	fit	a fait	fera	ferait		fasse
fait	nous	faisons	faisions	fîmes	avons fait	ferons	ferions	faisons	fassions
ayant fait	vous	faites	faisiez	fîtes	avez fait	ferez	feriez	faites	fassiez
	ils/elles	font	faisaient	firent	ont fait	feront	feraient		fassent
21. falloir	—	il faut	il fallait	il fallut	il a fallu	il faudra	il faudrait	—	il faille
—									
—									
fallu									
—									
22. fuir	je/j'	fuis	fuyais	fuis	ai fui	fuirai	fuirais		fuie
avoir fui	tu	fuis	fuyais	fuis	as fui	fuiras	fuirais	fuis	fuies
fuyant	il/elle	fuit	fuyait	fuit	a fui	fuira	fuirait		fuie
fui	nous	fuyons	fuyions	fuîmes	avons fui	fuirons	fuirions	fuyons	fuyions
ayant fui	vous	fuyez	fuyiez	fuîtes	avez fui	fuirez	fuiriez	fuyez	fuyiez
	ils/elles	fuient	fuyaient	fuirent	ont fui	fuiront	fuiraient		fuient
23. haïr	je/j'	hais	haïssais	haïs	ai haï	haïrai	haïrais		haïsse
avoir haï	tu	hais	haïssais	haïs	as haï	haïras	haïrais	hais	haïsses
haïssant	il/elle	hait	haïssait	haït	a haï	haïra	haïrait		haïsse
haï	nous	haïssons	haïssions	haïmes	avons haï	haïrons	haïrions	haïssons	haïssions
ayant haï	vous	haïssez	haïssiez	haïtes	avez haï	haïrez	haïriez	haïssez	haïssiez
	ils/elles	haïssent	haïssaient	haïrent	ont haï	haïront	haïraient		haïssent
24 **joindre.** Comme *craindre.*									
25. lire	je/j'	lis	lisais	lus	ai lu	lirai	lirais		lise
avoir lu	tu	lis	lisais	lus	as lu	liras	lirais	lis	lises
lisant	il/elle	lit	lisait	lut	a lu	lira	lirait		lise
lu	nous	lisons	lisions	lûmes	avons lu	lirons	lirions	lisons	lisions
ayant lu	vous	lisez	lisiez	lûtes	avez lu	lirez	liriez	lisez	lisiez
	ils/elles	lisent	lisaient	lurent	ont lu	liront	liraient		lisent
26. mentir. Comme *sentir*.									

infinitifs et participes		indicatif					conditionnel	impératif	subjonctif
		présent	*imparfait*	*passé simple*	*passé composé*	*futur*	*présent*	*présent*	*présent*
27. mettre	je/j'	mets	mettais	mis	ai mis	mettrai	mettrais		mette
avoir mis	tu	mets	mettais	mis	as mis	mettras	mettrais	mets	mettes
mettant	il/elle	met	mettait	mit	a mis	mettra	mettrait		mette
mis	nous	mettons	mettions	mîmes	avons mis	mettrons	mettrions	mettons	mettions
ayant mis	vous	mettez	mettiez	mîtes	avez mis	mettrez	mettriez	mettez	mettiez
	ils/elles	mettent	mettaient	mirent	ont mis	mettront	mettraient		mettent
28. mourir	je	meurs	mourais	mourus	suis mort(e)	mourrai	mourrais		meure
être mort(e)(s)	tu	meurs	mourais	mourus	es mort(e)	mourras	mourrais	meurs	meures
mourant	il/elle	meurt	mourait	mourut	est mort/morte	mourra	mourrait		meure
mort(e)(s)	nous	mourons	mourions	mourûmes	sommes mort(e)s	mourrons	mourrions	mourons	mourions
étant mort(e)(s)	vous	mourez	mouriez	mourûtes	êtes mort(e)(s)	mourrez	mourriez	mourez	mouriez
	ils/elles	meurent	mouraient	moururent	sont morts/mortes	mourront	mourraient		meurent
29. naître	je	nais	naissais	naquis	suis né(e)	naîtrai	naîtrais		naisse
être né(e)(s)	tu	nais	naissais	naquis	es né(e)	naîtras	naîtrais	nais	naisses
naissant	il/elle	naît	naissait	naquit	est né/née	naîtra	naîtrait		naisse
né(e)(s)	nous	naissons	naissions	naquîmes	sommes né(e)s	naîtrons	naîtrions	naissons	naissions
étant né(e)(s)	vous	naissez	naissiez	naquîtes	êtes né(e)(s)	naîtrez	naîtriez	naissez	naissiez
	ils/elles	naissent	naissaient	naquirent	sont nés/nées	naîtront	naîtraient		naissent
30. ouvrir	j'	ouvre	ouvrais	ouvris	ai ouvert	ouvrirai	ouvrirais		ouvre
avoir ouvert	tu	ouvres	ouvrais	ouvris	as ouvert	ouvriras	ouvrirais	ouvre	ouvres
ouvrant	il/elle	ouvre	ouvrait	ouvrit	a ouvert	ouvrira	ouvrirait		ouvre
ouvert	nous	ouvrons	ouvrions	ouvrîmes	avons ouvert	ouvrirons	ouvririons	ouvrons	ouvrions
ayant ouvert	vous	ouvrez	ouvriez	ouvrîtes	avez ouvert	ouvrirez	ouvririez	ouvrez	ouvriez
	ils/elles	ouvrent	ouvraient	ouvrirent	ont ouvert	ouvriront	ouvriraient		ouvrent
31. partir	je	pars	partais	partis	suis parti(e)	partirai	partirais		parte
être parti(e)(s)	tu	pars	partais	partis	es parti(e)	partiras	partirais	pars	partes
partant	il/elle	part	partait	partit	est parti/partie	partira	partirait		parte
parti(e)(s)	nous	partons	partions	partîmes	sommes parti(e)s	partirons	partirions	partons	partions
étant parti(e)(s)	vous	partez	partiez	partîtes	êtes parti(e)(s)	partirez	partiriez	partez	partiez
	ils/elles	partent	partaient	partirent	sont partis/parties	partiront	partiraient		partent

32. peindre. Comme *craindre*.

infinitifs et participes		indicatif					conditionnel	impératif	subjonctif
		présent	*imparfait*	*passé simple*	*passé composé*	*futur*	*présent*	*présent*	*présent*
33. **plaire**	je/j'	plais	plaisais	plus	ai plu	plairai	plairais		plaise
avoir plu	tu	plais	plaisais	plus	as plu	plairas	plairais	plais	plaises
plaisant	il/elle	plaît	plaisait	plut	a plu	plaira	plairait		plaise
plu	nous	plaisons	plaisions	plûmes	avons plu	plairons	plairions	plaisons	plaisions
ayant plu	vous	plaisez	plaisiez	plûtes	avez plu	plairez	plairiez	plaisez	plaisiez
	ils/elles	plaisent	plaisaient	plurent	ont plu	plairont	plairaient		plaisent
34. **pleuvoir**	—	il pleut	il pleuvait	il plut	il a plu	il pleuvra	il pleuvrait	—	il pleuve
—									
—									
plu									
—									
35. **pouvoir**	je/j'	peux (puis)*	pouvais	pus	ai pu	pourrai	pourrais		puisse
avoir pu	tu	peux	pouvais	pus	as pu	pourras	pourrais		puisses
pouvant	il/elle	peut	pouvait	put	a pu	pourra	pourrait		puisse
pu	nous	pouvons	pouvions	pûmes	avons pu	pourrons	pourrions		puissions
ayant pu	vous	pouvez	pouviez	pûtes	avez pu	pourrez	pourriez		puissiez
	ils/elles	peuvent	pouvaient	purent	ont pu	pourront	pourraient		puissent
36. **prendre**	je/j'	prends	prenais	pris	ai pris	prendrai	prendrais		prenne
avoir pris	tu	prends	prenais	pris	as pris	prendras	prendrais	prends	prennes
prenant	il/elle	prend	prenait	prit	a pris	prendra	prendrait		prenne
pris	nous	prenons	prenions	prîmes	avons pris	prendrons	prendrions	prenons	prenions
ayant pris	vous	prenez	preniez	prîtes	avez pris	prendrez	prendriez	prenez	preniez
	ils/elles	prennent	prenaient	prirent	ont pris	prendront	prendraient		prennent
37. **recevoir**	je/j'	reçois	recevais	reçus	ai reçu	recevrai	recevrais		reçoive
avoir reçu	tu	reçois	recevais	reçus	as reçu	recevras	recevrais	reçois	reçoives
recevant	il/elle	reçoit	recevait	reçut	a reçu	recevra	recevrait		reçoive
reçu	nous	recevons	recevions	reçûmes	avons reçu	recevrons	recevrions	recevons	recevions
ayant reçu	vous	recevez	receviez	reçûtes	avez reçu	recevrez	recevriez	recevez	receviez
	ils/elles	reçoivent	recevaient	reçurent	ont reçu	recevront	recevraient		reçoivent

**Puis* est surtout utilisé à la forme interrogative : *Puis-je. . . ?* (= May I. . . ?)

infinitifs et participes		indicatif					conditionnel	impératif	subjonctif
		présent	*imparfait*	*passé simple*	*passé composé*	*futur*	*présent*	*présent*	*présent*
38. résoudre	je/j'	résous	résolvais	résolus	ai résolu	résoudrai	résoudrais		résolve
avoir résolu	tu	résous	résolvais	résolus	as résolu	résoudras	résoudrais	résous	résolves
résolvant	il/elle	résout	résolvait	résolut	a résolu	résoudra	résoudrait		résolve
résolu	nous	résolvons	résolvions	résolûmes	avons résolu	résoudrons	résoudrions	résolvons	résolvions
ayant résolu	vous	résolvez	résolviez	résolûtes	avez résolu	résoudrez	résoudriez	résolvez	résolviez
	ils/elles	résolvent	résolvaient	résolurent	ont résolu	résoudront	résoudraient		résolvent
39. rire	je/j'	ris	riais	ris	ai ri	rirai	rirais		rie
avoir ri	tu	ris	riais	ris	as ri	riras	rirais	ris	ries
riant	il/elle	rit	riait	rit	a ri	rira	rirait		rie
ri	nous	rions	riions	rîmes	avons ri	rirons	ririons	rions	riions
ayant ri	vous	riez	riiez	rîtes	avez ri	rirez	ririez	riez	riiez
	ils/elles	rient	riaient	rirent	ont ri	riront	riraient		rient
40. savoir	je/j'	sais	savais	sus	ai su	saurai	saurais		sache
avoir su	tu	sais	savais	sus	as su	sauras	saurais	sache	saches
sachant	il/elle	sait	savait	sut	a su	saura	saurait		sache
su	nous	savons	savions	sûmes	avons su	saurons	saurions	sachons	sachions
ayant su	vous	savez	saviez	sûtes	avez su	saurez	sauriez	sachez	sachiez
	ils/elles	savent	savaient	surent	ont su	sauront	sauraient		sachent
41. sentir	je/j'	sens	sentais	sentis	ai senti	sentirai	sentirais		sente
avoir senti	tu	sens	sentais	sentis	as senti	sentiras	sentirais	sens	sentes
sentant	il/elle	sent	sentait	sentit	a senti	sentira	sentirait		sente
senti	nous	sentons	sentions	sentîmes	avons senti	sentirons	sentirions	sentons	sentions
ayant senti	vous	sentez	sentiez	sentîtes	avez senti	sentirez	sentiriez	sentez	sentiez
	ils/elles	sentent	sentaient	sentirent	ont senti	sentiront	sentiraient		sentent
42. servir	je/j'	sers	servais	servis	ai servi	servirai	servirais		serve
avoir servi	tu	sers	servais	servis	as servi	serviras	servirais	sers	serves
servant	il/elle	sert	servait	servit	a servi	servira	servirait		serve
servi	nous	servons	servions	servîmes	avons servi	servirons	servirions	servons	servions
ayant servi	vous	servez	serviez	servîtes	avez servi	servirez	serviriez	servez	serviez
	ils/elles	servent	servaient	servirent	ont servi	serviront	serviraient		servent

infinitifs et participes		indicatif					conditionnel	impératif	subjonctif
		présent	*imparfait*	*passé simple*	*passé composé*	*futur*	*présent*	*présent*	*présent*
43. suffire	je/j'	suffis	suffisais	suffis	ai suffi	suffirai	suffirais		suffise
avoir suffi	tu	suffis	suffisais	suffis	as suffi	suffiras	suffirais	suffis	suffises
suffisant	il/elle	suffit	suffisait	suffit	a suffi	suffira	suffirait		suffise
suffi	nous	suffisons	suffisions	suffîmes	avons suffi	suffirons	suffirions	suffisons	suffisions
ayant suffi	vous	suffisez	suffisiez	suffîtes	avez suffi	suffirez	suffiriez	suffisez	suffisiez
	ils/elles	suffisent	suffisaient	suffirent	ont suffi	suffiront	suffiraient		suffisent
44. suivre	je/j'	suis	suivais	suivis	ai suivi	suivrai	suivrais		suive
avoir suivi	tu	suis	suivais	suivis	as suivi	suivras	suivrais	suis	suives
suivant	il/elle	suit	suivait	suivit	a suivi	suivra	suivrait		suive
suivi	nous	suivons	suivions	suivîmes	avons suivi	suivrons	suivrions	suivons	suivions
ayant suivi	vous	suivez	suiviez	suivîtes	avez suivi	suivrez	suivriez	suivez	suiviez
	ils/elles	suivent	suivaient	suivirent	ont suivi	suivront	suivraient		suivent
45. tenir	je/j'	tiens	tenais	tins	ai tenu	tiendrai	tiendrais		tienne
avoir tenu	tu	tiens	tenais	tins	as tenu	tiendras	tiendrais	tiens	tiennes
tenant	il/elle	tient	tenait	tint	a tenu	tiendra	tiendrait		tienne
tenu	nous	tenons	tenions	tînmes	avons tenu	tiendrons	tiendrions	tenons	tenions
ayant tenu	vous	tenez	teniez	tîntes	avez tenu	tiendrez	tiendriez	tenez	teniez
	ils/elles	tiennent	tenaient	tinrent	ont tenu	tiendront	tiendraient		tiennent
46. vaincre	je/j'	vaincs	vainquais	vainquis	ai vaincu	vaincrai	vaincrais		vainque
avoir vaincu	tu	vaincs	vainquais	vainquis	as vaincu	vaincras	vaincrais	vaincs	vainques
vainquant	il/elle	vainc	vainquait	vainquit	a vaincu	vaincra	vaincrait		vainque
vaincu	nous	vainquons	vainquions	vainquîmes	avons vaincu	vaincrons	vaincrions	vainquons	vainquions
ayant vaincu	vous	vainquez	vainquiez	vainquîtes	avez vaincu	vaincrez	vaincriez	vainquez	vainquiez
	ils/elles	vainquent	vainquaient	vainqu[illegible]	ont vaincu	vaincront	vaincraient		vainquent
47. valoir	je/j'	vaux	valais	valus	ai valu	vaudrai	vaudrais		vaille
avoir valu	tu	vaux	valais	valus	as valu	vaudras	vaudrais	vaux	vailles
valant	il/elle	vaut	valait	valut	a valu	vaudra	vaudrait		vaille
valu	nous	valons	valions	valûmes	avons valu	vaudrons	vaudrions	valons	valions
ayant valu	vous	valez	valiez	valûtes	avez valu	vaudrez	vaudriez	valez	valiez
	ils/elles	valent	valaient	valurent	ont valu	vaudront	vaudraient		vaillent

infinitifs et participes		indicatif					conditionnel	impératif	subjonctif
		présent	*imparfait*	*passé simple*	*passé composé*	*futur*	*présent*	*présent*	*présent*
48. venir	je	viens	venais	vins	suis venu(e)	viendrai	viendrais		vienne
être venu(e)(s)	tu	viens	venais	vins	es venu(e)	viendras	viendrais	viens	viennes
venant	il/elle	vient	venait	vint	est venu/venue	viendra	viendrait		vienne
venu(e)(s)	nous	venons	venions	vînmes	sommes venu(e)s	viendrons	viendrions	venons	venions
étant venu(e)(s)	vous	venez	veniez	vîntes	êtes venu(e)(s)	viendrez	viendriez	venez	veniez
	ils/elles	viennent	venaient	vinrent	sont venus/venues	viendront	viendraient		viennent
49. vivre	je/j'	vis	vivais	vécus	ai vécu	vivrai	vivrais		vive
avoir vécu	tu	vis	vivais	vécus	as vécu	vivras	vivrais	vis	vives
vivant	il/elle	vit	vivait	vécut	a vécu	vivra	vivrait		vive
vécu	nous	vivons	vivions	vécûmes	avons vécu	vivrons	vivrions	vivons	vivions
ayant vécu	vous	vivez	viviez	vécûtes	avez vécu	vivrez	vivriez	vivez	viviez
	ils/elles	vivent	vivaient	vécurent	ont vécu	vivront	vivraient		vivent
50. voir	je/j'	vois	voyais	vis	ai vu	verrai	verrais		voie
avoir vu	tu	vois	voyais	vis	as vu	verras	verrais	vois	voies
voyant	il/elle	voit	voyait	vit	a vu	verra	verrait		voie
vu	nous	voyons	voyions	vîmes	avons vu	verrons	verrions	voyons	voyions
ayant vu	vous	voyez	voyiez	vîtes	avez vu	verrez	verriez	voyez	voyiez
	ils/elles	voient	voyaient	virent	ont vu	verront	verraient		voient
51. vouloir	je/j'	veux	voulais	voulus	ai voulu	voudrai	voudrais		veuille
avoir voulu	tu	veux	voulais	voulus	as voulu	voudras	voudrais	veuille	veuilles
voulant	il/elle	veut	voulait	voulut	a voulu	voudra	voudrait		veuille
voulu	nous	voulons	voulions	voulûmes	avons voulu	voudrons	voudrions	veuillons	voulions
ayant voulu	vous	voulez	vouliez	voulûtes	avez voulu	voudrez	voudriez	veuillez	vouliez
	ils/elles	veulent	voulaient	voulurent	ont voulu	voudront	voudraient		veuillent

Appendice B | Glossaire grammatical

accord phénomène syntaxique selon lequel un mot (pronom, article, adjectif, verbe, participe) prend les marques (genre, nombre, personne) du mot auquel il se rapporte

*elles **sont** parti**es***
(= accord du verbe et du participe passé avec le nom féminin pluriel *elles*)

*un**e** idée intéressant**e***
(= accord de l'article et de l'adjectif avec le nom féminin singulier *idée*)

adjectif démonstratif adjectif qui sert à attirer l'attention sur l'être (ou la chose) désigné par le nom qu'il détermine

***ce** mot*

adjectif exclamatif adjectif qui, avec le nom, exprime de manière spontanée une émotion, un sentiment

***Quelle** chance!*

adjectif indéfini adjectif qui sert à exprimer l'imprécision ou le vague

***plusieurs** échantillons*

adjectif interrogatif adjectif qui sert à poser une question sur le substantif auquel il se rapporte

***Quelle** heure est-il?*

adjectif possessif adjectif qui sert à marquer une relation d'appartenance

***ma** montre, **son** frère*

adjectif qualificatif mot qui qualifie ou décrit une personne ou une chose

*une voiture **rapide***
*Ce livre est **intéressant**.*

adverbe mot ou locution invariable qui ajoute une détermination à un verbe, un adjectif, un autre adverbe ou une phrase entière

*Elle travaille **beaucoup**.*
*Elle est **très** intelligente.*
*Elle va **vraiment** mieux.*

antécédent élément de phrase, en général un nom ou un pronom, qui est représenté par un pronom

*J'aime **le jeans** que tu as acheté.*
(*le jeans* = antécédent du pronom relatif *que*)

apposition fonction grammaticale d'un mot ou d'un groupe de mots qui sert à désigner le nom ou pronom à côté duquel il est placé

*Ottawa, **capitale du Canada**, se trouve dans la province de l'Ontario.*

article défini nom donné aux déterminants *le, la, l', les*

***le** courage, **la** liberté, **l'**égalité, **les** enfants*

article indéfini nom donné aux déterminants *un, une, des*

***un** garçon, **une** qualité, **des** oranges*

article partitif — nom donné aux déterminants *du, de la, de l'* lorsqu'ils expriment l'idée d'une partie d'un tout
du *potage,* ***de la*** *soupe,* ***de l'****eau*

attribut — fonction grammaticale d'un adjectif ou d'un substantif : 1) qui modifie un nom ou un pronom et 2) qui est relié à ce nom ou ce pronom par un verbe

Jacques est ***canadien****.*
(*canadien* est attribut de *Jacques*)

Nous l'avons élu ***président****.*
(*président* est attribut de *l'*)

auxiliaire — verbe *avoir* ou *être* utilisé comme premier élément dans la conjugaison des temps composés
*J'****ai*** *compris.* (auxiliaire *avoir*)
Elle ***est*** *partie.* (auxiliaire *être*)

cardinal — le déterminant cardinal indique la quantité de façon précise
Ça fait ***deux*** *dollars.*

COD — complément d'objet direct

COI — complément d'objet indirect

comparaison — moyens d'expression qui permettent de comparer
Elle est ***plus patiente que*** *moi.*

comparatif — formule grammaticale qui permet d'établir un rapport de supériorité, d'infériorité ou d'égalité entre deux éléments
Il est ***moins patient qu'****elle.*
Soyez ***plus attentifs****.*

complément circonstanciel — fonction grammaticale désignant les compléments prépositionnels ou autres compléments qui ajoutent un élément circonstanciel (but, cause, conséquence, lieu, temps, etc.) au sens du verbe

Elle est allée ***au cinema****.*
(*au cinéma* = complément circonstanciel de lieu)

Ils viendront ***vers deux heures****.*
(*vers deux heures* = complément circonstanciel de temps)

complément d'agent — le complément d'agent indique la personne ou la chose qui accomplit l'action dans une phrase passive
Ce cambrioleur a été arrêté ***par la police****.*
Il a été renversé ***par une voiture****.*

complément déterminatif — complément qui détermine ou précise le sens d'un mot
un manteau ***d'hiver***
une montre ***en or***

complément d'objet direct (COD) — fonction grammaticale désignant l'objet d'un verbe sans l'intermédiaire d'une préposition
Il cherche ***ses clés****.* (*ses clés* = COD)

complément d'objet indirect (COI) fonction grammaticale désignant l'objet d'un verbe par l'intermédiaire d'une préposition (*à* ou *de*)

*Il parle **à sa sœur**.* (*à sa sœur* = COI)

*Elle s'occupe **de ses affaires**.* (*de ses affaires* = COI)

conditionnel mode qui permet d'exprimer une action éventuelle ou possible mais non réalisée

*On **aurait** intérêt à le faire.*

conjonction mot invariable qui sert à joindre deux mots, deux groupes de mots ou deux propositions

*Deux **et** deux font quatre.*

*Il m'a dit **qu**'il partait.*

conjugaison ensemble des formes d'un verbe

conjuguer mettre un verbe à ses différentes formes

contraction réduction par soudure de deux éléments grammaticaux

préposition *de* + article *le* = ***du***

déterminant élément de la langue qui, placé devant un nom, lui sert souvent de marque de genre et de nombre, tout en apportant une précision supplémentaire (articles définis, indéfinis, partitifs; adjectifs possessifs, démonstratifs, numéraux, etc.)

***un** nom* (*un* = déterminant)

déterminatif qui détermine, précise le sens d'un mot; on utilise aussi dans ce sens les mots *déterminer* et *détermination*

discours direct style employé pour citer les paroles de quelqu'un

*Elle a dit : **«Je m'en vais.»***

discours indirect style employé pour rapporter les paroles de quelqu'un sous forme de proposition subordonnée rattachée à un verbe de communication

*Elle a dit **qu'elle s'en allait**.*

futur antérieur temps composé du mode indicatif qui permet d'exprimer une action que l'on prévoit complétée à un moment déterminé du futur

*À cette date-là, ce **sera fini**.*

futur proche construction qui comprend le verbe *aller* suivi d'un infinitif et qui exprime une action future assez proche du présent

*Où est-ce qu'on **va manger**?*

futur simple temps simple du mode indicatif qui permet d'exprimer une action à venir

*Nous lui **écrirons**.*

genre caractéristique grammaticale qui catégorise un terme comme étant masculin (masc.) ou féminin (fém.)

un exercice (masc.)

la grammaire (fém.)

gérondif composé du participe présent précédé de *en*, le gérondif indique la simultanéité, le temps ou la condition; le sujet du gérondif est le même que celui du verbe conjugué

Il lit le journal ***en mangeant****.*

imparfait temps verbal qui a pour fonction la description dans le passé

Il ***était*** *plus mince quand il* ***avait*** *vingt ans.*

impératif mode verbal qui exprime le commandement ou la défense

Laisse-moi *tranquille!*

Ne fumez pas!

indicatif mode verbal utilisé pour exprimer la réalité

infinitif forme du verbe qu'on trouve dans le dictionnaire et qui permet de nommer le verbe tout en exprimant l'idée de l'action ou de l'état d'une façon abstraite et impersonnelle

*étudi**er**, fin**ir**, prend**re**, etc.*

interjection mot invariable qui est employé pour traduire une attitude affective ou pour évoquer un bruit

Aïe*! Ça fait mal!*

invariable caractéristique d'un mot qui n'a qu'une forme ou qui ne subit pas d'accord

une bande dessinée ***vraiment super***

locution prépositive préposition formée de deux ou plusieurs mots

On s'est assis ***au bord de*** *l'eau.*

mise en relief procédé qui permet de mettre l'accent sur un élément de phrase

Moi*, je ne suis pas d'accord.*

(*moi* met en relief le pronom *je*)

mode caractéristique d'une forme verbale qui permet d'exprimer l'attitude du sujet vis-à-vis des événements ou des états exprimés par le verbe

mode indicatif (la réalité) → ***J'écoute****.*

mode impératif (les ordres) → ***Écoute!***

mot explétif mot qui sert à remplir la phrase sans être nécessaire au sens

Il craint que vous ***ne*** *soyez trop jeune.*

négation moyens d'expression qui servent à nier

Il ***ne*** *me parle* ***plus****.*

nombre caractéristique grammaticale qui catégorise un terme comme étant singulier (sing.) ou pluriel (plur.)

un verbe (sing.), ***les mots*** (plur.)

ordinal le déterminant ordinal indique un rang, un classement

le ***troisième*** *étage*

participe passé (p.p.) forme du verbe utilisée comme deuxième élément dans la conjugaison des temps composés

J'ai ***compris****.* (p.p. de *comprendre*)

Elle est ***partie****.* (p.p. de *partir*)

participe présent — forme modale du verbe qui exprime l'action ou l'état dans sa progression
Étant *en déséquilibre, il est tombé dans l'escalier.*

participe présent composé — forme modale du verbe qui exprime une action complétée avant celle du verbe principal
Ayant fini *son travail, il est parti.*

phrase hypothétique — phrase dans laquelle on énonce une possibilité ou une éventualité (proposition principale) qui dépend d'une condition (proposition subordonnée); l'ordre des propositions peut être inversé
Je l'aurais acheté si j'avais eu assez d'argent.
Si j'avais eu assez d'argent, je l'aurais acheté.

plus-que-parfait — temps verbal qui exprime une action antérieure à une autre action dans le passé
Elle ***était partie*** *quand nous sommes arrivés.*

préfixe — élément de formation des dérivés; placé avant le radical
re- et ***dé-*** sont des préfixes; ***re****faire,* ***dé****faire*

présent — temps verbal qui exprime d'habitude une action ou un état de l'époque contemporaine
Elle ***parle****.* (= elle parle en ce moment)

pronom — mot qui peut remplacer : 1) un nom; 2) un autre pronom; 3) un adjectif; 4) un élément de phrase ou toute une phrase; ou 5) une ou plusieurs proposition(s)
Jacqueline? Je ***l'****ai vue hier.*
(*l'* remplace le nom *Jacqueline*)

pronom démonstratif — pronom qui désigne un être, un objet ou une idée
Cela *n'est pas vrai.*

pronom indéfini — pronom qui sert à exprimer l'imprécision ou le vague
D'autres *sont venus.*

pronom interrogatif — pronom qui permet de questionner
Que *dites-vous?*

pronom personnel — pronom dont les formes correspondent à chaque personne du verbe
Tu *ne* ***t'****en souviens pas?*
(*tu* et *t'* = 2^{e} personne du singulier)

pronom personnel conjoint — pronom : 1) qui a une place fixe près du verbe; 2) qui n'est pas relié au verbe à l'aide d'un autre mot; et 3) qui est sujet, complément d'objet direct ou complément d'objet indirect
Je le *vois.*

pronom personnel disjoint — pronom qui est d'habitude éloigné du verbe (après une préposition ou en début ou fin de phrase pour la mise en relief) et qui est complément d'objet indirect, complément circonstanciel, attribut ou mot mis en apposition
Elle s'est assise près de ***moi****.*

pronom possessif — pronom qui sert à exprimer une relation d'appartenance
votre fils et ***le mien***

pronom relatif — pronom qui permet d'établir une relation entre un nom (ou un pronom) et une proposition subordonnée qui apporte un supplément d'information
Ce n'est pas moi ***qui*** *ai fait cela.*

proposition principale — proposition qui peut être accompagnée d'une ou de plusieurs propositions subordonnées sans être elle-même subordonnée à une autre phrase
Il croit *que c'est vrai.*

proposition relative — proposition subordonnée, introduite par un pronom relatif, qui permet de déterminer ou de qualifier l'antécédent et de compléter la proposition principale
As-tu compris la question ***que le professeur a posée?***

proposition subordonnée — proposition qui dépend d'une autre proposition (proposition principale) et qui en complète le sens
Il croit ***que c'est vrai.***

radical/ radicaux — partie(s) invariable(s) d'un verbe que l'on isole en enlevant les terminaisons qui constituent sa conjugaison

Le verbe *parler* a un radical : ***parl***

Le verbe *aller* a quatre radicaux :
all (***all****ons,* ***all****ez*)
aill (***aill****e*)
v (***v****as,* ***v****ont*)
ir (***ir****a,* ***ir****iez*)

subjonctif — mode qui permet d'exprimer la subjectivité (le doute, l'incertitude, la volonté, la surprise), la possibilité, la nécessité, etc.
Je doute qu'il le ***fasse****.*

substantif — mot ou groupe de mots ayant la valeur grammaticale d'un nom; synonyme de **nom**
un ***chef-d'œuvre*** (substantif)

suffixe — élément de formation des dérivés; placé après le radical
-isme et ***-ade*** sont des suffixes de noms dans *journal****isme*** et *promen****ade***

superlatif — formule grammaticale qui permet d'établir la supériorité absolue ou l'infériorité absolue d'un élément
Jacqueline est ***la meilleure*** *étudiante de la classe.*

temps — caractéristique d'une forme verbale qui permet de situer l'action du verbe dans le temps
J'écoute*.* (présent)
J'ai fini*.* (passé composé)

temps composé — temps formé de deux ou plusieurs formes verbales
Nous ***avons travaillé.*** (voix active)
Elle ***a été photographiée****.* (voix passive)

terminaison — particule suffixe que l'on ajoute au radical du verbe et qui varie selon la personne, le nombre ou le temps
*je parl****e***   *vous all****ez***

verbe impersonnel verbe dont le sujet n'est ni réel ni déterminé et qui ne s'utilise qu'à la troisième personne du singulier

__Il faut__ que vous lui parliez.

verbe intransitif verbe qui ne peut pas admettre de complément d'objet mais qui peut être suivi d'un complément circonstanciel

aller, mourir, etc.

verbe irrégulier verbe qui présente des différences ou des irrégularités par rapport à la conjugaison du groupe auquel il appartient

verbe pronominal verbe précédé d'un pronom personnel (pronom réfléchi) de la même personne que le sujet

Il __s'est levé__ tôt ce matin.

verbe régulier verbe qui suit les règles de conjugaison du groupe auquel il appartient

verbe transitif verbe qui peut admettre un complément d'objet

aimer → **transitif direct**

Il aime Sylvie. (*Sylvie* = COD)

parler → **transitif indirect**

Il parle à Sylvie. (*à Sylvie* = COI)

offrir → **transitif direct et indirect**

Il offre des fleurs à Sylvie.

(*des fleurs* = COD; *à Sylvie* = COI)

voix active forme verbale qui présente le sujet comme effectuant l'action exprimée par le verbe

Le chat __a mangé__ la souris.

(le sujet fait l'action du verbe)

voix passive forme verbale qui présente le sujet comme subissant l'action exprimée par le verbe

La souris __a été mangée__ par le chat.

(le sujet subit l'action du verbe)

APPENDICE C | Les verbes suivis d'un infinitif

sans préposition

adorer
affirmer
aimer
aller
avoir beau
avouer
compter
courir
croire
daigner
déclarer
descendre
désirer
détester
devoir
écouter
emmener
entendre
envoyer
espérer
faillir
faire
falloir
laisser
monter
nier
oser
paraître
partir
penser
pouvoir
préférer
prétendre
se rappeler
regarder
rentrer
retourner
revenir
savoir
sembler
sortir
souhaiter
venir
voir
vouloir

*préposition **à***

s'abaisser à
s'accoutumer à
s'acharner à
aider à
amener à
s'amuser à
s'appliquer à
apprendre à
arriver à
s'attendre à
autoriser à
avoir à
chercher à
commencer à
condamner à
conduire à
consentir à
consister à
continuer à
décider (qn) à
se décider à
employer à
encourager à
s'engager à
enseigner à
s'essayer à
être décidé à
s'exercer à
forcer (qn) à
se forcer à
s'habituer à
hésiter à
inciter à
s'intéresser à
inviter à
jouer à
se mettre à
obliger (qn) à
parvenir à
penser à
persister à
se plaire à
pousser à
se préparer à
renoncer à
se résoudre à
rester à
réussir à
servir à
songer à
surprendre (qn) à
tarder à
tenir à
travailler à
en venir à

*préposition **de***

s'abstenir de
accepter de
accuser de
achever de
s'agir de
s'arrêter de
attendre de
blâmer de
cesser de
choisir de
commander de
commencer de
conseiller de
continuer de
convaincre de
craindre de
décider de
défendre de
demander de
se dépêcher de
désespérer de
dire de
écrire de
s'efforcer de
empêcher de
s'empresser de
essayer de
s'étonner de
être obligé de
éviter de
(s')excuser de
faire exprès de
faire semblant de
se fatiguer de
(se) féliciter de
finir de
se garder de
se hâter de
interdire de
jurer de
se lasser de
manquer de
menacer de
mériter de
mourir de
négliger de
obliger de
s'occuper de
offrir de
oublier de
pardonner de
permettre de
persuader de
se plaindre de
prendre soin de
se presser de
prier de
promettre de
proposer de
punir de
rappeler de
refuser de
regretter de
se réjouir de
remercier de
reprocher de
résoudre de
rêver de
rire de
risquer de
souffrir de
soupçonner de
se souvenir de
suggérer de
tâcher de
tenter de
se vanter de

APPENDICE D | Les adjectifs suivis d'un infinitif

préposition ***de***

aimable de
capable de
certain de
content de
désolé de
enchanté de
fatigué de
forcé de
fou de
gentil de
heureux de
incapable de
incertain de
libre de
malheureux de
méchant de
mécontent de
obligé de
raisonnable de
ravi de
sensé de
triste de

préposition ***à***

habitué à
léger à
lent à
lourd à
prêt à
rapide à
le dernier à
le deuxième à
le premier à
le seul à
le troisième à*

***De même avec tous les nombres ordinaux.**

Appendice E | Les verbes suivis de compléments

Abréviations

qn = quelqu'un (complément d'objet direct)
à qn = à quelqu'un (complément d'objet indirect)
de qn = de quelqu'un (complément d'objet indirect)
qch = quelque chose (complément d'objet direct)
à qch = à quelque chose (complément d'objet indirect)
de qch = de quelque chose (complément d'objet indirect)

abîmer qch
s'accoutumer à qch
accuser qn
aider qn
aimer qn ou qch
s'amuser à qch
apercevoir qn ou qch
appartenir à qn
s'appliquer à qch
apprendre qch; apprendre qch à qn
arrêter qn ou qch
attendre qn ou qch
s'attendre à qch
autoriser qch
avertir qn
avoir qch
avoir besoin de qn ou qch
avoir envie de qch
avouer qch
blâmer qn
cesser qch
chercher qn ou qch
choisir qn ou qch
commander qn ou qch
commencer qch
compter qch
condamner qn ou qch; condamner qn à qch
conseiller qn; conseiller qch à qn
consentir à qch
continuer qch
convaincre qn
craindre qn ou qch
crier qch
croire qn ou qch; croir à qch; croire en qn
décider qch
déclarer qch
défendre qn ou qch
demander qch; demander qch à qn
désirer qn ou qch
détester qn ou qch
dire qch; dire qch à qn
écouter qn ou qch
écrire qch; écrire à qn
emmener qn
empêcher qch
employer qn ou qch
encourager qn
engager qn
enseigner qch à qn
entendre qn ou qch
envoyer qn ou qch; envoyer qch à qn
espérer qch
essayer qch
être à qn
éviter qn ou qch
excuser qn ou qch
faire qch
féliciter qn
finir qch
forcer qn ou qch
garder qn ou qch
s'habituer à qn ou à qch
interdire qch à qn
intéresser qn à qch
s'intéresser à qch
inviter qn
jouer qch (un disque, un rôle, une carte, etc.)
jouer à qch (un jeu, un sport)
jouer de qch (un instrument de musique)
jurer qch
laisser qch
manquer qn ou qch; manquer à qn
menacer qn
mériter qch
mettre qch
se mettre à qch
négliger qn ou qch
nier qch

s'occuper de qn ou de qch
offrir qch à qn
oser qch
oublier qn ou qch
pardonner qch à qn; pardonner qn
parvenir à qch
penser à qn ou à qch; penser de qn ou de qch
permettre qch à qn
persuader qn
se plaindre de qch à qn
pousser qch ou qn
pouvoir qch
préférer qn ou qch
préparer qch
se préparer à qch
prétendre qch; prétendre à qch
promettre qch à qn
proposer qch à qn
punir qn
se rappeler qch
reconnaître qn ou qch
refuser qn ou qch
regarder qn ou qch
regretter qn ou qch
remarquer qn ou qch
remercier qn
renoncer à qch
reprocher qch à qn
respecter qn ou qch
résoudre qch
se résoudre à qch
réussir qch
rêver qch; rêver à/de qn ou qch
rire de qn ou de qch
risquer qch
savoir qch
sentir qch
servir qn ou qch; servir qch à qn; servir à qn de qch
songer à qn ou à qch
souhaiter qch
suggérer qch à qn
surprendre qn ou qch
téléphoner à qn
tenir qn ou qch; tenir à qn ou à qch
tenter qn ou qch
travailler à qch
voir qn ou qch
vouloir qch

Appendice F | Les verbes suivis du subjonctif

Verbes de volonté

accepter que
aimer que
approuver que
avouer que
comprendre que
consentir à ce que
convenir que
ne pas espérer que
être d'accord que
il est désirable que
désirer que
détester que
mériter que
permettre que
il est préférable que
il est souhaitable que
souhaiter que
ne pas supporter que
tenir à ce que
ne pas tolérer que
il vaut mieux que
vouloir que

Verbes de nécessité

il est à propos que
il est avantageux que
avoir besoin que
avoir hâte que
commander que
il convient que
défendre que
demander que
il est de règle que
empêcher que
il est essentiel que
exiger que
il faut que
il est indispensable que
il est important que
il importe que
peu importe que
il est nécessaire que
nécessiter que
il est profitable que
il est obligatoire que
ordonner que
requérir que
il est temps que
il est urgent que
il est utile que

Verbes de doute

ne pas être certain que
il est contestable que
ne pas être convaincu que
il est discutable que
douter que
il est douteux que
il est improbable que
il est incertain que
il est inconcevable que
il est invraisemblable que
nier que
rien ne prouve que
il n'est pas prouvé que
ne pas être sûr que

Verbes de sentiment

sentiment positif

être content que
être enchanté que
être heureux que
être ravi que
être satisfait que
il est faux que
il est épatant que
il est extraordinaire que
il est louable que
il est merveilleux que
il est mieux que
il est plaisant que
il est remarquable que
il est sensationnel que
se réjouir que

sentiment négatif, regret, incrédulité

avoir peur que
craindre que
déplorer que
être désolé que
être fâché que
être triste que
regretter que
c'est dommage que
il est affreux que
il est dommage que
il est effrayant que
il est épouvantable que
il est horrible que
il est malheureux que
il est monstrueux que
il est regrettable que
il est triste que
il est absurde que
il est bizarre que
il est choquant que
il est curieux que
il est étrange que
il est incroyable que
il est inouï que
il est insensé que
il est paradoxal que
il est ridicule que

réaction à ce qui est inexcusable

il est honteux que
il est impardonnable que
il est inexcusable que
il est scandaleux que

réaction à ce qui est surprenant

s'étonner que
être surpris que
il est étonnant que
il est surprenant que
cela m'étonne que

réaction à ce qui est drôle

il est amusant que
il est comique que
il est drôle que

réaction à ce qui est raisonnable

il est acceptable que
il est juste que
il est légitime que
il est naturel que
il est normal que
il est raisonnable que

réaction à ce qui est embêtant

il est agaçant que
il est embêtant que
il est ennuyant que
il est vexant que

Appendice G | Le genre des noms selon le suffixe

Noms masculins

1. terminaison *age*
   le chauffage, le jardinage, un langage, un voyage, etc.
   exception : *une image*
2. terminaison *al*
   un festival, un journal, un tribunal, etc.
3. terminaison *ant*
   un amant, un habitant, le néant, etc.
4. terminaison *ard*
   un montagnard, un poignard, un vieillard, etc.
5. terminaison *asme*
   l'enthousiasme, le sarcasme, etc.
6. terminaison *é*
   le passé, un traité, un carré, etc.
7. terminaison *eau*
   un berceau, un cadeau, un plateau, etc.
   exception : *une eau*
8. terminaison *ent*
   un appartement, un concurrent, un incident, etc.
9. terminaison *et*
   un bouquet, un jouet, etc.
10. terminaisons *euil, ueil*
    un fauteuil, le seuil, un cercueil, un recueil, etc.
11. terminaison *eur*
    professions : *un danseur, un professeur,* etc.
12. terminaison *ier*
    professions : *un banquier, un hôtelier,* etc.
    arbres fruitiers : *un cerisier, un palmier,* etc.
    récipients : *un cendrier, un clavier,* etc.
13. terminaison *oir*
    un miroir, un rasoir, un trottoir, etc.
14. terminaison *isme*
    le dynamisme, le romantisme, etc.

Noms féminins

1. terminaison *ade*
   une promenade, une embuscade
2. terminaison *aine*
   la laine, une migraine, etc.
   exceptions : *un capitaine, un domaine,* etc.
3. terminaison *ance*
   une alliance, la méfiance, la persévérance, etc.
4. terminaison *ante*
   une composante, une débutante, etc.
5. terminaison *ion* et *tion*
   une adoption, une décision, une option, etc.
   exceptions : *un avion, un champion,* etc.
6. terminaison *ée*
   une allée, la durée, une fée, une journée, etc.
   exceptions : *un musée, un lycée, etc.*
7. terminaison *ence*
   la déficience, l'excellence, la préférence, etc.
8. terminaison *eur*
   une couleur, une faveur, la fureur, une rumeur, etc.
9. terminaison *ie*
   une boulangerie, la chimie, la folie, la jalousie, etc.
10. terminaison *ière*
    professions : *une conseillère, une épicière,* etc.
    autres mots : *une frontière, une prière,* etc.
    exception : *un cimetière*
11. terminaison *ise*
    la bêtise, la franchise, etc.
12. terminaison *oire*
    une bouilloire, une histoire, une patinoire, etc.
    exception : *un interrogatoire*
13. terminaison *son*
    une boisson, une chanson, la guérison, etc.
14. terminaison *té*
    la clarté, la publicité, etc.
    exceptions : *un côté, l'été,* etc.
15. terminaison *tié*
    l'amitié, la moitié, etc.
16. terminaison *ture*
    une aventure, l'écriture, la fermeture, etc.
17. terminaison *ude*
    une habitude, l'ingratitude, la désuétude, etc.
18. terminaison *ue*
    une massue, une rue, une vue, etc.

APPENDICE H | Les mots avec un *h* aspiré

la hache
la haie
la haine
haïr
le hall
le hamac
le hameau
la hanche
le handicap
le hangar
hanter
harasser
harceler
hardi
le harem
le hareng
le haricot
le hasard
la hâte
le haut
le hautbois
la hauteur
la hausse
le havre
hérisser
la hernie
le héron
le héros
la herse
le hêtre
heurter
le hibou
hideux
la hiérarchie
hocher
le hockey
la Hollande
le homard
la Hongrie
la honte
honteux
le hors-d'œuvre
la housse
le hublot
huer
le huguenot
le huitième
les Huns
le hurlement
hurler
le hussard
la hutte

Appendice 1 | Les nombres

Les numéraux cardinaux

0	zéro	21	vingt et un(e)	90	quatre-vingt-dix
1	un, une	22	vingt-deux	91	quatre-vingt-onze
2	deux	30	trente	92	quatre-vingt-douze
3	trois	31	trente et un(e)	100	cent
4	quatre	32	trente-deux	101	cent un(e)
5	cinq	40	quarante	102	cent deux
6	six	41	quarante et un(e)	200	deux cents
7	sept	42	quarante-deux	201	deux cent un(e)
8	huit	50	cinquante	202	deux cent deux
9	neuf	51	cinquante et un(e)	1 000	mille
10	dix	52	cinquante-deux	1 001	mille un(e)
11	onze	60	soixante	1 100	mille cent (onze cents)
12	douze	61	soixante et un(e)	2 000	deux mille
13	treize	62	soixante-deux	2 100	deux mille cent
14	quatorze	70	soixante-dix	10 000	dix mille
15	quinze	71	soixante et onze	100 000	cent mille
16	seize	72	soixante-douze	1 000 000	un million
17	dix-sept	80	quatre-vingts	2 000 000	deux millions
18	dix-huit	81	quatre-vingt-un(e)	1 000 000 000	un milliard
19	dix-neuf	82	quatre-vingt-deux	2 000 000 000	deux milliards
20	vingt				

Les numéraux ordinaux

1er/1re	premier/première	11e	onzième	21e	vingt et unième
2e	deuxième, second/seconde	12e	douzième	22e	vingt-deuxième
3e	troisième	13e	treizième	80e	quatre-vingtième
4e	quatrième	14e	quatorzième	81e	quatre-vingt-unième
5e	cinquième	15e	quinzième	82e	quatre-vingt-deuxième
6e	sixième	16e	seizième	100e	centième
7e	septième	17e	dix-septième	101e	cent-unième
8e	huitième	18e	dix-huitième	102e	cent-deuxième
9e	neuvième	19e	dix-neuvième	1 000e	millième
10e	dixième	20e	vingtième	1 000 000e	millionième

Les fractions

$\frac{1}{2}$	un demi	$1\frac{1}{2}$	un et demi
$\frac{1}{3}$	un tiers	$\frac{2}{3}$	deux tiers
$\frac{1}{4}$	un quart	$\frac{3}{4}$	trois quarts
$\frac{1}{5}$	un cinquième	$\frac{2}{5}$	deux cinquièmes
$\frac{1}{10}$	un dixième	$\frac{2}{10}$	deux dixièmes

Appendice J | Les adverbes

fonction	*adverbes*
affirmation	*aussi, certes, oui, si*
degré et quantité	*autant, assez, beaucoup, davantage, encore, moins, peu, plus, très, trop*
doute	*peut-être, sans doute*
interrogation	*comment, n'est-ce pas, où, pourquoi, quand*
lieu	*ailleurs, dedans, dehors, derrière, dessous, dessus, devant, ici, là, là-bas, là-dedans, là-dehors, là-haut, loin, partout, près*
manière	*bien, comme, debout, ensemble, mal, mieux, pêle-mêle, pis, vite, volontiers*
négation	*ne . . . guère, ne . . . jamais, ne . . . pas, ne . . . pas encore, ne . . . plus, ne . . . point, non*
temps	*alors, après, à présent, aujourd'hui, auparavant, autrefois, avant-hier, bientôt, d'abord, déjà, demain, désormais, dorénavant, encore, ensuite, hier, jadis, jamais, longtemps, maintenant, naguère, parfois, puis, quelquefois, soudain, souvent, sous peu, tantôt, tard, tôt, toujours, tout à l'heure, tout de suite*

APPENDICE K | Les temps littéraires

1. ***Le passé simple*** (voir chapitre 2)

2. ***Le passé antérieur***

a) formation :

On utilise la forme du passé simple de l'auxiliaire *être* ou *avoir* et le participe passé du verbe.

elle ***eut préféré***

ils ***furent sortis***

b) emploi :

On emploie le passé antérieur dans un texte littéraire pour exprimer une action qui a eu lieu immédiatement avant l'action du verbe au passé simple. On l'utilise surtout dans les propositions subordonnées après les conjonctions de temps *quand, lorsque, aussitôt que, dès que* et *après que.*

On l'utilise également après la conjonction *à peine . . . que* qui demande l'inversion du sujet.

Quand ils ***eurent fini*** *de manger, ils s'installèrent sur la terrasse.*

(= Ils avaient fini de manger quand ils s'installèrent sur la terrasse.)

À peine ***fut-il endormi*** *qu'il commença à ronfler.*

(= inversion du sujet)

3. ***L'imparfait*** **et** ***le plus-que-parfait du subjonctif***

a) formation de l'imparfait du subjonctif :

On commence avec la forme du passé simple employée avec *tu.* On double la consonne finale de cette forme, puis on ajoute les terminaisons du présent du subjonctif des formes employées avec *je, tu, nous, vous* et *ils/elles.* La troisième personne du singulier (sujet *il/elle*) remplace le *s* par un *t* et prend un accent circonflexe sur la voyelle de la terminaison. Cette formation s'applique à tous les verbes, réguliers et irréguliers.

infinitif : *chanter*
passé simple : *tu chantas*
imparfait du subjonctif : *que je chantasse*

que je chantasse	(chantas + s + e)
que tu chantasses	(chantas + s + es)
qu'il/elle chantât	(chanta + ^ + t)
que nous chantassions	(chantas + s + ions)
que vous chantassiez	(chantas + s + iez)
qu'ils/elles chantassent	(chantas + s + ent)

infinitif : *finir*
passé simple : *tu finis*
imparfait du subjonctif : *que je finisse*

que je finisse	(finis + s + e)
que tu finisses	(finis + s + es)
qu'il/elle finît	(fini + ^ + t)
que nous finissions	(finis + s + ions)
que vous finissiez	(finis + s + iez)
qu'ils/elles finissent	(finis + s + ent)

infinitif : *faire*
passé simple : *tu fis*
imparfait du subjonctif : *que je fisse*

que je fisse	(fis + s + e)
que tu fisses	(fis + s + es)
qu'il/elle fît	(fi + ^ + t)
que nous fissions	(fis + s + ions)
que vous fissiez	(fis + s + iez)
qu'ils/elles fissent	(fis + s + ent)

infinitif : *pouvoir*
passé simple : *tu pus*
imparfait du subjonctif : *que je pusse*

que je pusse	(pus + s + e)
que tu pusses	(pus + s + es)
qu'il/elle pût	(pu + ^ + t)
que nous pussions	(pus + s + ions)
que vous pussiez	(pus + s + iez)
qu'ils/elles pussent	(pus + s + ent)

b) formation du plus-que-parfait du subjonctif :
On utilise la forme de l'imparfait du subjonctif de l'auxiliaire *avoir* ou *être* et le participe passé du verbe.
qu'elles ***eussent pris***
qu'il se ***fût trompé***

c) emploi de l'imparfait et du plus-que-parfait du subjonctif :
Ces temps sont utilisés dans des contextes littéraires, et leur usage devient de plus en plus rare. Dans la langue parlée et les écrits de style moins soutenu, on emploie le présent du subjonctif à la place de l'imparfait du subjonctif, et on substitue le passé du subjonctif au plus-que-parfait du subjonctif.
contexte littéraire : *Elle voulait qu'il* ***vînt***.
langue courante : *Elle voulait qu'il* ***vienne***.

4. ***La concordance des temps au subjonctif***

temps de la proposition principale	action de la subordonnée	temps du subjonctif de la subordonnée
présent, futur ou passé composé de l'indicatif *Il* ***faudra*** *que tu le fasses.*	simultanée ou postérieure	présent *Il faudra que tu le* ***fasses***.
présent, futur ou passé composé de l'indicatif *Elle ne* ***croit*** *pas qu'il se soit trompé.*	antérieure	passé *Elle ne croit pas qu'il se* ***soit trompé***
imparfait de l'indicatif ou conditionnel présent ou passé (langue courante) *Je ne* ***voulais*** *pas que vous partiez.*	simultanée ou postérieure	présent *Je ne voulais pas que vous* ***partiez***.
imparfait de l'indicatif ou conditionnel présent ou passé (contexte littéraire) *Il* ***aurait préféré*** *qu'elle vînt seule.*	simultanée ou postérieure	imparfait *Il aurait préféré qu'elle* ***vînt*** *seule.*
imparfait de l'indicatif ou conditionnel présent ou passé (langue courante) *Il* ***était*** *possible qu'il n'ait pu y aller.*	antérieure	passé *Il était possible qu'il n'****ait pu*** *y aller.*
imparfait de l'indicatif ou conditionnel présent ou passé (contexte littéraire) *Elle* ***aurait souhaité*** *qu'il y eût pensé.*	antérieure	plus-que-parfait *Elle aurait souhaité qu'il y* ***eut pensé***.
passé simple (contexte littéraire) *Elle* ***s'étonna*** *qu'il voulût l'accompagner.*	simultanée ou postérieure	imparfait *Elle s'étonna qu'il* ***voulût*** *l'accompagner.*
passé simple (contexte littéraire) *Ils* ***furent*** *surpris qu'elles eussent réussi.*	antérieure	plus-que-parfait *Ils furent surpris qu'elles* ***eussent réussi***.

Appendice L | Les phonèmes du français

voyelles

/ i /	chimie	/ʃimi /
	cygne	/ siɲ /
	île	/ il /
/ e /	été	/ ete /
	nez	/ ne /
	jouer	/ ʒwe /
/ ɛ /	modèle	/ mɔdɛl /
	Noël	/ nɔɛl /
	complet	/ kɔ̃plɛ /
	tête	/ tɛt /
	lait	/ lɛ /
	pleine	/ plɛn /
/ a /	mal	/ mal /
	femme	/ fam /
/ ɑ /	mâle	/ mɑl /
	bas	/ bɑ /
/ ɔ /	alors	/ alɔr /
	donner	/ dɔne /
/ o /	tôt	/ to /
	mot	/ mo /
	eau	/ o /
	gauche	/ goʃ /
/ u /	tout	/ tu /
/ y /	étude	/ etyd /
	dû	/ dy /
/ ø /	peu	/ pø /
/ œ /	peur	/ pœr /
	sœur	/ sœr /
/ ə /	petit	/ pəti /

consonnes

/ p /	pain	/ pɛ̃ /
/ t /	net	/ nɛt /
	thé	/ te /
	toute	/ tut /
/ k /	corps	/ kɔr /
	kilo	/ kilo /
	qui	/ ki /
	accord	/ akɔr /
	cinq	/ sɛ̃k /
/ b /	beau	/ bo /
/ d /	doux	/ du /
/ g /	figue	/ fig /
	aggrégat	/ agrega /
/ s /	samedi	/ samdi /
	scène	/ sɛn /
	celui	/ səlɥi /
	ça	/ sa /
	garçon	/ garsɔ̃ /
	nation	/ nasjɔ̃ /
/ f /	faire	/ fɛr /
	physique	/ fizik /
/ ʃ /	poche	/ pɔʃ /
/ v /	ville	/ vil /
	wagon	/ vagɔ̃ /
/ z /	rose	/ roz /
	zéro	/ zero /
	maison	/ mɛzɔ̃ /
/ ʒ /	jeune	/ ʒœn /
	gifler	/ ʒifle /
	léger	/ leʒe /
/gz /	exemple	/ ɛgzɑ̃pl /
/ ks /	extra	/ ɛkstra /
/ l /	nouvel	/ nuvɛl /
/ r /	rue	/ ry /
/ m /	mère	/ mɛr /
/ n /	nouveau	/ nuvo /
	automne	/ otɔn /
/ ɲ /	montagne	/ mɔ̃taɲ /
/ ŋ /	camping	/ kɑ̃piŋ /

nasales

/ɛ̃/	matin	/ matɛ̃/
	plein	/ plɛ̃ /
	bien	/ bjɛ̃ /
	timbre	/ tɛ̃br /
	main	/ mɛ̃ /
/ ɑ̃ /	quand	/ kɑ̃ /
	vent	/ vɑ̃ /
	champ	/ ʃɑ̃ /
	temps	/ tɑ̃ /
/ ɔ̃ /	bon	/ bɔ̃ /
	comble	/ kɔ̃bl /
/ œ̃ /	lundi	/ lœ̃di /
	parfum	/ parfœ̃ /

semi-consonnes

/ j /	pied	/ pje /
	yeux	/ jø/
	travail	/ travaj /
	paille	/ paj /
/ w /	oui	/ wi /
	sandwich	/ sɑ̃dwitʃ /
/ ɥ /	huile	/ ɥil /

Index

f

g

h

i

j

l

q

V

Y